EL TEATRO EN MÉXICO
EN LA ÉPOCA
DE SANTA ANNA

Tomo I   (1840-1850)

GRAN TEATRO DE SANTA ANNA
(Enlla calle Vergara)

INSTITUTO DE INVESTIGACIONES ESTÉTICAS

ESTUDIOS Y FUENTES DEL ARTE EN MÉXICO ● XXX

LUIS REYES DE LA MAZA

EL TEATRO EN MÉXICO EN LA ÉPOCA DE SANTA ANNA

Tomo I (1840-1850)

UNIVERSIDAD NACIONAL AUTÓNOMA DE MÉXICO

MÉXICO, 1972

Primera edición: 1972

ESTUDIO PRELIMINAR

La "Guerra de los Pasteles" impidió que hubiese en la capital de la República un movimiento teatral digno de tomarse en cuenta, y por ello de los años de 1839 y 1840 sólo tenemos la breve noticia que la marquesa Calderón de la Barca nos da en su Carta VIII de *La vida en México*, sobre el estado del Teatro Principal, que era por demás lamentable. En cambio, en 1841 sale a la luz una de las revistas más interesantes sobre teatro que se hayan publicado en México: *El Apuntador*, del cual reproducimos en este tomo buena parte de los artículos que nos parecieron más importantes, como la biografía de Soledad Cordero, una de las primeras actrices con que contó la escena mexicana, discípula de la famosa Agustina Montenegro, actriz que mucho dio que hablar por su arte y sus escándalos en los últimos años del siglo XVIII y en la primera década del XIX. Soledad Cordero se dedicó a las tablas desde la edad de nueve años en calidad de bailarina en compañía de Andrés Pautret, el pionero de los coreógrafos en México. En 1841, cuando Soledad contaba con veinticinco años y apareció esta nota biográfica en *El Apuntador*, ya era célebre como actriz y formaba una excelente pareja con el actor cómico, también mexicano, Antonio Castro. El autor de la breve noticia sobre esta actriz hace notar con admiración que a pesar de estar rodeada "de los peligros consiguientes a la posición difícil en que la coloca su profesión", se había sabido mantener virtuosa y honrada. Tal parece que desde siempre se ha considerado a quienes se dedican al teatro como unos seres monstruosos llenos de lascivia y de disipación, concepto que aún en nuestros días perdura, no porque en verdad los actores y actrices sean más humanos que el resto de la sociedad, sino porque hombres públicos como son, su vida es conocida de todos, mientras que la del resto de la humanidad permanece más o menos en el incógnito. Soledad Cordero continuó su carrera virtuosa y triunfal por unos cuantos años más, ya que muere en 1847 a la edad de treinta.

7

Un nuevo teatro abre sus puertas en mayo de 1841, llenando de alborozo a los capitalinos, quienes no contaban con más lugares de recreo que el Teatro Principal y el Provisional o de los Gallos, este último sin techo. El Teatro de Nuevo México, situado en la hoy esquina de Dolores y Artículo 123, tenía una entrada poco ostentosa y más bien parecía una casa habitación, pero en su interior, según nos cuenta don Antonio García Cubas en su *Libro de mis recuerdos*, el local "ofrecía un aspecto decente por sus palcos pintados de blanco mate con filetes dorados, por los retratos de autores y artistas en claroscuro que adornaban los antepechos, y por su cielo raso bien pintado y telón con alegoría muy complicada, que ofrecía, además, el siguiente dístico escrito en grandes letras:

No es el teatro un vano pasatiempo;
escuela es de virtud y útil ejemplo.

El cronista de *El Apuntador*, al hacer la relación de la noche de la inauguración del Teatro de Nuevo México, tranquilamente se niega a describirnos el teatro, y sólo señala que el telón le pareció bello, aunque no entendió la alegoría que lo adornaba, siendo al menos más sincero que García Cubas, quien, cauto, sólo dice que era "complicada". El cronista se queja de lo estrecho de las lunetas y de la pequeñez del cojín, antes de reseñarnos la función de estreno, que fue, por fortuna, con *El torneo*, pieza del autor mexicano Fernando Calderón, ya estrenada en el Principal algunos años antes y precisamente por Soledad Cordero, pero a la que el crítico de *El Apuntador* considera como de estreno mundial en ese año de 1841 y no encuentra si hablar bien o mal de esta producción romántica mexicana. El Barba, seudónimo con el que escribía el cronista, es el antepasado directo de los críticos teatrales mexicanos contemporáneos, quienes pugnan siempre por quedar bien con Dios y con el diablo y no se deciden a tomar partido definitivo. Así, El Barba dice que Calderón escribió "un buen drama que ocupa el primer lugar en la moderna literatura mexicana", y dos líneas después leemos asombrados: "La acción es demasiado lenta en los tres primeros actos y pesadísima en el último", para de inmediato decir que pese a ese defecto la obra tiene "un bien seguido diálogo y una multitud de hermosas escenas", y sin embargo, poco después nos hace saber que el público había aplaudido y silbado *ad libitum*. La crítica teatral mexicana, siempre distinguiéndose por su claridad y su valentía. De ese mismo Barba tenemos en 1841 una

8

crónica de *El Trovador*, el drama romántico por excelencia, debido a la pluma del poeta español Antonio García Gutiérrez, y al que años más tarde Giuseppe Verdi pusiera música e inmortalizara a Manrique, a Leonor y a Azucena.

San Agustín de las Cuevas, o Tlalpan, le dio a otro anónimo escritor de *El Apuntador* material excelente para legarnos uno de los primeros artículos costumbristas, cuando aún faltaba un año para que el joven Guillermo Prieto se dedicase al periodismo, y ganas me dan de imaginar que este *Verdad* con que aparece firmado el artículo en cuestión, no haya sido original de Casimiro del Collado o de José María Lafragua, directores de *El Apuntador*, sino que sea el primer seudónimo de Prieto, quien ya contaba en 1841 con veintitrés años de edad y bien pudo ser ésta una de sus primeras colaboraciones. Ya sabemos que don Guillermo usó en su larga vida diversos seudónimos, como el de Don Simplicio, Don Benedetto, El Romancero, Zancadilla, además del famoso Fidel con que firmó la mayor parte de sus artículos. En éste sobre San Agustín de las Cuevas, el escritor que se oculta tras la *Verdad*, nos relata desde el instante en que aborda la diligencia en el callejón de Dolores, y después de una larga hora de camino en que contempla la gran variedad de carruajes que se dirigen presurosos a Tlalpan, desde el jinete solitario hasta el coche de lujo con toda una familia, sin olvidar las carretelas y los simones. Todos los habitantes de la capital que podían hacerlo, se dirigían a Tlalpan a divertirse con los bailes y a comer en las cien fondas que abrían sus puertas, pero, sobre todo, a probar fortuna en las mesas de juego, donde los albures de la baraja dejaban en la miseria a la mayor parte de los concurrentes, lo mismo que en los palenques de gallos. La descripción que se hace en este artículo a que nos referimos sobre un "monte de buen tono", o sea una mesa de juego concurrida por personas pudientes, es inmejorable. "¡Mira a esos hombres con los ojos desencajados, la vista fija en los naipes y el pensamiento en lo sota o en el siete, fincando su porvenir y su honor en un golpe de la suerte!" Después, el cronista abandona la sala de juego y asiste a una pelea de gallos, donde acaba de entristecerse al ver "jugar la suerte de un hombre con las agonías de un animal, cuya muerte divierte a una multitud imbécil". Pero después de comer, *Verdad* se alegra con el espectáculo de las familias pasando un sano día de campo, y luego, por la noche, asiste a uno de tantos bailes que tenían lugar en el pueblo. En uno de ellos, el articulista se burla de las viejas generaciones que no comprenden a la juventud, pues escucha decir a una anciana: "¡Qué diferencia entre

9

la agradable variedad de aquellas contradanzas y la insufrible monotonía de las cuadrillas, entre la sublime majestad del minué y el barullo de la ga'opa!" Las frases se repiten desde los tiempos más lejanos y sólo cambia el nombre de los bailes. Pero a pesar de haberse divertido en el día de campo y en el baile, *Verdad* abandona al día siguiente San Agustín de las Cuevas, y sumido en su bamboleante asiento de la diligencia, dedicó al pecaminoso pueblo de Tlalpan estos dos versos originales del duque de Rivas:

> Era un sepulcro de luciente mármol,
> de podredumbre y de gusanos cárcel.

Este mismo *Verdad*, que hacía honor a su seudónimo y no se andaba con hipocresías como el Barba del que hab'amos hace poco, concurre un mes después, en junio de 1841, al Teatro Principal para darnos a conocer, en forma más amplia y más disgustada que la marquesa Calderón de la Barca, el estado del local. Es interesante saber que la iluminación del escenario consistía en doce quinqués como candilejas y algunos más entre uno y otro palco, así como el candil grande central que poseía quince o veinte luces. El primer acto de la comedia se podía ver más o menos bien, pero ya para el segundo se habían apagado siete u ocho quinqués, de modo que la penumbra reinaba en el escenario y más que verse se escuchaba a los actores y al apuntador, si es que se resistía el mal olor que despedían los quinqués aún encendidos, los que además goteaban el aceite sobre los vestidos de las señoras y las levitas de los caballeros. *Verdad* preguntaba con tristeza si algún día se iba a construir el gran teatro que estaba proyectado para levantarse en la calle de Vergara, pero el cronista se contesta que sólo eran promesas, como el arreglo de la hacienda pública, de las reformas a los códigos y de los primeros ferrocarriles en México. Por fortuna, *Verdad* se equivocaba al menos en parte, pues los ferrocarriles y el gran teatro pronto estarían funcionando en la República.

Otro escritor de *El Apuntador*, con el seudónimo de Fabricio Núñez, nos ha dejado una deliciosa descripción del modo como se comportaban los asistentes al Teatro Principal, y seguramente también los del Nuevo México. Algunos caballeros asistían al teatro como lo harían a un club o a La Lonja, y desde las lunetas discutían sus negocios a voz en cuello aun cuando la representación ya hubiese comenzado. Otros entraban al salón a medio acto pisando fuerte y "gargajeando", para usar la delicada expresión del articulista, con el objeto de llamar la atención de las damas. A otros les tenía también sin cuidado lo que sucedía en el escenario y pasaban el tiempo enfocando sus gemelos de teatro hacia los palcos o hacia la galería. La costumbre que tanto molestaba a la marquesa Calderón de la Barca, o sea la de fumar en la luneta, seguía practicándose con todo entusiasmo, y era tal el humo que se elevaba desde el patio hacia los palcos, que algunas damas terminaban mareadas sin saber si aquella indisposición se debía al humo de los habanos o a las escenas truculentas que presentaban los dramas románticos, en los que abundaban los venenos, las dagas y los supuestos incestos. Otra costumbre que ya se practicaba en 1841 y que hasta la fecha es inherente al mexicano, es la de levantarse antes de que termine el espectáculo (antes en el teatro, ahora en el cine) y haciendo mucho ruido al salir del salón. En 1841, y según don Fabricio Núñez, se hacía esto para situarse a tiempo en el vestíbulo y ver la salida de las señoras, y en nuestros días es tan sólo para no hacer cola en los estacionamientos, con lo que estamos en desventaja con nuestros antepasados.

En julio de 1841 vuelve a representarse el drama de otro de nuestros distinguidos dramaturgos del romanticismo. *Muñoz, visitador de México*, de Ignacio Rodríguez Galván, había sido estrenada en 1838, alcanzando un triunfo absoluto, por lo que los empresarios decidieron reponerla y tenemos así un juicio crítico de otro anónimo cronista, esta vez escondido bajo el seudónimo de *El Galán*, quien al igual que *El Barba*, ataca y defiende, tira el golpe y esconde la mano. Nos dice que la versificación es "hermosa, fluida y correcta", que los pensamientos sos "atrevidos, nobles y aun sublimes", pero que la acción es lenta y los diálogos demasiado largos. Pero lo que nos hace sonreír es que *El Galán* se enfurece porque la protagonista, al ver el cadáver de su esposo que ha sido muerto por el feroz visitador Muñoz, cae muerta por la impresión. "La muerte natural no se tolera en el teatro", dice este Galán influido hasta la médula de romanticismo, y pide que la esposa se dé una puñalada, o se tome un veneno, o se dispare un arcabuz en el cuello. Cualquier cosa truculenta pero efectista, y no una muerte por impresión, o sea "natural". Ya se ve que el romanticismo tenía también sus apasionados que sólo justificaban la muerte por suicidio, como Werther se lo sugirió a Manuel Acuña treinta años después.

Al saberse en los primeros meses de 1841 que al mediar el año llegaría a la capital una compañía de ópera italiana, el gobierno decidió que el Teatro Provisional, o de los Gallos, fuese remozado y techado,

11

para recibir dignamente a los cantantes europeos. Para julio el humilde teatrillo quedó como nuevo y hasta la calle fue empedrada. El interior del salón fue iluminado con noventa quinqués, algo verdaderamente sorprendente y que convertía al teatro en "una ascua de oro". El escenario se amplió y se construyeron camerinos; en los palcos se colocaron adornos de guirnaldas con hojarascas, y los palcos de galería fueron decorados con "aspas romanas floreadas". El foso de la orquesta se limpió y el telón fue cambiado por un lujoso terciopelo verde con cordones dorados. Todo estaba listo para la temporada de ópera, pero a pesar de tanto ornato, los espectadores tenían que llegar al teatro cubriéndose las narices con pañuelos perfumados, ya que la acequia de aguas negras no había sido tapada a pesar del nuevo empedrado, y los olores que despedía se colaban hasta el interior del salón, molestando también a los cantantes, sobre todo cuando tenían que inhalar con fuerza para dar un *do* de pecho en alguna aria.

Con la ópera que abría siempre las temporadas y que como una superstición de las empresas la harían una costumbre a lo largo de todo el siglo XIX, dio comienzo la de 1841 en México. *Lucía de Lamermoor* fue cantada por la soprano Anaida Castellan, quien no dejó muy satisfechos a los aficionados. El resto de la compañía lírica no era nada del otro mundo, pero la sociedad capitalina estaba deseosa de asistir a funciones de ópera, género indispensable para el romanticismo, y la empresa vio el remozado Teatro de los Gallos, que había cambiado también su nombre por el más elegante de Teatro de la Ópera, lleno de una concurrencia dispuesta a gozar con el *bel canto*. Los empresarios prometieron al público un año no interrumpido de representaciones, y para ello vendieron, o por mejor decir, trataron de vender abonos para noventa funciones al precio de ochenta y seis pesos una luneta, o un palco por quinientos cuarenta. Los aficionados, por más que lo fueran, no tenían esa exorbitante cantidad para pagarla de un solo golpe, y por otra parte no querían arriesgarse a soltar su dinero con tanta anticipación ante el peligro de que la compañía se disolviera a los pocos meses, como sucedía con todas. Así, muy pocos fueron los abonos vendidos, pero en cambio los boletos para cada noche se agotaban en cuanto se ponían a la venta. La empresa decidió bajar de las nubes y vender abonos mensuales por nueve funciones al precio de nueve pesos la luneta.

En 1841 aún no surgía a la fama Giuseppe Verdi, pero Bellini y Donizetti eran los compositores más socorridos, sobre todo el segundo, que componía óperas como Lope de Vega escribía comedias. Bellini murió muy joven y Rossini había dejado de componer porque, según nos cuenta un romántico cronista, el Cisne de Pésaro sabía que no podría escribir algo mejor que *El barbero de Sevilla*. Donizetti quedó como monarca absoluto en la composición operística hasta que fue destronado por Verdi. Por tanto, en la temporada de 1841-42, el público escuchó la *Lucía, Belisario, Lucrecia Borgia, Gemma di Vergy* y algunas más de don Gaetano, mientras volvía a deleitarse también con las partituras de Bellini y de Rossini. Salieron al escenario óperas de autores menores, como Mercadante y Vaccay, y los empresarios, *rara avis*, cumplieron su promesa y mantuvieron la temporada casi el año ofrecido, pues comenzó sus trabajos en agosto de 1841 y los concluyó en junio de 1842. Pudo lograr semejante proeza gracias al refuerzo que recibió en la persona de la soprano Rosina Picco, quien cautivó a los oyentes desde su primera salida y se convirtió en el ídolo de los capitalinos durante más de tres meses. En junio de 1842 se disolvió la compañía, pero justo es hacer notar que fue la única en todo el siglo XIX que logró mantenerse por diez meses ininterrumpidos ofreciendo funciones líricas.

En el Principal la compañía dramática de Miguel Valleto continuaba su temporada a base de dramas plenamente románticos que tan del gusto eran de los espectadores, como *El castillo de San Alberto, La plegaria de los náufragos, Carlos II el hechizado, Hernani, Pelayo, El pilluelo de París, Angelo* y muchos más, y con las comedias costumbristas españolas de don Manuel Bretón de los Herreros, autor que supo llenar los teatros de España y Latinoamérica durante más de cincuenta años. Junto al buen actor que era Valleto, español de origen y llegado a México en 1831, sobresalían Soledad Cordero y la señora Doubreville, quienes interpretaban las partes femeninas. Antonio Castro era una garantía para los papeles cómicos, de modo que la temporada en el Principal caminaba con éxito sin sentirse afectada por la competencia que le hacía la ópera. En una función en que se representaba la comedia *Lord Lavemont*, Antonio Castro tuvo la ocurrencia de pronunciar la *c* y la *z*, porque, según declaró, así era como debía hablarse el castellano. El escándalo que provocó entre el auditorio fue mayúsculo, puesto que a veinte años de cimentada la Independencia, y a pesar de tener México relaciones con España, los mexicanos no soportaban nada que les recordase la dominación española sufrida por trescientos años. La diferencia en la pronunciación del castellano era uno de los timbres de gloria para el mexicano, que así hacía notar su nacionalidad. Por ello cuando escuchó a un actor mexicano convertirse en

13

español por pruritos académicos, no se le consintió y al día siguiente se fijaron en las partes más visibles del teatro unos pasquines en los que se pedía a Antonio Castro que si quería seguir pronunciando como en España, se fuese a "Gachupia". *El Galán*, desde *El Apuntador*, salió en defensa de Castro y de sus seguidores, que eran los actores Servín, Salgado y Castañeda, también mexicanos y que también pronunciaban. El cronista aconseja a Castro no arrepentirse de su "plausible propósito", sino que, por el contrario, "debe tomar el mayor empeño sin importarle las burlas". Por fortuna, a Antonio Castro sí le importaron esas burlas y bien pronto volvió a hablar en el escenario como se hablaba en México y la costumbre fue desterrada para siempre.

El pueblo no tenía un lugar de esparcimiento. El Teatro Principal era para los elegantes aunque no lo parecieran según hemos visto cómo se comportaban; el de Nuevo México estaba recién inaugurado y cobraba precios que no estaban al alcance de todos los bolsillos, y el de los Gallos, que había sido el teatro populachero, se había vuelto de la noche a la mañana más elegante que ninguno al ser ocupado por la compañía de ópera. Por ello, en noviembre de 1841 se inauguró el Teatro de la Unión, en la calle de Puente Quebrado, cerca de la tercera calle de San Juan de Letrán. Un anónimo cronista más de los que escribían en *El Apuntador*, y que quizá todos fueron uno solo, asistió una noche a ese teatro y quedó escandalizado ante los gritos de la concurrencia, que se metía con los actores no dejándolos hablar y exigiendo que en lugar de comedia se diese un baile. Otro espectador lanzaba insultos al apuntador pidiéndole que se callara, otro más exigía a un actor que se quitara los guantes porque le parecía demasiado elegante. Así se divertía el pueblo de escasos recursos en 1841, cosa que el afectado cronista de *El Apuntador* no comprendió:

> Desearíamos que las autoridades tomasen medidas contra esta clase de espectáculos, aconsejando al mismo tiempo a los padres de familia se abstengan de asistir con sus hijas o hijos.

Sin embargo, pide a los escritores de costumbres que asistan "porque allí está el público libre y en pleno uso de sus derechos". En esta crónica descubrimos que en ese humilde Teatro de la Unión hacía sus primeras salidas un actor que más tarde sería el preferido de todo el público elegante de la capital: José Merced Morales.

El Apuntador no vivió por mucho tiempo. Algunos meses después de publicarse, anuncia su retiro de la circulación y el escritor con el seudónimo de *Verdad*, que ahora sí no nos cabe duda que era cualquiera de los dos directores de la revista, José María Lafragua o Casimiro del Collado, publica en el último número "El testamento de *El Apuntador*", que es una pequeña joya para la ilustración del estado del teatro en México en aquellos tiempos y una excelente muestra de humorismo. En su testamento, la revista ordena que su cuerpo sea amortajado, es decir, encuadernado "ya que no en tafilete como desearía, al menos en regular pasta o siquiera a la holandesa", para recibir sepultura digna en un librero. Pide encarecidamente que sus hojas no sean usadas para envo'ver artículos comestibles y que se le diga "un buen drama de cuerpo presente" acompañado de ópera y de baile. Declara morir satisfecho por el estado del teatro, pues deja dos salas bastante buenas como eran el Principal y el Nuevo México, y un teatro de ópera con una no muy completa compañía, por lo que sugiere se importen nuevas voces de Italia. Asimismo, deja comenzado el Gran Teatro Nacional en las calles de Vergara, y confía en que dos años después será inaugurado, con lo que comete una ligera equivocación, pues no sería sino hasta tres años después, en 1844, que el Gran Teatro comenzaría a funcionar. Continúa dando consejos a los principales actores, siendo uno de esos consejos uno que resulta muy interesante en nuestros días al ver que hace ya ciento treinta años se luchaba por desarraigar vicios escénicos que por desgracia perduraron hasta bien entrado el siglo xx, como fue la costumbre de que los actores interrumpieran la representación cuando eran aplaudidos por el público y se levantasen de sus asientos a dar las gracias. *El Apuntador* pide que no lo hagan para no romper la ilusión que crea el teatro: "Cuando los espectadores aplauden, el actor debe callar y no moverse." También les encarece a los cómicos que no dirijan al público los "apartes", otro vicio de construcción dramática por parte de los autores que prevaleció por setenta años más. Insiste en sus regaños a los espectadores para que no abandonen la sala antes de conc'uir la represen'ación y para que no charlen de negocios en plena función, suplicándoles que si quieren hacerlo vayan a La Lonja o a algún café. Habla luego de las publicaciones que desaparecieron mientras él vivió y de las que aún seguirán viviendo, y le sirvieron de testigos para su testamento las revistas: *El Mosaico Mexicano, El Semanario de las Señoritas* y *El Semanario de la Industria*. Repetimos la importancia que tiene este testamento para comprender el movimiento de nuestro teatro en 1841. *El Apuntador* fue una de las mejores publicaciones teatrales que han salido de las prensas mexicanas en todos los tiempos y lamentamos en verdad que haya sido tan corta su existencia,

15

pero así ha sucedido siempre con las revistas que tratan asuntos de la escena: el lector les vuelve las espaldas con esa indiferencia con que se ha visto al teatro en México desde hace siglos.

En 1842 contamos con un buen material para nuestras investigaciones, puesto que es el año en que un joven escritor mexicano se dedica a la crítica teatral con entusiasmo y conocimientos. Este joven se llamó Guillermo Prieto y el famoso seudónimo de Fidel aparece invariablemente al pie de todas sus crónicas sobre teatro. Este material ha sido hecho a un lado por los estudiosos del costumbrista mexicano, y jamás ha sido recopilado. En este tomo podrá el lector encontrar todas y cada una de las críticas teatrales escritas por Fidel desde 1842 hasta 1849, y en ellas, a la par que la noticia sobre tal o cual obra, está presente el humorismo de Prieto y el estudio de sus contemporáneos. El primer artículo teatral lo publica Fidel el 31 de marzo de 1842 en *El Siglo XIX*, periódico de reciente aparición y que iba a subsistir hasta finales de la centuria convirtiéndose en el diario más importante de México. Esta primera crónica de Fidel trata sobre la comedia del autor español Isidoro Gil intitulada: *Un secreto de familia*, y comienza con estas palabras su profesión de crítico:

En el nombre de Dios hablo de teatros, y Él ponga tiento en mi pluma, pues si no lo remedia su Divina Majestad, diré disparates a roso y velloso, que es materia resbaladiza de suyo y para escritores noveles resgosa, como caminar en mi tierra por diligencia.

Luego sigue criticando el estado del Teatro Principal con esa su ironía tan característica, para después contarnos íntegramente el argumento de la comedia, intercalando siempre sus comentarios chispeantes. Elogia con calor a los intérpretes y termina lleno de contento:

Ojalá siempre me ocupe de esta manera del teatro, que mi pluma corre suelta y mi corazón queda complacido después de poner un artículo como el precedente.

Pero poco menos de un mes más tarde, Prieto vuelve a ocuparse de una función teatral y se nota en esta su segunda crónica que maldita la gana que tenía de hacerla, de modo que se contenta con trasladar una larga escena en verso de la comedia de Bretón de los Herreros intitulada: *De lo vivo a lo pintado*, para demostrarnos que tenía razón al llamar a Bretón "el príncipe de los versificadores modernos en nuestro idioma". Tres días después, el 27 de abril, Prieto se ocupa del estreno en la capital del mejor drama de Ignacio Rodríguez Galván, *El privado del virrey*, pero desgraciadamente se niega a darnos un juicio crítico de la obra de su compatriota porque no quiere dejarse llevar de la parcialidad a que lo conduciría su amistad con el también muy joven autor dramático. Se limita, por tanto, a hablar del desempeño de los actores y a elogiar la labor de Antonio Castro y la de Soledad Cordero, para terminar criticando la impropiedad de los trajes y de los muebles usados en escena.

Otro joven escritor, al ver que su más íntimo amigo se había metido a crítico teatral, toma también la pluma y se lanza por el mismo camino. Manuel Payno, el novelista mexicano que llegaría a ser famoso con sus *Bandidos de Río Frío*, escribe desde las mismas columnas de *El Siglo XIX* sus crónicas sobre representaciones escénicas, usando el seudónimo de Yo. De la primera obra de que se ocupa es de la tragedia de Quintana, *El Pelayo*, y su artículo, aparecido en julio de 1842, quizá pueda considerarse mejor que los de Prieto, puesto que si bien usa el humorismo, sus conceptos sobre la obra y sus intérpretes llegan a ser más profundos y más claros. Desgraciadamente, en su segundo artículo, pocos días después, cae de nuestra gracia porque se pone a pedir a gritos que la censura teatral prohíba dramas como el titulado *Carlos II el hechizado*, de Gil y Zárate, y llega en su furia hasta volverse reaccionario:

¡Esas pasiones volcánicas, esa refinada maldad!, deben quedarse para que la estudien en la historia los hombres maduros y no para que se presenten en un teatro a donde concurre toda clase de gente decente.

Estos errores de las personas de reconocido talento no han dejado de repetirse a lo largo de los años, pues no hace muchos meses que un conocido intelectual y crítico de arte pedía que la censura cinematográfica fuese más estricta.

En junio de ese año de 1842, el diario *El Faro de La Habana* publica un extenso artículo laudatorio sobre dos autores dramáticos mexicanos: Fernando Calderón e Ignacio Rodríguez Galván. *El Siglo XIX* se apresura a reimprimirlo para que sepan los capitalinos que el talento de los escritores nacionales ya había traspasado las fronteras y hasta los mares. Claro está que ese artículo fue debido a que su anónimo autor hizo amistad con Rodríguez Galván, quien había sido enviado por el gobierno como secretario de la legación mexicana cerca de los gobiernos sudamericanos, y un mes después de haber llegado a La Ha-

17

bana contrajo el terrible vómito negro, que tantas víctimas hacía en las costas, y falleció el 25 de julio de 1842, a los veintiséis años de edad, después de haber dado a la escena dos dramas que ahora son más importantes que nunca por ser característicos del romanticismo mexicano: *Muñoz, visitador de México*, y *El privado del virrey*. La importancia de Rodríguez Galván es aún mayor porque fue, junto con Fernando Calderón, el primer autor que abordó en sus comedias asuntos mexicanos; en el caso de Calderón, críticas a la sociedad de su época, y en el de Rodríguez Galván asuntos históricos de la Colonia. El joven poeta dramático era muy querido por todos los intelectuales de su tiempo, de modo que al recibirse la noticia de su prematura muerte, la conmoción sentida en la capital fue muy grande. *El Siglo XIX* le dedicó una larga y sentida nota necrológica por la que podemos rehacer la breve existencia de Rodríguez Galván y enterarnos de su miserable y triste vida. Galván fue, junto con Guillermo Prieto, José María Lacunza y Joaquín Navarro, fundador de la Academia de San Juan de Letrán, la primera institución que reunió a los artistas mexicanos y luchó por extender la cultura en el pueblo. Rodríguez Galván como poeta y como dramaturgo tiene ya un lugar importante dentro de nuestra literatura, puesto que siempre que se habla de los escritores teatrales del siglo XIX en México, tres son los nombres que se mencionan de inmediato: Manuel Eduardo de Gorostiza, Fernando Calderón e Ignacio Rodríguez Galván.

Las ascensiones en globo continuaban siendo uno de los principales atractivos para el pueblo mexicano, por lo que frecuentemente llegaban a la capital "aeronautas" europeos o norteamericanos con sus enormes fardos y aparatos para producir el gas hidrógeno que inflaría sus globos. En agosto de 1842 el francés Juan Berthier anuncia desde los diarios su quinta ascensión en la Plaza de Toros de San Pablo, con el atractivo de que su perro Minito subiría con él a los aires y sería devuelto a tierra en paracaídas, y además "el intrépido físico y aeronauta" invitaba a los jóvenes mexicanos que quisieran hacer el viaje con él para que se lo notificasen de antemano. No es necesario decir que esperó en vano que su invitación fuese atendida, pues nadie se presentó con intenciones de visitar las regiones aéreas. La mañana del día señalado Berthier se elevó en su "Globo Monstruo", el más grande que hasta entonces se hubiese visto en México, y después de saludar desde lo alto a la concurrencia, el viento empujó el globo y atravesó la ciudad. Una vez en el campo, Berthier descendió con felicidad, mas al tocar tierra un grupo de indignados campesinos se lanzó contra él no sabemos si por terror al ver bajar del cielo aquella monstruosa ave gorda, o bien porque el aparato destruyó las siembras. Berthier fue golpeado y el globo destrozado, y de no haber llegado la policía tan oportunamente, quizá el aeronauta se hubiese elevado al cielo sin necesidad de globo alguno.

El bueno de Guillermo Prieto sabía bien en lo que se metía al ser crítico teatral, y por ello después de estar tres meses sin escribir sobre asuntos de la escena, cuando vuelve a ocuparse de ella se pregunta sonriente:

¿Más de tres meses Fidel sin hablar, sin que lo amenacen palizas de cómicos ni críticas mordaces, sin que se diviertan, sino con sus chistes, con su reputación?

Y es que Fidel sabía que cuando un crítico no habla bien de los actores, es blanco de todas las iras o de todo el desprecio de quienes se ocupa, no así cuando se expresa en términos elogiosos de los cómicos, que entonces se convierte en el mejor cronista teatral del momento. Por ello Fidel se burla de sus atacantes o de sus lisonjeadores y toma la crónica teatral con sentido del humor, única forma de hacerlo en un país en que hasta la fecha el teatro no es tomado en serio ni siquiera por quienes viven de él. En ese mismo artículo Prieto nos da la razón al decir: "Algunos dudan si hay teatro, si los actores merecen tal nombre y si el público que los califica es propiamente público." Después de demostrar en una forma breve lo deficiente de la última comedia de Bretón de los Herreros estrenada en el Teatro Principal, termina con otro rasgo de humor explicando por qué se firma Fidel si todos en la capital saben que es Guillermo Prieto, y para ello transcribe este párrafo de José Mariano de Larra, el gran crítico literario español que usaba el seudónimo de Fígaro:

Quedábame aún qué elegir un nombre muy desconocido que no fuese el mío, por el cual supiere todo el mundo que era yo quien esos artículos escribía; pero esto de decir *yo soy fulano*, tiene el inconveniente de ser claro y entenderlo todo el mundo, y tener visos de pedante, y aunque lo sea, bueno es y muy bueno no parecerlo.

En la siguiente crónica de Prieto, correspondiente al 23 de noviembre de 1842, el chispeante escritor se decide totalmente por elaborar sus críticas teatrales a base del humor y al mismo tiempo hacer con ellas cuadros costumbristas para que tuviesen más valor que como sim-

19

ples críticas de obras efímeras. En este artículo Prieto usa el diálogo breve, rápido, diario, que tan querido era para él en todos sus cuadros de costumbres, para contarnos la excitación reinante en el Teatro Principal debido a que iba a ser remozado, y, sobre todo, limpiado, "algo que necesita con urgencia", pero una vez que se ofrece la primera función, Fidel ríe a carcajadas al ver que el teatro ha quedado igual que antes y que la concurrencia, de la que nos hace una viva descripción, también sigue comportándose igual. Pasa luego a criticar una comedia deleznable titulada *Don Trifón*, pero termina diciéndose a sí mismo que sus diatribas de nada sirven, puesto que la comedieta gustaba mucho a los espectadores.

La comedia arrancó aplausos y todos salieron con sus caras risueñas, y esto es lo que importa al público y a los actores, y que se muerdan los codos de rabia los críticos pedestres.

Ni el público ni los críticos han cambiado en los últimos ciento treinta años. Obra que guste a la crítica especializada, será un seguro fracaso de taquilla, y en cambio aquellas comedias que los cronistas deshacen desde sus columnas, obtienen un franco éxito y permanecen meses enteros en el cartel. Ya conocía bien Guillermo Prieto la inutilidad de sus críticas, y por ello, repetimos, prefirió hacer de ellas artículos costumbristas y humorísticos. Así vuelve a hacerlo el 9 de diciembre de 1842, en un largo y jugoso artículo en el que promete sólo escribir alabanzas hacia el teatro y sus actores, para librarse de las amenazas anónimas de propinarle una paliza si continuaba burlándose de quienes trabajan en el teatro. Fidel promete, pero el cumplimiento de su palabra no es más que otro motivo para dar salida a su buen humor, y así, le parece de perlas que los coches atropellen a los peatones a la entrada de los teatros, que la acera esté llena de hoyancos, que los pasillos de la sala sean por demás estrechos, que los espectadores rían y conversen, que el teatro esté casi a oscuras, etcétera. Le parece bien, según él, pero no deja de criticarlo todo con agudeza. Líneas después, pasa a contarnos el argumento de la pieza francesa intitulada *Dos celosos*, la que le sirve para lanzarse en contra del romanticismo y de los daños que provoca con su cauda de suicidios. Reprocha a Goethe el haber escrito su Werther, personaje que se llevó de la mano a la tumba en el siglo pasado a cientos de adolescentes de los dos sexos que se daban la muerte a la primera decepción amorosa. "Ésta es la insana moral de Werther... la perniciosa escuela de Byron." Creemos que es una de las pocas veces en que Prieto se puso demasiado moralista.

20

Fidel se aburre al hacer crítica de teatros, y también se cansa de criticar lo que no tiene remedio, como son los malos actores, de modo que decide elaborar sus crónicas en verso festivo, al estilo de su "Musa callejera", que desarrollaría años más tarde. La crónica de una obra eminentemente romántica la hace Prieto en quintillas como éstas:

Y haya público que goce,
y haya siempre abono exacto,
y haya un siglo en cada entreacto,
y no se quebrante el pacto
de salir siempre a las doce.

Yo entre tanto en el ridículo
ejercitaré el pincel,
no en anónimo papel,
porque al pie de cada artículo
pongo mi nombre: Fidel.

En efecto, el buen Fidel siguió escribiendo sus crónicas en verso, y así tenemos la siguiente, en el mismo año de 1842, que está en cuartetas humorísticas y donde continúa criticando el mal estado del Teatro Principal, cuyos empresarios tenían oídos de mercader:

¿Escuchasteis un murmullo?
¿Fue un chiste, una voz grata?
No, señores, una rata
del palco municipal.

Despierta, teatro mío,
sacude sueño tan largo,
sal de tu aciago letargo,
atiza bien tus quinqués.

Compra gatos, busca escobas,
y cuando aseo y luz sobre,
no te quejarás de pobre
el treinta y uno del mes.

Y mientras espera Prieto que el teatro despierte de su letargo, comienza el año de 1843, siempre con Fidel escribiendo sus crónicas en *El Siglo XIX*, y desde la primera aparecida el 11 de enero, el humorista mexicano continúa burlándose del romanticismo y sus dramas históricos:

21

No hay duda, los románticos, como ellos se dicen, no han dejado estaca en pared, ni títere con cabeza, ni han perdonado ratón vivo, ni gallo muerto, ni rey, ni vasallo, ni alma en pena, arcángel o demonio, y el trono, y el templo, y el lupanar, y el taller, y la bartolina, y el subterráneo, y hasta como Byron, el vacío, han querido ser teatro de sus calenturientas producciones.

No se deja impresionar porque las obras sean de los más famosos escritores románticos, y se lanza a criticar severamente *Solaces de un prisionero*, el último drama del duque de Rivas, uno de los pilares del romanticismo español, no en cuanto a la versificación, que le parece excelente, sino al tema escogido y a la construcción dramática. Transcribe largos trozos de los versos de Rivas, que a pesar de que Prieto los considera muy hermosos, a nosotros nos parecen pedestres y ripiosos.

Después de la cuaresma de 1843, en que los capitalinos pudieron admirar un Nacimiento instalado en veinte piezas de una enorme casa, en abril se ofrece un espectáculo relativamente nuevo: la lucha grecorromana, que se practicaba en jacalones humildes y ante un público que no era el habitual a los teatros del centro de la ciudad. Pero al ver los empresarios la afluencia de espectadores y el gusto que despertaban en todas las clases de la sociedad las luchas cuerpo a cuerpo, alquilaron el Teatro Principal para ofrecer peleas de simple espectáculo con el luchador que se hacía llamar "El Hércules del Norte". El público elegante rechazó este tipo de funciones, por lo que el "Hércules" tuvo que conformarse con demostrar su fuerza doblando varillas de hierro y levantando pesas. Sin embargo, no sería por mucho tiempo que la lucha greco-romana sería vista con desprecio.

A propósito de la presentación de un nuevo actor llamado José Lucio Gutiérrez, y que no sería jamás la primera figura que su ambición le hacía suponer, Manuel Payno escribe un interesante ensayo en defensa de los actores, profesión que era muy mal vista por la sociedad, la que rechazaba indignada el que un joven "de buenas familias" quisiera dedicarse a los escenarios. Si en nuestros días aún prevalece ese rechazo, ya se podrá imaginar lo que era en 1843. Payno trata de convencer al lector que la carrera del actor:

Es noble porque sólo está reservada a los que poseen talento; es honrosa porque demanda un constante trabajo y un estudio; es gloriosa porque un buen actor arrebata, enajena, dispone a su voluntad de las mil sensaciones de los espectadores que lo escuchan.

El inteligente y culto novelista fue el primer escritor mexicano que salió en defensa de una carrera que es tan respetable como cualquier otra, pero que siempre ha sido vista con desdén.

El 11 de junio de 1843 se entrena en el Teatro Principal una de las obras mexicanas más famosas del siglo xix: nos referimos a *Herman o la vuelta del cruzado*, original del poeta jalisciense educado en Zacatecas, Fernando Calderón. Desgraciadamente, ningún cronista se tomó la molestia de reseñarnos ese estreno, si es que lo fue. El silencio de los críticos nos hace pensar que quizá ese drama había sido ya presentado en la capital con anterioridad, pero de lo que estamos seguros es que la fecha anotada arriba es la primera en que se da noticia en los diarios de la producción de Calderón. Ni siquiera Prieto nos dice algo de *Herman*, pero en cambio nos ofrece otra crónica en verso sobre la comedia española *El vaso de agua*, en la que vuelve una vez más a describirnos los escándalos que se suscitaban en los teatros Principal y Nuevo México, llamados por el pueblo, respectivamente, Santa Paula y Belchite, el primero por parecerse al panteón del mismo nombre y el segundo por el rumbo en que se encontraba. Y en la crónica siguiente resuelve dejar a un lado su fingida parcialidad para no tener dificultades y tranquilamente declara:

> ¿Por qué humedecer la pluma
> en tinta de adulación,
> cuando es mi musa tan libre
> como el viento y como el sol?
> Al grano, y pocas palabras,
> y no me arredre el temor
> que me señale Belchite
> con la faz torva a lo sayón.

Y continúa criticando todo cuanto le molesta, desde la ausencia de acomodadores hasta la mala declamación de los actores, sin olvidar el ruido que provocan los espectadores con sus bastones y sus conversaciones, y el pésimo alumbrado del salón, para terminar con una graciosa descripción de lo que era la salida del teatro en noche de lluvia, cuando el público se agolpaba en el pórtico a esperar sus carruajes, quienes lo tenían, o alguno de alquiler, los que ya desde entonces se negaban a dar servicio por las tarifas establecidas. Aquellos valientes que se lanzaban a desafiar la lluvia y trataban de llegar a sus casas a pie, eran bañados de lodo por las ruedas de los coches o atropellados sin remedio en la loca carrera de los caballos azotados por los cocheros para llegar más pronto a su destino:

23

Más peligra una familia
a pie en circunstancias tales,
que con los malos consejos
y con los besos del baile.

El Gran Teatro Nacional o de Santa Anna continuaba a toda prisa levantándose en la calle de Vergara para que don Lorenzo de la Hidalga, su arquitecto, pudiese cumplir la promesa que había hecho en el sentido de que dos años después de colocada la primera piedra, sería inaugurado. Aún faltaban diez meses para que el plazo se cumpliese y nadie ponía en duda que De la Hidalga cumpliría con lo ofrecido. Don Francisco Arbeu, el organizador y principal entusiasta de la construcción del teatro, estaba de plácemes y por ello encargó a uno de sus amigos, o quizá él mismo lo escribió, un largo artículo firmado por un visitante a la capital que se había quedado pasmado ante la magnificencia de lo que sería el Gran Teatro y en el que además de hacer una descripción detallada, se elogia a Arbeu y a don Antonio López de Santa Anna. Pero ese gozo se iría al pozo dos meses después, en agosto, cuando el arquitecto Vicente Casarín, dolido hasta la médula porque su proyecto para el teatro había sido rechazado por el de Hidalga, y más tarde sucedió lo mismo con el proyecto para el monumento a la Independencia que iba a levantarse en el centro de la Plaza Mayor y del que sólo se construyó el zócalo o base que lo sustentaría, y de allí el nombre de zócalo que aún se le da a Plaza Principal de la capital, este arquitecto, decíamos, escribió una carta al diario *El Siglo XIX* denunciando que las obras del Gran Teatro, por los malos cálculos de Hidalga y por el apresuramiento con que se llevaban a efecto las obras, estaba en peligro de venirse abajo en poco tiempo, causando la muerte de cientos de espectadores. Basaba su alegato en el derrumbe de una vieja pared adyacente a la obra en construcción. Esta carta armó un considerable revuelo entre los capitalinos y las autoridades nombraron una comisión de arquitectos para que examinasen las obras. Para mala fortuna de Hidalga y de Arbeu, dos de los miembros de esa comisión eran enemigos personales del arquitecto y amigos de Casarín, de manera que su dictamen fue desfavorable para el teatro. Hidalga apeló de nuevo al gobierno declarando una y mil veces y probando con los cálculos bajo el brazo, que la construcción estaba hecha para durar cientos de años y que los futuros espectadores no correrían el menor peligro. Una nueva comisión, más completa y más imparcial, fue nombrada y su resolución coincidió con todo lo alegado por Hidalga, de modo que éste fue absuelto de toda sospecha y la construcción

24

prosiguió, no sin antes leer don Vicente Casarín una burlona y triunfante carta de Lorenzo de la Hidalga en que le pedía que antes de lanzar juicios como aquél, estuviese seguro de lo que hacía. El Gran Teatro Nacional, inaugurado en 1844, no tuvo la menor cuarteadura en todos los años que funcionó incesantemente, o sea hasta el año de 1900, en que el porfirismo lo derriba para la ampliación de la avenida 5 de Mayo.

También en junio de 1843 llegan a México, procedentes de España, los hermanos Pavía: Luisa, Pilar y Francisco, bailarines, quienes de inmediato se captan las simpatías del público por la gracia y conocimientos con que ejecutaban difíciles y complicados bailables como el Paso Styrien, el Paso Tártaro, el Trípili, Las Manchegas y muchos más. Asimismo, los hermanos Pavía fundaron la primera academia de baile que hubo en México, ofreciendo a las jóvenes y caballeros de la capital la rápida enseñanza de "rigodones, cuadrillas, zapateados, jaleos, gavotas, galopas, mazurcas, lanceros, cosacas, papuris, grecas, boleros, fandangos, jotas y el wals de Strauss", todo ello con "la etiqueta que se observa en París, Madrid y otras capitales de Europa". La academia quedó establecida en la calle de Zuleta número 12 y las clases se impartían de 6 a 9 de la noche. Los hermanos Pavía esperaron en vano a sus posibles discípulos, puesto que nadie se presentó, pero en cambio comenzaron a recibir recados en los que se les pedía fuesen a los domicilios de las señoritas o señoras a impartir sus enseñanzas, pues sería mal visto que las damas de buen tono acudiesen a una academia de esa naturaleza. Por tanto, los Pavía cerraron su establecimiento y corrían de una dirección a otra durante el día enseñando todo su repertorio a quienes lo solicitaban. Si era costumbre que los maestros de piano acudiesen a las casas a enseñar el manejo del instrumento obligado para toda adolescente, no tenían por qué ser menos los profesores de baile.

El 12 de julio, Prieto reseña un drama titulado: *Las primeras campañas de Richelieu* y vuelve a ponerse moralista, mucho más que en otras ocasiones, y se duele que el teatro moderno abordase temas con tanta crudeza, como aquel en que el duque de Richelieu, casado siendo niño, quiere hacer suya a su legítima esposa antes de cumplidos los veinte años, a pesar de que en el contrato matrimonial quedaba establecido que una vez verificada la boda, el duque no volvería a ver a su esposa hasta que ésta cumpliese aquella edad. Todo el drama transcurría en estos alegatos, que molestaron a Prieto y a otros cronistas. La pieza estaba traducida por el hermano de Lucio Gutiérrez, el actor de buena

25

familia recientemente ingresado al teatro. Prieto elogia la traducción, aunque se lamenta porque él hubiese querido:

> Ver empleada tan castiza y fácil traducción en una comedia en que se hubiera ejercitado el claro ingenio del señor Gutiérrez con mayor complacencia del público.

En cambio, días después apareció en el mismo diario *El Siglo XIX* una crónica firmada simplemente con una N, en la que se arremetía en contra de la obra y de su traductor de un modo por demás violento. De la pieza, el furibundo N dice entre otras muchas cosas, que es:

> Una compilación indigesta de absurdos y de inverosimilitudes, un tejido de obscenidades destituido de todo objeto moral y de toda regla de buen gusto.

Pasa luego a examinar la traducción de Gutiérrez y comienza en estos términos nada benóvolos:

> Decir que ella es pésima en su totalidad, sería no decir nada, y calificarla de peor que la misma comedia sería decir algo.

Por ese estilo sigue la crónica, haciéndole notar algunos errores gramaticales, pero llega a tanto el celo de don N, que reprocha a Gutiérrez el uso del verbo escuchar en lugar de oír, con lo que se pasó de listo y cayó él sí en el absurdo. Luego ataca con saña a los actores, comenzando con el hermano del traductor, don José Lucio, de quien también dice que estuvo "pésimo" y que eso le convencerá "de que no es un genio como gratuitamente se le atribuye".

Al día siguiente don N tuvo la contestación que otro anónimo cronista, que sólo firmó con sus iniciales, J. M. T., le envió al mismo periódico, y que no es más que un reproche por atacar a dos jóvenes:

> Que se atreven a poner la planta en la senda difícil y estrecha de la gloria literaria, se les empuje hacia atrás (sólo) porque sus primeros ensayos no han alcanzado la perfección.

La defensa de J. M. T. no satisfizo al traductor Gutiérrez, quien el día 21 del mismo julio se autodefiende, aunque dice que el artículo de J. M. T., "le hizo verter lágrimas de placer y gratitud", pero prefiere decirle personalmente a don N que "su articulejo es solamente un miserable tejido de insultos y disparates", y más adelante lo llama loco, necio y borrico por no saber que el verbo escuchar es tan castellano como el de oír, y que es aún mejor puesto que "escuchar expresa más porque es oír con atención". Sigue contestando punto por punto con inteligencia, aunque en un tono violento que después de todo se merecía N por no atreverse a firmar una crónica en la que insultaba. Don N se guardó muy bien de volver a saltar a la palestra y se quedó rumiando su ira, aunque satisfecho al menos de que nadie supo que había sido él.

Don Manuel Payno escribe en julio de 1843 sobre la presentación de una nueva actriz que llegó a México: Manuela Francesconi, la que iba a permanecer durante muchos años en este país. Su primera salida la hizo desempeñando la Dorina de *Tartufo*, obra que en la "traducción y arreglo" que se hizo en España recibió el nuevo título de *El hipócrita* y así se representó en todos los teatros de habla hispana durante el siglo pasado. Payno se muestra amable con la nueva actriz aunque no comprendemos por qué dice que el papel que desempeñó, "aunque bastante cómico, no es ciertamente de primer orden", puesto que la deliciosa y metiche doncella de la casa de Orgón debe ser un papel de primer orden absoluto. Quizá en el arreglo "hecho por un ingenio español" ese personaje fuese deslucido, o bien la señora Francesconi no supo sacarle todo el partido a que se presta. Payno elogia bastante a doña Manuela, aunque le hace ver dos defectos al andar sobre la escena, crítica que se apresura a justificar diciendo que quizá no sea razonable. Desde luego, la primera actriz indiscutible, sólidamente asentada desde años atrás en el Principal, era María Cañete, quien obtiene en el mismo mes de julio un triunfo muy grande con uno de los primeros melodramas románticos no históricos que llegaron a México: *Cecilia la cieguecita*, título lleno de ingenuidad y hasta de cursilería, puesto que a su autor le sonó demasiado brusco y despiadado el de *Cecilia la ciega*, y prefirió ponerle el diminutivo para inspirar en los espectadores mayor ternura por el personaje. El lacrimoso drama que pintaba los constantes sufrimientos de la "cieguecita" abandonada por todos, alcanzó desde su primera representación un enorme éxito que iba a perdurar por más de cuarenta años y a ser pieza obligada en el repertorio de toda actriz que se respetase.

El Teatro de Nuevo México presentó en agosto de 1843 a un niño contorsionista que causó el asombro de Su Alteza Serenísima y de todo el público asistente. La criatura aparecía en el escenario dentro de una minúscula cajita de madera y de ella salía a un compás de la orquesta para ejecutar diversas contorsiones en las sillas y para imitar a algunos animales. Luego caminaba sobre la cuerda floja y a otro compás de la orquesta se introducía en su cajita ante los incrédulos ojos del público. Luego aparecía un profesor de flauta y ejecutaba unas "difíciles variaciones" sin que nadie lo escuchase, pues todos los asistentes comentaban la elasticidad del "niño prodigioso", quien volvía a salir disfrazado de lagarto o de rana y brincaba por todo el escenario con agilidad. Desaparecía poco después y por el otro lado salía don Agustín Morales, un buen violinista mexicano a quien el hambre obligaba a tocar su instrumento en este tipo de funciones, y ejecutaba a Paganini también sin que nadie le prestase la menor atención. Luego volvía a aparecer el "niño prodigioso" y cantaba una canción española, volvía a contorsionarse, a saltar como rana y por fin bailaba un "gracioso baile húngaro". Don Antonio López de Santa Anna y todo el público poco exigente que asistía a estas funciones, aplaudía entusiasmado. Así se divertía el señor presidente de la República en 1843, cuando no estaba en Tlalpan jugando a los gallos o a los albures.

En la calle de San Francisco número 5 se abrió al público un espectáculo que atrajo una gran concurrencia durante varios días. Se trataba de los primeros juguetes mecánicos llegados a nuestro país y los mexicanos abrían la boca pasmados al ver cómo un pelotón de soldados de Napoleón marchaba rítmicamente, o bien a un payaso que se movía lentamente y presentaba un pequeño plato para que los concurrentes arrojasen en él algunas monedas. En otro cuadro se podía admirar a un oso bailando y a su amo pegándole con un garrote, mientras en otro una carroza tirada por caballos de juguete llevaba dentro a algunos monarcas de Europa. Otros juguetes más completaban la diversión hasta que se pasaba a un cuarto inmediato, donde los espectadores se divertían a más y mejor con un chimpancé amaestrado, quizá también el primero que venía a México, y el que tocaba una campanilla, barría, tocaba el violín y cepillaba la ropa de su dueño. Las colas que se formaban delante de esta casa de la hoy calle de Madero eran bastante largas para aguardar el turno de pagar un real por cabeza y entrar a admirar tanta maravilla.

Guillermo Prieto escribe entusiasmado, en agosto, una larga crónica sobre un drama estrenado en el Teatro de Nuevo México, intitulado *La Emilia*, original de un poeta mexicano de quien no tenemos mayor noticia: Ramón de Navarrete y Landa. El drama en cuestión es romántico desde su primera sílaba hasta la última, y trata de un conflicto bastante socorrido por el melodrama del siglo XIX, o sea aquel en que una niña es abandonada con una misteriosa nota prendida a sus ropas.

La niña crece, es muy hermosa y es cortejada por jóvenes y viejos, y también por quien la cree su hermana. Una cortesana célebre se enamora del mismo joven a quien ama la supuesta huérfana, y por celos está a punto de dar muerte a su propia hija cuando el padre adoptivo le grita: "¡Detente, desdichada! ¡Es tu hija!" La pecadora madre suelta la daga y cae de rodillas ante su hija pidiendo misericordia. La huérfana, toda bondad y ternura, la levanta mientras todos sollozan y abrazándola le dice: "Madre, olvido y perdón." Y cae el telón lentamente para dar tiempo a las señoras y adolescentes del público a enjugarse las lágrimas. Prieto se entusiasma con este drama y nos deja una seria crónica en la que no aparece en ningún momento su tradicional sentido del humor, sino por el contrario, se vuelca en alabanzas hacia la buena construcción dramática y no deja de hacerle notar al autor pequeños errores que alargan innecesariamente la pieza. También Prieto desconoce a su autor y con cautela explica que le han asegurado que el drama es de un mexicano, sin ahondar más en el asunto y pasa luego a deshacerse en elogios hacia los intérpretes. Es ésta la única crónica de Fidel absolutamente hecha en serio y tomándose él mismo en serio como crítico teatral, algo inusitado en el festivo escritor.

En octubre Prieto vuelve a entusiasmarse con un drama de Alejandro Dumas intitulado *Lorencino,* el que tenía todos los ingredientes del género romántico llevados a su máxima expresión: incidentes históricos de los Médicis, falsas identidades, asesinatos, venganzas, amores frustrados, celos, venenos en los anillos y escenas desgarradoras entre padres e hijos. Prieto, que hasta entonces se había mostrado enemigo del romanticismo y había llegado a burlarse de él, se deja llevar al fin por la corriente de su época y se entrega a ese género literario con amor, elogiando apasionadamente el drama de Dumas y enamorándose de la heroína,

> mujer apacible y hermosa, joven, pura y risueña; el lirio más cándido era menos blanco que su frente; una hoja arrancada del corazón de una rosa era menos fresca que sus mejillas

según la descripción, que no puede ser más romántica, que nos hace el cronista, a quien preferíamos en su tono burlón. Fidel relata paso a paso todo el argumento de *Lorencino* y luego nos dice que en el drama:

> Se admira bien establecida la lucha de pasiones y de intereses opuestos; el interés está sostenido con maestría admirable, las escenas perfecta-

mente enlazadas, los caracteres siempre consecuentes, el desenlace verosímil y hermoso.

Termina la extensa crónica reprochando con ira a los actores el que no hubiesen interpretado como se merecía aquel drama que le pareció tan hermoso. Extraño cambio operado en Guillermo Prieto en menos de un año y no sólo como cronista teatral, sino también como poeta. Es en este año de 1843 que comienzan a aparecer en *El Siglo XIX* composiciones francamente románticas salidas de la pluma de Fidel. El joven escritor no demuestra con esto más que era un verdadero hombre de su tiempo.

Otro drama de Antonio García Gutiérrez se estrena en octubre, aunque no obtiene el éxito del *Trovador*. *Simón Bocanegra* pasa sin pena ni gloria, como había de pasar también años después la ópera de Verdi basada en esa pieza, y que es de lo más deficiente dentro de la producción operística del gran compositor. El público capitalino estaba feliz con una comedia de magia que se representaba en el Teatro de Nuevo México, intitulada *Marta la Romarantina*, que tenía diez decoraciones nuevas, desapariciones por los escotillones, lenguas de fuego y brujas y hechiceros, además de números bailables y una música alegre. Era el principio del auge de las llamadas comedias de magia que tanto dinero harían ganar a los empresarios durante todo el siglo pasado, y cuyo secreto no era otro que el de una gran producción escénica. Por otra parte, en el Portal de Mercaderes número 4 se ofrecía un espectáculo enteramente nuevo en la República y que también causó el asombro y el deleite de todos los habitantes de la capital: el Diorama, o sean cuadros iluminados por su interior con graduaciones de luz para producir ilusiones ópticas. Bien puede decirse que el mes de octubre de 1843 marca el inicio de un nuevo invento que había de revolucionarlo todo: el cine. En efecto, los dioramas eran una especie de espectáculo cinematográfico, puesto que los espectadores se situaban delante de un cuadro, que equivalía a la pantalla actual, y gracias al invento del célebre Daguerre, el iniciador de la fotografía, la luz se descomponía en mil tonalidades y hacía aparecer el interior del convento de Monserrat en Cataluña iluminado por el sol; lentamente atardece y por fin se hace de noche, saliendo la luna y las estrellas, mientras las lámparas del convento se encienden, o bien se podía admirar una tormenta en las montañas de Suiza y a muchos aldeanos contemplando la catástrofe producida por la tormenta e iluminándola con sus teas, o también se podía asistir a una misa de gallo en la iglesia de San Esteban, en París, en que la iluminación cambiaba constantemente y:

A medida que oscurece la claridad de la luna penetra por las ventanas y por la galería superior con tal ilusión que no se puede describir, es preciso verlo.

Los espectadores acudieron a ver semejante portento, aunque no en la cantidad que los empresarios hubiesen deseado, pero la razón estaba en que el precio de entrada era de 4 reales, mientras que por ver al chimpancé y a los juguetes mecánicos sólo se pagaba un real.

El Teatro de Nuevo México de pronto se convirtió en el favorito de los aficionados, debido a que estrenaba cada semana una pieza y a que entre un buen cuadro de actores sobresalía Rosa Peluffo, una estimable primera actriz, así como don Juan de Mata, considerado uno de los mejores actores con que contaba el teatro mexicano. En noviembre se estrenó un drama truculento cuyo título es verdaderamente sensacional: *Brígida la azotada y veinte años de rencor*, traducido del francés por la actriz Rosa Peluffo. La prueba de lo que gustaban estos dramas nos la da un anónimo cronista cuando dice que tuvo que pagar una luneta al triple de su valor. El Principal hacía lo posible por ganarse de nuevo a la concurrencia, y estrenaba mejores dramas, aunque no tan efectistas como los del Nuevo México. Manuel Payno hace un elogio de Soledad Cordero y de todos los actores que trabajaban en el Principal, sobre todo de Antonio Castro, a quien llama, con razón, "joya de la escena mexicana". Días después, el mismo Payno escribe una crónica teatral al estilo de Prieto, en forma de diálogo entre él y Fidel, con sentido humorístico al atacar un drama intitulado: *La cruz de mi madre o el pescador*, que le parece a Payno una burda copia de los dramas de Víctor Hugo, y defiende al género literario al que también él se había entregado:

¡Infeliz romanticismo que te ves calumniado vilmente por los omniscios de estos tiempos de progreso!

Fidel le replica que se deje de lamentaciones que a los actores y al autor les tienen sin cuidado, a lo que Payno contesta con ironía:

Dices bien, Fidel, pero cada quien vive de su oficio y el de nosotros es morder al prójimo, expuestos a que un día se enfulline el prójimo y nos dé un saludable escarmiento.

31

Este miedo que tenían Prieto y Payno a una paliza por parte de los actores sólo es explicable si imaginamos que algún crítico la recibió con anterioridad, y sentimos que ese dato no haya quedado debidamente registrado.

El poeta Fernando Calderón, quien aún vivía en Zacatecas, asistió al teatro en aquella ciudad, visitada por los restos de la compañía de ópera que había trabajado en la capital, y se siente transportado a regiones etéreas al escuchar a la soprano Amalia Passi en la *Sonámbula*, de Bellini, de modo que llega a su casa y a la luz de una vela escribe un hermoso poema dedicado a la cantante, rebosante de romanticismo, que termina así:

> De tu talento, Amalia, el triunfo mira,
> ciñen las artes tu elevada frente,
> te aplaude un pueblo en su entusiasmo ardiente,
> y yo te consagro un canto de mi lira.

La bailarina María Rubio de Pautret, esposa del coreógrafo Andrés Pautret, y que después de triunfar por los años de 1826 y 27 se fugó con otro bailarín de la compañía, fue perdonada por su esposo años más tarde y no regresó a la capital hasta diciembre de 1843, cuando se presentó en el Principal con un complicado baile titulado *Jasón en Corinto*, alcanzando de nueva cuenta un gran éxito a pesar de que ya no era la grácil y joven bailarina de veinte años antes. Con ella se presentó una de sus hijas, Joaquina Pautret, aunque brilló por su ausencia el marido ofendido pero generoso. El año de 1843 termina con un aviso de los empresarios del Diorama en el que se dice que aquel espectáculo ha sido todo un acontecimiento, pero termina rogando a los capitalinos "tengan la bondad de apresurarse a asistir si no quieren quedar privados de verlo".

En febrero de 1844 don Francisco Arbeu publica alborozado una larga carta en *El Siglo XIX* avisando a los lectores que el Gran Teatro de Santa Anna ha quedado definitivamente concluido y que muy pronto ha de inaugurarse, figurando él mismo como empresario. No cabe duda que este don Francisco estaba animado siempre de buenas intenciones puesto que a sus esfuerzos se debió que el hermoso y elegante teatro se edificase, y pocos años después construyó otro, el de Iturbide, que hoy sirve de Cámara de Diputados. Merecido, pues, que otro teatro llevase su apellido durante más de cien años. Una vez que estuvo listo el teatro de la calle de Vergara, Arbeu quiso inaugurarlo con una función literaria y artística en la que los poetas mexicanos leerían sus composiciones entre una y otra pieza de música también debida a compositores nacionales. Una vez terminado el recital, tendría lugar un elegante baile en todo el teatro, para que la sociedad estrenase un local tan lujoso. En esa carta a que aludimos antes, Arbeu invita a todos los poetas y compositores del país a que envíen sus trabajos a la Academia de Letrán, cuyo miembros seleccionarían el material que debía ser leído o ejecutado por la orquesta:

> Cuando yo concebí la idea de un gran teatro para la hermosa e ilustrada México, tenía esta grandiosa perspectiva a la vista y me animaba con un porvenir de entusiasmo y emulación.

Los editores de *El Siglo XIX* acogieron la idea de Arbeu con el mismo entusiasmo y excitaron a los ingenios mexicanos a que secundasen el proyecto:

> Quizá este local tan hermoso y que no puede menos que entusiasmar a los artistas, será el digno plantel donde comiencen a brillar los talentos de nuestra estudiosa juventud.

Los editores continuaban con sus buenos deseos pensando que era llegado el momento de formar una literatura dramática mexicana:

> Que revele el genio y las costumbres de esta nación siempre desgraciada, pero constante y animada a pesar de las convulsiones políticas, en la marcha de sus progresos literarios.

Pero las buenas intenciones de don Francisco y el entusiamo de los periódicos se estrellaron ante la indiferencia de los poetas y compositores, quienes no tenían aliciente ninguno como no fuese la efímera gloria de ver alguna de sus producciones en el foro del elegante teatro. Pocas poesías y pocas composiciones musicales se recibieron en la Academia de Letrán, y don Antonio López de Santa Anna ordenó que se dejasen de poemitas y canciones lánguidas y el teatro fuese inaugurado con el alborozo y la alegría de los bailes de carnaval.

Pronto comenzaron las críticas al Teatro de Santa Anna. Antes de estrenarse fue enviada una carta firmada por "unos amigos del buen nombre de México", en la que se decía que en los medallones con los rostros de hombres célebres en la literatura dramática, faltaba el de Ignacio Rodríguez Galván, "poeta verdaderamente nacional, padre del drama mexicano". Se pide que el medallón de Goldoni sea quitado y en su lugar sea colocada la efigie de Rodríguez Galván, o bien el de Cervantes, pues ni el italiano ni el Manco de Lepanto "debieran ocupar un lugar entre dramáticos tan esclarecidos cuando su lugar en esta línea no pasó de mediano". Para estos "amigos del buen nombre de México", que por lo visto eran enemigos, los *Entremeses* de Cervantes y toda la producción del eminente comediógrafo autor de *La Locandiera*, "no pasan de medianos". Bien que abogaran porque se pusiera a Rodríguez Galván en el nuevo teatro, pero no con esas razones. En lo que llevaban razón estos "amigos" era en pedirle a Arbeu que los nombres de los dramaturgos estuviesen bien escritos, pues ya se podía leer Galdoni por Goldoni, Savedra por Saavedra y algunos otros errores.

Don Francisco Arbeu había invitado con varios meses de anticipación al mejor violoncellista del mundo, Maximiliano Bohrer, para que viniese a dar uno de los primeros conciertos en el Gran Teatro de Santa Anna. Al ver que no llegaba, se le ocurrió lo de la función poética que tampoco pudo organizar y se resignó a que su bello teatro se abriese por vez primera para realizar en él un baile de máscaras. Sin embargo, con gran júbilo se enteró que Maximiliano Bohrer había desembarcado en Veracruz y se dirigía a la capital. Don Francisco corrió a ver a Su Alteza Serenísima para darle la buena nueva y a decirle que si el violoncellista estaba contratado, tenía que dar sus conciertos cuanto antes y no esperar hasta después del carnaval, cuando ya asistiría poca gente por haber comenzado la cuaresma. Santa Anna accedió de buen grado y Arbeu anunció en todos los periódicos que la inauguración del Gran Teatro tendría lugar, al fin, con un concierto que podría estar a la altura de cualquier lugar de la culta Europa.

El sábado 10 de febrero de 1844 tuvo lugar el estreno del lujoso teatro, al que aún faltaban las estatuas del techo que pueden verse en las litografías y que jamás fueron colocadas. La orquesta ejecutó una obertura del compositor mexicano Miguel Covarrubias. Después se presentaron en el escenario el arquitecto Lorenzo de la Hidalgo y el propio Francisco Arbeu a recibir las ovaciones de agradecimiento que el público de la capital les tributó. Inmediatamente después apareció Maximiliano Bohrer y ejecutó un concierto compuesto por él mismo, que arrancó el aplauso unánime de la concurrencia y nadie dudó que, en efecto, Bohrer era el mejor violoncellista del mundo, como se hacía anunciar. Solistas mexicanos como el violinista José María Chávez, el flautista Antonio Aduna y el pianista Vicente Blanco, lucieron también sus habilidades. El Gran Teatro se vio completamente lleno a pesar de que se cobró dos pesos cada asiento en luneta y cuatro reales en la galería, y el público salió muy complacido de contar con un salón tan elegante y digno de su capital, y de un concierto que había dejado contentos a los más exigentes.

Prieto aprovecha esta inauguración para confeccionar un artículo en forma de salmo bíblico, que nos describe a la perfección y siempre con humorismo a los tres teatros de la capital, y en que, con un tono optimista, piensa Fidel que el Teatro Principal va a ser abandonado del público ante la suciedad que reina en él, puesto que ya tiene uno nuevo y lujoso. Tiene la esperanza también de que el teatro recién estrenado sólo sirva para las expresiones de la verdadera cultura, esperanza que no vio realizada, pues el Gran Teatro de Santa Anna, o Nacional, lo mismo sirvió para representar a Shakespeare que para ver en su escenario a cirqueros, luchadores y perros amaestrados. Pero en febrero de 1844, Prieto se muestra alegre y confiado y le desea lo mejor al juguete nuevo de la ciudad:

¡Bello eres, oh Vergara, como la Raquel de la Escritura! Soberbio estás en tu grandeza como el cedro del Líbano. Que los dramas patibularios no te profanen; que no prostituyan tu mirada de virgen los bailes obscenos; que no se llame en tu seno a la desenvoltura, entusiasmo; a los berridos desentonados, declamación moderna, y al exagerado descoyuntamiento, perfección artística.

En el Teatro de Nuevo México tuvo lugar una función en el mismo mes de febrero de 1844 en que se representó la hermosa comedia de Leandro Fernández de Moratín: *El café*, ya muy conocida del público mexicano y tomada como muestra del buen teatro por los escritores, pero a los empresarios se les ocurrió la peregrina idea de ofrecer al finalizar esta comedia, una en un acto original de un autor español radicado en México, apellidado Cobo, e intitulada *Albures de amores*. Los cronistas se enfurecieron hasta llegar a decir uno de ellos que la comedia de Cobo era "el más estrepitoso y ridículo sainete que ha parido madre". En él, se veía a una familia mexicana que iba a Tlalpan a la feria, y mientras el novio oficial de la joven perdía su fortuna en la mesa de juego, el amante desdeñado, pobretón pero decidido, ganaba fuertes cantidades, de modo que la señorita quiere corresponder a su amor ahora que es rico, pero él la desprecia por otra. Esto molestó al crítico, puesto que le parecía que era pintar de muy mala manera a las familias decentes mexicanas. Además, todo el segundo cuadro transcurría en un garito lleno de "léperos" que decían groserías, y el tercer cuadro se desarrollaba en un palenque de gallos, lo que exasperó al delicado comentarista, pues en escena podía verse "a una porción de gente de bronce con sombreros ordinarios y vestidos de oficiales sastre" que después se ponían a bailar. El cronista asegura que esto no pasaba en Tlalpan, donde los bailes "son espléndidos y con todo el orden posible". Ver sobre un escenario a tipos mexicanos era algo que repugnaba a la "gente decente" en todo el siglo pasado. ¿Para qué representar a esos personajes mal vestidos y sucios que vemos a diario, pudiendo poner sobre la escena a gente elegante, europea, aunque se envenenasen unos a otros y cometieran adulterios a más y mejor? Precisamente por estas feroces diatribas de este crítico, es muy grande la curiosidad que tenemos por conocer esa obrita en un acto de tipo costumbrista, pues seguramente debe ser interesante. Días más tarde otro cronista vuelve a atacar al pobre señor Cobo por su sainete en que se creyó ver una crítica a las familias y las mujeres mexicanas. Quizá si la obra la hubiese escrito un autor nacional, el furor habría sido menor, pero tratándose de un extranjero, el nacionalismo salió por sus fueros, ese nacionalismo que nos ha ahogado y nos ahoga aún y que impide un más rápido progreso del país. Los insultos hacia el autor de este segundo cronista son así:

> El cielo ha permitido que a pesar de los azumbres de tinta que vierta la mal tajada pluma de uno que otro escritorzuelo, la reputación de mis bellas paisanas se encuentra bien sentada, y que ellas contemplen con la calma de la inocencia y del desprecio las sandeces de algunos infelices aprendices de copleros.

Para que en nuestros días se diga que los cronistas teatrales insultan a los autores y actores.

Don Francisco Arbeu se encontraba tan orgulloso del Gran Teatro de Santa Anna, que no deja de autoalabarse en los diarios por su labor, y cuando anuncia los bailes de máscara para los días 18, 19 y 20 de febrero de 1844, en un preámbulo nos dice que:

> Dificultades, embarazos, contrariedades de todo género debió encontrar mi celo entusiasta para llevar al cabo una empresa tan superior a mis recursos como desproporcionada a mi insignificante posición social; pero la constancia ha triunfado.

Y más adelante se da cuenta que puede ser mal visto que hable en primera persona, de modo que cambia el yo por el nosotros:

> Hemos llenado nuestro deber levantando el templo y asentando en él los pedestales que han de sostener a nuestros trágicos dramáticos.

Después viene un elogio hacia don Antonio López de Santa Anna, aunque se apresura a aclarar que:

Esta manifestación no es una lisonja sino un tributo de gratitud que pago con la sinceridad exenta de ambiciones y extraña a las pasiones políticas.

Y todo esto para anunciar unos bailes de máscara.

Para hacer frente a la competencia que haría el Gran Teatro Nacional, los empresarios del Principal y del Nuevo México decidieron unirse para dar la batalla. Se formó una comisión de distinguidos literatos mexicanos para que organizaran una empresa que tuviese a su cuidado la conservación y el aseo del Teatro Principal, el que sería remozado lo más que se pudiese. Don Manuel Eduardo de Gorostiza, siempre entusiasta para todo lo que se relacionase con el teatro, encabezó la comisión y fue más allá al fundar una sociedad llamada "Empresa Mexicana del Teatro Principal", sociedad que no sólo se ocuparía de cuidar que el teatro estuviese limpio, sino de formar una buena compañía con los mejores actores de la capital que alternarían sus funciones en ambos teatros, y además pedir a los escritores mexicanos obras inéditas para ser representadas, con el propósito de "remunerar los trabajos que se le dirigen y premiar aquellas obras que sobresalgan por su mérito". Si bien esta plausible idea jamás se llevó a efecto, fue la primera ocasión en que se pensó en pagar a los autores de teatro en México. Asimismo, Gorostiza pensó en fundar una academia de arte dramático, todo ello:

Sin rivalidad de ninguna especie, sin propósitos de perjudicar a nadie, sin otro fin que el muy noble de contribuir a los adelantamientos del arte en el más antiguo de nuestros teatros.

En Gorostiza es creíble esta intención, mas no en los propietarios de los dos teatros, que sólo buscaban, como se dijo antes, hacer frente a la competencia del recién inaugurado Gran Teatro.

Arbeu no se dejó amilanar y después de ofrecer otros conciertos a cargo de Maximiliano Bohrer, contrató a Mata, a la Cañete y a otros buenos actores y actrices y dio comienzo a su temporada el 7 de abril de 1844, repartiendo y publicando unos programas en los que ahora puede leerse con indignación:

Se representará por primera vez la comedia en tres actos, producción de un mexicano, titulada *Las paredes oyen*.

37

El gran jorobado del siglo de oro, don Juan Ruiz de Alarcón, quedaba reducido a "un mexicano" cualquiera y se le negaba un crédito que había ganado a costa de su enorme talento. Tratando de justificar, o al menos de explicarnos esta absurda actitud de don Francisco Arbeu, pensamos que fue debida a que no quiso anunciar que se trataba de la obra de un autor antiguo para no ahuyentar a los concurrentes, quienes pedían, ya lo hemos dicho varias veces, dramones de espadas, sí, pero donde abundaran los venenos y las intrigas de alcoba. Es débil la justificación, pero al menos Arbeu quiso que la primera comedia que se representase en el nuevo teatro fuese "de un mexicano".

Acabóse la cuaresma, pasaron los santos días de la semana dedicada a recordar la Pasión del Salvador y también, al menos en México, a estrenar sombreros, botas, fracs y túnicos de gros tornasol, y mantillas blancas, y a beber mucha agua de chía, horchata, limón y tamarindo.

Sólo leyendo viejas crónicas sobre la ciudad de México nos acordamos que aún existe la cuaresma, y si nos olvidamos de esos cuarenta días y lo que significan, con mayor razón nos hemos olvidado de esas tradiciones tan características de esa época del año, como eran las de estrenar ropa en Jueves Santo, beber aguas frescas, comer capirotada como postre obligado y quemar a los Judas el Sábado de Gloria. Todas esas costumbres fueron cambiadas por una sola: abandonar la capital el Viernes de Dolores, lo que no deja de tener también su encanto, sobre todo para aquellos que nos quedamos en ella.

Al comenzar la Pascua de 1844, comenzó también la rivalidad entre los teatros de la ciudad. Sobra explicar que el público prefirió al Gran Teatro ya sea por la novedad, ya porque el cuadro de actores era superior al de los otros dos teatros, ya porque se prestaba el elegante salón a que las damas fuesen con sus mejores vestidos y los caballeros con sus recién confeccionados fracs. La sociedad mexicana tenía un nuevo punto de reunión y a él acudió sin dudarlo mucho. Con este inusitado movimiento teatral, los cronistas estaban de plácemes, tanto, que Manuel Payno y Guillermo Prieto decidieron unir sus seudónimos para elaborar un largo artículo sobre las funciones de los primeros días de la Pascua, y por él nos enteramos que el Teatro de Nuevo México, que quedó relegado al último lugar, ofrecía sus espectáculos con muy escasa concurrencia, y es que "es imposible que se puedan sostener tres teatros", decía la gente, pero se equivocaba como siempre, porque el trío de salones se logró mantener con varia fortuna, y pocos años después estarían funcionando dos teatros más: el de Oriente y el Iturbide.

En abril, Fidel publica una larga crónica festiva en la que mezcla la prosa y el verso. La primera parte la utiliza para contar el argumento de la comedia de Rodríguez Rubí titulada *La rueda de la fortuna* y en transcribir algunos fragmentos, pero luego se pone a hablar de los actores en cuartetas llenas de humorismo. Gracias a Fidel tenemos una idea bastante clara de todos y cada uno de los actores que trabajaban en la capital en 1844, así como de sus defectos y virtudes. Y unos cuantos días después, otro cronista con el seudónimo de "Licenciado Tejera" se lanza en contra del cuadro de actores que ocupaban el Gran Teatro de Santa Anna y de las comedias que representaban, verdaderos narcóticos que hacían dormir plácidamente a la concurrencia, para ser despertada entre estornudos que causaba el polvo del escenario al ser removido por las furiosas patadas de los bailarines.

Benito León Acosta fue el primer aeronauta mexicano que logró elevarse a las alturas a bordo de un globo, e hizo de este peligroso juego una verdadera profesión, puesto que por muchos años se ganó la vida recorriendo la República entera y efectuando en cada ciudad o pueblo sus ascensiones. El 15 de abril de 1844 lo encontramos en Pátzcuaro, Michoacán, sufriendo penalidades sin cuento para cumplir con el compromiso contraído. Semanas antes había anunciado su vuelo, pero cuando faltaban dos días aún no recibía el ácido sulfúrico necesario para la fabricación del gas hidrógeno. Al investigar, supo que los arrieros que lo conducían al ver que el ácido se escapaba de las botellas, temieron que explotase y dejaron abandonada en pleno campo toda la carga. Acosta regresó de inmediato a México y pagó una fortuna para enviar más ácido con rapidez hasta Pátzcuaro. Con pocos días de retraso pudo presentar su espectáculo, elevándose "más de mil varas", ante la asombrada concurrencia que llenaba la Plaza de Toros y descendiendo horas más tarde a tres leguas de distancia. El pueblo de Pátzcuaro lo condujo en hombros de regreso a la ciudad y lo presentó en el teatro, donde recibió la ovación de sus admiradores. El poeta y dramaturgo Gabino Ortiz compuso a vuela pluma un largo poema en alabanza al intrépido mexicano y leyó su composición esa noche en el teatro, dominado por el entusiasmo que le lleva a decir:

> ¡Loor eterno tributo a tu nombre,
> a tu genio tu heroico valor,
> has dejado la esfera del hombre,
> es preciso que seas semidiós!

Don Manuel Payno sigue protestando por la desvergüenza en las comedias en pequeñas crónicas sin importancia, hechas sólo para cumplir el encargo de la redacción del periódico, y en cambio Fidel escribe una crónica sobre la representación de *Otelo*, por un recién llegado primer actor apellidado De la Puerta, que es de las mejores que salieron de su pluma. Comienza en un tono semidoctoral, pero bien pronto se cansa de él y dice que mejor se va al Café del Progreso a la tertulia de cómicos y folletinistas, para trascribirnos íntegramente una conversación entre varios "entendidos" en asuntos de teatro. La crónica, pues, queda en forma de diálogo, desde que se pide un café hasta llegar a los conceptos que vierten sus imaginarios contertulios sobre el actor La Puerta, al que unos alaban y otros atacan, pero al final le preguntan qué opina él sobre el asunto, a lo que contesta: "Yo callo... y callo, porque por boca cerrada..." De este modo se burlaba el gran Fidel de sus contemporáneos teatrales, que no han cambiado mucho que digamos entre los que se reúnen en los cafés actuales.

En mayo de 1844 se estrena en la capital la comedia *Las colegialas de Saint-Cyr*, original de Alejandro Dumas, y la que venía precedida de escandalosa celebridad por el incidente suscitado entre su autor y el famoso ensayista y crítico literario Jules Janin, quien había criticado duramente esa comedia de Dumas. Éste le contestó, Janin le replicó y el asunto por poco termina en un duelo a pistola en el Bosque de Boloña. Manuel Payno, conocedor de este incidente, fue de los primeros en llegar al Teatro de Santa Anna la noche de su estreno en México, y salió muy complacido de la comedia. En su crónica confiesa que siente una enorme admiración por todo lo que escribe Dumas y que esta comedia no desmerece de la anterior producción del autor de *Catalina Howard*, aunque reconoce que quizá su entusiasmo por el escritor francés lo ciegue hasta el punto de ver bueno lo que en realidad no lo es. Al menos, Payno era franco al decir que le había gustado lo que reprobaba Janin, crítico al que seguían apasionados todos los escritores latinoamericanos. En la misma función, Payno vuelve a escandalizarse, ahora no con la comedia, sino con el baile. Fue demasiado para él ver salir a escena al bailarín Castañeda portando solamente unas mallas que "dejaban ver sus formas desde los pies hasta la cintura". Según don Manuel, el espectáculo que presentaba el bailarín era más inmoral que cualquier drama y pide al juez de teatros que impida se repita aquella obscenidad para que no vuelvan a sacar a luz "formas que debieran estar ocultas al menos con un calzoncillo de curro o un bombacho pantalón de musulmán". No seamos estrictos con Payno: después de todo, era un señor de 1844, y por más inteligente que fuese, no podía adelantarse a su tiempo como sería de desear.

Fidel, en cambio, ni se escandaliza ni se entusiasma con autor alguno. Dice claramente lo que le gusta y lo que le desagrada, como en el caso de la comedia *El pozo de los enamorados*, de Ventura de la Vega, que tuvo gran éxito en el Teatro de Santa Anna. Fidel se burla del público a quien gustan aquellas comedias descabelladas, pero lo hace aparentando que a él también le fascinó la obra, con ese su estilo tan peculiar y tan gracioso. No se anima a hablar de los actores y tan sólo dice, lo que es mucho:

¿Qué diremos del desempeño? Todo magnífico, sorprendente como la comedia. ¡Loor eterno a la emulación! ¡Viva el progreso!

Apenas había transcurrido un mes desde la inauguración del Gran Teatro de Santa Anna cuando ya los abonados a la temporada cómica comienzan a quejarse de los empresarios, y lo hacen por la superficialidad de algunas comedias representadas o por la inmoralidad de otras, o por el engaño que cometen al anunciar en los cartelones fijados en las esquinas de la ciudad escenas que nada tienen que ver con la comedia que va a representarse, con lo que nos demuestran que la publicidad desde sus albores fue mentirosa. En efecto, cuando se iba a dar al público una comedia titulada *El tapicero*, en el cartel aparecía un claustro con sus arcos, con soldados marchando y con un puñal escurriendo sangre. Naturalmente, la comedieta nada tenía en su acción ni en sus diálogos que recordase siquiera la escena descrita antes, pero ella llamaba la atención de los ingenuos espectadores, gustosos siempre de los dramas patibularios, y acudían presurosos, quedando frustrados al finalizar el espectáculo. También los abonados se quejaban de la repetición de una misma comedia "hasta tres veces seguidas", lo que nos hace suponer que esos abonados eran el colmo del egoísmo o bien que no había público bastante en la ciudad para llenar un teatro durante tres noches con la misma obra. Nos inclinamos a pensar que es más acertada la primera suposición.

Don Benito León Acosta, "el intrépido aeronauta mexicano", continuaba con sus ascensiones aerostáticas por los Estados. En junio de 1844 lo encontramos en la ciudad de Querétaro furioso porque el día anunciado no pudo elevar su globo debido al mal tiempo, lo que provocó entre algunos caballeros queretanos la duda de que pudiese volar como presumía. Acosta, herido en su amor propio, ordenó que su globo fuese inflado a su máxima capacidad el día en que anunció su segundo intento. A pesar de las advertencias de sus ayudantes, el aeronauta no estuvo contento hasta que el globo casi se escapaba de las amarras que lo retenían en tierra. Saltó a la barquilla y ordenó que se le dejase en libertad. De un solo golpe el globo se elevó hasta perderse de vista, dejando atónitos a los espectadores de la plaza de toros de Querétaro. Poco después logró hacer descender su aparato lo suficiente para ser admirado por los envidiosos que habían hablado mal de él, y se paseó por los aires durante más de una hora, hasta que un golpe de viento lo llevó a corta distancia de la ciudad, donde se dispuso a descender. Pero a don Benito se le había olvidado que su globo tenía más gas del necesario, de modo que ya cuando estaba para saltar a tierra, el aparato volvió a elevarse, ante los consternados ojos de quienes corrían a ayudarle. Acosta no pudo bajar ya hasta catorce kilómetros más adelante, en una hacienda del Estado de Guanajuato. En la ciudad de Querétaro todos pensaban que había muerto o que se había elevado tanto que jamás bajaría. Un jinete llegó por la noche con un recado de Acosta diciendo que estaba sano y salvo en la hacienda de San Vicente y que ya se dirigía hacia Querétaro. Al día siguiente fue recibido en triunfo y, como en Uruapan y en todas partes a las que llegaba, fue presentado en el teatro para recibir las ovaciones que entusiastas le prodigaban sus admiradores. No faltó el epigrama publicado en los diarios:

> Voló a los aires Acosta
> con susto de tantas bellas,
> y con su frente atrevida
> riendo tocó las estrellas

Prieto se vuelca en elogios para los actores a propósito de la representación de una mala comedia titulada *El abuelo*, original del escritor español Isidoro Gil. Cosa rara en Fidel, no hay actor que no reciba un elogio, por lo que él mismo exclama:

Vamos, hoy estoy de vena para decir lindezas; a ver quién me falta, y le planto un piropo que lo dejo con un palmo de nariz.

Pero ya al finalizar su crónica no puede menos que volver por sus perdidos fueros y se burla de los bailarines Pavía haciendo un juego de palabras con el apellido. El cáustico humorismo del Fidel cronista teatral era más fuerte que su bondad, y finge arrepentirse en la última frase de su crónica:

"¡Maldito artículo que siempre fue a salir agridulce"!

Don Antonio López de Santa Anna, nombrado presidente de la República por quinta vez en poco más de una década, celebró el 13 de junio de 1844 sus cuarenta y siete años de vida con un suntuoso baile que se efectuó en el Gran Teatro que llevaba su nombre, para cubrirse aún más de gloria ante sus súbditos. Debemos a Manuel Payno la reseña de ese baile y de nuevo salimos en defensa del novelista mexicano antes de que sea atacado por andar escribiendo alabanzas en honor de Santa Anna. No debe olvidarse que Su Alteza Serenísima en 1844 aún no dejaba perder "la mitad del territorio", como tanto se le ha reprochado en lugar de pensar un poco en que pudo haber perdido íntegramente todo cuanto ahora poseemos debido al pésimo estado del ejército nacional. He dicho ya que López de Santa Anna merece una biografía más meditada y más profunda que las que han aparecido hasta ahora. En 1844, pues, Santa Anna era sólo el vencedor de Barradas en Tampico y el político más hábil con que contaba el país, de allí que fuese visto cada vez que se le necesitaba como el salvador de la patria, y así lo veía también Manuel Payno, quien llega a entusiasmarse tanto en su crónica más de sociales que de teatro, que asegura tranquilamente que el baile en honor del presidente "fue más espléndido que el que hicieron los ingleses por el casamiento de la reina Victoria". Este artículo de Payno puede considerarse como el iniciador de las reseñas de fiestas de sociedad de las que aún no podemos librarnos en los periódicos y el mismo don Manuel olvida su estilo literario para adoptar el cursilón y empalagoso que será distintivo de todas y todos los escritores de notas sociales a lo largo de ciento treinta años.

La luz del sol no ha podido desvanecer nuestra ilusión y aún vemos el magnífico pórtico del teatro recamado de luces de colores... toda esa escena animada, llena de encanto y poesía... los brillantes uniformes de los empleados militares, los leves trajes de gasa y de punto con que estaban vestidas algunas señoras que se deslizaban leves y vaporosas por entre las columnas.

Perdonemos al autor de *Los bandidos de Río Frío* estas notas de cursilería que después de todo no hay quien no las lleve dentro, sólo que no tenemos el valor para exteriorizarlas.

El baile en "celebridad de los días del Excmo. señor presidente de

43

la República" fue en verdad un acontecimiento social en la joven República Mexicana. La fachada del teatro estaba iluminada por cientos de quinqués y "globos de colores", o sean faroles, y se obligó a las casas contiguas a hacer lo mismo. Se alfombró la escalera hasta la acera y a ambos lados se colocaron regios macetones de diversas flores. Al subir, de inmediato se topaba con una enorme estatua de Santa Anna puesta sobre un pedestal y en el centro de una balaustrada de madera. Todo el vestíbulo y el salón del teatro estaban adornados profusamente, y aquella cantidad de flores, helechos, luces, cortinajes de terciopelo y alfombras, trastornaron a Payno de tal manera, que exclama casi sin saber lo que decía:

El conjunto era tan hermoso y sorprendente, que involuntariamente se recordaban las orgías de los palacios venecianos que nos describen los historiadores y romanceros.

Las butacas fueron quitadas de su sitio para dejar el salón propicio al baile y sólo se podía ver un tablado ricamente adornado donde descansaban varios sillones de brocado y una especie de dosel de terciopelo, lugar destinado para el presidente y sus ministros, quienes presidían desde lo alto el baile. A la una de la mañana se descorrió el telón y en el foro apareció la mesa de banquete para doscientas personas. El baile continuó luego hasta las seis de la mañana. Todo fue perfecto, hermoso, lucido, sólo que... Santa Anna no asistió a esa fiesta en su honor. Payno tiene que disculparlo usando de esta frase que nos parece ridícula e incomprensible: "S.E. no asistió por el mal tiempo, pues llovió desde por la tarde hasta el amanecer." Seguramente Su Alteza Serenísima estaba resfriado o tenía una tapada de gallos en Tlalpan.

En agosto se estrena un baile "de gran aparato", titulado *Napoleón en Egipto*, que presentaron las bailarinas Rubio de Pautret, madre e hija. Aparecía el emperador acompañado de un bajá y rodeado de húsares de su guardia, y todos se ponían a bailar. Seguramente fue precioso esto de ver a Napoleón y a un bajá bailar por todo el escenario, en el que además había caballos de verdad. Manuel Payno se molestó un poco con este espectáculo y escribe que Napoleón es un personaje muy respetable, "muy grande y sobre todo muy moderno" para que aparezca en un escenario, y menos bailoteando. Días después se registra el estreno de una pieza de autores mexicanos, aunque desdichadamente no se dan los nombres, titulada *Una familia en tiempos de la insurrección*, que trataba de la lucha insurgente.

Fue representada en el Teatro de Santa Anna el 16 de septiembre de 1844 para celebrar el aniversario de la Independencia.

El arquitecto del nuevo teatro, don Lorenzo de la Hidalga, después de llevar una íntima amistad con don Francisco Arbeu, lo demandó en agosto de 1844 por adeudarle la cantidad de 7,800.00 pesos. Arbeu se negó a pagar y un juez ordenó el embargo del teatro. Un señor Irigoyen, abogado, publicó un pequeño anuncio en los diarios avisando que el teatro se encontraba a disposición de quien quisiera rentarlo. Arbeu publicó de inmediato una larga carta explicando que había sido víctima de una injusticia y de la mala fe de don Lorenzo y sus corifeos para quedarse con el teatro. De la Hidalga le contesta en tono airado diciendo que lo que reclama es justo, puesto que es parte de sus honorarios:

¿A título de qué no ha de pagar lo ganado con tantos afanes? ¿Cree el señor Arbeu que nuestros derechos pueden ser destruidos con las injurias con que quiere embrollar nuestra justicia y quedarse con el precio de nuestro trabajo?

A la larga, don Francisco tuvo que pagar aquella deuda que legítimamente reclamaba el arquitecto y meses después dejar su querido teatro. Sin embargo, Arbeu puso manos a la obra en la construcción de otro, el de Iturbide, del que ya hemos dicho aún subsiste convertido en Cámara de Diputados.

La actriz española María Cañete es objeto de un largo elogio que le tributa Guillermo Prieto a propósito de su beneficio con la comedia titulada *El pilluelo de París*. Por esta crónica podemos saber algo más sobre la forma de actuación que reinaba en aquellos años, donde mientras más se exageraban los movimientos y los gestos, más naturales parecían. Júzguese si no, al leer lo que dice Fidel sobre la Cañete:

Sus facciones desencajadas, su paso vacilante, su voz doliente, su mirada llorosa y su acento lastimero, son absolutamente la naturaleza, la verdad.

La actuación tenía que estar, lógicamente, a tono con el romanticismo y sus dramas de capa y espada. Esta crónica sobre la Cañete la firman de nuevo Fidel y Yo, es decir, Prieto y Payno, quienes fueron amigos entrañables por más de cincuenta años.

Santa Anna se fue a su hacienda de Manga de Clavo y dejó de presidente interino a don Vicente Canalizo, quien tenía las mismas aficiones que su amo y señor. En noviembre de 1844 asiste a la plaza

45

de toros de San Pablo a presenciar una ascensión en el globo "monstruo" y una corrida de toros "de a once", mientras en el mismo mes Payno vuelve a indignarse al ver a Napoleón Bonaparte en escena, ahora en un drama que se representó en el beneficio del primer actor Armenta. La obra se había anunciado a bombo y platillo como la más espectacular que se hubiese presentado en México, y Payno, furioso al ver a su héroe preferido mal interpretado por don Juan de Mata, desdeña la fastuosa producción escénica y dice que sólo se vieron en el foro "una compañía de granaderos y unos cuantos caballos". Ya quisiéramos en nuestros días ver en un escenario siquiera a un piquete de gendarmes de punto. Para colmo, cuando en la trama el joven alemán que interpretaba Armenta intentó matar a Napoleón, lo hizo de un modo tan vehemente que en lugar de herir a su enemigo se hirió él mismo, cortándose una mano y llenando de sangre el escenario, lo que hizo volver la vista a las horrorizadas damas. Payno aconseja que no se usen en el foro armas de verdad para que no se tenga que lamentar una desgracia.

El cinismo de Prieto alcanzaba a veces proporciones fuera de cualquier límite. En la crónica aparecida el 28 de noviembre de 1844, sobre una comedia titulada *La madre y la hija*, Fidel dice muy serio:

Temiendo siempre ser injustos o cometer crasos errores, nos hemos inclinado constantemente a la indulgencia así respecto de los actores como de las obras dramáticas.

Se le olvidaba al buen Fidel que la ironía puede ser más dolorosa que la severidad y que él no había dejado de usarla en todas sus críticas anteriores. Él mismo reconoce que las críticas teatrales una vez aparecidas, se olvidan casi inmediatamente no sólo por los lectores, sino por el mismo crítico que las escribió. En este artículo, por vez primera Fidel se pone muy solemne y hace un detenido estudio sobre la construcción dramática de la pieza, lo que lo hace aún más interesante por mostrar el talento de Prieto, que podía ser versátil, ya que lo mismo nos entretiene con sus humoradas que nos interesa con sus pequeños ensayos. Como el artículo aparece también firmado por Fidel y por Yo, o sea Payno, nos inclinamos a pensar que es más del segundo que del primero.

La empresa formada por don Manuel Eduardo de Gorostiza meses atrás, se declara en quiebra en noviembre y el Teatro Principal es arrendado por Rafael de Oropesa, quien lo habría de tener por varias décadas. Pero el estado de la capital no se encontraba como para diversiones públicas dentro de los teatros y los habitantes, otra vez cansados de Su Alteza Serenísima y de sus títeres que ponía como presidentes interinos, se lanzaron a las calles para acabar con todo lo que recordase a don Antonio López de Santa Anna. Se dirigieron al Panteón de Santa Paula y desenterraron el pie que había sido enterrado con todos los honores años antes y fue arrastrado entre burlas y carcajadas, muy a la francesa. Luego fueron al nuevo teatro y arrancaron las letras de la fachada y destruyeron la estatua de yeso que estaba a la entrada. También fue descendida la de bronce que se encontraba en la Plaza del Volador y destruido el busto que se hallaba sobre uno de los balcones de la Sociedad de la Bella Unión. No sabían los capitalinos que pronto se iban a arrepentir de aquellos desmanes y que don Antonio López de Santa Anna sería llamado nuevamente para regir los destinos de la nación. Por lo pronto, en aquel diciembre de 1844 nadie quería oír hablar siquiera del dictador, quien probablemente sonreiría en su hacienda mientras se mecía en una hamaca.

En el Teatro del Príncipe, en Madrid, se había estrenado con poco éxito, el 15 de abril de 1844, un nuevo drama de José Zorrilla intitulado *Don Juan Tenorio*. Ocho meses después, en diciembre del mismo año, el drama llega a México y se estrena en el Teatro de Santa Anna. Un historiador despistado dio en nuestro siglo como fecha de estreno del más conocido drama de Zorrilla el año de 1865, cuando el propio poeta español lo dirigió en el Teatro de la Corte instalado por Maximiliano en Palacio Imperial. Un equívoco de veinte años que se ha venido repitiendo por aquellos que toman a dicho historiador como fuente. *Don Juan Tenorio* fue interpretado por vez primera en la República Mexicana en diciembre de 1844, interpretando al "audaz y gallardo calavera" don Juan de Mata; don Luis Mejía por Antonio Castro y la doña Inés por María Cañete. La puesta en escena fue excelente, a decir de Payno, por las decoraciones pintadas al efecto por un pintor de apellido Candil y por los efectos de tramoya para las apariciones de ultratumba, debidas al hábil "maquinista" del teatro, señor Alerci. A Manuel Payno le fascinó este drama "religioso-fantástico" y escribió un largo ensayo del que apareció solamente la primera mitad en el diario *El Siglo XIX* el 16 de diciembre del ya citado año y el resto jamás vio la luz. Es interesante este artículo de Payno escrito inmediatamente después del estreno del *Tenorio* en México, porque marca el comienzo de una larga lista de ensayos de todo tipo sobre este drama y sobre su principal personaje, lista que termina por ahora con

47

el muy hermoso y bien documentado prólogo de don Salvador Novo en el número 58 de la colección "Sepan Cuantos". Payno hace destacar el que Zorrilla no recurra a las fuentes francesas, tan en boga en esa época, sino que busque su inspiración en temas netamente españoles, ya tratados antes por los poetas del Siglo de Oro. Su entusiasmo por la nueva producción del poeta romántico español lo lleva a comparar el *Don Juan Tenorio* con el *Hamlet* y con *Fausto*, ya que son "creaciones llenas de idealidad donde va distribuido de una manera asombrosa lo terrible, lo patético, al lado de lo sentimental y de lo tierno". Y va más allá en su admiración: "Alguna vez el *Don Juan Tenorio* será citado como un modelo, como una obra admirable del entendimiento humano." Era verdad que la producción de Zorrilla iba a prevalecer durante más de un siglo en el gusto del público, pero no por sus valores literarios, sino por una costumbre: la de montar el drama en el día de muertos. Novo explica en el citado prólogo las causas de esa costumbre y yo señalo, en mi libro *El teatro en México en el Segundo Imperio* (Ediciones del IIE, México, 1959), la fecha en que comenzó la costumbre, o sea en noviembre de 1864. Una vez que Payno ha vertido todos los elogios posibles hacia Zorrilla y su Don Juan, y de poner a este último como el prototipo del español y aun del criollo mexicano, pasa a relatar el argumento de cada uno de los seis actos, aunque, como ya dijimos, sólo aparecieron los tres primeros. Compara a la Brígida con La Celestina, comparación que nos parece lógica ahora, pero no hay que olvidar que Payno fue el primero en notarla. Vuelve a apasionarse demasiado en la escena en que Doña Inés lee la carta que Don Juan le envía dentro de un Breviario, y no vacila en decir enfáticamente que dicha escena sólo puede tener parangón con una de *La tempestad*, de Shakespeare. Luego hace una breve relación de los autores que anteriormente habían tratado el mismo personaje, como Tirso de Molina, Zamora, Molière, Corneille, y apunta que ninguno de esos autores tuvo la ocurrencia de purificar a Don Juan por medio del amor de Doña Inés. Es claro, como que Zorrilla era un autor romántico. No comprende Payno a Molière ni parece entender nada del género fársico, pues le reprocha que en *Le festin de pierre*, cuando Don Juan es fulminado por un rayo celestial y tragado luego por los infiernos, el Sganarelle, su escudero, comente con tristeza que se ha muerto sin pagarle su salario. Payno se encoleriza con esta "chuscada tan inoportuna", mientras que a nosotros nos parece deliciosa.

El año de 1845 comienza con una nota dolorosa: el 18 de enero fallece en Zacatecas otro de los grandes poetas románticos mexicanos, don Fernando Calderón, a la edad de treinta y seis años. Sus comedias y dramas, sobre todo *A ninguna de las tres*, graciosa crítica al afrancesamiento reinante en México y a la superficialidad de las adolescentes románticas, y *El Torneo y Herman o la vuelta del cruzado*, dramas auténticamente románticos, basados en leyendas medievales, así como sus poesías, lo colocan como ya dijimos entre los más relevantes poetas mexicanos de la primera mitad del siglo XIX. La muerte de Calderón conmocionó a los intelectuales en la capital, quienes poco tiempo antes habían perdido a Ignacio Rodríguez Galván. Guillermo Prieto escribe una larga poesía como nota necrológica, poesía que es también un claro ejemplo del romanticismo imperante y en donde queda patente el dolor de Prieto por la pérdida de su más querido amigo, llegando a pedirle que lo lleve con él a la tumba.

El Diorama que tanto éxito había alcanzado meses antes, vuelve a abrirse con nuevos cuadros luminosos en la calle de la Palma número 9, siendo su atractivo principal una vista de San Pedro en Roma, con todos sus altares iluminados. "¿Quién no querrá ver la reina, la madre de todos los templos católicos, a tan poca costa, sin tener que emprender el viaje a Roma?", decía la publicidad. Al mismo tiempo se ponía en exhibición un hermoso piano de cola que podía ser adquirido a bajo precio. Mientras tanto, el empresario Oropesa, que como hemos dicho se había quedado con el Teatro Principal, le encargó a un arquitecto francés de nombre Griffon que restaurase hasta donde fuera posible el viejo local. Griffon aceptó y en dos meses remozó el salón a tal grado que fue el asombro de los concurrentes. Su reinauguración tuvo lugar en marzo de 1845 y Oropesa en el prospecto para la temporada cómica que anunciaba, no tuvo empacho alguno en proclamar que el Principal, tal como había quedado, era el más hermoso no sólo de América sino del mundo entero, por lo que recibió las burlas de los cronistas. La primera función se ofreció con una comedia francesa titulada *Influencias de una suegra*, marcando el inicio de una costumbre nefasta en nuestro teatro y que hasta la fecha aún padecemos: las adaptaciones. El traductor, un señor del que sólo conocemos sus iniciales, J. C., no se contentó con verterla del francés al castellano, sino que la "traspasó" a España usando el mismo método que usan los "adaptadores" actuales, o sea el de cambiar simplemente los nombres geográficos. Don J. C. escribió Madrid donde decía París, y Cádiz donde decía Burdeos, al igual que ahora se pone Acapulco por Niza, y con esto ya pasa por obra mexicana. No comprendemos por qué el

49

primer "adaptador" no situó la acción en México sino en España, aunque pensamos que era en 1845 más elegante decir Madrid que México. Un cronista, también el primero que se opuso a este sistema, escribió como lo seguirían haciendo sus colegas por muchas generaciones, aunque inútilmente:

> No basta substituir el nombre de París por el de Madrid, pues esto no serviría sino para crear disonancia, si los personajes no se hacen verdaderamente españoles tanto en lenguaje como en modo de proceder, para lo que es absolutamente indispensable conocer las costumbres.

Pero fue como clamar en el desierto: los "adaptadores" o "transportadores", siguieron haciendo de las suyas y seguirán por mucho tiempo más.

Acosta el aeronauta tuvo al fin un terrible accidente en Morelia al finalizar el 1844, accidente que relata él mismo en una carta publicada en *El Siglo XIX* en abril de 1845. Resulta que al elevarse en la plaza de toros de Morelia, sopló un fuerte viento que empujó el globo hasta el extremo de la plaza, chocando con ella e introduciendo en un palco la barquilla de mimbre donde iba Acosta. El aeronauta se aferró a una columna, pero el globo se liberó y subió a los aires. Acosta iba colgando fuera de la barquilla y pensó que podía soltarse cuando el globo llegase a la azotea. Así quiso hacerlo pero no se fijó en que un cordel había quedado enredado a una de sus piernas. Por tanto, al soltarse quedó colgando en el aire sujeto sólo por la cuerda, la que instantes después se rompió y Acosta cayó desde la azotea de la plaza hasta el suelo, con tan buena suerte que sólo sufrió la fractura del pie derecho. El globo se perdió entre las nubes y bajó al cabo de algún tiempo a muchas leguas de distancia. Acosta tuvo que resignarse a no volver a ver las ciudades desde lo alto por algunos meses.

En julio de 1845 tuvo lugar en el llamado Teatro Nacional, ya no de Santa Anna al menos por un tiempo, un homenaje a la memoria de Fernando Calderón, en el que Prieto leyó la poesía que se incluye en este tomo y también los poetas Alejandro Arango y Escandón y Ramón Arcaraz leyeron sus composiciones. Luego se representó el drama de Calderón, *El torneo*, y por último se colocó un busto del poeta jalisciense zacatecano en el vestíbulo del teatro, donde permaneció hasta que fue derruido el hermoso local.

Se debe a J. Rodríguez de San Miguel la primera historia del Teatro Principal que apareció en un breve artículo en agosto de 1845. Faltaban todavía casi cien años para que don Manuel Mañón escribiese su bien documentada *Historia del Teatro Principal*, en 1933. Rodríguez de San Miguel ofrece algunos datos interesantes y por ello remitimos al lector interesado a su artículo en la página de este volumen.

Para pagar las deudas contraídas con la edificación del Teatro de Santa Anna, o Nacional, el gobierno se ve obligado a hacer algunas reformas al gigantesco local y destinar parte de él a restaurante y a un hotel con cuarenta cuartos, un salón de billar para los socios, así como otra sala para jugar a las cartas. El restaurante estuvo a cargo de don Tomás Laurent. Como sociedad no tuvo mayor éxito, pero en cambio como hotel funcionó a la perfección durante varios años. Seguramente ni Arbeu ni su ahora enemigo arquitecto De la Hidalga pensaron jamás que los departamentos del teatro, destinados a otros menesteres como academia de arte dramático, de danza o salas de conferencias, tuviesen tan denigrante finalidad, ¿o lo pensaría Arbeu, que era, al fin y al cabo, un buen hombre de negocios?

En agosto de 1845 llega a la capital una nueva compañía de ópera, encabezada por la soprano Eufrasia Borghese. La compañía prometió una temporada de cuatro meses y los abonados respondieron puntualmente a sus pagos. Dos meses más tarde, en octubre, los cronistas y el público comienzan a quejarse porque sólo les ha ofrecido la empresa seis óperas, todas ellas muy conocidas ya, y además mutiladas porque la Borghese no tenía la suficiente voz para cantarlas enteras, según nos cuenta un cronista que se firma como "El Pobrete". El resto de la compañía no era tampoco la gran cosa, pero el público, que no tenía para escoger, se resignó y siguió asistiendo al Gran Teatro Nacional a escuchar las mismas e incompletas partituras. Otro crítico, que firmaba con las iniciales J. P., escribe un extenso artículo sobre teatros, en que ataca sin piedad, pero con verdad, a los cantantes de la compañía, sobre todo a la soprano, a la que le dice entre otras lindezas:

Que desafina a cada paso, que desfigura y desnaturaliza todos los temas de una ópera, que suple la expresión y el sentimiento con falsas agilidades, que en su juego de teatro no hay ni naturalidad ni verdad...

A los pocos días el cronista teatral del periódico *Le Courrier Française*, que se editaba en francés, le contesta a este señor J. P. saliendo en defensa de la Borghese e insultando al crítico, a quien le dice que no se le puede responder "sin riesgo de insultar el buen gusto, la razón y la decencia pública". Ya se ve de qué modo se las gastaban los críticos de esa época. Don J. P. no podía quedarse callado, y desde *El Siglo XIX* le contesta ahora revelando su apellido, que era Patiño y que quizá fuese el mismo que años después fuera empresario teatral. Al replicarle al crítico francés, quien después de todo no hacía más que defender a una compatriota, Patiño vuelve a acometer contra la soprano después de poner en su lugar a su contrincante, y vuelve a decir que:

Aunque la Borghese es una cantante menos que mediana, lo que no es un gran título de nobleza, con todo, si se atiende a la gracia con que despedaza las óperas, si tomamos en consideración lo que las sube y las baja, lo que les añade y les suprime, lo que desafina y lo que grita, podríamos concluir que en su género es una notabilidad como hasta ahora no habíamos visto aquí otra.

En diciembre se marcha la compañía y con ella la pobre soprano, quien si bien era verdad que no era una cantante de mucho mérito, tenía al menos la particularidad de saber hacerse una gran publicidad en las revistas y en los diarios, pues su litografía aparecía con demasiada frecuencia.

En este mismo año de 1845 tuvo lugar el estreno de una pieza dramática escrita por don Francisco Gavito e intitulada *Triunfo de la lealtad y la inocencia*, que tuvo lugar en octubre, cuando ya los aficionados hablaban con calor sobre la suerte del Teatro Nacional en el próximo año de 1846 y se decía que se esperaban grandes sucesos que harían las delicias de los espectadores. El señor J. Patiño se burla de esos rumores al señalar que había asuntos más importantes en el país de qué ocuparse, como las matanzas que cometían los indios en Durango y Zacatecas, o las revueltas políticas en Tabasco y en Sonora, pero, sobre todo, la invasión del Estado de Texas, asunto que conmocionaba a la opinión pública al finalizar el 1845, tanto que hasta un drama en tres actos, seguramente de autor mexicano, se representó en el Teatro Nacional. Se titulaba *Cómo se venga un texano*.

El primer semestre de 1846 transcurrió para el teatro en la capital sin nada que sea digno de ser comentado, pero ya en junio encontramos una función en el Nacional a beneficio de las viudas y huérfanos de los soldados mexicanos muertos en las orillas del Río Bravo en el mes de mayo, "defendiendo la integridad del territorio nacional". Esta función estuvo organizada por un comité de damas entre las que figuraban Josefa Cortés de Paredes, esposa del nuevo presidente de la República, general Mariano Paredes, Pilar Tovar de Andrade, Ana Noriega de O'Gorman, Rosario Almanza de Echeverría y Nina Fagoaga de Escandón. Los actores todos se prestaron con gusto a tomar parte en dicha función, pudiendo de ese modo ver los aficionados a los mejores elementos con que contaba el teatro en aquel año, juntos por vez primera. Hasta María Cañete se encontraba sobre el escenario para colaborar a la causa por la que luchaban los mexicanos, aunque un año después se presentase en el escenario para representar ante los invasores norteamericanos.

La empresa del Nacional se veía en apuros al ver a diario el salón semivacío debido a que ya la guerra contra los Estados Unidos de Norteamérica había tomado caracteres alarmantes y no estaban las cosas como para gastar el dinero en el teatro. Sin embargo, se contrató a una primerísima actriz española, doña Isabel Luna, para que viniese a la capital a reforzar el cuadro de actores y a inyectar entusiasmo entre los renuentes a asistir al teatro en aquellos momentos. Antes de salir de España, Isabel envió su álbum, costumbre muy romántica y muy hermosa, a don Manuel Bretón de los Herreros, el célebre comediógrafo, para que le escribiese un recuerdo. El chispeante escritor estampó en aquel álbum unas quintillas llenas de buen humor, aunque también de mala fe hacia México. Como es de suponer, junto con la actriz llegaron a la capital esas quintillas, publicadas en los diarios de Madrid. Entresacamos las que se refieren a México en este prólogo, pero rogamos al lector las lea completas, así como las contestaciones, que aparecen en este tomo íntegramente.

Y allá te vas, alma mía,
cuando la discordia impía
diezma el feraz territorio
que fue magnífico emporio
de la hispana monarquía.

Cuando con tan poco juicio
y tanta crueldad nos dejas,
Isabel, ¿qué beneficio
esperas de un edificio
que se ha quedado *sin tejas*?

Tanto va y a tus oídos
cuando aquella playa abordes,
lo dirán hondos gemidos
de los estados —discordes
a los estados— unidos.

Triste gente mexicana
a quien todos arman redes,

53

ayer rezaste a *Santa Ana,*
hoy das contra las *paredes,*
¿qué piensas hacer mañana?

El angloindiano te engaña,
el anglo de acá te vende,
¡Oh!, arrójate sin saña
en los brazos de la España
que amorosa te los tiende.

Siguen varias quintillas en que Bretón trata de convencer a los mexicanos de que lo mejor que pueden hacer es convertirse de nuevo en colonia española para salvarse de sus vecinos que los invaden, y el mismo escritor se da cuenta que ha ido demasiado lejos, aunque no se arrepiente, cuando dice:

Sí, amiga, en México un trono
fuera... mas según arguyo,
habrá quien dude en mi tono
si es el álbum que emborrono
el de México o el tuyo.

Y, efectivamente, hubo quien, o quienes por mejor decir, "dudaron de su tono", y algunos cronistas vieron las quintillas con tranquilidad e hicieron un breve estudio sobre ellas alegando que no eran tan insultantes como a primera vista parecían, sino que se trataba de una broma, de algo escrito de particular a particular y no para ser impresas, "al menos en el país a que se refiere", y que no se encuentran en ellas nada "que exalte la bilis y que haga poner el grito en el cielo como algunos quieren". Esto decía el cronista anónimo del diario *El Republicano*, aunque líneas después confiesa que sí le molestó la idea de Bretón de que México se convierta de nuevo en colonia de España, y recuerda que tampoco andaban muy bien las cosas en la Península con la reina regente María Cristina años antes, y con la política de Espartero y de Narváez. "Se necesita ser muy olvidadizo para no recordar que si la hija tropieza, la madre ha tropezado también y no ha mucho."

Pero no todos los escritores mexicanos vieron con esta calma las famosas quintillas, y el semanario *Don Simplicio*, humorístico y político, publica la primera glosa de las quintillas de Bretón, haciendo hincapié, claro está, en la absurda idea del escritor humorístico español.

Olavarría y Ferrari señala que esta respuesta se debe a Guillermo Prieto, pero sólo lo supone:

¿Y cómo permanecías,
bella Isabel, en Madrid?
¿Son los godos de estos días
de turbulencias impías,
los nobles hijos del Cid?

¿Son cuando con mil trabajos
se quedan sin Países Bajos,
se quedan sin Portugal,
y dan mandobles y tajos
por la cuestión conyugal?

Cuando pierden de un revés
las conquistas de Cortés,
cuando tiemblan por La Habana,
cuando no saben cuánto es
lo que perderán mañana.

¡Pobre España, estás así,
tanto, tan mal como aquí!
¡Así quieres sostenernos!
¡Por vida de los infiernos!
¿y quién te sostiene a ti?

La ira de *Don Simplicio* también recae contra la primera actriz:

¿Qué le hiciste al buen Bretón
que al encarecer tu fama
de actriz y de hermosa dama,
tornó su elogio en proclama
que injuria a nuestra nación?

Otro poeta anónimo a los pocos días publica en *El Republicano* su propia contestación a las quintillas de Bretón, haciendo una parodia de todas y cada una de ellas:

Déjate ver, alma mía,
cuando la discordia impía
diezma nuestro territorio,
ya que la trajo a este emporio
la española monarquía.

55

Y pues que con tanto juicio
tu ruinosa patria dejas,
Isabel, gran beneficio
esperas de un edificio
firme, techado y *sin tejas*.

Pronto a españoles oídos
en playa a que nunca abordes,
acaso irán los gemidos
que los estados-discordes
hagan dar a los unidos.

¡Infelice gente hispana!
Advierte tus propias redes,
ve a Espartero, no a Santa Anna;
a Narváez, no a Paredes...
¿Quién te diezmará mañana?

Patria, si este anglo te engaña
y si aquel anglo te vende,
¿te irás a arrojar sin saña
a los brazos de la España
si capciosa te los tiende?

Unas nuevas quintillas aparecieron el 10 de agosto, también en *El Republicano*, firmadas con las iniciales E. B., y que son aún más agresivas que las anteriores en contra de Bretón y de España:

Pues que provocas la lid,
¡Oh, Bretón, viven los cielos!
Para un hijo del Cid
habrá más de un adalid
en la patria de Morelos.

¿Qué nos roba la malicia
un rico estado? Muy bien,
pero armados de justicia
a la española avaricia
un día arrancamos cien.

¿Que rezamos a Santa Anna?
Mas en él al vencedor
vimos de la raza hispana.

56

Fue un tirano y nuestro honor
castigó su ambición vana.

La sagrada religión
del vencedor del abismo
os debe nuestra nación,
pero también el borrón
de su ciego fanatismo.

Como es de suponer, con toda esta publicidad y este revuelo que
se armó a la llegada de Isabel Luna, todos los capitalinos tenían un
vivo interés en conocerla y en verla actuar. ¡Ay de ella si en verdad
no correspondía a la fama que la había precedido como primera actriz
del Liceo de Madrid! La Luna sabía todo esto y el día de su primera
presentación temblaba entre cajas; el Teatro Nacional se encontraba
lleno a más no poder para asistir a la representación del drama de
don Juan Eugenio Hartzenbusch titulado *Los amantes de Teruel*. Apareció Isabel ante el público y quedó asombrada al escuchar una ovación si acaso fría, bastante cortés. Era como una bofetada con guante
blanco no a ella sino a Bretón de los Herreros y así lo comprendió la
actriz, pero de cualquier modo era un reto. Transcurrió la pieza en
medio del silencio y la Luna demostró con creces que era más de lo
que la fama decía y se mostró como una gran actriz, arrancando aplausos calurosos. Sin embargo, algunos cronistas no lo quisieron ver así
y aún dolidos por el incidente que ella suscitó, le regatearon sus cualidades como actriz:

La señora Luna es a nuestro entender un diamante poco pulido todavía,
pero que ya revela un gran brillo.

Con todo lo sucedido, y con el temor de la invasión norteamericana
siempre pendiendo sobre la capital, Isabel se apresuró a cumplir su
contrato, que era por doce funciones solamente, y regresó a su patria
a toda prisa, seguramente llevando todos los recortes de prensa con las
contestaciones para enseñarlas a su amigo Bretón, el cual debe haber
reído con simpatía, puesto que sentido del humor nunca le faltó al
festivo escritor de costumbres.

La guerra contra los invasores de Texas que amenazaban con invadir
todo el territorio, era cada día más comprometida para México. Los
políticos volvieron la vista en busca del único estratega que ya había
demostrado serlo con la expedición de Barradas en Tampico: don
Antonio López de Santa Anna, el hombre al que pocos meses antes

57

habían hecho objeto de escarnio arrastrando su pierna y derrumbando sus estatuas. Allá se fue una comisión a Manga de Clavo para pedirle que se pusiera al frente del ejército mexicano que peleaba en Texas. Una vez que don Antonio aceptó el "llamamiento de la patria", los capitalinos se apresuraron a colocar de nuevo las letras doradas en el frontón del Gran Teatro, que volvió a llamarse De Santa Anna, y encontraron en una bodega la estatua que había estado en la plaza del Volador, llevándola en triunfo y poniéndola de nueva cuenta en su sitio. El 14 de septiembre se ofreció en el teatro una solemne función para festejar la entrada a la capital del "Excelentísimo señor general de división, benemérito de la patria, don Antonio López de Santa Anna", quien se encontraba de paso para emprenderla rumbo al Norte. La mencionada función no fue muy brillante que digamos y la asistencia fue escasa. Santa Anna, siempre listo, se olió el posible desaire y se abstuvo de concurrir.

Como la "gente decente" no iba al teatro en esos meses de incertidumbre, los empresarios decidieron organizar espectáculos dedicados al populacho, y la llegada de una compañía de gimnastas franceses fue la salvación. El elegante Teatro Nacional, orgullo de los capitalinos, se vio invadido por vez primera en su corta existencia por maromeros y cirqueros, encabezados por un hombre fuerte apellidado Turín. La concurrencia fue tan abundante durante varios días, que el empresario y el mismo Turín pensaron que la plaza de toros sería el sitio más adecuado para albergar a todos los espectadores que deseaban admirar los ejercicios de destreza y fuerza de los componentes de la compañía. El 15 de noviembre de 1846 se anunció que monsieur Turín haría lo que parecía imposible, o sea que detendría "con el brazo en posición vertical", a un caballo en pleno galope. Así lo hizo arrancando los aplausos, pero el público comenzó a gritar que el caballo era flaco y débil y que debía repetir la hazaña con un corcel grande y fuerte. Turín aceptó el desafío y le fue traída una bestia piafante y nerviosa. El hombre fuerte se colocó la cuerda enrollada sobre el brazo y ordenó que soltaran al caballo. Estaba a punto de vencer, pues el animal luchaba con todas sus energías, cuando el brazo de Turín se dobló y la cuerda le provocó terribles quemaduras al dejarlo sin pellejo. El hombre fuerte se desmayó por el dolor y fue llevado a la enfermería. El público aplaudía a rabiar y exigía el cumplimiento de la totalidad del programa, que anunciaba que después del acto del caballo, Turín lucharía con un mexicano que lo había desafiado. Una parte de los espectadores consideró injusta la petición debido a las circunstancias, pero el resto de los asistentes comenzó a armar escándalo. Turín, una vez que despertó de su desmayo, salió a la arena con el brazo vendado y ordenó que apareciese el luchador nacional, a quien venció a las primeras de cambio y sin gran esfuerzo. Esto en lugar de calmar los ánimos de la concurrencia los provocó más aún, pues al ver a un compatriota vencido por un extranjero, en aquellos días en que el honor nacional estaba más susceptible que nunca, el público comenzó a dar voces para animarse a linchar a Turín que se atrevía a vencer a un mexicano en su propio campo. Las cosas hubieran llegado a mayores si no hubiese llegado muy a tiempo un piquete de la guardia y hecho restablecer el orden.

En esta más o menos puntual relación del movimiento teatral en la ciudad de México en todo el siglo xix que hemos llevado a efecto en varios volúmenes, ha habido años, muy pocos por cierto, que hemos dejado en blanco por la falta de espectáculos. Nos vemos en la obligación de hacerlo de nuevo con el de 1847, cuando la capital no estaba para diversiones sino para combates en Churubusco, en Padierna, en Chapultepec, en Molino del Rey, y por fin con los invasores norteamericanos instalados en Palacio Nacional y con la bandera de las estrellas y las barras ondeando en Catedral. Fueron tan tristes y tan lamentables estos acontecimientos, que preferimos hacernos de cuenta que ese año no existió para la historia que investigamos, que es de por sí amable. Una vez que los invasores se enseñorearon de la capital, trajeron sus propios actores, quienes representaron en el Teatro Nacional durante algunos días, en medio de escándalos de la concurrencia ebria. El general Scott deseó que se ofrecieran funciones con una compañía mexicana, para que la sociedad asistiese a ellas y la vida continuara su ritmo normal. Se le propuso a la actriz Rosa Pelufo que encabezara la compañía, pero ella se negó rotundamente. En cambio, María Cañete aceptó, lo mismo que Juan de Mata, Manuel Fabre, Antonio Castro y algunos otros, y en noviembre de 1847 se presentaron en el Nacional. Caro habían de pagar esta acción, pues una vez que los invasores se retiraron, los actores mencionados tuvieron que huir hacia la costa y de allí a Cuba para librarse del enojo de sus compatriotas. Ya volverían con el tiempo, pero siempre serían mal vistos, sobre todo la Cañete, organizadora de dicha compañía. Eso es todo lo que puede comentarse de 1847 respecto al teatro en México, por lo que pasamos a 1848 en un inútil afán por olvidar aquellos acontecimientos que serán por siempre recordados con tristeza y con ira.

Un hermoso artículo de costumbres aparece en *El Siglo XIX* en

59

junio de 1848, firmado por el seudónimo *Querubín*, que correspondía al poeta y licenciado veracruzano don Mariano Esteva y Ulibarri. *Querubín* asiste por vez primera a una función teatral en el Principal, pero por las tardes, cuando asistía un público muy diferente al de las noches. El cronista nos da una muy fiel descripción de aquellas personas que no tenían para pagar los precios más elevados de las funciones nocturnas, o bien de las familias que llevaban a los niños para que no se desvelasen. Miguel Valleto y Antonio Castro aparecen ya en estas funciones, perdonados por el público, pero no María Cañete, quien se encontraba aún fuera del país. Asimismo, encontramos por vez primera el nombre de un actor que va a ser muy importante en nuestras investigaciones: Isidoro Máiquez, homónimo del gran actor español. Este Máiquez mexicano comenzó como bailarín en los teatrillos de barrio, pero poco a poco fue haciéndose de una reputación y a alternar sus bailes con sus trabajos como actor, aunque siempre dio preferencia a los primeros. Don Mariano Esteva se pone furioso al ver que aquel bailarín se llama igual que el célebre español muerto en 1826:

> No sabemos si la suerte le dio ese nombre o él al dedicarse al teatro se aplicó un nuevo bautismo. Si lo segundo, cometió un error que revela además inmenso orgullo. Si lo primero, debería quitárselo; su ilustre homónimo ha dado tanto brillo a ese nombre, lo ha consagrado ya de tal manera con su talento, que es una verdadera profanación llevarlo aunque sea propio.

El Máiquez del país no atendió a esta sugerencia y siguió llevando ese nombre que debe haberle pesado bastante sobre las espaldas. Decíamos que era interesante para nuestras investigaciones este bailarín y actor, porque en el segundo tomo de *El teatro en México en la época de Santa Anna*, trasladamos íntegramente su Álbum, el que encontramos en una biblioteca particular de la ciudad de Durango.

El 22 de junio de 1846 se anuncia en el Teatro Principal una solemne función para celebrar "el feliz término de la guerra". Podían haberse ahorrado eso de "feliz" y conmemorar tan sólo el final de la invasión norteamericana. Se cantó un Himno de la Paz y se representó un drama titulado *La hija del regente*. A lo que no se atrevieron los empresarios fue a montar la comedia que se representó por la tarde, la que se titulaba *El héroe por fuerza*, porque la función estaba dedicada al supremo gobierno.

Don Francisco Pavía, el bailarín, se convirtió en empresario en julio de 1846, juntando a los actores que se hallaban en situación precaria después de año y medio de no trabajar. Abrió un abono en el Teatro Nacional, y si bien los capitalinos se encontraban sin fondos, no podían quedarse tampoco sin divertirse, de modo que el público comenzó a ir al teatro nuevamente. *Querubín*, o sea Esteva y Ulibarri, salta de gozo y comienza así su primera crónica:

> Por fin después de tanto tiempo de luto la escena mexicana volvió a abrirse y otra vez hemos visto lo que casi ya no esperábamos: la animación y la vida de otros tiempos... ¡Bien lo merecíamos ya, por vida mía! Si más duramos en aquel lamentable estado, gran peligro corríamos de convertirnos en momias de pura tristeza y angustia.

La temporada dio principio con una nueva comedia de Bretón de los Herreros, quien a pesar del incidente de las quintillas ofensivas, seguía siendo el preferido de los espectadores. La segunda función armó un sonado escándalo del que vamos a ocuparnos a continuación.

Pavía quiso montar el drama de Dumas intitulado *Margarita de Borgoña o La torre de Nesle*, tema que siempre ha sido una especie de tabú para los censores que en México han sido. Se anunció que se representaría sin las mutilaciones de que había sido víctima en anteriores ocasiones, lo que le daba un mayor atractivo en esta ocasión. Mucho se discutió en los periódicos si era conveniente o no que se autorizara este drama, y *Querubín* escribió un largo y jugoso artículo en el que asegura que se merecen los habitantes del mundo esa clase de dramas porque "la sociedad europea, como la mexicana... está corrompida y próxima a desmoronarse", y por tanto la literatura dramática es "la fiel representación, el verdadero eco del tiempo a que pertenece". O sea, lo que se viene diciendo desde hace siglos y lo que se dirá aún por muchos más. Lo que apunta Esteva con inteligencia es que no deben condenarse los dramas románticos porque hay en ellos asesinatos e inmoralidades, pues con ese criterio debieran prohibirse también a los clásicos griegos, y nadie se atreve a tocar esas obras inmortales.

> Condenar el drama romántico y salvar la tragedia clásica en idénticas circunstancias, sólo puede ser obra de la parcialidad o de la ignorancia,

escribía con toda la razón el talentoso *Querubín*, quien luego se lanza a demostrar, contra todo lo que se venía diciendo desde las postrimerías del siglo XVIII, que el teatro no es escuela de costumbres, sino que el público sólo busca en las representaciones escénicas una distracción, y en México ni siquiera eso, sino tan sólo un lugar de reunión para discutir los últimos acontecimientos mercantiles o políticos.

Al día siguiente una gacetilla de *El Siglo XIX* se lanza en contra de la empresa y de las autoridades por haber permitido la representación de *La torre de Nesle*, porque había en ella "parricidio, adulterio, incesto y otras lindezas de este jaez". Además, afirma que es mentira que la pieza se diese completa, sino que, por el contrario, apareció más mutilada que nunca e incluso se llegaron a cambiar algunos incidentes. De inmediato recibe la respuesta de uno de los censores de teatro, quien muy ofendido le dice al gacetillero que es un ignorante, puesto que se representó la traducción española donde ya estaba suprimida una importante escena, pero por culpa del traductor, no de los censores ni de la empresa. Por otra parte, lo desafía a que le señale dónde existe el incesto en esa obra de Dumas, ya que según la opinión de los censores, entre los personajes Margarita y Buridán no había ningún parentesco. También este censor cae en el mismo error en que han caído todos los que han ejercido la censura de cualquier tipo en México, o sea el de permitir toda clase de "inmoralidades", como crímenes, adulterios, robos, estupros, etcétera, a lo largo del drama (o película en nuestros tiempos) si en el último minuto los culpables son castigados. Dos horas de asistir a la ejecución de los delitos para en la última escena darle la victoria a la justicia, sólo para recibir el visto bueno de la censura. El censor de 1848 alega que Margarita de Borgoña paga sus crímenes antes de caer el telón final, de modo que la moral queda a salvo. Ya se ve, pues, que el criterio de la censura en nuestro país no ha cambiado un ápice y que la evolución cerebral de estos señores se ha detenido por más de cien años.

El gacetillero de *El Siglo XIX* contesta al censor en el mismo número del 30 de julio de 1848 demostrando que el ignorante era el "supervisor" de las piezas teatrales, puesto que al hablar de incesto no se refería a Margarita y Buridán, sino a Margarita y Felipe Daulnay (el nombre correcto en el drama es Aulnay). Hay en esto una confusión que no logramos entender: según la obra, Gualterio, el hermano de Felipe e hijo también de Margarita, es el que está enamorado de su madre y no Felipe, quien muere asesinado en la Torre de Nesle. En fin, para el caso da lo mismo: en la obra sí hay incesto, como apuntaba el gacetillero, aunque no llegue a efectuarse, que fue lo que seguramente no comprendió el censor. Asimismo, el autor de la respuesta le señala punto por punto las escenas que fueron suprimidas y no una sola. Ante respuesta tan categórica, el censor no volvió a abrir la boca ni a tomar la pluma y quedó, como todos los censores, en el ridículo.

En julio de 1848 encontramos una nueva obra de autor mexicano, también anónimo, intitulada *Si olvidamos los partidos México será inmortal*, del que ningún cronista o gacetillero se ocupó siquiera. Antonia Aduna, una humilde cantante mexicana, murió en agosto y Ramón de la Sierra, un poeta romántico del que no aparece la menor noticia en el incompleto *Diccionario Porrúa*, escribe una hermosa nota necrológica que es un claro ejemplo de la corriente literaria venida de Francia durante el siglo pasado:

> Tierna flor que al entreabrirse cayó doblada por la tempestad. Brillaste un día y tu brillo se apagó dentro de la tumba. ¿Mas por qué, joven amable, al comenzar tu radiante carrera, dejaste un mundo que te adoraba y te idolatraba? Joven sencilla y amable, el velo blanco que cubría tu cuerpo ya inánime, revelaba tu inocencia virginal, y en alas de esa inocencia has volado a la región de la luz a ser una joya de la diadema del Señor, y si bien no percibes el placer del mundo, eres aún más feliz al lado de los querubines.

Si la escultura funeraria romántica ha sido objeto del vandalismo y de la imbecilidad al ser destruidos los monumentos en los panteones, al menos la literatura romántica necrológica subsiste en las páginas de los diarios.

Al celebrarse las fiestas de la Independencia, los empresarios del Teatro Nacional anunciaron con grandes carteles la representación de un drama intitulado *El 16 de septiembre o la justicia de Dios*. El público llenó el teatro desde temprano creyendo que iba a presenciar por vez primera la escenificación de los hechos que tuvieron lugar treinta y ocho años antes en México, pero bien pronto se dio cuenta que había sido víctima de un fiasco. El 16 de septiembre a que se refería el drama nada tenía que ver con el 1810, sino que se trataba de un episodio de la historia de Francia. La empresa demostró con el original que tal era el título de la comedia, pero no pudieron demostrar que no había habido mala fe en representarlo en esos días.

Un escándalo terrible tuvo lugar la noche del 6 de noviembre de 1848 en el Teatro Nacional. Se representaba la comedia de Scribe titulada *Mentira y verdad*, con diálogos soporíferos y nada de acción. En el segundo acto el público de la galería comenzó a protestar con silbidos aislados y uno que otro bastonazo. En el tercer acto los espectadores de la luneta hicieron patente su desaprobación y bien pronto el teatro todo gritaba a más y mejor en contra de la comedia y de los empresarios. En el cuarto y último acto ya nadie escuchaba a los actores y éstos decidieron no seguir adelante. El telón cayó y la gritería arreció. Algunas familias se retiraron, pero las galerías y los balcones exigían entre gritos y ruido provocado por toda clase de objetos, que se les diese un baile. El empresario se negó rotundamente y ordenó que la orquesta abandonase su puesto y se apagasen paulatinamente las luces de la sala. Una buena parte de la concurrencia abandonó el teatro furiosa, pero el resto de los alborotadores comenzó a arrojar cojines al lunetario y contra la lámpara central, la que fue elevada rápidamente hasta el techo. Al terminarse los cojines, llovieron desde lo alto las sillas y los taburetes, causando un gran destrozo. Al fin se retiraron los escandalosos sin que un solo policía los intentase detener. La empresa, furibunda, amenazó con clausurar su temporada, pero las autoridades le prometieron que aquello no volvería a suceder y fijaron en todo el teatro cartelones con avisos en el sentido de que los alborotadores serían consignados, pero la redacción de aquellos avisos estaba tan mal hecha, que fue la irrisión del público. En *El Siglo XIX* se dijo al día siguiente entre burlas y veras:

Negamos al Congreso de la Unión y al presidente de la República, la facultad de publicar las leyes en otro idioma que no sea el castellano.

Y es que en los avisos podía leerse "manoscritos" por manuscritos, "ingurias" por injurias y "prejuicios" por perjuicios. Estaba firmado por el juez de teatros don Leandro Pinal y a él iban dirigidas las cuchufletas: "Nos pareció por la redacción un Reglamento del alcalde de Popotla o de Talimaya." El señor Pinal contestó al día siguiente muy digno, alegando que los errores ortográficos se debieron a la precipitación con que fueron impresos los avisos, pero las carcajadas no dejaron de escucharse en los cafés y en el teatro por varios días.

Los mismos actores del Nacional quisieron vengarse del escándalo que les impidió representar la obra de Scribe, y el 20 de noviembre ofrecieron una función en la que se incluía una comedia en un acto titulada *Un escándalo en el teatro*, en la que se cantaba una tonadilla en que se hacían francas alusiones a algunas familias y caballeros de la sociedad que habían estado presentes en la noche de los acontecimientos. Unos de estos caballeros, furioso al oírse mencionar, y al ver en la luneta a un escritor del que por desgracia no sabemos el nombre, la emprendió a golpes contra él creyendo que era el autor de la letra de la tonadilla. Así eran algunas funciones teatrales en el año del Señor de 1848.

La empresa decidió darle al público lo que se merecía, y anunció para la función de Noche Buena dos sainetes en los que los actores interpretarían los papeles de las actrices, y viceversa. No hay para qué decir que el éxito coronó su idea y por varios días tuvo que representarse así, no obstante las quejas de los cronistas: "Esa clase de farsas son muy impropias del local hermoso y decente del Teatro Nacional y del público." Pero se equivocaba, pues el público aplaudía a rabiar a Viñolas vestido de mujer y al bailarín Isidoro Máiquez con traje de aldeana saltando por el escenario. Tampoco nuestro público ha evolucionado, puesto que ya sabemos que los cómicos actuales para triunfar tienen que vestirse de mujer.

Durante los meses de enero y febrero de 1849 el único espectáculo con que contaba la capital de la República era la compañía dramática del Nacional, de modo que la empresa hizo un buen negocio a pesar de que las comedias y dramas que ofrecía no eran de lo mejor del repertorio español o francés. El público se divertía más con las ratas que invadían los palcos causando el pánico de las señoritas y la ira de los caballeros, quienes arremetían con sus bastones contra los intrusos roedores. El 31 de enero se anunció la representación de la adaptación dramática de la novela más famosa por esos años, *El conde de Montecristo*, de Alejandro Dumas. La adaptación había sido hecha en Francia y la traducción corrió por cuenta de un mexicano. Se había anunciado esta obra para el beneficio de la señora Francesconi, primera actriz del Nacional. A última hora se avisó que el actor que iba a encargarse del papel de Edmundo Dantés se había negado a desempeñarlo, y la beneficiada, para no perder su noche en que buena parte de las ganancias le corresponderían, y que serían mayores con esa famosa obra, sin amilanarse declaró que ella misma se haría cargo del protagonista masculino. El teatro estaba lleno a reventar para admirar la obra de Dumas, que había sido adaptada en siete actos. Lo que no sabían los espectadores es que cada acto duraba casi una hora, de modo que, como dijo un crítico, entraron al teatro en enero y salieron en febrero, después de aburrirse mortalmente con los pesados diálogos y la falta de acción. *El conde de Montecristo* se fue al foso y no fue sino hasta años después que esa misma versión se aligeró bastante y tuvo un regular éxito.

La obra más famosa de don Jacinto Benavente es, sin duda alguna, *La malquerida*. Pero he aquí que no hay nada nuevo bajo el sol: en

65

febrero de 1849 se estrena en el Teatro Nacional de México una pieza intitulada *Fatal pasión* o *Nuestra Señora de los Ángeles*, de origen francés y traducida por el mexicano Carlos Hipólito Serán. Con sorpresa leemos el argumento que nos relata el cronista anónimo de *El Siglo XIX*, porque sesenta y cuatro años antes del estreno de *La malquerida*, ya el tema era conocido por esta *Fatal pasión*, que es la que el padrastro siente por la hijastra y en la que no faltan los celos que llevan a querer matar al pretendiente de la muchacha, y que en la obra de Benavente sí se lleva a efecto. El final varía, pues mientras en esta obra de 1849 el padrastro muere porque se le dispara un tiro al cargar la pistola con la que pretende matar a su rival, en la de Benavente es la esposa y madre la que muere, dejando el campo libre a los amantes. El modernismo en Benavente le permite que Acacia ame a su padrastro, mientras que el romanticismo del ignorado autor francés lo obliga a que la muchacha rechace indignada los asedios del esposo de su madre. Pero el asunto viene a ser el mismo y cabe preguntarse si don Jacinto no leería la para él vieja obra francesa adquirida en una librería del Rastro madrileño. Lo que no comprendemos es el subtítulo: eso de *Fatal pasión* o *Nuestra Señora de los Ángeles*, es como si Benavente hubiese intitulado su pieza *La malquerida* o *La Virgen de la Macarena*.

"El rey de los luchadores", un norteamericano que quizá se quedó en México después de la invasión de 47 y del que sólo sabemos se apellidaba Charles, se presentó en el Teatro Principal en febrero de 1849 con un espectáculo de lucha grecorromana muy cosmopolita, puesto que en el programa se anunciaba que Charles lucharía con un mexicano llamado Simón Vázquez, con tres franceses, con un jamaiquino y con cuatro norteamericanos, ofreciendo quinientos pesos de recompensa a quien pudiera vencerlo. Asimismo, desafiaba al famoso francés Turín, el hombre fuerte que detenía caballos al galope, para que midiera sus fuerzas con él. El Teatro Principal se vio lleno por completo para asistir a las primeras representaciones de este espectáculo de bufones que se daban en México. Charles venció a todos sus aparentes contrincantes y esperó a que Turín se presentase, pero esto no sucedió. Por ello, publicó días después una carta en la que desafiaba públicamente al hombre fuerte francés rogándole fijara el día y el lugar en que debería verificarse la lucha. "De lo contrario, entenderé que todo ha sido una fanfarronada de su parte", terminaba Charles más fanfarrón que su contrincante. Turín no se quedó callado y contestó a Charles diciéndole que si la lucha no había podido efectuarse era porque el dueño del Principal ya no quería volver a rentar el salón hasta que el norteamericano le pagase lo que le debía y hasta que pasaran los bailes de carnaval. Con estas indirectas, el asunto se caldeaba y los aficionados a las luchas estaban felices sin saber que seguramente todo estaba arreglado de antemano entre los dos farsantes. La pelea no tuvo lugar sino hasta el mes de abril, pero antes otro luchador que se hacía llamar "El invencible de la palestra de Nimes", nada menos, desafía desde los diarios a "El rey de los luchadores" una vez que haya peleado contra Turín, "El primer Alcides francés". Los encuentros tuvieron efecto venciendo Charles, pero quedaron tan amigos los tres enemigos, que se juntaron para ofrecer luchas de espectáculo en el Teatro Nacional, acompañados del "El león de Francia" y del "Primer Hércules del Sur". En el mismo escenario inaugurado por el primer violoncellista del mundo, los luchadores hicieron un pingüe negocio a costa de la ingenuidad del público mexicano y fue así como dio principio en nuestro país este deporte que iba a tener sus fanáticos espectadores también entre los intelectuales, desde Manuel Payno hasta Salvador Novo.

Una joven actriz llamada Dorotea López ofreció su beneficio la noche del 12 de febrero de 1849 y a los pocos días un rendido admirador, enamorado de ella, le escribe un largo poema en alabanza, el que terminaba así:

> Por eso a tu virtud, a tu talento,
> a tu gracia en la escena,
> hoy consagro mi acento.
> Sigue, joven actriz, prosigue en ella;
> allí es donde te llama
> la sed de gloria que en el alma sientes;
> allí donde la fama
> con voz omnipotente
> repetirá tu nombre entre clamores
> que arranque tu talento;
> allí donde entre aromas y entre flores
> te embriagará la gloria con su aliento.

Esta poesía estaba firmada con las iniciales J. M. L., que seguramente corresponden nada menos que al entonces ministro de Relaciones Exteriores, poeta, abogado y dramaturgo José María Lacunza.

Los hermanos Mosso, quienes habían adquirido el Gran Teatro Nacional cuando Arbeu se declaró en quiebra, animados por la buena temporada teatral que había tenido efecto desde finales de 1848, adquirieron de Francisco Pavía la empresa y lo hicieron también con el Principal y con el Nuevo México, de manera que se convirtieron en los monopolizadores del teatro en la capital. Contrataron a Juan de Mata y a María Cañete, quienes permanecían aún en Cuba sin atreverse a regresar a México después de haber actuado para los invasores. Sin embargo, las jugosas proposiciones de los hermanos Mosso vencieron el temor y aceptaron venir para la temporada de Pascua de 1849. El primero en presentarse fue Mata con el estreno de una bella comedia titulada *Don Francisco de Quevedo*, en la que el primer actor interpretaba el genial humorista del siglo de oro español. Cuando se presentó en el escenario, contra lo que se temía, fue recibido con una cerrada ovación que se repitió al final de cada acto. Con esto, María Cañete se tranquilizó y dos días después se anunció que la actriz se presentaría nuevamente ante el público mexicano en la comedia de Rodríguez Rubí titulada *La trenza de sus cabellos*. Cuando apareció la Cañete se produjo el escándalo: una buena parte del público siseaba y silbaba mientras la otra parte aplaudía. La actriz quedó desconcertada por un momento, pero siguió adelante con la representación mientras el salón hervía entre silbidos y aplausos, gritos a favor y en contra, bastonazos, insultos y escándalo general. Nadie se enteró del primer acto de la obra, pero en el segundo y en el tercero se impuso la actriz indiscutible que era doña María Cañete e hizo callar los silbidos y los insultos para obligar al público a tributarle fuertes aplausos. Desgraciadamente, el cuarto acto de la comedia era débil e inútil, por lo que los espectadores olvidaron a la actriz para ver sólo "a la mujer que lleva consigo como sombra de su gloria una nota de ingratitud", según dijera el cronista Laurel desde *El Siglo XIX*, y el escándalo volvió a surgir haciendo que la Cañete se retirase de escena llorando. Sin embargo, una vez que el público le hizo ver que estaba enojado con ella por su comportamiento en 1847, no volvió a recordárselo y desde entonces hasta su muerte acaecida en 1884 fue de nuevo la primera actriz del teatro mexicano. Entre sus compañeros, la Cañete tuvo que sufrir desprecios e injusticias, pues el mismo director de escena la relegaba en los primeros meses a papeles secundarios o la dejaban fuera de los repartos, hasta que los hermanos Mosso impusieron su autoridad y doña María volvió a ser la actriz de siempre, pero al menos recibió su castigo por ser colaboradora de los invasores.

En la comedia titulada *La duquesita*, traducida y arreglada del francés por el literato español don Ventura de la Vega, se veía a un joven al que su madre, para salvarlo de un duelo, obliga a vestirse de mujer y a asistir de esa manera a fiestas dando lugar a equívocos graciosos y maliciosos. El cronista que se firmaba *El Siglo* se puso furioso ante ese "tejido de absurdos, conjunto informe que no sólo carece absolutamente de todas las reglas del arte, sino que peca contra la verosimilitud y naturalidad y repugna al sentido común". Se lanza luego contra los censores por permitir este tipo de comedias, de modo que pocos días después recibe la respuesta del indignado censor don José L. Villamil diciéndole que *La duquesita* no tiene nada de malo y que la inmoralidad sólo existía en la imaginación del crítico:

> Si en ciertas frases cuyo sentido recto tiene una significación natural, sencilla y decorosa, hay alguno que perciba alusiones torpes, conceptos llenos de doblez y pensamientos sucios e inmorales, ¿podrá evitarlo el censor?

Le exige al crítico que le señale las escenas inmorales, si es que las hay, a lo que el cronista contesta en otro artículo que no puede hacerlo, porque entonces el censor le diría que la crónica había salido más inmoral que la comedia, y respecto a que sólo en su imaginación existía lo indecoroso, apunta con burla:

> Diré a usted, señor censor, para su consuelo, que van al teatro multitud de imaginaciones descarriadas, peores que la mía, puesto que salieron diciendo que la tal duquesita era un primor en el idioma de los tunos y mozalbetes alegres. ¡Maliciosos! ¿Qué culpa tienen de esto los censores de imaginación casta?

Y termina triunfante dando la noticia de que un nuevo censor de apellido Rodríguez prohibió las representaciones de *La duquesita*. Otro caso de aliento a la censura hecho por un cronista, lo que no deja de ser otro caso para la tristeza.

Madame Anna Bishop, "*prima donna assoluta di cartelo* del Gran Teatro de San Carlos en Nápoles, cantatriz honoraria de S.M. Fernando II, de las cortes imperiales de Rusia y Austria, etcétera", llegó a la capital en julio de 1849, acompañada del compositor y arpista caballero Juan Boscha, "arpista de S.M., gobernador del Conservatorio de Música de Londres, director del Teatro Italiano de S.M. y del San Carlos de Nápoles", y del bajo cantante Valtellina. En el Teatro Nacional tuvo lugar el primer concierto con las localidades agotadas, a pesar de que los revendedores daban una luneta hasta en cuatro pesos:

> El teatro estaba hermoso y si la vanidad nacional no nos ciega, creemos que una noche semejante es comparable al espectáculo más animado que puede gozarse en una corte europea,

dijo un cronista entusiasta. Pero es a Guillermo Prieto a quien debemos la mejor crónica de este suceso teatral, que lo llenó de alegría aunque no deja de ser como siempre franco en sus conceptos al decir que la señora Bishop era encantadora y con una voz excepcional, pero que ya se le notaba la edad en su físico y en sus trinos. Al público no pareció importarle esto y se entregó por entero a la soprano, tributándole tantas ovaciones al final de cada aria que interpretaba, que Prieto asombrado nos las describe así:

Cuando terminó el aplauso estalló otro redoblándose con vehemencia; a la voz de ¡otro!, se repetía con más ardor. Los caballeros estaban de pie, las señoras esperaban; la linda Ana salió por fuera del telón e hizo algunas demostraciones de gratitud al recorrer de un extremo a otro el tablado. A su vista, los caballeros se descubrieron, los aplausos fueron más y más repetidos; batían el suelo los bastones y había energúmenos que golpeaban las tablas de los asientos con notable frenesí y menoscabo de los intereses del señor Rossas. Ese modo de aplaudir es un brusco ataque a la propiedad.

Ante recibimiento tan caluroso, ni la soprano, ni el arpista inglés, ni el dueño del teatro, aunque le golpearan el entarimado por el entusiasmo, estaban dispuestos a dejar la mina de oro, de modo que anunciaron algunos conciertos más de los tres iniciales y únicos que se proponían ofrecer. Esto causó problemas al más celebrado pianista en el mundo entero por esa época, el señor Henri Herz, quien llegó a la capital también en julio de 1849 para ofrecer unos conciertos. Los filarmónicos de la ciudad publicaron un pequeño aviso invitando al público en general a que fuese hasta el Peñón Viejo a recibir al genial pianista, quien se vio rodeado de una multitud que lo aclamaba aun antes de oírlo tocar. Fue conducido en triunfo hasta su hotel y allí el pianista mexicano José María Chávez le dio la mala nueva de que no podía contar con el Teatro Nacional por estar ocupado. Herz contestó que estaba acostumbrado a tocar en salones privados en palacios y embajadas, de modo que podría ofrecer sus recitales en Palacio Nacional. Chávez y el secretario de Herz se entrevistaron con el presidente de la República, José Joaquín de Herrera, para solicitarle un salón de Palacio, pero Herrera se negó a ello sin que se supieran las causas. Entonces le propusieron al pianista que actuara en los salones de La Lonja, el club más aristocrático de la capital. Los socios arrugaron la nariz ante la idea: ¡ver sus salones invadidos por la turba! Era algo que no podían permitir y algunos periodistas se hicieron partidarios de la aristocratizante repulsión, como el que escribió lo que sigue:

70

La verdadera causa de las dificultades para el concierto consistía en la fundada repugnancia que había por parte de ciertos suscriptores para que dándose franca entrada a todos, tuvieran que estar su esposa e hijas tal vez junto a personas sin principios, educación y decencia.

Por ello, los socios de La Lonja pusieron sus condiciones a las que Herz tuvo que someterse.

En primer lugar, sólo podría utilizar el pianista la sala de juntas y otra anexa; en segundo, no podría vender más boletos que aquellos que garantizaran la comodidad de los asistentes; en tercero, sólo se venderían boletos a aquellas personas que la mesa directiva de La Lonja considerase como "decentes" y dichos boletos serían personales e intransferibles, teniendo que ser comprados para los cuatro conciertos, al precio de una onza de oro, salvo cuando se comprasen boletos para una familia de cuatro personas, pues entonces costaría tres onzas solamente. Herz aceptó a regañadientes aquellas infamantes condiciones, pero no estaba en actitud de escoger otras y fue convencido de que nadie vería mal aquel sistema. Pronto se dio cuenta del engaño de que era víctima, pues los periódicos comenzaron a atacar a los miembros de La Lonja, quienes sometían a los compradores de boletos a una especie de examen previo, no sabemos sobre qué, pero calculamos que de heráldica y buenas maneras. También llovieron las quejas sobre la obligación de comprar boletos para los cuatro conciertos a precio tan elevado. Herz protestó y los miembros de La Lonja aceptaron vender boletos sueltos para cada concierto, pero insistieron en reservarse el derecho de admisión. Las cartas airadas llegaban a las redacciones de los diarios y en el expendio había discusiones y hasta bruscos altercados.

El primer concierto se realizó ante los dos salones no totalmente llenos debido a lo expuesto antes, por lo que Herz se molestó más aún. El presidente Herrera y sus ministros asistieron puntuales y las trescientas personas que acudieron lucieron sus mejores ropas, aunque no faltaron los nuevos ricos que aprovechaban la ocasión para colarse en la elegante Lonja, cerrada por siempre a ellos, y el cronista de *El Sigo XIX*, que ya había apoyado la postura de los socios, señala despectivamente:

La elegancia formaba contraste con los adefesios de unas cuantas personas que llamaban la atención por lo ridículo de sus trajes.

71

Después de que algunos cantantes mexicanos ejecutaron diversas arias de ópera, se presentó Henri Herz a tocar su concierto "serioso" para piano y orquesta, algunas variaciones sobre *Lucía de Lamermoor* y otras óperas y una alegre polka compuesta por el pianista. Los cronistas se deshicieron en elogios:

> Forzoso es repetir con Rossini que Herz no tiene mano izquierda sino dos manos derechas, y aquella toca sin embarazo alguno lo que está escrito para la diestra.

Fue un completo éxito este primer concierto y los asistentes aplaudieron calurosamente el genio pianístico de Herz. Quedaron admirados de que en el intermedio apareciesen criados de librea a servir helados y creyeron sentirse en París y ante un monarca.

Después del segundo concierto, también no tan concurrido como esperaba Herz, y después de más y más cartas de protesta en contra de los aristócratas de La Lonja, el pianista decidió suspender sus actuaciones en aquel sitio y esperar el Teatro Nacional. Para ello, escribió una carta a la mesa directiva y envió copias a los diarios:

> Las condiciones que ustedes han estipulado para cederme el local, condiciones sin duda indispensables para la corporación que forman, me parece que han encontrado en el público una oposición tal, que mis amigos me aconsejan interrumpa la serie de conciertos que tenía intención de dar en La Lonja.

Así lo hizo don Henri y sólo tuvo que esperar unos cuantos días a que Anna Bishop y el caballero Boscha dejaran el Nacional, pues el 18 de agosto anuncia su primer concierto en aquel teatro, aunque volvió a tener dificultades, esta vez con el caballero arpista Boscha, quien a pesar de que ya había anunciado que se retiraba a los Estados, decidió dar un último concierto el día 17, o sea un día antes del de Herz. Éste se opuso y con razón, pues si el público era uno mismo, era peligroso ofrecerle dos conciertos seguidos. Boscha se puso furioso pero nada consiguió. Herz se presentó el día 18 ante un Teatro Nacional lleno a reventar, por lo que hubo necesidad de colocar sillones en el foro alrededor del piano, localidades que se pudieron vender a precios muy elevados. Un crítico dijo muy contento:

> La numerosa concurrencia que llenaba anoche el Nacional ha venido a confirmar nuestro aserto de que si las tertulias en La Lonja no fueron

tan brillantes como debieron serlo, esto se debió a la repugnancia del público a prestarse a ridículas pretensiones aristocráticas.

El segundo concierto de Herz tuvo el mismo éxito y el tercero aún más, porque en él presentó el pianista al célebre violinista holandés Franz Coenen:

Discípulo de grande Beriot y miembro de la Capilla de S.M. el rey de Holanda, socio honorario de la Real Academia de Música de Amsterdam, director de la Real Filarmónica de Rotterdam, etcétera.

Al ejecutar Coenen las variaciones de Paganini tituladas *El carnaval de Venecia*, el teatro se vino abajo con los aplausos, y el público pudo gozar en verdad de un buen concierto que les ofrecieron ambos virtuosos. Manuel Payno, quien había permanecido sin escribir crónica teatral durante algún tiempo, vuelve a tomar la pluma para desahogar su entusiasmo y su admiración por Henri Herz, sobre todo cuando el pianista ejecutó un jarabe nacional en su piano:

¡Un jarabe tocado por Herz! ¡Qué profanación, qué atentado contra el buen gusto y contra la aristocracia! Pues bien, que digan lo que quieran los hombres del buen tono, no hagáis caso. Id, aunque os cueste una onza de oro, a escuchar el jarabe tocado por Herz. ¡Dios mío, qué variaciones tan encantadoras, qué acentos de placer tan vivos, qué alegría tan franca y tan ingenua!

Continuaron varios conciertos más y el 1º de septiembre de 1849 se anunció el beneficio del violinista Coenen, donde tocaría las variaciones de Paganini y otros números de difícil ejecución, sobre todo *El ave en el árbol*, composición del propio Coenen y que eran una serie de gorjeos al violín, muy a la escuela de canto italiana y muy al estilo musical romántico. Además, Herz y Coenen tocarían un dueto concertante para piano y violín sobre la ópera *Fra Diávolo*. La crónica de esta función corrió a cargo del buen Fidel, quien se mostró entusiasmado y al mismo tiempo que nos habla de las virtudes de los ejecutantes, nos da una clara visión, muy en su estilo, de lo que era una elegante noche de teatro en el México de 1849.

En la penúltima función de Herz, se colocaron ocho pianos en el escenario y se anunció que aparecerían dieciséis pianistas a ejecutar la obertura de la ópera de Rossini, *El barbero de Sevilla*. Antes de este número Herz por su parte y Coenen por la suya, tocaron varias melodías, y cuando salieron al foro los quince pianistas con Herz a la cabeza, el entusiasmo no conoció límites: todos ellos eran pianistas y compositores mexicanos, como Marzan, Aguilar, Chávez, Valadez, Retis y don Agustín Balderas. La obertura a treinta y dos manos hizo temblar el candil del Gran Teatro Nacional y el público quedó agotado de tanto aplaudir. Pero Herz aún no se conformaba, y en el último concierto, ofrecido el 12 de septiembre, colocó doce pianos y veinte pianistas se sentaron ante ellos y tocaron una Marcha Militar Mexicana que don Henri había compuesto especialmente durante su estancia en México y había ofrecido que se quedara como Himno Nacional, ya que el país carecía de él. En ese último concierto hubo además una gran novedad: por vez primera se iluminaba el teatro con gas hidrógeno. No hay para qué decir que la concurrencia quedó asombrada al ver convertido su hermoso salón en "una ascua de oro". El concierto se prolongó más de lo debido, la Marcha Militar Mexicana duró bastante en ser ejecutada, pues aparecieron más de cincuenta coristas vestidas de soldados a cantarla, y al terminar, el público se empeñó en que se tocase otra vez. A las doce de la noche la luz resplandeciente del gas comenzó a tornarse rojiza y a los pocos minutos la oscuridad más absoluta reinaba en el salón:

Así concluyó la función y cada cual bajó y salió del teatro como Dios le dio a entender. La explicación de toda esta barahúnda romántica está en dos palabras: faltó el gas.

La Academia de San Juan de Letrán acogió con beneplácito la idea de Henri Herz de que convocara a un concurso entre los poetas nacionales para que enviasen sus composiciones sobre lo que sería el Himno Nacional Mexicano. En agosto se lanzó esta convocatoria, con la intención de que una vez que estuviese premiado el poema, el propio Herz le pondría música. Se nombró al jurado calificador, el cual estuvo formado por José María Lacunza, José Joaquín Pesado, Manuel Carpio, Andrés Quintana Roo y Alejandro Arango y Escandón. Bastante respetable era el jurado, como puede verse. Sin embargo, era tan respetable y tan literato que ninguna de las poesías recibidas fue de su agrado y el concurso se declaró desierto. Aún tendrían que pasar cinco años más para que tuviésemos un Himno Nacional Mexicano.

Guillermo Prieto nos da noticia de un autor dramático mexicano llamado Francisco de Soria, que vivió en el siglo XVIII y escribió tres obras: *El Guillermo, La Genoveva* y *La mágica mexicana*. Este dato

74

lo saca Prieto del libro *México considerado como nación indepen-*
diente y libre, publicado en 1832 por don Tadeo Ortiz, y con júbilo
declara que ha caído en sus manos un ejemplar de *El guillermo*, tragedia en tres jornadas y dos partes, en verso, y seguramente manuscrita.
Prieto comienza por decir que la obra de Soria no puede ser buena
debido a que vivió en un tiempo "de decadencia y estragado gusto",
como era para los neoclásicos del xix el churrigueresco del xviii, pero
confiesa se nota en el autor "elevado ingenio y gallardía". La tragedia en
cuestión se desarrollaba en Aquitania entre duques y condes, y Prieto
relata punto por punto el argumento completo, el que no ofrece nada
de interés, excepto un breve trozo del original que transcribe don Guillermo y que es una delicia:

> Furia infernal o mujer,
> basilisco de mi vida,
> ¿de dónde saliste ahora
> a ser infeliz arpía
> que mis gustos embaraces?

Es de lamentar que no tengamos ahora esta tragedia con un lenguaje en que se habla del "basilisco de mi vida". Luego Prieto transcribe también dos largos parlamentos del gracioso en que relata dos
cuentos llenos de originalidad y chispa, y es en donde Prieto descubre
el verdadero estilo de Soria y no en el "campanudo, ampolado y de
pésimo gusto" con que, según él, se escribía en el siglo xviii. Termina
Prieto pidiendo que se incluya a Soria entre los dramaturgos mexicanos
dignos de mención, petición que no fue escuchada hasta ahora, puesto
que ni siquiera en el ya citado por incompleto *Diccionario Porrúa*,
aparece su nombre.

Los hermanos Mosso, dueños y empresarios del Teatro Nacional,
estaban deseosos de traer a México una buena compañía de ópera,
sabedores de que este género dejaba siempre buenas ganancias por el
gusto con que la sociedad mexicana iba a las funciones líricas. Pero
los Mosso, a pesar de que eran personas adineradas, no se atrevían a
arriesgarse a desembolsar una fuerte cantidad para traer desde La Habana esa compañía que estaba haciendo las delicias de los cubanos
en el Teatro Tacón. Intentaron que fuese el mismo público mexicano
el que pagase los gastos, y en octubre de 1849 publican una larga
invitación para que los aficionados se abonaran antes de llegar la
compañía, antes de saber si los cantantes eran buenos y por los cuatro
meses que iba a durar la temporada, alternada con la compañía dra-

mática. Se ofrecían nueve funciones de ópera y veintidós de versos al mes, por 22 pesos una luneta. Naturalmente, los aficionados a la ópera, por más que lo fuesen, no iban a desembolsar esa cantidad ni ninguna otra sin tener la certeza de que los cantantes, fueran buenos o malos, iban a venir a la capital. La idea de los hermanos Mosso no prosperó y éstos quedaron pensando si se lanzaban a la aventura por sus propios medios.

El cronista que se firmaba con el seudónimo de *El Siglo*, escribió en noviembre de 1849 un hermoso ensayo sobre los dramaturgos mexicanos, quienes no tenían aliciente ninguno para dedicarse a su vocación, puesto que sus obras, en el remoto caso de llegar a representarse, no les retribuían un solo centavo. Por otra parte, la profesión de escritor en México era mal vista, y como apunta el cronista, "suele decirse es poeta, compuso un drama, escribió una novela, como se diría: se jugó los caudales de la familia, abusó de la confianza de su jefe". Todo esto le sirve de exordio para hablar de la excepción, o sea del subsecretario de Relaciones, don José Ignacio de Anievas, poeta y dramaturgo, de quien el 4 de noviembre se estrenó en el Teatro Nacional una pieza suya titulada *Valentina*, apegada por completo a los cánones románticos del melodrama. La huérfana recogida por una mujer que al crecer trata de casarla con un anciano rico, la huida de Valentina y su refugio en la casa de una marquesa, amiga de un noble español que resulta ser el padre de la muchacha, pero la hija de la marquesa la humilla llamándola costurera delante del hombre al que ama. Argumento muy de su época y que gustó sobremanera al público, aunque el cronista le hace ver algunos defectos, como el abuso de los monólogos y los apartes, y alguna "languidez" en los dos primeros actos. El señor Anievas fue llamado dos veces al escenario al terminar el drama, "única recompensa a que en México puede aspirar un poeta".

Los empresarios del Teatro Nacional de pronto se volvieron muy caritativos y comprensivos hacia los actores. En diciembre envían al Congreso una larga carta pidiendo la exención de impuestos para los artistas en vista de su precaria situación y a que, como siempre, "los sueldos están muy lejos de corresponder en proporción a tanto trabajo". Por otra parte, entre los gastos de ropa que se veían obligados a hacer y las contribuciones, las gentes de teatro no tenían seguridad ninguna para la vejez. Los hermanos Mosso exclaman tiernamente: "No les espera otro porvenir que la miseria cuando la edad ya no los permita agradar al público, esto en pago de haberlo agradado." Naturalmente, el Congreso jamás dio contestación a la súplica y los actores siguieron pagando su impuesto como todo hijo de vecino y a esperar la vejez para caer en la miseria. Aún tendrían que pasar muchos años para que las palabras sindicato o asociación fuesen siquiera conocidas.

Los cócoras, o alborotadores, no dejaban de molestar a los actores en plena representación, y en diciembre les dio por no dejar que las comedias terminasen normalmente, sino obligar a echar el telón antes del final a causa de los gritos, bastonazos y ruidos que hacían sólo con el afán de divertirse molestando a actores y espectadores. El número de los cócoras aumentaba a cada día, hasta que en la noche del 5 de diciembre era tal el escándalo que se armaba en la luneta y en la galería, que el empresario pidió que el juez de teatro interviniese, pero, como siempre sucede, el juez (ahora llamado "inspector-autoridad") no se encontraba en su sitio. Entonces se recurrió a la policía y el oficial que comandaba el piquete de uniformados, hombre de pocas pulgas, no tuvo otra ocurrencia que hacer entrar a sus hombres, situarlos estratégicamente en el salón y mandarles que preparasen sus armas y esperasen la orden de hacer fuego contra los espectadores. Éstos siguieron con su alboroto y el oficial se preparaba ya a dar la orden de disparar cuando intervino el jefe del Estado Mayor que de casualidad se encontraba en el teatro y los genízaros salieron. Los periodistas estaban furiosos por aquel proceder y uno de ellos, con razón, dijo que era preferible soportar a los escandalosos que no verlos caer traspasados por las balas. Quizá hubiese sido mejor que los policías apuntaran sus armas hacia el escenario y asustar así a los actores malos. Sería una medida que a veces aplaudiríamos aun en nuestros días.

Para el beneficio de la bailarina María de Jesús Moctezuma, se publicaron los programas en ingenuos versos que son una delicia:

> Comenzará la teatral
> función de esta señorita,
> con esta comedia bonita:
> *Un corazón maternal.*
> Deseosa de complacer
> a su público sensato,
> habrá otra pieza en un acto:
> *El hijo de mi mujer.*

En el mismo mes de diciembre llegan a la capital los esposos Montplaisir, pareja de bailarines que fueron los primeros en México en dar un espectáculo de ballet. Los precios para las funciones fueron también los más elevados que se habían cobrado antes en la capital para espectáculos normales, pues una luneta costaba un peso con cuatro reales,

77

y un palco con ocho asientos la exorbitante cantidad de diez pesos. Sin embargo, el público acudió en masa para ver este nuevo espectáculo y porque los Montplaisir venían precedidos de buena fama. El primer ballet que presentaron en la noche del 22 de diciembre fue el titulado *L'Aimee o un sueño de oriente*, tipo de baile preferido en todo el siglo pasado porque permitía el uso de largos tules en los vestidos de las odaliscas y cierta trasparencia que dejaba adivinar las piernas de las bailarinas. En la segunda función se dio el ballet intitulado *La Sílfide*, también muy socorrido por las danzarinas que corrían por todo el escenario que representaba un bosque mitológico. Como fin de fiesta los Montplaisir ofrecían bailes populares, como la polka o el zapateado de Cádiz, con lo que entusiasmaban a la concurrencia.

El año de 1849 termina con la inauguración, el día 22 de diciembre, de un nuevo teatro, el llamado del Pabellón Mexicano, situado en la calle de Arsinas y que fue ocupado por una muy modesta compañía de actores. Era un teatro dedicado al pueblo y así funcionó por muchos años más.

En enero de 1850 por un programa en que se anuncia la reposición de la comedia de magia que más dinero dio a los empresarios en el siglo pasado, o sea *La pata de cabra*, de Juan Eugenio Hartzenbusch, se lee que se estrenarán dos decoraciones nuevas debidas al pincel del pintor francés Eduardo Rivière, "que lo ha sido del Teatro de la Puerta de San Martín de París". Este famoso dibujante y ahora pintor, fue sacado de la oscuridad gracias a Francisco de la Maza en su estudio acerca de las litografías de Casimiro Castro sobre dibujos de Rivière para la novela de don Niceto de Zamacois, *Los misterios de México*, estudio publicado en la *Revista de Bellas Artes*, septiembre-octubre 1968, núm. 23. Esas decoraciones fueron hechas para otros tantos cuadros que el propio Revière escribiera para *La pata de cabra* y que no fueron del agrado del cronista de *El Siglo XIX*, pues dice de ellos que "son desmesuradamente largos, principalmente el primero, y casi casi tocan en fastidiosos". En cambio, sobre las decoraciones apunta que "nos parecieron de bastante mérito y sentimos que el público se mostrara bastante frío y no hiciera la debida justicia a los indisputables talentos de M. Rivière". Pero el público no "hizo la debida justicia" porque en aquella representación de la famosa comedia de magia, llena de trucos de tramoya, todo falló por culpa de los "maquinistas" y la ilusión se perdió por completo, dejando a los espectadores bastante disgustados. Rivière permaneció en México por algún tiempo y ya volveremos a encontrarlo en sus relaciones con el teatro.

Los esposos Montplaisir seguían triunfando plenamente en el Nacional con sus bailes, y para demostrar que eran famosos en el viejo mundo, doña Adela Montplaisir enseñó su Álbum de recuerdos a un periodista, quien se apresuró a publicar el poema que le dedicó a la bailarina don José Zorrilla y que comenzaba:

> Ella es sutil como el aire,
> y como el aire ligera,
> gira en derredor, pasa y huye
> como aparición risueña.

> Flota su falda plegada,
> sus cabellos se destrenzan,
> radían sus ojos ardientes
> luz más viva a cada vuelta...

> Y gira, y cruza, y resbala,
> y los sentidos no aciertan
> si de ella nace el impulso
> o el aire sutil la lleva.

Los Montplaisir triunfaron más que con sus ballets del Oriente o mitológicos, con un baile llamado *Paso del Chal*, donde Adela tiraba al suelo tres rosas mientras bailaba. Luego corría y su esposo la levantaba para darle la vuelta en el aire y ponerla de cabeza, y así sostenida ella recogía las rosas una a una, con tal rapidez, que los espectadores no se daban cuenta en qué momento las levantaba del suelo; luego, "los dos esposos separados nuevamente, recorren todo el escenario rápidamente dando unos saltos ligeros y agraciados y el paso concluye con un grupo de lo más vistoso". La temporada de los Montplaisir era un éxito económico y artístico, y más lo fue cuando a fines de enero de 1850 presentaron un ballet inspirado en la novela de Víctor Hugo, *Nuestra Señora de París*, donde Adela interpretaba a la gitana Esmeralda y el bailarín Corby a Quasimodo. El público se deleitaba con los giros de la gitana y su amado, y lloraba con las desgracias del jorobado. Rivière pintó en esta ocasión una hermosa decoración que representaba parte del viejo París, pero tampoco ahora los espectadores le aplaudieron ni lo llamaron al escenario. Para febrero, Adela ya se hacía anunciar como "primera bailarina absoluta de los principales teatros de Europa y América", y en la noche de su beneficio se anunció que en uno de los bailes "de trajes de Roma", habría una decoración pintada por Rivière. Además, se bailarían el *Paso del Chal, El buta-quito, Los pastores en el tiempo de Luis* XV y otros más. Desde muy temprano comenzó a acudir el público a la taquilla en busca de boletos, pero con sorpresa se enteró que ya las mejores localidades estaban vendidas. Por la noche, los acomodadores hicieron su agosto vendiendo esas localidades al precio de veinte reales. Al terminárseles los verdaderos, con toda tranquilidad vendieron los falsos, resultando que los compradores tenían que conformarse con ver la función de pie o regresarse a sus casas. La empresa colocó sillas en todos los pasillos, pero aun así fueron insuficientes para la cantidad de gente que había penetrado al salón. El éxito alcanzado por Adela Montplaisir fue enorme, pero función tan brillante como aquella se vio ensombrecida al ser presentado en uno de los entreactos, sobre el escenario, a un francés que había sido acusado de robo y los jueces lo condenaron a la vergüenza pública. No deja de ser éste un episodio también muy a lo romántico, pues recuerda a *Los miserables*, de Víctor Hugo.

Juan Miguel de Losada era un militar del ejército mexicano a pesar de ser cubano por nacimiento, y también era poeta y dramaturgo. El 20 de enero de 1850 se estrena su primera obra hecha en México, que fue nada menos que *El grito de Dolores*, en que por vez primera también se trataría la gesta de la Independencia sobre un escenario, cuando aún vivían cientos de personas que habían asistido a aquellos acontecimientos. Losada, el mismo día del estreno, publica un pequeño artículo en que se cura en salud y quiere quedar bien con Dios y con el diablo:

Como escritor pundoroso no he ofendido a los españoles, creyendo un recurso pobre, miserable e indigno de un caballero apelar a los insultos para hacerse aplaudir. Bástenme las glorias del primer caudillo de la Revolución Mexicana, y si no lo he pintado tal como se merece, culpa será de mi escaso talento, que no de la importancia del personaje.

Al estreno de la obra asistió el presidente Herrera acompañado de sus ministros, y *El Siglo XIX* invitaba a todos los "individuos del ejército permanente y de la guardia nacional" para que asistieran "en testimonio de respeto y gratitud al venerable anciano que murió en defensa de nuestros derechos".

El drama fue bien recibido en lo general, aunque al ser llamado a la escena el autor, se escucharon algunos silbidos que nadie supo por qué fueron lanzados. Un cronista dijo que no tenían importancia aquellas demostraciones de disgusto, puesto que los que silbaron seguramente fueron los mismos que lo hicieron cuando el estreno de *El privado del virrey*, de Rodríguez Galván. Pocos días después se repuso la comedia de Fernando Calderón, *A ninguna de las tres*, que aunque ahora nos parece una hermosa farsa, sus contemporáneos no la consideraban así y decían que pecaba de "falta de originalidad del argumento y lentitud de la acción", sólo porque era una réplica a la comedia de Bretón de los Herreros, *Marcela o ¿a cuál de los tres?* Nosotros, por el contrario, creemos que es original como caricatura de su época y sus personajes son representativos fieles del afrancesamiento romántico que imperaba en la capital de la República.

La soprano Anna Bishop regresó a México en febrero de 1850 y se hizo anunciar con más títulos, como el de "cantatriz honoraria de las cortes imperiales de Rusia, Austria, Suecia y Dinamarca, y socia electa por Su Santidad el Papa Gregorio XVI de la dignificada Orden de Santa Cecilia". Contrató a algunos cantantes mexicanos y acompañada del famoso bajo Valtellina, estrenó en México la ópera de Donizetti *Elixir de Amor*, el 21 de febrero, anunciando que cantaría el rondó final que para ella compuso expresamente Donizetti en Nápoles, aunque se aclaraba en el programa que para no hacer muy largo el espectáculo, se suprimirían varios trozos de la ópera. Y era que la soprano se iba a presentar luego a cantar una aria del *Tancredo*, de Rossini, vestida con una pesada armadura. El público no respondió como ella y el caballero Boscha esperaban, y lo mismo sucedió en la segunda y última función que ofrecieron, en la que la Bishop cantó el himno nacional mexicano que el arpista Boscha había compuesto para el concurso convocado por la Academia de Letrán un año antes y declarado desierto. El coro de dicho himno no era ni mejor ni peor que el que cuatro años después sería premiado:

> Mexicanos, alcemos el canto
> proclamando la hermosa igualdad,
> y a los ecos los ecos repitan:
> ¡Libertad! ¡Libertad! ¡Libertad!

En la Pascua de 1850 algunos cantantes mexicanos y extranjeros que estaban en la capital, como el bajo Valtellina, que se quedó aquí, se reunieron y abrieron un abono en el Nacional, comenzando, como era costumbre, con *Lucía de Lamermoor*, con la soprano señora Barilli de Thorn, quien gustó a la concurrencia. En la segunda función se cantó *Capuletti e Montechi*, de Bellini, haciendo el anuncio de que

81

no sería mutilada en ninguna de sus partes. El papel de Julieta lo cantó la señora Barilli, y el de Romeo la esposa de Valtellina, la también soprano Elvira Majochi. Como fin de fiesta se presentó una buena bailarina que ya era conocida del público mexicano: Celestina Thierry, de quien Manuel Payno escribió entusiasmado cuantos elogios sabía. La compañía lírica logró mantenerse con éxito en el Nacional, alternando con la lírica dramática, durante más de dos meses, y le tocó estrenar en México el *Hernani*, de Verdi, el 18 de mayo. El público quedó desconcertado ante la música del nuevo compositor que estaba causando furor en Europa, y Payno dijo que también la música se había vuelto romántica, porque "Verdi es un compositor estrepitoso", aunque confiesa que le agrada. Sin embargo, le niega riqueza melódica. Quizá haya cambiado de opinión cuando escuchó *La Traviata* o *Rigoletto*. La compañía de Valtellina y Barilli se vio obligada a suspender sus funciones al finalizar el mes de mayo, debido a que la epidemia de cólera había llegado a la capital y los empresarios temieron que el público se abstuviese de asistir al teatro por miedo al contagio. Esto sucedió, en efecto, pero hasta un mes más tarde.

Payno escribió en mayo dos largos artículos sobre el estado del teatro en la capital, interesantes y jugosos, con cierta ironía y con cierta severidad hacia los actores y empresarios, quienes tuvieron un serio disgusto y uno de ellos, el señor Patiño, fue a dar a la cárcel nada menos que por don Alfredo Bablot, el secretario de la soprano Anna Bishop, quien dejó marchar a su patrona a Europa mientras él se quedaba en México hasta su muerte ocurrida en 1892, dedicándose de lleno al periodismo y llegando a ser una figura importante dentro de las letras mexicanas.

La epidemia de cólera se adueñó de la capital durante los meses de julio y agosto y los teatros fueron cerrados. Dicha epidemia no fue tan terrible como la que tendría lugar cuatro años más tarde, pero hizo bastantes víctimas y todos los lugares de recreo se clausuraron. En agosto la compañía dramática que trabajaba en el Nacional volvió a ofrecer sus trabajos en el Teatro del Pabellón Mexicano, por estar en pleitos el Teatro Nacional con sus empresarios y dueños. En cambio, la pareja Montp'aisir alquiló el Principal desde junio, y después de ofrecer una función ante un escaso público temeroso del contagio, tuvo que esperar hasta agosto, que reinició sus labores con un baile pantomímico titulado *La sombra o el loco*, expresión del romanticismo más elaborado. Un demente encerrado en su cuarto no quiere ver a nadie, pero su amada Fioretta entra haciéndose pasar por una visión de su fantasía y danza a su alrededor envuelta en tules. El loco la pone sobre un pedestal creyendo que es una estatua, la que vuelve a animarse y a bailar a su derredor hasta que el demente recobra la razón. El cronista que se firmaba como *El Siglo*, no cabe en sí de entusiasmo ante este espectáculo y ante el arte de Adela Montplaisir como bailarina:

Mirar a Adela traduciendo cada sonido, materializando cada ilusión, siempre sonriendo, siempre segura de sus diestras evoluciones, es despertar en la memoria la idea de todo lo espiritual, de todo lo poético, de todo lo bello, porque la belleza de esta clase de cosas no se sabe de cierto en qué consiste, y como la música, depende de la traducción más o menos tierna que de ellas hace el corazón.

Don Fernando Batres, capitalista, y don Francisco Arbeu, promotor y soñador, decidieron unir sus esfuerzos para construir un nuevo teatro en un terreno propiedad del Ayuntamiento y localizado en la esquina de las calles del Factor y Canoas, hoy Donceles y Allende. Se dirigieron al Ayuntamiento para que cediera el terreno por diez años, al cabo de los cuales el teatro pasaría a su poder. Las autoridades accedieron. Batres y Arbeu comenzaron a pedir dinero a todo México, a base de acciones con valor de diez pesos cada una. El jefe del Ayuntamiento, don Leandro Estrada, prometió ayudarles también en esto y, en efecto, mandó comprar una acción "atendidas las circunstancias en que se halla el Municipio". El 17 de septiembre de 1850 se colocó la primera piedra, pero no se iba a terminar el nuevo teatro sino hasta seis años más tarde. Algunos cronistas no estaban de acuerdo con esta idea y uno de ellos, que conocemos sólo sus iniciales, J. L., escribió molesto:

¿Pues qué tan grande es la capital de México, tanta su población y tanto el gusto por los espectáculos dramáticos que no le bastan tres teatros? ¿Tan rico, tan exuberante se halla el Excmo. Ayuntamiento que teniendo desempedradas la mayor parte de las calles de la ciudad, derrama sus fondos y con lujo en edificios de puro ornato?

En esto último el cronista se mostraba injusto, pues ya hemos visto con lo que contribuyó el Ayuntamiento, es decir, con un terreno y con diez pesos que le costó una acción. Respecto a que la capital no podría sostener cuatro teatros, también se equivocaba, pues ya veremos que cuando se estrenó este nuevo teatro, que era el Iturbide, en 1856, el público supo repartirse entre todos los teatros existentes sin que ninguno de ellos perdiera dinero, a menos que su espectáculo fuese verdaderamente malo.

La compañía dramática pudo regresar al Nacional en septiembre de 1850, y un mes después, o sea en octubre, estrena un drama que era esperado por todos los aficionados con ansiedad: *El trapero de Madrid*, original del escritor español Juan Lombia. Este drama se componía nada menos que de nueve actos, de manera que era necesario montar los cuatro primeros en una noche, y los cinco restantes a la siguiente. Se prepararon trajes nuevos y don Eduardo Rivière pintó varias decoraciones especialmente para estas representaciones. El público llenó el teatro las dos noches consecutivas y sufrió como debía sufrir un verdadero romántico, encontrando un goce inefable en ello, porque no cabe duda que el romanticismo, desde don Álvaro y Werther hasta la María, de Jorge Isaacs, tenía mucho de masoquismo. En *El trapero* había, como dijo un crítico, dos conatos de infanticidio, dos conatos de suicidio y un homicidio, así como los sufrimientos constantes de un padre y una hija. Esta obra quedó de repertorio y por muchos lustros iba a ser el caballito de batalla de las compañías de la legua.

Después del beneficio del primer actor Manuel Fabre, en noviembre de 1850, tuvo lugar el de María Cañete, los primeros días de diciembre, estrenando una nueva comedia del mexicano José Ignacio de Anievas, intitulada *La hija del senador o los odios políticos*. La comedia no gustó ni al público ni a los críticos, a pesar de que se trataba de una joven que moría de amor porque su padre, un senador, la obligaba a casarse con el hombre al que no amaba, pero Anievas no supo darle el interés debido, y a decir del crítico que se firmaba *Aquel*:

No hay incidentes, no hay peripecias, no hay necesidad de acción, en fin, todo lo que se escucha son escenas larguísimas, interminables, que frecuentemente se convierten en disertaciones y en homílias.

El día del estreno sucedió una de esas anécdotas tan divertidas en el teatro y que podían llenar volúmenes enteros, sobre todo si se incluyen los incidentes que han sucedido en las representaciones de *Don Juan Tenorio*. En *La hija del senador* había una escena en la que conversaban a escondidas la protagonista y su amado. Poco después llegaba el pretendiente al que el senador quería para su hija, de mane-

84

ra que la muchacha, aterrada, le pide a su adorado que se esconda en un armario. Ella le dice que apagará las luces para que no sea visto cuando quiera salir. Aquí venía el oscuro para marcar el paso de un cuadro a otro. Aparecieron en escena los comparsas que se encargaban de la utilería y de las luces, pero resultó que los dos eran tan bajos de estatura, que no pudieron apagar las luces del quinqué que estaba colgado al centro del escenario. Hacían esfuerzos sobrehumanos mientras el público se desternillaba de risa. Al fin se declararon vencidos y salieron de escena dejando esa luz encendida, con lo que se echaba a perder el efecto pedido por el autor, ya que la escena debería estar a oscuras para que el protagonista pudiese salir del armario sin ser visto por su rival. ¿Qué hacer si el actor ya se encontraba en escena? Éste se dio cuenta del compromiso y no tuvo más idea que volverse al público y decirle: "Hagamos de cuenta que esto se encuentra a oscuras", y comenzó a caminar por el escenario como un ciego mientras el otro actor salía del armario y se escabullía "como si estuviese a oscuras". El público no podía más de tanto reír, pero el pobre del autor Anievas debe haberse estado comiendo los bigotes por la ira, ya que su drama se convertía en hilarante comedia.

El pintor Rivière, que había prestado sus valiosos servicios al Teatro Nacional durante todo el año de 1850, tiene un beneficio la noche del 17 de diciembre, con el estreno de otra obra escrita en México, original del cubano Losada, el autor de *El grito de Dolores*. En esta ocasión su comedia se titulaba *Tras una nube una estrella*. Además, Rivière presentaba con orgullo no sus decoraciones, sino a su propia hija de once años, quien tocaría al piano unas difíciles variaciones de Adam. La niña había sido discípula del gran Henri Herz y en verdad era una notabilidad para su edad. También Rivière, que por lo visto era un hombre incansable y entusiasta, además de un excelente dibujante como lo prueban las ilustraciones de las novelas *Los misterios de México*, y alguna otra, escribió un juguete de magia intitulado *Apuros de un escribano o el diablo rojo en Texcoco*, "en el cual se estrenará una decoración que representa dicho pueblo". Juan Miguel de Losada había estrenado antes otra pieza titulada *Contrita, inconfesa y mártir*. en la que ni siquiera el título era original pues ya existía el drama de Zorrilla, *Traidor, inconfeso y mártir*. El drama de Losada fue un fracaso, pero ahora con esta comedia de *Tras una nube una estrella* se sacó la espina, pues "la versificación es fácil y natural, abundante y florida, imágenes no nuevas pero vestidas con novedad y diálogos bien contados hasta esconder el artificio del metro" según dijo el cronista

85

Aquel. En cambio, la comedieta de Rivière fracasó rotundamente por ser demasiado rojo aquel diablo de Texcoco y avergonzar a las señoritas asistentes con sus picardías. La pequeña Matilde Rivière alcanzó muchos aplausos y fué coronada de laureles. *Aquel* se enterneció: "Sea esa primera coronita que le ofrecieron la primera florescencia de un inmarcesible laurel."

Y termina el 1850 con el estreno de otra obra mexicana, el día 30 de diciembre. Se trató de la comedia original de don Pantaleón Tovar, el poeta, periodista, soldado y político, intitulada *La catedral de México*, representada en beneficio del actor cómico Antonio Castro.

Programas y Crónicas

1840

Por la noche fuimos al teatro. ¡Qué teatro! Oscuro, sucio, lleno de malos olores, pésimamente alumbrados los pasillos que conducen a los palcos, de suerte que al pasar por ellos teme uno pisarle los callos a alguna persona. Los actores por el estilo. La primera actriz, favorita del público y no mal vestida, goza de gran reputación por una conducta honorable, pero es de palo, totalmente de palo, y no deja de serlo ni aun en las más trágicas escenas. Segura estoy de que al terminar la representación no se le había arrugado ni el más insignificante doblez de su vestido. Tiene además la singular manía de arquear la boca como sonriendo, pero al mismo tiempo frunce el entrecejo con lágrimas en los ojos. Se diría que trata de caracterizar un día de abril. Me gustaría oírla cantar: "Dijo una sonrisa a una lágrima..."

No hubo aplausos y la mitad de los palcos estaban vacíos, en tanto que los otros parecía que la concurrencia los ocupaba sólo cediendo a la fuerza de la costumbre y en razón de ser ésta la única diversión nocturna. El apuntador hablaba tan recio que, como "los acontecimientos por venir proyectan su sombra antes...", cada palabra la anunciaba confidencialmente al público, antes de que saliera oficialmente de los labios de los actores. Todo el patio fumaba, fumaban las galerías, los palcos fumaban, fumaba el apuntador, de modo que una gran columna de humo, formando espirales se escapaban de su concha, parecía ministrar aire de oráculo délfico sus profecías: "La fuerza del fumar no podía ser más grande..."

Esta hermosa ciudad merece, ciertamente, un teatro mejor.

Marquesa Calderón de la Barca
La Vida en México.
Carta VIII. 1840.

1841

¡Sociedad! ¿Quién no es actor
en tu voluble teatro?
Si detrás de un bastidor
desempeñan más de cuatro
la plaza de apuntador.

MANUEL BRETÓN DE LOS HERREROS

Doña Soledad Cordero. Nació en México el 11 de marzo de 1816 y a
los nueve años la dedicaron sus padres al ejercicio del baile en la compañía que se estableció en esta capital bajo la dirección de don Andrés
Pautret. No carecía de regulares facultades para él, pero lo vio siempre
con repugnancia porque su carácter circunspecto no convenía de modo
alguno con las maneras que se requieren para las sacerdotisas de Terpsícore. Convencida su familia de esta verdad, resolvió dedicarla a
Talía y Melpómene. La elección fue acertada y la jovencita Soledad
a los trece años de edad hizo su primera representación teatral en
forma en el año de 1829, dirigiendo sus tareas dramáticas la famosa
actriz doña Agustina Montenegro, quien conoció desde luego las brillantes disposiciones con que la naturaleza había dotado para tan
difícil arte a su interesante discípula. El público hizo justicia al mérito de ésta llenándola de aplausos y no puede dudarse que habría
llegado al colmo de la gloria artística si su mentora le hubiera seguido
dando las lecciones importantes que le dictaba sus no vulgares conocimientos y dilatada experiencia, pero por desgracia la señora Montenegro se separó del teatro cuando más se necesitaba su permanencia en
él y desde entonces ha quedado la señorita Cordero dedicada sólo a la
dirección de su talento y natural disposición para el arte, sin modelos
qué imitar, sin libros en qué aprender, sin maestros que la enseñen.
Ella sola se ha formado tal como hoy la vemos; justo es por lo mismo
que el público la considere y aprecie como alhaja preciosa que decora
nuestro desventurado teatro y no hay duda de que si de algún tiempo
a esta parte hemos podido conservar esa diversión que simboliza hasta
cierto punto el grado de civilización de las sociedades, es casi exclusivamente por las asiduas tareas de la recomendable Cordero, pues en
verdad que no sería fácil reemplazar su falta. Si no iguala en mérito
a las más famosas actrices de Europa, es por lo menos de lo mejor
que aquí hemos tenido.

93

Antes de concluir este artículo, justo será encomiar cuanto sea posible la acrisolada honradez de la señorita Cordero, pues aunque sea un deber en ella el conservarla, no por eso es menos digna de elogio, si se atiende a que rodeada siempre de los peligros consiguientes a la posición difícil en que la coloca su profesión, ha sabido permanecer libre de toda mancha y dando pruebas de una virtud sólida que no se rinde a los ataques de la seducción ni al halago de las pasiones, siempre llenas de atractivos y muy poderosas contra la juventud.

Una mexicana
El Apuntador, pp. 3 y 4. Mayo de 1841

Teatro de Nuevo México. Crónica del domingo 30 de mayo de 1841. Hace algunos días que el público aguardaba con ansia la apertura del nuevo teatro. Una compañía nueva, por decirlo así, y con un coliseo nuevo, con nuevas decoraciones y otras muchas novedades, debía llamar la atención de los aficionados a esta clase de espectáculos. Por lo que hace al teatro, omitiré su descripción y ahora sólo diré que el telón me ha parecido muy bello aunque de algo confusa alegoría, pero en general produce muy buen efecto el claroscuro, y en particular aquella nube que se levanta en la parte inferior del lienzo. En recompensa, las lunetas son muy estrechas, los cojines de miniatura y el patio no guarda un declive suficiente. Quisiera que la empresa determinase abrir, para mayor comodidad de los espectadores, un tránsito por medio de las lunetas, desde la grada hasta el foro.

El Torneo es la primera producción del señor don Fernando Calderón, y la que ocupa el primer lugar en la moderna literatura mexicana. Una novelita que lleva el mismo título y publicada en el *No me olvides*, ha dado ocasión al autor para hacer un buen drama, en que su brillante imaginación ha esparcido sin medida trozos de una versificación hermosísima. La acción es demasiado lenta en los tres actos y pesadísima en el último. En los primeros no se hace tanto de notar por el arrogante lenguaje en que están escritos, pero en el último, que decae considerablemente a excepción de la última escena que es bellísima, el espectador se cansa con la enorme relación del escudero Alfonso. Este defecto, que es el principal, si no es el único, del drama, consiste, a mi modo de ver, en que la exposición se haya reservado toda para el último acto. Si alguna parte de ella se hubiese distribuido en el segundo y en el tercero como era fácil, la relación del escudero no sería tan larga y la falta de movimiento tan notable. Además, el desafío del primer

94

acto tiene el mismo defecto, si bien la situación de Alberto lo hace disculpable. En materia de duelos, en la concisión está el principal mérito, y prueba de ello son los dos bellísimos de *Sancho Ortiz* y de *El Trovador*.

Pero todos estos defectos y los que pudiera encontrar el crítico más severo, son de ningún valor en comparación del bien seguido diálogo y de una multitud de hermosas escenas que por lo frecuentes me abstengo de señalar. ¿Cuánto, pues, no debe esperar la literatura del autor de *El Torneo*? ¿Cuánto de una imaginación y de una sensibilidad bien dirigidas?

La representación tuvo bastantes alternativas: el público silbó y aplaudió *ad libitum*, y los espectadores del Teatro de los Gallos reconocieron al momento su propiedad cuando se presentó la joven que hacía el papel de Leonor. El señor Martínez es un buen cómico, ha llamado la atención su arrogante figura, sus modales caballerosos en la escena, la nobleza y finura de su acción y su declamación; no obstante, quisiéramos que ésta no se acercase tanto a la escuela francesa cuando declama en alguna escena con la señorita Martínez, su hermana. En el monólogo del primer acto y en las siguientes escenas, es verdaderamente tierno el señor Martínez, en los dos desafíos es enérgico y en el final del drama es admirable por la fuerza con que siente y el modo con que expresa. La señorita Martínez posee una voz agradable, una buena figura para ciertos papeles y una acción noble y bien calculada, pero su declamación completamente francesa es defectuosa porque a más de tener cierta languidez en los finales de los versos y mucha monotonía, se opone completamente a la naturaleza y más a la de nuestro idioma; en prueba de ello obsérvese cómo alarga ciertas sílabas breves, de lo que proviene que el verso no esté bien medido y cómo, cuando se deja arrastrar de su sensibilidad sin cuidarse del estilo, es una buena actriz y expresa con naturalidad lo que siente. Tal sucedió en varias escenas en las que mereció aplauso, particularmente en la última del tercer acto, en la que con tanta perfección cayó desmayada, pero después recargó mucho su papel. Esta señorita si se aparta de esa declamación, si modula su voz y su tono según las sensaciones de dolor o placer, si no exagera tanto, si no llora con tanto exceso, ¡el dolor se expresa tantas veces sin lágrimas!, será una buena actriz, digna de figurar al lado de su hermano el señor Martínez. El señor Pineda, aunque no tengamos gran confianza en nuestro juicio pues no estaba en su cuerda, posee una buena acción aunque algo exagerada, una gesticulación regular y siente bien, pero su voz desgraciadamente lejos de ayudarle le perjudica mucho. Sin embargo, hemos visto en él rasgos regulares y la primera escena del último acto estuvo bien desempeñada. Los demás que contribuyeron a la representación de *El Torneo* son regulares no más, a excepción de las dos mujeres, que son pésimas por más que lo sienta el público de Los Gallos.

Los trajes eran más propios que los del Teatro Principal, cuando la señorita Cordero no cayó en el suelo desmayándose en el tercer acto como la señorita Martínez, y no sabemos la causa ni la adivinamos, y donde se remendó, corrigió y recompuso la escena primera del último acto, faltando a la verosimilitud de algún modo y a la voluntad del autor. Llamaron con justicia la atención las armaduras de los señores Martínez y Pineda y la hermosísima decoración del tercer acto; las demás son también muy buenas.

El Barba
El Apuntador, pp. 7 y 8

San Agustín de las Cuevas. Mientras esperaba que saliera la diligencia, púseme a pasear a lo largo del triste callejón de Dolores contemplando los varios personajes que a cada instante ocurrían al despacho ardiendo en deseos de ir a Tlalpan a comprar algunas horas de placer a cambio de años de desgracias y remordimientos. ¿Cuántos de éstos, decía yo, creen que van por lana y volverán trasquilados? Y embebido en las reflexiones que naturalmente inspira este adagio, dejé correr el tiempo y ya estaban enganchados los caballos de la diligencia y ésta llena de pasajeros, cuando la voz del administrador me hizo advertir que me esperaban. Subí al coche y al chasquido del látigo echamos a andar camino de San Agustín, a donde llegamos después de una buena hora de viaje, pintoresco verdaderamente por la multitud de caballos, carretelas, coches de lujo, simones regulares, estropeados otros como viejos soldados, carcomidos y descascarados muchos como la cara de una vieja cuando se le empieza a caer el afeite con que dio bola a sus venerables mejillas.

Encontréme con un amigo que como yo había ido únicamente con el objeto de divertirse, y después de visitar algunos montecillos de segundo orden, me dirigí a una partida de gran tono. En una gran sala había una gran mesa rodeada de muchos hombres de la más selecta sociedad. Una sota de espadas y un siete de copas eran los generales enemigos en cuyas banderas se alistaban centenares de onzas, hasta que quedó casi cubierta toda la mesa, enmedio de un murmullo sordo algo parecido al de una colmena; pero al tomar el montero la baraja con las manos, aquel ruido cesó como por encanto y quedó la sala sumergida en un silencio más profundo que el de un cementerio a las doce de la noche. ¡Qué momentos tan terribles son éstos!, me dijo al oído mi amigo. ¡Mira a esos hombres con los ojos desencajados, la vista fija en los naipes y el pensamiento en la sota o en el siete, fincando su porvenir y su honor en un golpe de la suerte! Y así era en efecto. A la cuarta carta apareció el extremo de un seis de oros y el temor a que fuese un siete puso en consternación a los del bando opuesto, hasta corridas otras tres cartas decidió la victoria una sota de bastos. ¡Cómo quedaron los vencidos! Pálidos, sin aliento y con unas caras como de tres cuartos de largo contemplaban el campo de batalla, donde aunque en todas partes se veía lucir *La libertad en la ley*, se pierde la primera y se rompe la segunda. ¿Quién es aquel, pregunté a mi amigo, que ha perdido cincuenta onzas? Es un coronel, me respondió. ¡Pobre caja del regimiento!, murmuré en voz baja. ¿Y el que después de haber perdido cuanto traía se está cajeando con su vecino? Un abogado, pero no tengas cuidado porque la caja no la ha de pagar él. ¿Pues entonces quién? Los litigantes. Con media docena de rebeldías, o de juntas, tres alegatos y una transacción, sale del apuro.

¿Y cómo puede disponer tan libremente aquel general de trescientas onzas? Creo que estuvo de comandante por el Interior. Corrióse otro albur y entre los vencidos hallábase un empleado. No hay cuidado, dijo mi amigo, la patria paga. ¡He perdido una talega de oro!, exclamaba un comerciante. Mañana, dije a mi compañero, protesto de letras, al día siguiente sesión y páguese el que pueda. No diga usted que soy molesto, decía un *quidam* a otro. Usted manda, señor mío, y le dio cuanto quiso. ¿Qué significa esto?, pregunté a mi mentor. Nada, me respondió, la mujer del deudor es bonita. ¡Ah, ya caigo!, le interrumpí. ¡Pobre cabeza!

Y así seguí examinando aquel panorama de crímenes y sintiendo la desgracia de mil familias que tal vez a la misma hora se entregaban al placer y a la alegría. Con el corazón oprimido salí de aquella casa y me dirigí a la Plaza de Gallos, donde cuadros semejantes en la sustancia aunque distintos en la forma, acabaron de entristecerme, sobre todo al ver jugar la suerte de un hombre con las agonías de un animal, cuya muerte divierte a una multitud imbécil, que contemplándose como la obra única de Dios se complace en destruir los otros seres para fomentar sus vicios.

97

Entré en una fonda y comí aislado y solo porque mi amigo había ido a reunirse con su familia, y allí fui testigo de otras escenas que aunque menos desagradables, no valían mucho más que las anteriores. Los pormenores de las victorias y las derrotas de las partidas, comentados maliciosamente, eran objeto de todos los corrillos, donde se proclamaban los nombres de los héroes y de las víctimas, recomendando por supuesto a los unos y despreciando a las otras. No se pensaba en los medios con que los vencedores habían contado para hacer la guerra, pero sí se dudaba de los del vencido. Éste es el mundo, dije para mí: una misma acción es crimen o heroísmo según que el éxito es bueno o malo.

Huyendo de los gritos, de la algazara y de los juramentos que los humos del Burdeos y del Champagne comenzaban a dictar, salí triste y pensativo y me dirigí al Calvario, donde como a la sombra de un árbol se reaniman los miembros de un viajero fatigado por un camino áspero y escabroso, mi espíritu recobró la perdida calma a vista del bellísimo espectáculo que se ofreció de repente a mis miradas: un sol de estío potente y majestuoso lanzaba sus postreros rayos próximo a desaparecer en el ocaso, e iluminaba por la última vez el variado cuadro de miles de personas en cuyos rostros brillaba un solo sentimiento: el del placer. Aquí dos jóvenes lindas conversaban confidencialmente de sus amorcillos, referían con delicia el modo con que se habían apasionado, repetían los primeros juramentos y formaban planes halagüeños de felicidad conyugal. Allá un amante, aprovechándose del bullicio del día, hablaba lleno de fuego a su querida, quien celosa, lo rechazaba con fingido desdén. Por otro lado una vieja coetánea de Carlos III se llenaba de orgullo al verse cortejada por un joven oficial sin advertir que no era ella sino su sobrina la plaza sitiada. Grupos de niños jugueteando, corros de hombres que en un cuarto de hora decidían de la suerte de la República, calculaban las ganancias de los montes o de los prestamistas, reuniones de jóvenes y viejos solterones donde en lenguaje no muy limado se referían anécdotas ciertas, se inventaban otras, se sacrificaba una reputación al placer de decir una gracia y donde los maridos eran considerados como enemigos natos del progreso social. Todo en fin era variado, interesante; era un mundo en miniatura.

En esto el sol se había puesto y una luna bellísima suplía su falta derramando su luz pálida y misteriosa sobre las concurridas calles de San Agustín. Firmes, impertérritos en el campo de Birján, los jugadores continuaban su terrible lucha: el oro, la esperanza, la felicidad y la rabia pasaban de unos a otros como pasan las nubes de la primavera, pero las huellas que tras sí dejaban estos diversos sentimientos, eran tan profundos como las de un río de lava, y en las frentes sombrías y en los cabellos descompuestos y en los ojos amortiguados del mayor número, conocí que la victoria se decidía por los montes como generalmente sucede.

Un concurso de toda clase llenaba las calles; me dirigí con algún trabajo y después de algunos pisotones al baile, donde los talles elegantes, los ojos seductores y el breve pie de nuestras jóvenes, borraron de mi alma las desagradables ideas que iban apoderándose de ella. Las señoras mayores y el cuerpo de inválidos formaban el público de aquel teatro, complaciéndose en desprestigiar las gracias de la actual sociedad, que no puede rivalizar con la de los pasados tiempos. "¡Aquellos sí que eran buenos tiempos!", decía una vieja dirigiéndose a un ministro. "¡Qué diferencia entre la agradable variedad de aquellas contradanzas y la insufrible monotonía de las cuadrillas! ¡Entre la sublime majestad de un minué y el barullo de la galopa!" Y sin embargo los jóvenes de hoy se divertían tanto como los de entonces, ya aprovechándose del descanso que proporcionan las cuadrillas para decir a la compañera su atrevido pensamiento, ya para deslizar en su mano una perfumada epístola en la animada contradanza, ya para exigir el ansiado sí en el voluptuoso abandono del vals y ya en fin para recibirlo en la bulliciosa galopa. Todo era placer, todo encanto; los partidos políticos, el agio, los cálculos, el cobre, y el 15% estaban en armisticio. Las discusiones acerca de la ópera llenaban los intermedios y en este estado de contento se pasaron las horas, vino el nuevo día a arrancar la careta con que la disipación cubría a sus víctimas y volví a la capital reflexionando en la inevitable ruina de algunas familias, en el deshonor de otras y en los cuidados y disgustos que el incentivo de la fiesta oculta con velo de alegría, pero que descorrido después de algunas horas, deja ver el arrepentimiento, el desengaño y el dolor de la desnuda realidad, pudiendo decirse de San Agustín de las Cuevas lo que de la Alhambra dijo el duque de Rivas en *El moro expósito*:

Era un sepulcro de luciente mármol,
de podredumbre y de gusanos cárcel.

Verdad
El Apuntador, pp. 14 y 15. Junio de 1841

99

El Trovador. Drama caballeresco en cinco jornadas en prosa y verso por don Antonio García Gutiérrez, representado en el Teatro de Nuevo México el 10 de junio de 1841. Voy a ocuparme de un drama colosal en belleza y sentimiento y de un joven que por primera vez se presentó en la arena dramática con las fuerzas de un Alcides. Don Antonio García Gutiérrez era un hombre desconocido la víspera de la representación de *El Trovador*, y al día siguiente fue el primero entre los dramáticos de la moderna escuela española y el poeta por quien preguntaba, ansiosa de conocerlo, esa misma sociedad que acaso el día antes le despreciaba. Así se venga el genio de la injusticia de los hombres.

Dos pasiones interesantes, el amor y la venganza, son los resortes de que se sirvió el autor para dar a su producción un interés generalmente sostenido y aparecer como la obra de un genio creador y poético. Leonor y Manrique personifican el amor, Azucena la venganza. De esta abundancia de recursos resultan dos acciones diversas, marchan ambas con una rapidez que seduce; dos exposiciones y dos objetos que llaman con igual fuerza la atención de los espectadores. Éste es un defecto pero tiene un mérito en sí. Otro con estos dos episodios se hubiera visto embarazado y no los hubiera continuado hasta el fin sin que uno de ellos sucumbiese ante el otro, ni hubiera podido comunicarles un interés tan fuerte y entusiasmador. Su argumento es ideal, pero está tan bien enlazado con los sucesos históricos que presenta un cuadro admirable de las costumbres de su época, de aquella fuerza de amor y caballería, de aquellos castigos y de aquellas hogueras donde achicharraban a las llamadas hechiceras. De estas últimas nace el papel de la gitana Azucena, cuya madre había perecido en las llamas, cuyo hijo ella misma había quemado en la fuerza de su delirio en lugar de Manrique, que había arrancado de la casa paterna para aplacar a los manes de su madre, sacrificándole el hijo del conde. La gitana tiene pues que cumplir sobre la tierra una misión terrible: una venganza. La víctima expiatoria es Manrique, pero a falta del suyo le ha adoptado por hijo y le ama como madre, y sin embargo en la misma hoguera donde perecieron la madre y el hijo, donde calienta sus miembros entumecidos, arde también un recuerdo y arde también un deber: la venganza. He aquí el papel de la gitana, tan interesante, tan fuerte y tan enérgico. He aquí una de las dos acciones del drama.

La otra la forman Leonor y Manrique. La primera es un ángel de amor y ternura que al saber la falsa muerte del Trovador, consiente primero que dar su mano al conde, sepultarse en un convento. Esta mujer tan virtuosa es no obstante débil en la primera jornada, así porque antes de huir del convento con su amante, la lucha entre un deber religioso tanto más sagrado en aquellos tiempos, y el amor, es muy pequeña, como porque la inmoralidad del rapto la hace aparecer como menos inocente. Una y otra causa hacen decaer algo el interés, pero esta falta si se clasifican los defectos por sus resultados, como en cierto modo debe hacerse, desaparece completamente. Leonor al fin para librar a su amante que se halla preso, no ve otro medio que el de prometer al conde su amor y su corazón. Uno y otro vivirán poco y siempre para Manrique, y en prueba de ello apura un tósigo; rasgo feliz de un amor heroico y digno de aquel tiempo.

Manrique es el tipo de un Trovador, guerrero, poeta y enamorado. Dos son los desenlaces del drama: el del amor tiene lugar en la jornada quinta con la muerte de la mujer enamorada, de la tierna Leonor; el de la venganza en la última, con la muerte de la gitana, de la mujer que se venga, y sin embargo al saber que va a morir, la ofrenda que debía ella presentar a los manes de su madre, aún lucha por el amor que profesa al Trovador y dice al oír el golpe del hacha del verdugo:

> Sí, sí... luces... él es tu hermano, imbécil...
> *Don Nuño.* ¡Mi hermano! ¡Maldición! (La arroja al suelo.)
> *Azucena.* ¡Madre! ¡Ya estás vengada! (Expira.)

Este final, como todo el drama, es admirable. La escena última de la primera jornada es un modelo como otras muchas que no cito por lo frecuentes. Todo en él es bello, grande, arrebatador.

La señorita Martínez desempeñó su papel admirablemente en todo el drama. El señor Pineda trabajó lo mismo, lástima que el actor que tan torpemente desempeñó al Conde de Luna en todo el drama no le ayudase en el desafío que tan perfectamente ejecutó. La señora García estuvo bastante desgraciada en el papel de la gitana, pues es demasiado fuerte para ella. Todos los demás, a excepción del señor Castañeda, lo hicieron mal, especialmente el señor Olaeta, cuyo papel no comprendo por qué no se distribuyó al señor Martínez. Las decoraciones eran, como siempre, mejores que las del Teatro Principal. La batalla con que concluye la tercera jornada estuvo muy bien figurada, y en el Principal lo estuvo malísimamente. El señor don Higinio Castañeda y la señorita Cordero no tienen comparación en este drama con el señor Pineda y la señorita Martínez, así como ni la señora García ni Olaeta la tienen con la señora Dubreville ni Valleto, que también la desempeñaron en el Principal, aunque con muebles pésimos y decoraciones impropias.

El público pidió que saliesen los actores a recibir el merecido aplauso, a más del que varias veces interrumpió la representación. Hay en la cazuela una gentecilla que es la más degeneradamente cócora del ex-teatro de los Gallos, que ha entablado una guerra abierta con el patio y que tiene tan buen gusto que reprobó al señor Pineda uno de los rasgos más felices que tuvo en la última jornada. Dios le dé el juicio que ha menester, así como a la orquesta la armonía, unidad y concordia que le falta.

El Barba
El Apuntador, pp. 29 y 30

Teatro Principal. El teatro ha sido, es y probablemente será siempre la diversión favorita, la única diversión en la que mi triste alma siente algún alivio en sus penas. Así que constantemente he deseado y deseo las mejoras del nuestro, que por desgracia ni es teatro ni mucho menos nuestro, aunque en este punto vamos de acuerdo con el resto de la organización de nuestra sociedad, porque ni nuestras leyes son nuestras ni son nuestras nuestras costumbres, y hasta puede decirse que ni nuestros vicios son nuestros. Pero volviendo al Teatro Principal es preciso convenir en que sólo por el rótulo que con letras gordas está puesto sobre la puerta, puede venirse en conocimiento que ella, que parece más bien de cochera, dé entrada a un edificio que debe ser modelo de buen gusto en todas partes. Si se exceptúa el pórtico, todo lo demás es fatal.

Entremos: por una puertecilla por la que temo romperme la cabeza, yo que no soy más que mediano, lo cual hace el elogio de su altura, se entra al patio que es bastante grande pero bastante mal hecho, porque ni se ve ni se oye igualmente en todas partes. No hay más que un solo tránsito y esto proporciona a la salida el inestimable bien de hacerlo en prensa, si no es que se prefiera esperar pacientemente un buen rato. Los asientos son regulares, pero la distancia de uno a otros es tan corta que es preciso entrar a remolque aunque no sea uno como el hombre gordo de Bretón, cosa ciertamente nada agradable, porque aunque tenga uno buena crianza, no se contenta con recibir un pisotón aunque sea seguido inmediatamente del consabido: "Dispense usted." "No hay de qué." ¡Canario! Sí hay de qué, y más si le han hecho ver a uno, como suele decirse, las estrellas, si por casualidad (que siempre sucede porque todo cabe en el dedo malo) ha sido un callo rebelde la triste víctima del osado calcañar. Aunque el patio tenga alguna inclinación, no es seguramente la que se necesita, y así es que los que no somos muy grandes que digamos, tenemos que aprovechar muchas veces el claro de las cabezas delanteras para espiar la representación, especialmente cuando hay algún pie de los nuestros que llame nuestra atención sobre el tablado.

Los palcos tienen la desventaja de estar cerrados, lo cual además de aumentar en ellos el calor, hace que la concurrencia sea menos vistosa, aunque como no hay mal que por bien no venga, este mismo defecto es un bien para los o las que no quieren ser vistos. Excusado es decir que la escena se ve malísimamente desde muchos de ellos, porque ésta es consecuencia de la ridícula figura del teatro-bodega, y que en la mayor parte se oye muy poco por la bondad del tornavoz que fue inhumanamente recortado años atrás con el fin de hacer más palcos en pro del empresario, pero en contra del que sostiene a los empresarios. Nada diré de las ventilas donde a guisa de tortugas se colocan los espectadores, sacando apenas las cabezas, recibiendo el tufo de los candiles y mirando la comedia por entre una densa atmósfera de humo. Han ocasionado además el gravísimo mal de ignorar también la ventilación, a la que como indica su nombre estaban destinadas, pero por el *auri sacra famis* de los empresarios, fueron graduadas de palcos.

El telón fue bueno en sus tiempos, el foro es bastante regular aunque por dentro no me parece que tiene la extensión necesaria para la comodidad de los actores y el servicio de la escena. En cuanto a decoraciones las tenemos de tres clases: unas bastante buenas, otras regulares y otras que por su venerable antigüedad y muchos años de servicio, merecen su licencia absoluta. Dicen que el mejor vino se guarda para el postre, así que yo he guardado para el fin eso que llamamos alumbrado en el palomar que bautizamos con el nombre de teatro y Principal. Un candil grande en el medio y otros dos chicos cerca del escenario de antigua figura y un quinqué entre uno y otro palco, forman la brillante iluminación por cuyo medio podemos leer hasta el Quijote en miniatura con anteojos verdes. Noches hay en que en el segundo acto de la comedia, están ya apagados seis u ocho quinqués y generalmente las funciones muy largas (se llaman así las que duran hasta las once) terminan siempre a media luz. Agréguese a esto la poca limpieza de dichas lumbreras y el nada agradable aroma del aceite, que ha dado y dará de comer a algunos sastres, porque muy frecuentemente deja en los fracs, levitas y capas indelebles señas de aprecio, y se tendrá idea de esta interesante parte del Teatro Principal, que como ya he dicho merece este nombre tanto como el de nuestro, de lo cual me encargaré en otra ocasión.

Pero a bien que el año que viene tendremos el gran teatro de la calle de Vergara, ¿y cuándo vendrá ese año? Yo para mí temo que el futuro teatro es hermano carnal del Congreso de Panamá, del tabernáculo de la Catedral, de los caminos de hierro, del plan de estudios, del arreglo de la hacienda, de la reforma de los códigos y de tantas otras cosas que han quedado en proyecto. Mucho gusto tendría en que la empresa me tapara la boca con un solemne mentís, pero era necesario que me lo dijera sentado en una luneta del nuevo teatro. Y a propósito, ¿no era mejor hacerlo en la Plazuela del Volador? Costaría más, pero sería mil veces preferible ya porque se haría un edificio digno de la República, y ya también porque se quitaría ese feo lunar a la capital, esa patente de vergüenza. Recomendamos a la empresa esta idea que no parecerá descabellada si se analiza detenidamente.

Verdad

El Apuntador. Junio de 1841, pp. 34 a 36

El patio del teatro. Cuando Dios separó la luz de las tinieblas, se le quedó en el tintero el col-iseo de México. Digo col porque tiene la figura de esta planta, y seo, o más bien, aseo, por ironía. Traspapelósele, pues, al Creador porque en él están confundidas las tinieblas y la luz, formando una especie de claroscurísimo, un efecto tenebrario útil para ocultar a los ojos de un espíritu perspicaz las siete capas de mugre que forman aquello que se llama piso. Lástima que el Barón de Humboldt no estuviese entre nosotros para examinar científicamente y determinar la época en que se formaron una tras otra las siete capas. Pero volviendo a lo de las luces, no parece sino que el Teatro Principal se ha declarado mantenedor de la oscuridad en este siglo de progreso y de gas. Y si no, traslado a los quinqués que tienen tanto negro-humo y opacan la melancólica luz despedida por una mescolanza de aceite, agua y grasa que no la desperdiciaría ningún alebitar (*sic*) para medicinar a los bucéfalos de la línea unida de diligencias. Esta oscuridad produce no obstante algunos buenos resultados: los maridos celosos que al soslayo son centinelas de vista de sus mujeres, la maldicen, y los amantes de la luneta la celebran, y ay de aquel que por desgracia ocupe uno de esos asientos que suelen fecundar con abundante riego los malhadados quinqués.

El camino del cielo es áspero, estrecho y lleno de contradicciones, pero en comparación con la estrechez y aspereza que hay entre banca

104

y banca, es más cómodo y de más fácil acceso que la Plaza de Palacio o el Golfo de México. Mas mudando de conversación voy a analizar el cuadro moral que presenta el nunca bien ponderado patio del teatro. Unos oyen atentamente, otros duermen y otros ni oyen ni duermen ni dejan oír a los demás. Alabo a los primeros, doy a los segundos las buenas noches y voy a divertirme con los últimos. Algunos hay francamente mercantiles que quieren convertir en Lonja el teatro, y hablan del precio del chile y del cacao, de alta o baja de los fondos públicos, del 15% y de la amortización del cobre, de modo que el espectador que quiere escuchar a los actores a pesar de sus muchas interpelaciones, ve regalado su oído tan pronto con un bellísimo verso de Bretón como con la noticia de una quiebra o con la compra de una tonelada de *pasilla*. Otros aunque no hayan tenido muchas ocupaciones, entran a la mitad del segundo acto distrayendo la atención de los espectadores con el ruido de sus botas o bastón, o gargajeando para llamar la atención de alguna Filis que los aguardaba con impaciencia. Llegan por fin a su asiento después de haber acariciado con sus tacones los pies de algunos que dormían y de otros que escuchaban, y mientras alisan con el guante su romántico peinado y saludan al vecino o vecinos o corresponden a la inclinación de cabeza que desde el palco les hace una joven conocida, los de adelante, los de atrás y los de ambos costados se han quedado en ayunas de un par de escenas por lo menos, y los que ocupan su retaguardia la misma cuenta les tendría ser ciegos si empieza el elegante a tomar en sus lunetas cien diversas posiciones para echar el anteojo para el norte y para el sur. Y luego entabla una conversación más poética que la de los mercachifles, pero tan fastidiosa como ella y los que están inmediatos no oyen la comedia, es verdad; pero sí se instruyen de los amores de tal y tal niña, que tal o tal marido es más celoso que un turco, y de que aquella que está en la cazuela no es costal de paja para el ciudadano que la flecha el lente desde aquella luneta. Ya se ve, hacienda tu amo te vea. Quédese esto en su lugar porque en el artículo de los que ni oyen ni dejan oír hay tantas clases como peces en el mar o como ilusiones en la cabeza de una niña enamorada.

Es verdad que en París, en Londres o en Madrid no se fuma en los teatros, pero esta costumbre a más de tener por disculpa la falta de corredores en el Coliseo, posee inmensas ventajas como son la comodidad, el gusto de elegir un puro habanero, el de pedir lumbre al de la luneta delantera y distraer su atención, y para ciertos *zoilos* que entran al primer entreacto, ¿dónde hay cosa más bella que con aire de sabio, en medio de la escena del segundo acto, arrojar entre bocanadas de humo una calificación de la pieza, que por lo regular es: "No vale un comino", aun cuando después la bondad del mismo venga a desmentir tan ridícula sentencia? A más, esa nube de humo que se levanta sobre la cabeza de los asistentes de la luneta, es un oloroso incienso que en señal de adoración tributa el patio al bello sexo de los palcos.

También es muy *comme il faut* levantarse unas tres o cuatro escenas antes que concluya la representación, porque de este modo se consigue que el que está sentado delante no oiga nada; unos lo hacen para formar la valla que a la salida de los palcos pasa revista de comisario al bello sexo, y otros que son filántropos, con el santo objeto de que sus porteros, que los aguardan durmiendo a pierna suelta, puedan acostarse cinco minutos antes. Todo esto es muy bello, pero yo que me he propuesto burlarme de ello, preparo una filípica, y ahora como soy tan filantrópico como ellos, quiero recoger mi taravilla y que mi cálamo se entregue a un ligero sueño.

Fabricio Núñez
El Apuntador, pp. 43 y 44. Junio de 1841

Muñoz, visitador de México. Obra representada en el Teatro Principal el martes 29 de junio de 1841. Este drama original de don Ignacio Rodríguez Galván fue estrenado en 1838. Mucho temo hablar de él por ser de un compatriota y amigo, pero la verdad lo exige y válgame lo menos la franqueza si me equivoco. *Muñoz* es un drama enteramente romántico. El feroz visitador se supone enamorado de Celestina, mujer de Sotelo, ciudadano principal de México y para cuya posesión no repara en medios. Sotelo ve salir de su casa a un hombre que no conoce y sospecha justamente de su mujer, quien no puede descubrirle que es Muñoz, porque escondido detrás de una colgadura espiaba un satélite del tirano con órdenes de matar a Sotelo si su esposa descubría el secreto. El marido furioso intenta quitarle la vida y despechado después toma parte en una conspiración contra Muñoz. Éste roba a Celestina. Sotelo, desengañado por Berta, criada suya, va a librarla y la saca de la casa del visitador, cuya primera víctima es Berta. Instruido Muñoz de la conspiración, la contiene y destruye, y presentándose en la casa de Celestina ofrece a ésta su corazón, sus riquezas, su poder. Todo es desechado por la esposa fiel, quien sólo pide a su

106

perseguidor que la deje. Él consiente, mas al separarse le presenta el cadáver de Sotelo, a cuya vista cae muerta Celestina y queda desesperado el visitador.

Ése es en sustancia el drama; buenos y sostenidos los caracteres, hermosa, fluida y correcta la versificación, atrevidos, nobles y aun sublimes los pensamientos, pero la acción es tarda, los diálogos largos y alguno de ellos, aunque lleno de bellezas, no muy conducente. Hablo del de Gonzalo y Celestina. La escena entre ésta y su marido celoso es la mejor del drama, pero su extensión la hace pesada, lo mismo que sucede a la de la conspiración en la segunda jornada. Estos actos deben de ser rápidos, pues de otra manera cansan. El carácter de Muñoz es demasiado feroz, pues por más que lo sea un hombre, siempre se dulcifica cuando ama y emplea no sólo las armas de la fuerza sino de la pasión, su lenguaje, sus sentimientos. El de Gonzalo es completo, así como el de Celestina, pero la muerte repentina de ésta es absolutamente inverosímil. Mal resorte dramático es éste; valía más que se diese una puñalada; la muerte natural no se tolera en el teatro.

Pero otros defectos y tal vez otros más graves que tenga el drama y que yo no alcanzo, son disimulables en la primera composición de un joven. No fueron ciertamente *Muérete y verás* y *El sí de las niñas* los primeros dramas que escribieron Bretón de los Herreros y Moratín. La ejecución no fue muy feliz, a excepción del papel de Muñoz, y con sentimiento notamos que muchos de los que concurren al teatro sin saber si es cosa de comer, después de clavar el diente en la pobre comedia comenzaron a salirse antes del fin, costumbre incivil que por desgracia no deja de tener imitadores aun en los palcos, donde el ruido de las sillas impide oír el desenlace de todos los dramas.

El Galán
El Apuntador, p. 72

Teatro de la Ópera. La calle ha sido empedrada y se ha puesto la acera que le faltaba. A la entrada hay un patio cuadrilongo de poco menos de decisiete varas que tiene a derecha e izquierda las escaleras que conducen a los palcos primeros y segundos y al frente la entrada a los balcones y lunetas, que es bastante amplia. El patio no tiene un declive suficiente, pero los balcones están forrados de pana encarnada, igual color que el de los asientos, produciendo un buen efecto. Las lunetas son cómodas y se ha abierto del foro al anfiteatro un amplio callejón. Los antepechos de los palcos segundos están adornados con guirnaldas con hojarascas, y los de la galería, antes cazuela, con aspas romanas floreadas, y el rosetón que ocupa el centro del techo y del que pende un candelabro de dos varas y media de diámetro, en forma de canasta, con dos órdenes de quinqués, que en todo hacen noventa, con aros de bronce dorados a fuego y adornos de cristal abrillantado, lo que contribuye a aumentar la luz y a un mejor efecto. Baja hasta la cornisa de la galería un pabellón adornado con emblemas y motes teatrales. Es verdad que los tornapuntas que parecen sostener el techo hacen mal efecto, pero esto no se podía evitar acaso y aun el día que quiera adornarse el teatro pueden servir para pabellones o colgaduras. Se han echado cielos rasos en los palcos y galerías y éstas las ocupan la mayor parte palcos de particulares, lo cual hará que toda la concurrencia sea escogida. Lástima que se conserve allí la costumbre de fumar. Los medios colores dominan con buen gusto en todo el teatro. El foro ha avanzado dos varas más y se han hecho en su interior cuartos para el vestuario de los actores. El asiento de la orquesta es mayor y más amplio. Las decoraciones nuevas y el telón de boca figura un cortinaje verde con adornos de oro. Lo más sensible de todo es que el caño de en medio de la calle, por estar aún abierto, ofrezca sin obstáculos sus malos perfumes. En fin, de una cosa malísima se ha hecho más de lo que se podía esperar y hoy puede llamarse con algún fundamento Teatro de la Ópera.

Los Editores
El Apuntador, p. 82. Julio de 1841

Elenco de la compañía de ópera. Primera donna absoluta, señora Anaida Castellan de Giampietro. Primera donna soprano, Amalia Lucio de Ricci. Contralto, Adela Cesari. Altra prima y seconda donna, Luisa Agrasante. Primo tenore serio abssoluto, Emilio Giampietro. Primo tenore a vicenda, Emilio Bosetti. Altro primo tenore en genere, Juan Zanini. Secondo tenore, Luis Arriaga. Primo basso cantante assoluto, Antonio Tomassi. Primo basso bufo e direttore de scena, Luigi Spontini. Altro primo e suplemento, Luis Leonardi. Maestro direttore composi·ore al cemba¹o, Gualterio Saneli. Director de coros, Amado Michel. Director de orquesta y primer violín, Guillermo Gualas. Primer violín, Eusebio Delgado. Pintor escenógrafo, Pedro Gualdi. Sastres, Antonio y Magdalena Ramponi.

Condiciones del abono actual. En el abono se darán noventa representaciones, dos por semana, a los siguientes precios: Abono a palco por año con seis entradas, 540 pesos. Balcón, 96. Luneta, 86. Primera fila de galería, 30. Segunda y demás, 22. Abono mensual. En cada mes de abono se darán nueve funciones a los siguientes precios: Palcos, 63 pesos. Balcones, 10. Lunetas, 9. Galería, 3 pesos 4 reales.

Ópera. Lunes 12 de julio de 1841. *Lucía de Lamermoor*. Por fin tenemos ópera aunque algunos piensan lo contrario. Tenemos también dos teatros de los que el uno puede llamarse conservador de las antiguas doctrinas dramáticas, y el otro un remedo de la Porte San Martín. Cuando sopla el viento clásico en el cerebro de un ciudadano allí está el Principal; cuando el huracán romántico, el de Nuevo México, y cuando la brisa filarmónica, el inarmónico de la Ópera.

Donizetti es hoy el compositor principal, así porque Rossini después de desterrar para siempre de sus bolsillos el vacío, se ha resignado a llevar una vida de marqués, como porque el desgraciado cuanto sublime Bellini se fue en retirada al otro mundo creyendo a la Tierra indigno de poseerle. *Lucía de Lamermoor* es la ópera que hoy hace las delicias de los diletanti de París y Londres, así por la romántica poesía de su argumento como por la delicadeza y sentimentalismo de su música. Justo era pues que fuera también la de los filarmónicos de México, pues también los hay aquí en abundancia. Pero el efecto que ha producido no es ni con mucho el que nos prometíamos del mérito de ella ni del entusiasmo que era natural nos ha hecho despertar la dieta en que nos dejó la compañía recientemente disuelta y que tantos y tan agradables recuerdos nos ha dejado. Imposible formar juicio ateniéndose a la primera representación; en ella hemos notado algunos defectos como son las tardías entradas de los coros, que no obstante ser mejores que los que en otras ocasiones hemos tenido, no estaban bien ensayados. Tampoco vimos en la orquesta esos golpes decididos, ese aplomo necesario y sí una tendencia a no entrar en honduras. Notamos mucha lentitud en los tiempos, y una falta de unidad y precisión, y en el bellísimo final del acto primero una completa de efecto. Algunos más hemos podido advertir pero seguramente desaparecerán en las siguientes repeticiones porque son lunares anexos a la primera representación, que nunca es más que un ensayo general con asistencia del público.

Imposible es también calificar a los actores en la primera ópera, porque a más de lo que hemos expuesto, los cantantes se enfrentan a un

109

público nuevo, y su voz si el teatro es inarmónico, como el de los Gallos, se pierde para unos o hiere a otros con demasía. Por eso me concretaré hoy a hablar de la señora Castelán. Es a quien mejor ha podido conocerse. Tiene una voz alta, dulce, sostenida, posee una agilidad de garganta muy agradable, trina con mucha suavidad y maestría, conoce bien el canto, se arroja a pasajes arriesgados que no respetan los buenos cantantes, y en la facilidad y limpieza conque los ejecuta revela una buena escuela y buen gusto. La cavatina del primer acto, que es la mejor que desempeñó como cantante, le granjeó muchos aplausos y lo que en esta pieza advertí de mayor mérito es la precisión con que ejecutó el primer tiempo y el cambio con que adornó la reflexión en la cavaleta. Como la declamación y el mérito del canto no es menor, fue sobresaliente la escena del delirio de la parte segunda, donde había verdad de energía y sentimiento; la fuerza de expresión y aquel apasionado decir prueban una sensibilidad exquisita. La voz de la Castelan es interesante y su estilo completamente moderno. Esperamos que los demás artistas en vista del recibimiento que han tenido nos muestren sus talentos en toda su extensión. Una cosa nos pareció ridícula en lo que llaman los iniciados *battuta*: el continuo golpeo molesta, distrae y sólo conduce a hacer resaltar más los defectos en que incurra la orquesta; estando el cáncer adentro no es éste el modo de remediarlo. Las decoraciones, en especial la segunda y la última bellísima arquería iluminando el flanco por la luz de luna formando un precioso contraste con las tintas oscuras del frente, hacen muchísimo honor al distinguido pincel del señor Gualdi.

El Diletante
El Apuntador, pp. 101 a 103

Ópera. Julieta y Romeo, de Vaccay. Mucho varían los tiempos: esta ópera en su época fue recibida con agrado pero hoy a pesar de su escena final, que es lo mejor de ella y de algunas piezas sustituidas, puede casi asegurarse que ha hecho fiasco en nuestro teatro. Ella nos recuerda disturbios teatrales con motivo de la representación de la de Bellini que lleva el mismo título y es superior a la de Vaccay. El fin que se propuso la empresa al poner ésta en escena no ha sido otro que el de presentar a la señora Cesari. Bien conocida fue su turbación en la primera entrada y el resto del primer acto, pero en los demás, y en especial en el final del último, aunque es fama que ha bajado su voz, nos dio a conocer su maestría y buen gusto en el canto, su nobleza

110

de acción y sus buenos modales en la escena. En una palabra, recordamos con agrado a la conocida contralto que tantos aplausos ha merecido del público mexicano. El señor Tomassi desempeñó bien su parte en el dúo con la tiple en el segundo acto, igualmente que el señor Giampietro el aria del mismo. Este cantante como estaba en su cuerda nos dio a conocer más mérito que el que habíamos visto en la *Lucía*. La señora Ricci dejó bastante que desear, pero un juicio acerca de ella sería hoy aventurado por mil razones. El público en general quedó descontento.

El Diletante
El Apuntador, 19 de julio de 1841

Don Miguel Valleto. Si no ocupa este actor el primer lugar, es el primero entre los actores que debe ocuparlo. Aunque de mediana estatura, el señor Valleto es muy formado, tiene una fisonomía expresiva, ojos vivos, buena acción y modales muy finos en la escena. Su porte es decente, su trato caballeroso, arreglada su conducta, circunstancias que lo hacen estimable en la sociedad tanto como su mérito en el teatro. Nació en 1808 y en 1824 comenzó su carrera en el Teatro de Zaragoza; pasó de allí al de Valencia, donde se vino al de Veracruz en 1827 y al siguiente año al de esta capital. Fuera de la República, en virtud de la expulsión, trabajó en La Habana, de donde regresó a Veracruz en 1831. Vino después a este teatro y trabajó en él hasta 1835, para volver al citado puerto en donde se casó, regresando al fin a México en 1838, desde cuya época está trabajando en el Teatro Principal. El señor Valleto ocupa, en compañía del señor Castañeda, el lugar de primer galán, desempeñando en compañía de dicho actor y del señor Salgado la dirección de escena. En el género serio tiene sensibilidad, fuego, nobleza y dignidad, distinguiéndose entre otros dramas en *La educanda, Cromwell, La novia, El mulato* y especialmente en *Pablo el marino, ¡Está loca!*, donde su actuación es perfecta. En el género cómico su actuación es notable en *El aspirantismo, Las citas, La familia de Darío, La familia del boticario* y otras muchas comedias, pero donde se le debe buscar, donde es superior verdaderamente es en las costumbres, sea cual fuere el carácter que tengan: *La llave falsa, Miguel y Cristina, El soprano*, y otras y otras pueden servir de prueba, sobre todo las de don Manuel Bretón de los Herreros, que parecen escritas especialmente para él.

111

Así nos complacemos en verle representar la comedia *Marcela, Un novio para la niña, Un tercero en discordia, Me voy de Madrid, Una vieja, El día de campo, A Madrid me vuelvo, El qué dirán* y *El pelo de la dehesa*. Se creerá tal vez que exageramos, pero el público todo es el más seguro garante de nuestra opinión, porque como nosotros es testigo de que no habiendo en las comedias de él caracteres iguales, los recorre todos y los desempeña todos bien, muy bien, don Miguel Valleto, quien cambia de modales, de acción y hasta de voz y de figura como cambia de trajes, acomodándose al personaje que representa. A las dotes naturales que posee une mucha aplicación y empeño, una pronunciación buena, serenidad y como ya lo hemos dicho, muy finos modales. Muchas veces al escuchar un diálogo entre el señor Valleto y la señorita Cordero, hemos creído hallarnos más que en el teatro en una tertulia de primera clase, pues las maneras de ambos harían sin duda honor a la más esmerada educación. A estas recomendables cualidades debe don Miguel Valleto la bien fundada reputación de que goza, al afecto que le dedica el pueblo mexicano y el muy sincero y justo con que le consagran estos renglones.

Los Redactores de *El Apuntador*. Agosto de 1841

Teatro Principal. Todo es farsa en este mundo. Jueves 21 de octubre de 1841. Esta comedia ocupa un lugar muy distinguido entre las de Bretón de los Herreros por las gracias y caracteres cómicos de que está llena y por la sátira fuertísima que contiene. ¡Cuántos de los que asistieron a la representación pueden llamarse compañeros de Don Rufo Marchamalo! Abundan por desgracia hombres que cambian de opinión como de vestidos y son sin disputa lo peor de la sociedad, como que desmoralizan a los pueblos y arruinan la mejor de las causas. La ejecución estuvo buena por parte de los señores Castañeda, Salgado y González, quien desempeñó perfectamente su papel, así como la señora Doubreville. Sentimos no poder decir lo mismo de la señorita Pautret, quien no puede suplir la falta de la señorita Platero.

Muérete y verás. Sábado 26 de octubre. Ésta es acaso la mejor composición del autor de *Marcela*. No hay un solo personaje que no sea interesante y cuyo carácter no tenga muchos originales en la sociedad. Cuanto en el mundo pasa lo vemos allí puesto en escena con la naturalidad y gracia tan propias de Bretón, quien en esta comedia ha mostrado que no sólo sabe criticar, sino sentir. Isabel es un ser encantador cuya realidad ha dado la felicidad conyugal a quien la encuentra. Respecto de la ejecución diremos que el señor Salgado lucía más que de ordinario.

El castillo de San Alberto. Domingo 24 de octubre. Este drama traducido excelentemente del francés fue muy bien ejecutado por la Doubreville y el señor Salgado. ¡Cuanto puede tener de buena una composición dramática tanto notamos en *El castillo de San Alberto*! Moralidad, caracteres perfectamente marcados, sumo interés, buen lenguaje y un desenlace inesperado pero bien forjado.

El Galán
El Apuntador, pp. 320 y 321

Ópera. Belisario. Mucho aparato, caballos en la escena que no estaban muy dóciles, buena iluminación y selecta concurrencia fueron las cosas más notables de la función. De la música no es fácil hablar a primera vista. La señora Castelan desempeñó bien su papel así como los señores Tomassi y Giampietro. El señor Spontini se olvidó no pocas veces del papel que representaba para ir a arreglar la escena, de manera que al lado del emperador Justiniano se veía al director. El señor Tomassi se nos envejeció como por ensalmo: según aparece en el programa, el acto segundo pasa el mismo día que el primero. En éste era Belisario un joven y en aquél un viejo, mientras que el emperador se mantuvo hasta el fin después de algunos años rollizo y colorado como el primer día. El baile no fue gran cosa.

El Diletante
El Apuntador, p. 322

Pasquín. En el cartel en el que se anuncian las comedias del Teatro Principal, se puso uno el domingo 7 de noviembre pidiendo la expulsión de Sir Carlos Lavemont, pidiendo que en su lugar entrara el actor mexicano Antonio Castro, pudiendo el primero marcharse a Gachupia con credenciales para los editores de *El Apuntador*. El origen de tan salada como peregrina ocurrencia fue que el joven don Antonio Castro se resolvió en la comedia titulada *Lord Lavemont* a pronunciar con propiedad el castellano, haciendo lo mismo el domingo en la titulada *Mi secretario y yo*. A no haberlo visto no habría creído que en 1841 se hiciera semejante cosa en la capital de la República, pero el hecho es cierto y es preciso contestar no por la parte que se nos ha querido dar, sino por respeto a la sociedad, en defensa de nuestros compatriotas y por el ardiente deseo que me anima de ver adelante entre nosotros el difícil arte de la declamación.

Por más que he buscado en el mapamundi no he podido encontrar pueblo, ciudad o reino llamado Gachupia, pero necio de mí, esa palabra es muy propia de los que no quieren que se hable bien nuestro idioma y por lo mismo inútil es contestar a este punto. Lo de las credenciales puede entenderse de dos modos: o que se cree que nosotros hablamos bien el castellano, o porque se nos considera naturales de Gachupia. En el primer caso, lejos de reputarnos ofendidos, damos mil gracias a los pasquineros, y en el segundo les diremos que el año de 1841 no es el de 1828, y que nada tiene que ver el nacimiento con este negocio, que ya pasó el tiempo de usar semejantes arbitrios, que esas alusiones son tontas y archirretontas, que se tenga muy presente la fábula del cuervo y por fin que es falsa la suposición. Sepan los señores que el que esto escribe es mexicano y muy mexicano, que ni sus padres ni sus abuelos fueron de Gachupia, y que en esta materia es de los más difíciles de contentar, pero que no por esto desconoce la justicia. Terrible será el concepto que se forman de nosotros al ver tan ridícula pretensión, mas por fortuna no es esta la opinión de los mexicanos sensatos, ni creo que así juzguen los abonados al Teatro Principal. Sería hacerles un agravio que en verdad no merecen.

El teatro es escuela de las costumbres y del lenguaje, debe por consiguiente procurarse que éste sea puro, correcto, propio, más aún prescindiendo por un momento de esta innegable verdad es preciso convenir en que sin la buena pronunciación se extingue la armonía del mejor verso y da muchas veces un sentido distinto y contrario a las palabras. Una preguntita sin embargo haré a los autores del pasquín: si porque Castro ha pronunciado la *c*, *z* y *ll*, debe ser desterrado, ¿cómo no se destierra a los señores Salgado y Castañeda del Principal, y a Servín del Nuevo México, si hacen lo mismo y son mexicanos? ¿Por qué ese empeño ridículo, esa crítica injusta únicamente con Castro, que se ha hecho cómico por sí mismo, que por su dedicación y empeño es acreedor al aprecio del público y acaso será con el tiempo el mejor actor mexicano? ¿Por qué detener de este modo a ese joven cuando había dado un paso tan difícil y provechoso en su carrera? ¿Por qué zaherirle tontamente cuando debía ser aplaudido? No se diga después que nuestros actores no sirven; si cuando se empeñan en adelantar se les critica, ¿qué otra cosa han de hacer sino salir del paso y nada más? Así hemos visto que sólo en las dos comedias citadas pronunció bien el señor Castro y que desde el lunes volvió a su antigua costumbre. Pero no creo que tan estimable actor deba arrepentirse de su plausible propósito; al contrario, debe tomar el mayor empeño y no le importe las burlas. El estudio y la práctica le allanarán el camino. Ánimo, pues, señor Castro y aunque algunos murmuren y le llamen a usted pedante y afectado, y le destierren a Gachupia, siga usted con tesón y no haga caso de media docena de hombres, que en compensación puede usted contar con la aprobación de todo el público sensato. El diccionario le sacará a usted de las dudas que tenga en esta materia. Estudio y resolución es lo que se necesita para adelantar en su carrera y aprovechar las buenas disposiciones con que felizmente cuenta. Ojalá este ejemplo fuera seguido por los demás actores mexicanos, especialmente la señorita Cordero.

El Galán
El Apuntador, p. 348

Teatro de Nuevo México. Beneficio del señor Pineda con la obra *Pelayo.* Noviembre de 1841. ¿Quién no ha visto o leído esta obra célebre de Quintana? ¿Quién no ha sentido el entusiasmo que respira esta composición dictada por el patriotismo, que revela el genio de su aplaudido autor? Es verdad que algunas veces la versificación es cansada o monótona, proviniendo esto sin duda del verso asonantado, indispensable en el género clásico de que esta obra es un tipo, que molesta al oído y perjudica a la armonía con su prolongado sonsonete en cada acto. El interés es sostenido, lo mismo que lo es también el tiempo, aunque en el lugar hay un poco de libertad. En los dramas históricos la dificultad de conservar la ilusión e incertidumbre (ambas causan el interés) en el ánimo del espectador, que está al tanto de la historia o sabe en particular la de aquel personaje que está viendo, es grande. En el *Pelayo* esta dificultad está sorteada con gran maestría por las situaciones coincidentes que forman la intriga del drama. Los caracteres están bien sostenidos y toda la obra dista muy poco de la verdad. La ejecución estuvo regular y en particular buena por los señores Pineda, Martínez y Castañeda. El primero marcó bien los finales de los actos y todos los puntos más fuertes del drama; su acción y gesticulación eran propias y demostró su aptitud para la tragedia clásica. Sin embargo, como al principio comenzaba muy acaloradamente, hubo de cansarse pronto. La escena

115

era propia, la decoración del tercer acto hace honor al señor Gualdi, y la concurrencia lucidísima.

Teatro de la Ópera. Grande ha sido la aceptación con que se ha recibido *Lucrecia Borgia.* Los inteligentes dicen que esta ópera es de las mejores que ha puesto en escena la compañía actual.

Teatro Principal. El sí de las niñas. No se pasa una sola temporada sin que tengamos esta preciosa comedia; muchos años hace que se ve en México y siempre es bien recibida; su mérito la ha hecho sobrevivir a todas las de su época y en medio de los furores de la nueva escuela ha permanecido ilesa, siempre considerada, siempre aplaudida. *El sí de las niñas* es acaso la sola comedia en que vemos sobre la escena los mismos personajes, oímos los mismos discursos y presenciamos los mismos acaecimientos que vemos, oímos y presenciamos en la sociedad, porque a excepción del carácter de doña Irene, que es un poco exagerado en dos o tres pasajes, todos los demás están absolutamente amoldados a los que conocemos en la vida social. Si Moratín vuelve a nacer, no creemos que vuelva a hacer igual con ella. Esto durará mientras dure el teatro, porque su argumento es de todas las épocas, de todas las naciones. Hermosísimo lenguaje, cuadros dramáticos, naturalidad, fluidez en el diálogo, excelentes lecciones, interés, todo, en una palabra, todo es bueno, inimitable.

La ejecución estuvo buena, distinguiéndose el señor Salgado, digno discípulo del célebre Prieto, revela en esta comedia cuánto estudió a aquel modelo. No quiero dejar pasar esta ocasión sin decir algo más de este y otros actores. El señor Salgado desempeña bien todos los caracteres de barba; el público mexicano lo conoce y distingue justamente; se hace notar también en *Mariano Faliero, Angelo, Muñoz, El torneo, El pilluelo de París, El día de campo, El tercero en discordia, Muérete y verás, Ella es él, Fernández y compañía, El castillo de San Alberto* y en otras muchas comedias tanto del género serio como del cómico. El mérito de la señora Doubreville para todas las características de costumbres es tan conocido que parece por demás recomendarlo. Señalaré sin embargo como las más particulares *La riña, Un novio para la niña, El tercero en discordia, Todo es farsa en este mundo, Una vieja, El pilluelo, La favorita, Me voy de Madrid, El qué dirán, La niña en casa, A ninguna de las tres, Cuentas atrasadas,* y en el género serio *El castillo de San Alberto, Arturo y Angelo.* El señor Castañeda a una presencia excelente para el teatro, reúne muy buena acción, buena voz, modales finos y excelente pronunciación; en general desempeña bien todos los galanes serios, distinguiéndose en *Don Juan de Austria, La mujer de un artista, Muérete*

y verás, El trovador, Catalina Howard, El campanero de San Pablo, y
en lo cómico, *Cuentas atrasadas, Mi secretario y yo, Una de tantas.* El
joven Antonio Castro tiene excelentes disposiciones para ambos géneros
y desempeña con particularidad en el serio *Arturo y Gabriela de Belle
Isle,* y el cómico, *El pilluelo, No más mostrador, Don Dieguito, A ninguna de las tres, La mujer de un artista, Un ramillete, una carta y varias
equivocaciones.* Sus buenos modales, su elegante vestir y sobre todo su
aplicación, le hacen recomendable y prometen para lo venidero progresos.

El Galán
El Apuntador, p. 380

Teatro de la Unión. Por grandes comunicados colocados en todas las
esquinas de la ciudad, así como por el inmenso cartel que campeaba en
un arco del Portal de Mercaderes, nos impusimos con gran satisfacción
de que existía un nuevo teatro de la calle del Puente Quebrado, con el
título de Teatro de la Unión. Éste fue hallazgo de gran valor para
nosotros que andamos en pos de novedades teatrales, así que luego que
vimos los públicos anuncios nos latió el corazón de placer y nos propusimos firmemente dar un paseo por aquellas calles a las ocho en punto,
luego que para ello tuviéramos lugar.

En efecto, el viernes 26 de noviembre nos dirigimos al Teatro de la
Unión, que pudiera llamarse con más razón el de la Libertad. En aquella
noche se representaba *Quiero ser cómico y La vieja y los dos calaveras,*
cubriéndose el intermedio con una pieza de baile, así como una rumbosa obertura, según anunciaban los convites. La sala de espectáculos
estaba decorada no muy decentemente que digamos, las alfombras que
cubrían el suelo eran petates, las pinturas aplomadas y tan recientes
que todos llegamos a nuestras casas con muestras del mismo color; el
alumbrado lo componían cuatro quinqués en los palcos segundos, un
candil que no podía descubrirse desde el patio, gozando solamente del
beneficio de su luz una parte de los espectadores de la cazuela. El telón
no era gran cosa y no pudimos comprender bien sus pinturas, tal vez
alegóricas. En punto a comodidad tampoco era grande la que allí se
disfrutaba, pero en cambio se disfrutaba de una libertad perfecta. Aquí
un hombre estaba con el sombrero encasquetado, aun cuando el telón
estuviera levantado, otro pedía dulces y agua al dulcero en el mismo tono
de voz que los actores, otro hacía fuertes reconvenciones al apuntador
porque hablaba alto, y muchos, con acentos destemplados y no muy

comedidas palabras, pedían a Morales (nombre de un aspirante a cómico) que se quitase los guantes. Para dar a nuestros lectores una idea de la representación de la noche del 26, procuraremos seguir el orden de la función. Se comenzó tocando la rumbosa obertura, muy rumbosa y desentonada como cierto tenor en la ópera, de modo que el público tuvo por conveniente hacer callar a los músicos con fuertes silbidos. En seguida se levantó el telón, lo que causó grandes aplausos de mano y de boca. Conocimos entonces a los actores, pero no conocimos la bonita comedia *Quiero ser cómico*. ¡Ay, pobre autor!, lo destrozaron, aquello fue para visto: ¡qué declamación la de don Florencio!, ¡qué modales los de Verde-gay!, ¡qué voz la de don Dimas!, ¡qué quejumbrosa la de la primera dama y qué gracia la de su criada y confidente Rita! ¡Qué servicio el de la escena, qué trajes, qué todo! Vamos, todo fue muy gracioso.

Concluyóse la primera comedia con grandes aplausos; tocaron los músicos y el impaciente público los hizo callar por segunda vez para pedir el baile. A tantas instancias levantóse el telón para dar principio a *La vieja y los dos calaveras*, y ya don Carlos hablaba entusiasmado cuando un ciudadano del patio con muestras de autoridad y con el convite en la mano le dijo en alta voz: "El intermedio se cubrirá con una pieza de baile, finalizando con *La vieja y los dos calaveras*. Pagas: patio y palcos, 2 reales. Galería, 1 real. Etcétera." A tan fuerte reconvención se calló don Carlos y comenzó el baile del *Mosquito*, después el del *Café* y el público pidió después a grandes voces *El tecolote*. Sólo diremos del baile que el galán se nos figuró un arco de violín, tal era su física estructura.

Por último se representó la segunda comedia, en ella hubo dos cosas muy notables: primera, que entraban y salían a la casa en venta unos por el balcón, y otros por las paredes. Lo segundo, que hubo un notario, hombre de quien no puede decirse otra cosa sino que gracias a su habilidad hizo reír a pocos y encolerizó a la mayor parte de los espectadores. A pesar de los aplausos que durante toda la función prodigó el público, al concluirse ésta hubo fuertes y prolongados silbidos, lo que nos hizo pensar en lo poco constantes que somos los hombres en nuestras opiniones. Desearíamos que las autoridades tomasen medidas contra esta clase de espectáculos, aconsejando al mismo tiempo a los padres de familia se abstengan de asistir al Teatro de la Unión con sus hijas o hijos. A los escritores de costumbres les suplicamos precisamente lo contrario, porque allí está el público libre y en pleno uso de sus derechos.

El Vite
El Apuntador, p. 383

Testamento de El Apuntador. En el nombre de Apolo, Amén. Sepan cuantos esta carta vieren, cómo yo *El Apuntador*, semanario de varie-dades, teatros, costumbres y literatura, natural y vecino de esta capital, hijo legítimo y de legítimo matrimonio de ... y de ... (aquí entran los redactores), vecinos de esta ciudad, y hallándome en mi entero juicio y cabal salud, y creyendo y confesando, como creo y confieso, en los misterios dramáticos de Talía y Melpómene, que aunque dos personas distintas tienen un mismo oficio y llevan un mismo fin, en cuya fe y creencia he vivido y protesto morir, protestando con todas las veras de mi corazón las herejías que algunos luteranos y calvinistas dramáticos han introducido en las doctrinas ortodoxas del buen gusto, fuera de las cuales no hay salvación, e invocando por mis abogados y protectores a Delavigne, Dumas, Moratín, Bretón de los Herreros y demás santos de mi devoción, desde Sófocles hasta el autor de *El Torneo*, desde Homero hasta José Joaquín Pesado, para que me asistan en este duro trance, dec'aro que convencido de la nulidad de las cosas mundanas, no viendo más que por todas partes miseria, he determinado morirme, pero no se crea que es un suicidio, pues aunque este acto es obra de mi plena y deliberada voluntad, mi razón y no mi corazón es quien lo ha dictado, y no queriendo que la tan temida hora me coja desprevenido y repután-dome mostrenco me adjudiquen al Fisco, que sería el mayor de todos mis males, he determinado declarar solemnemente mi postrimera volun-tad, y poniéndolo por obra otorgo mi testamento en la forma siguiente:

1) Encomiendo mi alma a los que me la dieron, porque no hay cosa más natural que siempre todo se deshaga como se hizo, y mi cuerpo al impresor, el cual mando que sea amortajado ya que no en tafilete como desearía, a lo menos en regular parte, o siquiera a la holandesa, a fin de que se le dé honrosa sepultura en algún estante de libros al lado de otros difuntos de mi clase. Suplico a dicho impresor que por ningún motivo degrade mis restos mortales al inmundo servicio de envolver azafrán, sino que en último caso lo emplee en cubiertas de libros, cosa que aunque bastante triste, pertenece a lo menos a la misma profesión.

2) Item, mando que mi funeral se haga con el lucimiento posible, ejecutándose un buen drama de cuerpo presente, con los respectivos acompañamientos de ópera y baile.

3) Declaro haber encontrado dos teatros que en el corto periodo de mi existencia han mejorado notablemente, lo que no deja de serme un tanto cuanto satisfactorio.

119

4) Dejo la ópera no muy en auge que digamos, así porque el cuadro de ella no es gran cosa, así como por otras causas externas, y recomiendo a algunos de sus individuos encarguen nuevas voces a Italia por el primer barco, pues las unas están algo gastadas y demasiado nuevas las otras.

5) Dejo comenzado el nuevo teatro de la calle de Vergara que tal vez dentro de dos años podrá servir si no corre la suerte del Tabernáculo de la Catedral y del Congreso de Panamá.

6) Dejo abierto otro teatro en la calle de Puente Quebrado, que es sólo una segunda edición menos correcta del antiguo de los Gallos.

7) Dejo en el Teatro Principal vacío el lugar de la señora Platero y en el de Nuevo México el de la señora Inocencia Martínez, cuya falta ha causado un mal gravísimo a la compañía por lo que le doy mi más sincero pésame.

8) Encargo a todos los actores mexicanos, y muy particularmente a la señorita Cordero y al señor Castro, corrijan los errores de pronunciación haciéndose superiores a las hablillas de los que sin quererlo acaso se oponen a los progresos de dichos actores. Que ese trabajo, aunque penoso al principio, no es de invencible dificultad y debe proporcionar a los que lo emprenden y sigan con tesón, grandes ventajas.

9) Recomiendo encarecidamente a la mencionada señorita Cordero que dé a su voz y más inflexión y más energía a las comedias. A la señorita Pautret que reprima un poco la vivacidad de sus movimientos y economice ese tono declamatorio que ha adoptado para algunas piezas. La señorita Santa Cruz, de quien siento de veras no haber tenido ocasión de hablar particularmente, le aconsejo como buen amigo que no eche a perder sus excelentes disposiciones con esa afectación en su voz y en su acción que mal cuadra con la naturalidad que debe tener una actriz; que estudie con empeño y conseguirá notables adelantos.

10) Exhorto y requiero de parte del buen gusto y de la mía suplico a los directores del Teatro Principal que tengan más cuidado en el servicio de escena, en la propiedad de los trajes, muebles, etcétera, y en el alumbrado del teatro, porque todo esto contribuye eficazmente para que las funciones luzcan y la compañía progrese.

11) Advierto a los actores de todos los teatros que no se olviden nunca de que en la escena no deben figurarse que hay público espectador, porque es muy ridículo que den las gracias cuando los aplauden; esto sobre destruir la ilusión hace perder al actor, que acaso suspende una escena de amor o de supremo dolor, para hacer caravanas, ofreciéndose no pocas veces que tengan que abandonar la situación que guardan. El actor en la escena es nada más el personaje que representa, por cuya razón es también muy mal hecho dirigir al público los apartes y los monólogos. Cuando los espectadores aplauden, el actor debe callar y no moverse, pues de otro modo desaparecen Lucía, el campanero, Alberto y don Saturio, y sólo se ve a la señora Castellan, a la señorita Cordero o al señor Valleto.

12) También exhorto y requiero de parte de la urbanidad a algunos de los individuos de los públicos que no se levanten antes de concluir la representación, porque además de no ser esto muy conforme con la buena crianza, es muy injusto privar del fin de la comedia a los demás que van al teatro con este objeto y no con el de pasar dos o tres horas en conversación: para esto sirven las tertulias y los cafés, La Lonja para tratar del algodón, del cacao, del cobre y del tabaco, y los corredores de Palacio para disputar las cosas públicas. El teatro está destinado a hacer y ver comedias, ése es su único y exclusivo objeto. Repito pues mi requerimiento a quien corresponda.

13) Suplico a la señora Doubreville y a los señores Salgado, Castañeda y Castro del Teatro Principal, a la señora Césari, a los señores Giamprieto, Bozetti, Tomassi de la Ópera, a la señora Inocencia Martínez del Teatro de Nuevo México y al señor Gualas, me dispensen si no he presentado sus respectivas efigies como había ofrecido, pero las dificultades del artista, después la revolución y por último mi próxima muerte, han sido las causas de esta falta que no ha dependido de mi voluntad, y les protesto en esta hora suprema que si vuelvo al mundo según espero, me ocuparé inmediatamente en dar a luz sus precitadas efigies en buena litografía y con su artículo biográfico al canto.

14) Dejo enterrados los periódicos *El Asno, El Precursor, El Sonorense*, resucitada *La Lima de Vulcano*, venidos nuevamente al mundo *La Bruja, La Esperanza, El Buen Sentido, El Oriente* y *El Siglo XIX*, en infusión *El Ateneo* y un poco enfermo *El Semanario de las Señoritas*.

15) Y por cuanto no tengo herederos forzosos que conforme a derecho puedan heredarme, instituyo y nombro como universal heredero a cierto *Museo Teatral* que está para nacer, según se me ha dicho, trasmitiéndole *in totum* la facultad crítico-encomiástico-dramática de que por mí y

ante mí me apoderé desde mi nacimiento, encargándole que tenga muy presente al juzgar a los actores mexicanos que no han tenido escuela chica ni grande, y que por consiguiente no se puede exigir de ellos una ejecución extraordinaria, que advierta a sí mismo que carecen de protección y que son en verdad acreedores al agradecimiento del público por los esfuerzos que hacen por complacerle, y por último, que no me deje de la mano a las señoritas Cordero y Santa Cruz, y a los señores Castro y Ángel Castañeda, porque son en mi concepto las esperanzas de nuestro teatro.

16) Nombro mi albacea testamentaria, comisario y tenedor de mis bienes al periódico *Más*, suplicándole se encargue de mis funerales y de la administración de la herencia, ínterin nace mi póstumo y durante su menor edad. Por el presente revoco todo otro testamento mandando que valga solamente éste, el cual firmo en la capital de México a los 30 días del mes de noviembre del año del Señor de 1841, ante el notario y los testigos asignados.

El Apuntador

Testigos

El Mosaico Mexicano   *El Semanario de las Señoritas*

El Semanario de Industria

Yo el escribano testifico que así lo otorgó el testador, estando al parecer en el uso de sus potencias.

Verdad

1842

Teatro Principal. Un Secreto de Familia. *Comedia en tres actos y en prosa, acomodada a nuestro teatro por don Isidoro Gil.*

En el nombre de Dios hablo de teatros, y Él ponga tiento en mi pluma, pues si no lo remedia su divina Majestad, diré disparates a roso y velloso, que es materia resbaladiza de suyo y para escritores noveles riesgosa, como caminar en mi tierra por diligencia.

Abrióse por fin el teatro, y, ¡oh sorpresa!, con cuánto placer vimos muy pintadita de verde la concha y la lata de los quinqués del foro. Ha habido sus mejoras, no hay duda; son las únicas, pero acaso las urgencias del erario... están los tiempos malos. Dicen los avisos que el alumbrado se mejorará, y lo deseamos, porque hasta ahora el espectáculo se parece a nuestro porvenir político, según lo sombrío; ello que los quinqués deben encargarse dentro de tres meses a Francia. ¡Bendito Dios!, el año de 43 veremos claro; no se dirá que somos morosos, ni que no nos aprovechamos de la nueva línea de vapores. Hay empeño, así todo se hace. Unos barriles de que no quisiera acordarme subsisten en sus puestos, y ojalá la regeneración los alcance, que más que nuestras mientes lo reclaman nuestro mortificado olfato; esto no es culpa de la empresa, ésta debe ser mejora material de la finca. Dese traslado.

Por supuesto hubo batahola al principio de la comedia en esto de arreglo de asientos, reparto de cojines y distribución de avisos; ¡ojalá se vuelva en lo sucesivo de buen tono asistir a las representaciones sin meter bulla tan escomunal, y el elegante que desee llamar la atención, lo haga sin estrépito e hiriendo sólo la vista con su adornos y el olfato con sus perfumes, sin dejar al espectador pacífico sin escuchar acaso lo más esencial del drama!

Las toses sostuvieron una competencia digna de los pulmones más fornidos, y el mal apagado lloro de un sietemesino me hizo admirar al

125

Salvador con aquello de *Párvulos, venid hacia mí.* Se conoce que ni esto lo dijo el Señor en el teatro, y aquellos párvulos no tenían tan sonoras y plañideras gargantas como el que me ocupa. ¡Qué bien recibiría la humanidad con una casa de niños expósitos cerca del teatro! ¡Idea filantrópica!

Sonó el si bato, cesaron los violines de hacerse rajas, y alzado el telón reclama que ahora sí me ocupe con formalidad de un *Secreto de familia,* título de mi artículo de hoy. Alberto de San Esteban, hijo único de don Leandro, conde del mismo título, se separó del lado paterno desde su edad más temprana para entrar en el colegio; pasó en seguida a Francia, y por último en Londres tuvo noticia de la muerte del autor de sus días. Pocas ocasiones se vieron padre e hijo; no obstante, el último supo que el conde se había entregado a una vida en extremo pródiga y licenciosa, conducta que despertó las sospechas de la familia sobre el estado de los intereses de la tutoría, y sin embargo que al rendir las cuentas desvaneció aquellas sospechas.

Heredero de cuantiosas riquezas, Alberto, al regresar a Madrid, pudo consolarse de la pérdida de un padre ingrato hasta cierto punto. A pesar de ello, su primer cuidado fue indagar sobre las circunstancias de la muerte del conde: ésta fue repentina, y sobre sus últimas disposiciones sólo recogió palabras vagas e incoherentes; la generalidad empero conservaba la memoria de un nombre que el difunto repitió frecuentemente con vivísimo interés, este nombre era el de Malvina de Alvarado. La solemnidad que adquieren las más insignificantes palabras en aquella hora suprema, el prestigio que tienen las más leves circunstancias, despertó en la imaginación apasionada de Alberto el deseo de conocer a Malvina. Hallóla, se prendó de sus hechiceros atractivos y la amó con pasión.

Una tía arqueóloga, frívola, casamentera y a propósito para intervenir en esta clase de negocios, arregló el casamiento y poco tiempo después Malvina de Alvarado se enlazó con Alberto. Malvina desde su niñez perdió a sus padres, víctima de un suceso envuelto en el misterio. La madre al morir la confió a la directora de un colegio, y la huérfana desventurada halló con la mano de Alberto amor, familia, un porvenir de felicidad; ella lo amaba con una ternura sin igual y cuanto puede seducir el corazón de una joven encontró en su esposo. El día de su boda fueron a pasarlo a una quinta donde el padre de Alberto había exhalado el último suspiro y en la cual nadie había penetrado después. Fue a la estancia mortuoria Alberto a pagar un tributo de ternura a su padre; la recorre agobiado de dolor. Todos los

126

objetos permanecían en el desorden que quedaron, los papeles disper-
sos sobre el bufete; se acerca, ve en uno de ellos el apellido de su
esposa, leyó con avidez, encuentra repetido el nombre en cada página;
era la defensa de su padre sobre la muerte que dio en un desafío a
don Fernando de Alvarado, padre de Malvina. Se alegaba en aquella
defensa que don Fernando, celoso del conde de San Esteban, lo citó
a un paraje retirado, lo obligó a defenderse y a matarle; de la causa,
por fin, resultaba que Malvina, su esposa a quien adoraba tan tiernamente, era su hermana.

Apartábase de ella horrorizado; la pasión frenética que la profesaba
le hacía cobarde para hacer una revelación que lo alejaría de ella para
siempre; su honor le dictaba no dar fomento a un amor criminal; esta
lucha, esta incertidumbre interior que desgarra su alma lo hace aparecer a los ojos de Malvina, virtuosa y llena de candor, indiferente y
frío; y Malvina llora, le acusa, y es desventurada, y la aseveración de
ésta asevera la agonía de Alberto, siempre interesante, siempre fomen-
tada por el amor y por el deber, dando lugar a contrastes patéticos que
tienen al espectador durante el drama en una viva agitación. Alberto
sabe los sinsabores de su esposa por una carta que había dirigido a
Amelia, su amiga. Ésta llega a la quinta en los momentos en que Alberto está muy conmovido por haber hecho la anterior relación a un
amigo de su confianza, joven aturdido, hijo de un comerciante que se
llamaba Camacho, apellido que a mi elegante aterraba, y que cambió
por el de Arturo de Villanueva, que cuadraba más a su vanidosa pe-
dantería. La desolada esposa interpreta su agitación como amor a
Amelia. Se anuncia la llegada de un caballero americano, y es tiempo
de volver la espalda al telón y envolverse en una nube de humo, y
charlar, y revisar palcos, y en fin, de todo lo que se hace en un entreacto.

Don Plácido Camacho era el nombre del americano a quien se anunció; comerciante rico que, por supuesto, iba de América; franqueza, un
corazón sincero, una marcialidad generosa. Don Plácido, ingenuote,
nos interesa desde su primera palabra; era hermano de Fernando de
Alvarado, había estado ausente veinte años de su país natal con el
apellido materno para no perjudicar al hermano colocado en la mili-
cia; y al saludarlo supo que un conde era dueño de la mano de aquélla, y la aversión del honrado comerciante a la nobleza lo preocupó en
contra de un hombre a quien él creía uno de nuestros casquivanos
petimetres. Don Ignacio, un *quidam* amigo de aquella tía casamentera, llevó a la quinta a don Plácido, y él tiene la anterior explicación

127

con la baronesa, que tal era la tía, la que le ruega oculte su nombre para que pueda juzgar imparcialmente al sobrino. Don Plácido ve llegar a un mozalbete a quien cree el conde, y a pocas palabras que éste dice a un criado, se cerciora que es un aturdido pedante por demás, y no se engañaba, era nada menos que Arturo Villanueva. Entabla conversación don Plácido con él, deja escapar su apellido, y el otro, que tenía tanto terror por él, gesticula y da ocasión a que el buen comerciante haga su apología, miente el nombre del supuesto Arturo, a quien dice desea encontrar para mostrarlo Camacho como salió del vientre de la madre; y el elegante, desconcertado y a pique de que su careta se rompa, cobra aliento cuando conoce que aquel don Plácido lo ha creído conde, y por supuesto se guarda bien de sacarlo de su error. Esta equivocación que Arturo pone en conocimiento de Alberto, forma un incidente que prolonga la acción del drama dando lugar a escenas bellas.

Malvina, celosa, hace indicaciones a Alberto; éste la satisface, lucha con su pasión y su deber; cree aquélla recobrar su cariño; van a abandonarse a su dicha y Alberto la rechaza consternado y prentendiendo dar a su fisonomía una dulzura pérfida que hace exclamar a la joven: "¿Qué secreto es éste que no puedo penetrar?" Don Plácido interrumpe este interesante diálogo, se prenda de la sensatez de Alberto, le pinta sus temores por la suerte desventurada de Malvina, y declara por fin que es su sobrina, que viene a vengar la muerte de su hermano, que el ciego conde San Esteban usurpó sus riquezas; ésta es la fatalidad y una parte del desengaño de Malvina. Alberto, que conoció desde el principio de esta escena que aquél era don Plácido, el que había creído Alberto de San Esteban al Arturo Villanueva, permanece incógnito, no sin dejar de mostrar una conmoción vivísima. Anuncia un criado que trae cartas de Sevilla, y quedan solos los esposos. Malvina, llena de generosidad y con una dulzura angelical, nota su palidez, su desconcierto; él no puede resistir, va a declararlo todo, va a trozar él mismo los más sagrados vínculos; aquel triunfo del deber es para él dolorosísimo; al indicarle Alberto el deshonor de su familia, la pérdida de sus riquezas, le interrumpe Malvina: "No prosigas, Alberto. ¿Qué me importa a mí tu clase y tus riquezas? ¡Ah!, bien veo ahora que vivía de ilusiones, cuando creía que mi esposo sería feliz sólo con mi amor... que eso bastaría para su felicidad como para la mía... en fin, que era amada como yo lo amaba.

Alberto. ¡Ah!, voy a descubrirlo todo, sé, por fin, sabedora del secreto."

La parlanchina baronesa deja sin terminar la explicación, queda

128

como siempre celosa Malvina, y don Plácido llega a anunciar una entrevista entre Amelia y el, en su concepto, conde San Esteban; noticia que despedaza a la esposa infeliz, pero que al recibirla despliega una dignidad heroica salvando el honor de ambos. Alberto, que ha escuchado todo desde su cuarto, prendado cada día más de las virtudes de su esposa, se arroja a sus pies, se vindica; ella duda si será aún amada. Villanueva, después de su entrevista, sale a interrumpir aquel coloquio, y cae el telón.

Transcurren dos escenas en el tercer acto, que si bien no embarazan la unidad de la acción y pudieran tener mérito cómico, sólo dan a saber que Malvina se cree la más feliz de las mujeres, y está deseosa de participarlo a su tío. Después de una explicación entre Alberto y Villanueva de por qué había sido el cambio de nombres, aquél insiste en permanecer incógnito, y el fatuo amigo mal podría desdeñarse de llevar más tiempo un nombre que tanto cuadraba a su vanidad. Don Plácido, que en las cartas que ha recibido tuvo informes circunstanciados sobre la muerte de su hermano, busca en Alberto un confidente, no tiene valor para decir él mismo lo que siente, y obliga a su desconocido a que dirija al conde de San Esteban una carta en que le dice que su padre asesinó a su hermano Fernando, que lo hizo por robarle una suma considerable. Alberto escribe, interrumpe, y arrojando por fin la pluma, se declara a don Plácido delirando con el castigo público que deben recibir las locuras de su padre, a quien ama tiernamente; no puede resistir, se retira agobiado de dolor dejando a don Plácido absorto y consternado.

¡Con qué bondad tan ingenua exclama el honrado comerciante viendo partir desfallecido a Alberto! "El padre fue un solemne bribón, no cabe duda; pero voy creyendo, a fe de quien soy, que el hijo tiene más de honrado que de pícaro su padre." Ríe uno con las lágrimas en los ojos porque la generosidad siempre halla simpatías.

Entra Malvina festiva y desvanecidos sus celos a participar a su tío que es amada, y el contraste entre esta escena y la pasada, a mi entender, es hábilmente desempeñado. Don Plácido quiere desengañarla; pero hacer desgraciada a una joven tan linda, tan virtuosa, y en aquellos momentos tan feliz, lo tienen en una irresolución dolorosa. Le propone por fin el tío con sagacidad separarla de Alberto.

Malvina. ¿Os parece que yo consentiría?
Plácido. ¿O si por una circunstancia imprevista tuviera él que abandonar su patria?

129

Malvina. Yo le seguiría.

Plácido. ¿Si fuese desgraciado?

Malvina. Le seguiría en su desgracia.

Plácido. ¿Y si él no te quisiese, pobre Malvina mía?

Malvina. ¡Ah, si él no me quisiese, Dios Eterno! (*Con desconsuelo*)

Plácido. ¿Qué harías?

Malvina. Lo seguiría también.

¡Qué interesante es Malvina!

Por último, viene Alberto. Entre las cartas que tiene don Plácido hay una de la madre de Malvina, escrita antes de morir: su lectura desenlaza el drama. Malvina no es hermana de Alberto, es su esposa; objeto de su adoración, todo lo olvida, se precipita en sus brazos, encarece sus sufrimientos, es feliz... Don Plácido lo llaman su sobrino, corre un velo sobre lo pasado, y el espectador palpita de deleite y participa de la dicha inefable de los esposos.

La escena última, mal zurcida, es para decir que Villanueva no es Villanueva, y a fe que no hace más que perjudicar al desenlace del drama, cuyo interés termina antes. Con qué placer vimos el desempeño de esta comedia y con qué facilidad sentimos correr nuestra pluma para elogiar debidamente a los actores. El señor Valleto no dejó que desear, comprendió y dijo su papel muy bien. El señor González tuvo naturalidad y momentos felicísimos; en algunas exclamaciones, dio a su voz una aspereza que no quisiéramos haber oído; pero estos lunares levísimos nos lo hace olvidar el esmero y la fidelidad con que trasladó a don Plácido a la escena. ¿Qué diremos del joven Castro en el Arturo? Él alimentó nuestra admiración desde su primera palabra; el señor Castro es cómico, y buen cómico, y ojalá siempre nos proporcione el placer de alentar con nuestros elogios sinceros sus dotes excelentes. Don Ignacio es un personaje tan inútil en la comedia, que no dejó qué desear, ni qué lucir, ni qué criticar al actor.

La señora Dubreville lo hace como siempre, es decir, perfectamente; su talento flexible lució como era de desear; tal vez, creyendo al público menos malicioso, recargó con su acción el significado de una palabra, por donde debió pasar sin dejar huella, una decente reticencia... A Malvina la desempeñó la señorita Cordero. ¿Será necesario decir más? Sólo que Amelia, persona también un poco extraña al argumento esencial, en sus poquísimas palabras y en su vestido elegante y de buen gusto, nos dejó satisfechos. Decoraciones, propiedad, todo admiré.

Ojalá siempre me ocupe de esta manera del teatro, que mi pluma corre suelta y mi corazón queda complacido después de poner un artículo como el precedente.

Fidel
31 de marzo de 1842

Teatro Principal. Lo vivo y lo pintado. *Comedia en tres actos y en verso de Manuel Bretón de los Herreros.*

Tratábase de la transacción de un pleito, y en vez de capitulaciones y mantos de la patria, recurrióse al expediente de casorio, enviando a una de las partes el retrato de la futura; el *enamorado del retrato* ve el original, conoce que hay diferencia de *lo vivo a lo pintado*, y yendo días y viniendo días, se casa con otra viudita que le tiende la red con un donaire y soltura que hace creer hasta la evidencia que en tiempo de Felipe IV era mundo, y había *coquetas* como en el siglo xix. Por supuesto, termina con boda la comedia, y se pide perdón de las muchas faltas, para darle sabor de antigüedad a la composición dramática.

Dificilillo es formar una crítica como Dios manda a primera vista; y a tira más tira he podido coordinar mis ideas para extender el párrafo anterior con el objeto de bosquejar el argumento. Las sales cómicas están derramadas con profusión; y el cuentecillo de *Una nariz*, que he leído en el *Semanario de Señoritas*, puesto en verso en el segundo acto, tiene ocurrencias felicísimas y epítetos graciosos a las narices *exageradas*. La versificación es del para mí príncipe de los versificadores modernos en nuestro idioma, del sin rival Bretón de los Herreros. ¡Aquí es Troya! Imposible que dejara sin trasladar al papel la escena octava del primer acto, en que el protagonista don Juan y su criado Monzón, acabados de llegar a la casa de la novia del retrato, emprenden el siguiente lindísimo diálogo.

> *Monzón.* Conque ello... ¿os casáis en fin?
> Vos que enemigo de bodas...
> *Juan.*   Monzón, a todos y a todas
> les llega su San Martín.
> Dado estaba ya al demonio
> con el pleito sempiterno,
> es rigoroso el invierno
> y... lo he dicho, ¡matrimonio!

131

Monzón.	En vuestro bien me deleito,
	y, Dios, señor, os lo aumente;
	mas siendo casi evidente
	que vais a ganar el pleito...
Juan.	Mi derecho es el más fuerte,
	yo no lo dudo, Monzón;
	mas, ¿qué quieres? Ya es razón
	de que se fije mi suerte.
Monzón.	Es acción digna de premio
	la vuestra, acción muy cristiana;
	mas quizá os pese mañana
	de haber entrado en el gremio;
	que si una dulce mitad,
	don Juan, es gracia de Dios,
	para un mozo como vos
	más dulce es la libertad;
	que en variar de galanteo
	fundáis vuestro regocijo,
	y por vos quizá se dijo
	aquello de cuanto veo...
Juan.	Sí, mas de tanto desliz,
	hoy, Monzón, no me acusara,
	a haber visto antes la cara
	de la hermosa Beatriz.

(Mostrando el retrato.)

Mira este bello contorno,
mira esta tez nacarada,
mira esta frente nevada...
no hagas caso del adorno.
Mira de sus labios rojos
la blanda risa apacible,
y mira, en fin, si es posible
no quemarme en estos ojos.

Monzón.	Contradeciros no quiero,
	¿mas si luego resultara
	que sólo es suya esa cara
	porque le costó el dinero?
Juan.	No digas tal desatino,
	pues convertido en su daño,
	sólo durará el engaño
	lo que durase el camino.
Monzón.	Pues supongo que esa frente
	es la frente de Beatriz,
	y auténtica la nariz,

y la boca fehaciente.
A esos rasgos tan perfectos,
a ese rostro interesante,
¿no pudiera en lo restante
unir cincuenta defectos?
¿Esa boca celestial
no pudiera, ¡voto a quién!,
ahora pareceos bien
y después oleros mal?
¿No puede, aunque lisonjera
diga otra cosa la falda,
ser escabrosa la espalda
y esmirriada la cadera?
¿Qué escribano ha dado fe
de no tener la paciente
en cada pierna una fuente
y un juanete en cada pie?
¿No puede bajo la manga
ocultar algún divieso?
Y si es sorda, ¡qué embeleso!,
y si es gangosa, ¡qué ganga!
Y a estos vicios capitales
por no prolongar el diálogo,
no acumularé el catálogo
de los defectos morales.
Pero en fin, toda mujer,
llámese Beatriz o Clara,
puede, aun teniendo esa cara,
ser el mismo Lucifer.

Juan.   ¡Eh!, calla ya y no me enfades,
mal bufón, o te despido;
no sé cómo te he sufrido
tal sarta de necedades.
El corazón no me deja
sospechar de este retrato,
y mejor que un mentecato
el corazón me aconseja.
A esta gracia no resisto,
porque sobre ser tan rara
tiene otra.

Monzón. ¿Cuál?
Juan.   Que esta cara
es la última que he visto.

Así se caracteriza en dos plumadas un personaje. Sentimos que algunas veces el talento ría a costa de la decencia en esta comedia. ¡Canario! Los tales caballeros de antaño en *Lo vivo y lo pintado* pueden arder en un candil, según el buen tono de los equívocos. En los dos primeros actos llegué a dudar si era consecuente el título con la composición; en el tercero fue otra cosa; allí sí, al ver en contraposición los raídos bastidores que contemplaban la arboleda, y las ramas fehacientes de los árboles inmediatos a la capital, dije entre mí: ¡Cuánto va, Dios mío, de lo vivo a lo pintado! A mí me pareció, como comedia, inferior a otras del ilustre autor; y éste es mi juicio, y vuele por esos mundos de Dios, que sobre juicios tanto se escribe, que ya no nos entendemos. La ejecución de esta comedia nos pareció buena, y la escena del baile de máscaras muy propia.

Fidel
24 de abril de 1842

Teatro Principal. El Privado del Virrey. Drama en cinco jornadas, en verso, por el mexicano don Ignacio Rodríguez Galván.

Razones particulares obligan al que esto escribe a no emitir su juicio sobre el drama anterior; entre otras cosas está convencido de que una de las primeras cualidades de un escritor, debe ser la imparcialidad en sus opiniones; y confiesa francamente que al empuñar la tremenda pluma de crítico, no le ha sido posible desnudarse de sus afecciones de hombre, ni olvidar al amigo apreciable, para juzgar con la debida independencia al autor dramático. Bien conocida es la anécdota histórica y la tradición popular acerca de don Juan Manuel de Solórzano, privado del marqués de Cadereyta y víctima después de la audiencia; el señor don J. Gómez de la Cortina publicó hace algún tiempo la referida anécdota que, como cuanto sale de su brillante pluma, es bella e interesante.

El autor del *Privado* formó su argumento tomado de la tradición popular y la relación histórica; pero, como he dicho, quiero abstenerme de emitir mi juicio sobre el mérito literario del drama, y tributar a los actores el justo elogio que merecen por el esmero, asiduidad y estudio con que se dedicaron al desempeño de la composición de su compatriota. La señorita Cordero, no obstante que ejecutó un papel que a nuestro entender no era de su cuerda, lo hizo perfectamente; elegantes y propios fueron sus vestidos, y en la escena en que don Juan Boscan le declara su apasionado amor, la admiramos y aplaudimos con justicia y entusiasmo. ¡Con cuánto placer oímos los más hermosos versos del drama en boca del recomendable joven Castro! Su fuego era el fuego de la inspiración, de la verdad, del amor criminal. En algunos momentos fue felicísimo en la escena citada con la señorita Cordero, se excedió a sí mismo; es una esperanza para nuestro teatro, es un artista con corazón y con ilusiones de gloria; vistió muy bien. Los señores Castañeda y Salgado comprendieron sus papeles y dejaron satisfechos a los espectadores. El señor Lamadrid probó que estudia y se empeña, que los recita con naturalidad, que es cómico excelente; a esto contribuyó que estaba en su cuerda, por lo que, sin hacerse fuerza, sobresalió.

Aquí quisiéramos no recordar a los *mites*, ni el canto, ni el repugnante ruido de las cadenas en la última escena; pasemos adelante. Acerca de la propiedad de trajes no se temieron mucho los anacronismos, y ni el escritorio de don Juan Manuel, ni la mesa redonda donde juegan los criados a los naipes, ni otras cosas, nos parecieron de la época.

Fidel
27 de abril de 1842

Teatros. Julio 3 de 1842. Para esta noche *Norma*, ópera del maestro Bellini.

Teatro Principal. Para esta tarde drama de grande aparato, *El campanero de San Pablo*. La función terminará con la Jota Aragonesa.

Teatro de Nuevo México. Esta tarde la comedia *El amante prestado*. Seguirá la Jota Aragonesa, y después la pieza intitulada *Las tramas de Garulla*. Por la noche, *La segunda dama duende*, finalizando con la comedia en un acto *La joven india*.

Gemma di Vergy. La noche del viernes 1º de julio hemos tenido dos novedades en el Teatro de la Ópera Italiana: la primera representación de *Gemma di Vergy*, producción del inmortal Donizetti, y la primera salida de la interesante actriz señora Rosina Picco. Basta decir que la música es del príncipe de los compositores italianos contemporáneos para que se tenga como superflua toda alabanza. Sin embargo, y aunque nuestra pluma sería incapaz de calificar el mérito de este coloso, diremos que hay trozos en la ópera capaces por sí solos de asentar la reputación de un maestro. En efecto, armonías deliciosas, belleza en los acontecimientos, ideas nuevas absolutamente, desde el vigor de la introducción hasta el patético rondó final, tales son los medios de que se valió el autor para no desmentir la fama que ha adquirido en el mundo filarmónico con más de 84 óperas que ha escrito hasta ahora.

Antes de hablar de los principales actores diremos una palabra sobre la orquesta y coros. La primera, como lo tiene de costumbre en las primeras representaciones, ejecutó perfectamente el acompañamiento, excepto en algunos pasajes difíciles a la verdad, pero que con cuidado serían vencidos, como sucede en óperas más difíciles, como *Los templarios, Las cárceles de Edimburgo,* y la única que se ha oído en este teatro del profundo Mercadante, *El juramento.* Los coros han estado muy bien cantados. Entre los principales actores se distinguió el magnífico bajo Tomassi; con mucho gusto ha oído el público las dos arias que cantó. Difícilmente se encontrará una voz de bajo que reúna la fuerza, extensión y dulzura que la del señor Tomassi. Llegamos por fin a hablar de la nueva actriz, señora Rosina Picco, y lo hacemos temerosos de incurrir en algunas inexactitudes porque es muy difícil tarea la de calificar a un artista que se ve por la primera vez. Los enemigos del Teatro de la Ópera y otros mal intencionados han hecho correr algunas noticias desfavorables a la señora Picco, así que el público estaba mal prevenido y esperaba ansioso su salida. La hermosísima introducción pasó sin que se dieran señales de aprobación, a pesar de ser una de las mejores piezas de la obra y del empeño que parece se había puesto en sus ensayos, pero en el momento en que se presentó la desgraciada esposa de Vergy, el público aplaudió entusiasmado admirando la majestad, el desembarazo y la hermosura de la nueva actriz. El temor de que ésta se hallaba poseída al presentarse ante un público enteramente desconocido para ella, imprimía a su voz cierto aire de sensibilidad que atrajo la voluntad de todos los concurrentes. Desde aquel momento la noche ha sido una serie no interrumpida de triunfos; unas veces aplaudía el público la agilidad y maestría con que ejecutaba la señora Picco los trozos más difíciles y otra manifestaba sus respetos a la excelente actriz que también manifestaba con su expresiva acción las pasiones de celos y amor que contenía en el pecho; pero donde se excedió a sí misma la noble artista fue en el rondó final de la ópera: su voz llegaba al corazón, conmovía todas sus fibras e hizo que se le rindieran los homenajes debidos a los grandes talentos y de que no había dado cuenta el teatro de la Ópera Italiana de México.

Concluida la ópera se siguió una serie no interrumpida de vivas y aplausos, y por tres veces se alzó el telón mientras se llamaba a la actriz. Ésta manifestó al público de México su reconocimiento de una manera que hacía ver cuán grato le era el haberlo complacido. La señora Picco tiene una voz robusta, fresca y simpática: habla al corazón; su acción es muy propia, decente y llena de entusiasmo. Le predecimos desde ahora que en México serán tan honrados sus talentos como lo han sido en varias ciudades de Europa. Reciba pues la primera corona que tributa a su mérito.

El más ardiente de sus admiradores
5 de julio de 1842

Pelayo. ¿Hablar de teatros hoy? ¡Santo Dios!, qué cosa tan ardua y delicada, y lo que es peor peligrosa, porque no paran hoy esas cuestiones y disputas literarias sobre las escuelas romántica y clásica, ni en sarcasmos escritos ni en nada. "Caló el Chapeau", pero por sí o por no, es cosa de que el mísero articulista gaste cincuenta pesos en una espada templada en Toledo o en un sable afilado en Damasco, porque... la precaución no es por demás, y luego como se usan esos gruesísimos bastones más temibles que la fuerte maza del valiente Ricardo Corazón de León, y luego como las costillas no son de fierro, y luego como la pluma de Juan Canaja y de Ego, están tan bien cortadas y escriben los picaruelos con tanta gracia, y luego... pero chitón, este articulillo apenas causará celos a un par de críticos que satirizan con su donaire... Fidel, Facundo Flaqueza, Juan Soplillo y hasta el mismo Fígaro son unos peleles al lado de mis desiguales amigos. ¿Se acabará el exordio o no? Sí, concluyo, y sigo aunque no en latín y lo siento, porque sería cosa que agradaría bastante a los lectores.

Trátase de una obra clásica como es el *Pelayo* de don José Manuel Quintana. ¿Qué podré decir yo, ignorantuelo y novel articulista de un autor tan respetable y que tanta prez ha alcanzado en su carrera literaria? La tragedia de que se trata es generalmente conocida y ha sido tratada por los buenos literatos, por lo que sólo diré que aunque pertenece al género clásico (que no es del gusto de la época) como es buena, eminentemente buena, fue escuchada con interés y agrado por el público que concurre al Teatro Principal. No puede decirse que la función de que se trata haya sido una novedad teatral, porque además de ser como queda dicho la tragedia ampliamente conocida, hace

137

poco tiempo que se representó en el Teatro de Nuevo México, pero sí hubo una novedad que es digna de mencionar porque hace concebir que muy pronto el teatro mexicano tendrá una excelente artista. Cuando se repartieron la noche anterior en el teatro unos convites que anunciaban con descomunales letras el *Pelayo*, todos preguntaban: ¿quién hará el papel de Hormencinda? Respondían algunos: ¿Quién ha de ser? Mariquita Santa Cruz, porque Soledad Cordero tiene licencia por tres meses según se dice. Los preguntones algunos se quedaban callados, otros decían: ¡Puff, es papel fuertísimo para la Santa Cruz y va a parodiar al pobre viejo Quintana! Cuando las actrices de La Habana están en boga, cuando la fogosa e inquietante Concha se ha atraído en el teatro la simpatía de cuantos la han visto en el teatro representar, cuando en fin las decentes maneras y apacible voz de la Cordero no se le olvide a los concurrentes del Teatro Principal, ¿qué papel quedaba a la jovencita Santa Cruz?

Sigamos: El telón se alzó y el señor González con su voz de responso comenzó a murmurar a guisa de maitines los endecasílabos y a poco la señorita Santa Cruz se presenta vestida con elegancia y propiedad y comienza con expresión y compás los hermosísimos versos de Quintana, y por fin se entusiasma, se posesiona del papel y las inflexiones dulcísimas de su voz llegan al corazón de los espectadores y los espectadores la aplauden, y téngase presente que se necesita de Dios y su santa ayuda para arrancar una palmada al taciturno público del Teatro Principal. Los aplausos se repiten y al fin el repiqueteo de los bastones crece. Se alza el telón y la señorita Santa Cruz se presenta diciendo al público: "Señores, estos aplausos me conmueven, animan mi espíritu y prometo a ustedes ser sublime, encantadora, en la escena." Aunque digo que esto dijo, no dijo nada, sino que a mí se me ocurrió decir lo dicho, por vía de elegante metáfora, que Facundo Flaqueza será muy bueno de criticar y los lectores de entenderla a su antojo.

Sigamos aún con la señorita Santa Cruz: la frialdad y poco aprecio que hizo el público en el estreno era bastante para enfriar su entusiasmo. ¡Bien, muy bien, señorita, eso es tener alma de artista! Sin elementos, sin maestros, sin escuela, debe usted lo que sabe a sí misma. Bien, muy bien, esta constancia es muy notable; la casualidad ha puesto a usted en el caso de triunfar y el público no ha sido insensible. Siga usted y no la envanezcan a usted los elogios ni la desanimen las necias críticas, y usted llegará a ser quizá la primera actriz de nuestro teatro. En cuanto a mí con mucho placer se ha deslizado mi pluma para hacerle a usted justicia, pero de la misma suerte le hablará con franqueza cuando decaiga el empeño de usted por complacer al público. Conque adiós, porque el señor Pineda es digno de ocupar otro pliego de papel aunque ahora por la estrechez del tiempo sólo le consagraré unas líneas.

Desempeñó el papel de Pelayo con la maestría que acostumbra; domina el teatro, habla con los ojos, su fisonomía expresa las pasiones, marca los contrastes y sus movimientos son eminentemente teatrales. Pero quisiera yo repetirle lo que otros articulistas tan sabiamente han dicho, a saber: que ese tono que se llama "declamación francesa", no se acuerda con la poesía castellana, ni mucho menos con el metro en que está escrita la tragedia de que se trata, y el mismo señor Pineda experimentaría que la voz le faltaba para decir bien los versos. El señor Castañeda lo hizo como lo tiene de costumbre, es decir, bien; sería muy conveniente que el movimiento de los brazos no fuese tan uniforme y marcado y que también procurara quitar a su voz ese tono sepulcral y monótono. En fin, esto va por vía de consejo. ¿Quién no da consejos a los actores en estos días de turbulencias teatrales? ¿Quién no se considera hoy un maestro consumado en el arte escénico? Así, pues, señores Castañeda y Pineda, ni se asombren de que yo les diga mi opinión. Si tengo la razón, enmiéndense, si no la tengo, que es lo más probab'e, envuelvan sus manoplas y cascos con *El Siglo XIX* sin hacer caso del artículo sobre teatro que con muchísima desconfianza he escrito

YO (Manuel Payno)
13 de julio de 1842

La Cenicienta. Por una fatalidad cuya causa nos es desconocida, se habían desterrado del Teatro de la Ópera las sublimes composiciones del Cisne de Pésaro, del inmortal Rossini, y aunque en su lugar se nos presentaban las de otros maestros de grande nombradía, no obstante nada era capaz de llenar el enorme vacío que se notaba por falta de aquéllas. Mas parece que con la llegada a esta capital de la señora Picco, se ha dado la señal de regeneración en el teatro. Han sacado de la oscuridad las partituras que hace algunos años se habían condenado al olvido y se anuncia en fin que se iban a provocar de nuevo los sentimientos que produjeron en nuestras almas las concepciones del maestro de la nueva escuela cuando en 1831 oímos por primera vez una de sus mejores óperas bufas, *La Cenicienta.*

El público está impaciente y deseoso de ver su nueva representación,

139

y se complacía de antemano porque se había señalado de antemano a la señora Picco como intérprete de los pensamientos del maestro predilecto, así es que en la noche del 15 la concurrencia ha sido muy numerosa, tanto por las razones expuestas como por ser la señalada para la salida del bufo cómico, señor Antonio Sanquirico, como porque la presente compañía tenía que afrontar la comparación que necesariamente debía hacerse con la que le ha precedido, la satisfacción del público, los estrepitosos aplausos y el haber hecho repetir algunas piezas, dan a conocer que ha sabido triunfar de tantas dificultades. En efecto, la señora Picco es excelente artista y es ahora la delicia de los mexicanos que concurren al Teatro de la Ópera, y ha estado tan feliz en *La Cenicienta* como lo estuvo en la *Gemma*. Los bravos y los aplausos interrumpen continuamente las piezas que canta y todas las veces que se ha presentado al público ha sido llamada al final de la representación.

El señor Bosseti desempeñó el papel de Ramiro. Ha tenido mucha parte en los aplausos y se le hizo repetir la cavatina. Cada día hace notar este aplicado artista algunas novedades de su dulce y arreglada voz. El señor Tomassi ha sido muy bien recibido por el público por el desembarazo, naturalidad y gracia con que ha representado. El señor Sanquirico ha obtenido el sufragio unánime de toda la concurrencia; sus modales son decentes sin afectación, graciosos con naturalidad y lo creemos por consiguiente acreedor al primer lugar de bufo absoluto de que carecíamos. No debo terminar este artículo sin manifestar que se nos ha asegurado que graciosamente se encomendaron de la dirección de la escena la señora Picco y el señor Sanquirico; se ha notado en verdad mucho gusto y empeño en esta parte tan difícil e interesante. Aconsejamos a la empresa que ya no pase los límites de la miseria como lo está haciendo; no ha habido ningún traje nuevo, ninguna decoración renovada, nada absolutamente; se ha hecho una miscelánea ridícula de trajes de todas épocas y naciones. Hemos visto figurar en *La Cenicienta* a personajes de *Scaramouche*, *El templario*, *El pirata*, etcétera. No se puede burlar tan impunemente a un público que paga su entrada a las diversiones.

En la tarde del domingo se repitió la misma ópera y obtuvieron los artistas un nuevo triunfo. La señora Picco estuvo muy feliz en su último rondó que fue aplaudido con entusiasmo.

C. D. R.
20 de julio de 1842

Carlos II el Hechizado. Para la crítica no hay duda que se necesita desparpajo, gracia, sal, *esprit*, como llaman los franceses a ese don precioso de que han sido poseedores Beaumarchais, Fígaro y otros. Mas como yo no tengo esa dote, es preciso que recurra a una colección de cuentos con que me arrullaba mi santa abuela allá cuando era niño, y como todo lo que se graba en esa edad florida sólo se borra en la tumba, quiero hacer a los lectores la gran merced de referirles una dizque anécdota que aunque muy sabida toma parte de la interesante colección y viene a pelo para mi artículo teatral. Es el caso que había un cierto licenciado muy cachazudo y campechano, como dice Bretón, y a este cierto licenciado lo asaltaron los ladrones una noche en su casa, despojándole de cuanta ropa y alhajas poseía. Concluido que hubieron los malhechores su piadoso acto, se marcharon sin hacer daño a nuestro hombre. Iban por la escalera cuando salió gritándoles: "¡Señores, suban ustedes, que han dejado unas alhajas importantes!" Subieron efectivamente y el licenciado les presentó un par de excelentes pistolas, diciéndoles: "Para un caso como este tenía yo reservados estos mueblecillos, y como no he hecho uso de ellos, probablemente no me servirán para escribir ni para tajar mis plumas, por lo que les suplico se los lleven y me alivien el trabajo de conservar cosas inútiles."

Esto podría decirse de los censores de teatro. Todo el año se pavonean con este honroso título y dado el caso de evitar un escándalo, sirven lo que las pistolas al héroe de nuestra historieta. Seriamente pregunto: ¿qué drama prohibirán en lo sucesivo cuando han dejado pasar *Carlos II el Hechizado*? ¿Cuándo han permitido que nuestras cándidas jóvenes, que nuestros inocentes niños, nuestro pueblo incauto, oigan los acentos blasfemos de un fraile apasionado y de un fraile caracterizado por el sublime actor Pineda? ¡Oh, esas escenas en que se juega con la divinidad, en que se burla de lo más sagrado! ¡Esas pasiones volcánicas, esa refinada maldad, debe quedarse para que la estudien en la historia los hombres maduros y no para que se presenten en un teatro a donde concurre toda clase de gente decente! Para valerme de la expresión de un amigo, mi conciencia se ruborizaba de que un público escuchase escenas tan altamente inmorales como las del drama de que se trata, y sin embargo los censores lo aprobaron y el juez escuchó impasible el escándalo teatral, el público aplaudió y el censor es un licenciado. Cuenta con eso porque es la única gente que sabe y que discurre, y el juez también sería licenciado. ¿Y el público sería todo licenciado? Si esto es así, punto en boca, que no trato de entablar pleito, pero no hay que desmayar, que

141

aunque las autoridades respectivas debieron exigir una multa al censor y mandarlo suspender, pero nada se hará, sino que los censores se burlarán de los folletinistas de *El Siglo XIX* y el público pagando su dinero y los actores quedarán satisfechos con su buena elección y con la ganancia. Si también puede aplicarse a esto último el cuento de las pistolas, entonces es menester resignarse y aceptar en el teatro toda clase de escándalos.

Aquí es forzoso contar otro cuentecillo y van dos: paseaba una tarde el virrey marqués de Croix en un hermoso caballo andaluz, y un borracho que estaba parado en una esquina le gritó con voz resuelta: "¡Amigo, doy diez pesos por el tordillo!" El buen marqués sonrió e hizo que uno de los alabarderos siguiese al borracho con el intento de hacerlo comparecer al día siguiente a palacio, como en efecto sucedió. El marqués le dijo: "Usted me ofreció ayer diez pesos por mi caballo". "Sí, señor." "¿Y está usted en disposición de cumplir su oferta?" "Señor, de muy buena gana, pero como el aguardiente me hizo ofrecer ayer, hoy ya se fue quien lo dijo." El fondo del drama es atacar el abuso que hacía la Inquisición con su poder. ¿Existe hoy Inquisición en México? ¿Existe en España? ¿Existe en parte alguna del mundo? Entonces aplicaremos el cuento y diremos: "Se fue quien lo dijo." Se dirá que el drama es moderno. Bien, pero el drama se representó en España, según creo, en la época en que el pueblo corría enfurecido con la espada y la tea a los conventos a quemar y matar frailes como ellos quemaron antes pueblo y nobles en sus hogueras inquisitoriales. El pueblo se vengaba pero abusaba también a su vez. El autor del drama, servil adulador de las pasiones del momento o participante de las opiniones de la multitud, hizo *Carlos II*, que le granjeó renombre y aplausos, pero en México, donde no han tenido lugar por fortuna esos excesos, donde los frailes no son tan influyentes como se cree, donde en fin no hay ni temor de que el pueblo y gobernantes se sujeten a funestas preocupaciones, el drama no tiene ningún fin útil, sino el pernicioso de herir la moral pública.

Víctor Hugo hablando con los poetas dice: "Se debe tener más respeto a la juventud que a la vejez. Literatos que escribís, tener compasión de los niños; no se graben tal vez en sus corazones de cera algunas de vuestras perniciosas máximas." Esto mismo debían tener presente los censores y actores en un caso como el actual, y no digan que les cito máximas del severo Moratín, sino del autor de *Lucrecia Borgia*. Sería perder el tiempo analizar el mérito literario de *Carlos II*; si tuviera muchas bellezas, el defecto radical las opacaría; pero aun en este aspecto y excepto algunos trozos de enérgica y bella versificación, el drama es mediano. El amargo padre Froilán Díaz es un plagio de Claudio Frol'o que tan natural y terriblemente pinta Víctor Hugo en *Nuestra Señora de París*. La demencia de Carlos II es otro plagio aún más mezquino de la de Carlos VI de Francia, pintada por Dumas en la crónica de Isabel de Baviera, y por último el desenlace es también imitación del de *Don Juan de Austria*, de Casimiro Delavigne. ¿Qué hizo, pues, el autor de *Carlos II*, don Antonio Gil de Zárate? Hacinar ideas hermosas de otros autores y formar un monstruo. Esto no es romántico ni es clásico, es malo. ¡Qué gusto tienen los actores del Teatro Principal! Dios se los conserve. De la escuela antigua escogen lo más soñoliento y fastidioso, de la moderna lo más exagerado e inmoral. ¿Qué prueba esto? Que conocen que el público por hábito va al teatro sea buena o mala la función, que los actores del Teatro de Nuevo México con sus eternas disputas, con su refinada vanidad y con su empresario, han de caer y entonces ellos tendrán que apurarse lo mismo que lo han hecho siempre. Todo lo bueno que escribió Calderón, Lope y Moreto y Tirso de Molina, y todo lo bueno que escriben en Francia y en España hoy, es como si no existiera para nosotros. ¿Qué haríamos si Bretón no fuese tan gracioso y tan popu'ar en México?

YO (Manuel Payno)
16 de julio de 1842

Teatro Principal. Para el 30 de julio de 1842. Drama en tres actos intitulado *Cerdán, justicia de Aragón.* Pagas, patio 1 peso. Terceros, 6 reales. Palcos por entero, 4 pesos. Cazuela, 2 reales.

Teatro de Nuevo México. Esta noche drama en cuatro actos, *La expiación.* En el segundo acto se ejecutará un bailable análogo a la pieza. Pagos por entero, 7 pesos. Luneta, 10 reales. Cazuela, 3 reales.

Poesía dramática en México. Las escasas relaciones comerciales que exis'en entre México y La Habana han dado ocasión a que nos sea desconocido el estado de la literatura mexicana, como en aquella República se ignora totalmente el estado de la nuestra. Hijas de una fuente común la una y la otra, no deben mirarse con indiferencia pues las une el vínculo de familia. Ya hemos dicho que toda la literatura debe tener un colorido local, producto espontáneo de los naturales del lugar donde se escribe. Si Lamartine viniera a La Habana, sus versos

143

pertenecieran a la literatura francesa; si residiese en La Martinica, su poesía no daría una idea del estado de la literatura en las colonias. Es necesario algo más que escribir en un país para darlo a conocer.

Penetrado de estas ideas que tienen una aplicación más demostrable en teatro, plácenos que se nos hable de nuestra casa con preferencia a lo extraño y extranjero. El trágico mexicano don Ignacio Rodríguez Galván, residente en La Habana, parece que adopta nuestras ideas cuando ha dado al teatro dos dramas interesantes que le colocan al lado de su paisano don Fernando Calderón, cuya fama trasciende al extranjero, si bien el primero ha localizado más que el segundo sus composiciones. Es el señor Rodríguez Galván el primer poeta contemporáneo de su patria que ha puesto en escena asuntos locales, que ha pintado hombres y cosas que le pertenecen, mientras que el señor Calderón ha tirado por campos menos espinosos. El drama titulado *Muñoz*, representado el 27 de septiembre de 1838 en el Teatro Principal de México, es el primer ensayo de un poeta que pone en acción un asunto mexicano. El modesto cuanto apreciable escritor era muy digno de acometer la empresa, y el drama que ha escrito en 1842 con el título de *El privado del virrey* ofrece días de gloria a su autor, días de gloria a su país y de satisfacción a los que lo estiman y aplauden.

La Habana aún no conoce ni a Calderón ni a Rodríguez. Ignora que en los demás ramos de la literatura, México ha progresado a pesar de sus notorias desgracias, y el que esto escribe desea que sus lectores formen un juicio proporcionado de la realidad de estas verdades y aun quiero dar a conocer el corazón de uno de esos escritores. El señor Rodríguez Galván se pinta con tal candor en el prólogo de sus dos dramas, hay tanta modestia en sus palabras que antes de conocerle personalmente le estimamos, sus conceptos nos llenan de un sentimiento que sólo se experimenta al leer los escritos de esa escuela moral, religiosa y social que los desengaños de tantos siglos han creado en el presente. Llora sus desgracias sin salir de sus labios una maldición, habla de la gloria sin acordarse de enemigos ni rivales. Su entusiasmo es de poeta, de artista. "¡Qué dulce será, decía en su primer prólogo, oír idea por idea, verso por verso, producciones de mi infeliz imaginación, deslizarse de la boca de los actores a la mente de los espectadores! ¡Qué dulce será despertar simpatías en éstos, hacerlos sentir lo que en mis horas de melancolía, de dolor y de entusiasmo ha sentido mi alma! ¡Hacerles amar o aborrecer los personajes que ha ideado mi fantasía! ¡Tal vez arrancar de sus ojos lágrimas de ternura!" He aquí un párrafo que revela el alma del artista, quien cuenta con 26 años de edad y comenzó a estudiar a los 16 según él mismo dice. Que la patria de Ruiz de Alarcón recoja la gloria que un hijo le depara.

A. B.
El Faro de La Habana, 30 de junio de 1842

Teatro de Nuevo México. 7 de agosto de 1842. Para esta noche drama nuevo en esta capital. *Doña Mencia* o *Las bodas en la Inquisición,* desempeñada por las señoras Peluffo, Concepción López, y los señores Mata, Garay y Güelvenzo. Pagas: Palcos por entero, 6 pesos. Luneta, 1 peso. Cazuela, 2 reales.

Teatro de la Ópera. La compañía de la ópera ha concluido sus funciones en este teatro por haberse presentado en quiebra el empresario, pero seguirá dando funciones en el Teatro Principal desde mañana, cuya función se anunciará.

Nota necrológica. Don Ignacio Rodríguez Galván. Sirve de algún consuelo en medio de la pérdida irreparable que hemos tenido los amigos de Ignacio Rodríguez Galván la noche del 25 del mes pasado, el sentimiento universal y uniforme con que ha sido recibida en México la noticia de su temprana cuanto inesperada muerte; el aprecio general de que gozaba lo revela ese sentimiento. Su distinguido mérito literario, su misión pública en medio de la cual pereció, y sobre todo el afecto tierno que le profesaron en vida y conservarán siempre en lo más profundo del pecho los que escribimos estas líneas, nos permiten dar el testimonio público de nuestro dolor, y hacer a su memoria los tristes recuerdos.

Tuvo nuestro malogrado poeta por padres a don Simón Rodríguez y a doña Ignacia Galván, y nació en el pueblo de Tizcayucan el 22 de marzo de 1816, recibiendo en el bautismo los nombres de Patricio Ignacio. El estado político y social de su patria que tanto influyó después en su suerte posterior, parece que aun antes de su nacimiento y en posteriores momentos de su vida, quiso anunciarle la tenaz desventura que incesantemente lo había de seguir en el curso de su corta y aciaga carrera. Ocho días después de haber venido al mundo y ocho después de haber lanzado el primer vagido, fue atacada la población en que nació por las tropas conocidas con el nombre de insurgentes, y en el segundo de esos ataques y en medio del desorden que se cometía generalmente en casos semejantes y del terror consiguiente a ello, fue abandonado el recién nacido por un olvido muy natural en tales circunstancias en la fuga a que tuvo que apelar su familia, no notándose su falta hasta unos minutos después de haberla emprendido, cuando volvieron apresuradamente sus padres a recogerlo para ponerlo a salvo.

La misma guerra civil que produjo este primer momentáneo abandono, precursor del completo y prolongado de que tan tiernamente se lamentaba Rodríguez en todas sus composiciones, causó la ruina de la corta fortuna agrícola pero suficiente para su familia que poseía su padre en las inmediaciones del pueblo en que estaba avecindado. Su situación lo ob'igó a traer a su hijo cuando aún no cumplía once años a México, para que en la librería de su tío materno don Mariano Galván Rivera, adquiriese una educación que lo habían privado en su pue-b'o natal las convulsiones políticas del país en que había nacido. Vino Rodríguez a México en junio de 1827; la educación que antes había recibido no era otra que la destinada a las personas dedicadas a la agricultura. Es'a época en la vida de Rodríguez decidió comp'etamente de su suerte futura; ella fue el origen de todas las penas que en lo sucesivo amargaron su vida y también la fuente de los poquísimos placeres que en ella gozó. Dotado por la naturaleza de un talento claro, de una imaginación que acaso para su dicha debería haber sido menos vivida, de una laboriosidad y constancia infatigables y de un corazón inclinado naturalmente a lo bueno y a lo bello, de una sensibilidad exquisita y de'icada, rodeado únicamente de libros en el establecimiento comercial en que estaba colocado, y tratando por este motivo a los literatos más importantes de toda la República que a él concurrían, se aficionó como era lógico a la literatura y creciendo cada día esta afición, llegó a ser la única violenta pasión que lo devoraba: ella hizo su desgracia. Un comerciante con gustos comerciales, un hombre dedicado a las letras y con profesiones análogas a su profesión, no puede formarse una leve idea de los tormentos que causa hallarse en un estado diverso a sus gustos y aficiones. Pero cualquiera que haya tenido que luchar con su propio corazón, que combatir en él algún afec'o, que vencer alguna propensión, por débil que sea, ¿quién no ha tenido que hacerlo alguna vez en este mundo?, podrá apreciar aproximadamente los tormentos que causa tener que atacar continuamente, a cada momento y en todos los instantes, una sola y enérgica pasión que nos domina.

Esta lucha constante que no da treguas ni concede esperas para rehacerse, fue la vida toda de Rodríguez. Colocado en una posición por

146

su destino, arrastrado violentamente a otra por su corazón y su cabeza, el tiempo pasado no le presentaba sino penas, y el presente sólo dolores y el futuro no le presentaba sino el mismo porvenir que hasta entonces había amargado su existencia. Bien pronto las impresiones que le causaban las lecturas, el gusto que hallaba en la pintura de las pasiones de las obras de arte que ávidamente devoraba, el placer que encontraba en las bellezas artísticas que los ingenios habían producido, hizo nacer en él el deseo de producir los mismos placeres que los otros, y en causarles las mismas agitaciones y crear las mismas bellezas. La contemplación lo entusiasmaba en las obras ajenas, encendía su corazón y lo llenaba de una admiración profunda hacia sus autores. Este deseo fue confirmado por la conciencia del genio. Rodríguez sintió en su interior la capacidad necesaria para lograr este deseo y bien pronto su suerte quedó completamente definida. Sus primeras composiciones fueron escritas a fines del año de 1834 cuando apenas tenía la edad de diecinueve años, y admira a la verdad el genio que ya en esos primeros ensayos demostraba y que después mostró tan a las claras en su corta pero luminosa carrera, y que ofrecía a su patria, si la muerte no hubiera venido a destruir tan fundadas y lisonjeras esperanzas, una serie de obras que habrían hecho honor a la posteridad del país que lo había visto nacer. Para conocer el verdadero y grande mérito de nuestro malogrado poeta, debe recordarse que su primera educación fue enteramente perdida por lo que mira a las letras, y la edad de once años nada había contribuido a despertar su genio ni había florecido el desarrollo de su inteligencia, que en los ocho siguientes y anteriores a sus primeras composiciones su educación literaria fue obra de sí mismo, sin mentor ni maestro, que los estudios que con este objeto emprendió sin otra guía que su propio corazón tenía que hacerlos de noche, pues era el único tiempo de que podía disponer teniendo empleado todo el resto del día en el desempeño de sus deberes, y admirará cómo a través de tantos obstáculos no desmayó nunca en la empresa que había cometido, y cómo después de los trabajos mecánicos y corporales a que estaba entregado todas las horas de luz y a veces gran parte de la noche, le quedaban fuerzas para entregarse en ésta a sus estudios y lecturas.

Así fue sin embargo, aunque parezca a primera vista increíble cómo se formó don Ignacio Rodríguez Galván y cómo estudió en sus originales o traducciones los escritos más notables en los ramos que cultivó, adquiriendo la vasta erudición que lo distinguía, repitiendo a pesar de su mala memoria que vencía a fuerza de educación, trozos de casi

147

todos los autores que había leído. Así permaneció completamente entregado al desempeño de sus deberes y a sus estudios nocturnos por el espacio de trece años, hasta que al fin determinado a echarse en brazos de la Providencia y confiado en ella se separó en 1º de noviembre de 1840 de la casa de su tío el señor Galván, para buscar una carrera que se acomodase más que hasta la que entonces había sentido, a sus gustos y aficiones favoritas. Durante un año, sin la viva y funesta imaginación que le había caído en suerte y que se adelantaba a los acontecimientos haciéndolos aún más aciagos de lo que podría traerle consigo la más aciaga realidad, nuestro amigo habría podido gozar de alguna tranquilidad y dicha, estando como de hecho estuvo exclusivamente consagrado durante todo él a los trabajos literarios que siempre habían absorbido su atención y ejercido en su alma un fuerte imperio. Al concluir el año de 1841 el señor don José María Tornel, su antiguo compañero en la Academia de Literatura de San Juan de Letrán, y cuyo afecto se había atraído Rodríguez por sus obras literarias, lo colocó en el Ministerio de la Guerra. Poco después la protección del mismo constante amigo hizo que se encargara a Rodríguez la parte literaria del *Diario del Gobierno*, y últimamente sabiendo el señor ministro los deseos que nuestro poeta tenía de viajar y de conocer por sus propios ojos un mundo que hasta entonces no conocía sino por los libros, influyó que fuese nombrado secretario de la legación cerca de los gobiernos sudamericanos. Salió Rodríguez hacia su destino el 15 de mayo, llegando el 17 a Jalapa en donde se detuvo algunos días. El 27 llegó a Veracruz, donde se embarcó para La Habana el 6 de junio. Desembarcó en La Habana en las oraciones de la noche del 14 del mismo mes, y el 25 del siguiente, cuando parecía que después de un mes de morar en La Habana y los días pasados en Veracruz no debía temer nada del clima en que ya por tantos días había vivido sin novedad alguna, el vómito, esa terrible y alevosa enfermedad que nunca se sacia de los estragos que hace, que no respeta edad ni sexo, lo arrebató a su patria y a sus amigos. Todavía en la mañana del mismo día, el poeta no creía en el término de su gloriosa y corta carrera: se dio un baño y en el curso del mismo día fue llevado fuera de garitas por orden del médico que lo asistía. Al día siguiente fue sepultado. Parece que todo se conjuró para que Rodríguez pereciera lejos de su familia y de sus amigos, quedándoles el desconsuelo de no haberlo asistido en sus últimos momentos y de que reposen sus cenizas bajo una tierra extraña. Debiendo haber salido el 15 de julio, el 14 se incendió el buque en que debía haberse embarcado, y el mismo tiempo que hacía que se hallaba en La Habana le hizo perder a su clima el justo temor que ojalá para su conservación hubiera guardado siempre, y abandonar las prudentes precauciones que al principio había observado, y por cuyo olvido era severamente reprendido por sus nuevos amigos que había encontrado en las hospitalarias playas que guardan sus restos. Uno de los deberes más gratos que tenemos que llenar los que escribimos estos renglones, es el de consignar en ellos y dar un testimonio profundo de nuestra gratitud al señor Mata, en Jalapa; Mr. Price en Veracruz, y en La Habana a los señores Lasalle, Chiviot y algunos otros literatos de la misma ciudad por la franca hospitalidad y benévola acogida que le dispensaron a nuestro malogrado amigo. En una de sus últimas cartas escribía que algunos de nuestros nombres eran ya conocidos de sus nuevos y finos amigos que la Providencia le había hecho encontrar, y nosotros, al través de la distancia que nos separa, queremos asegurarles que sus nombres nos son ya familiares como los de unos amigos antiguos y que jamás son pronunciados en nuestras reuniones sin muy gratos recuerdos, y que donde estas líneas se escriben hay corazones que laten y hacen fervientes votos consagrados a su gloria y a su dicha.

Volviendo a nuestro poeta, del que ni por un momento nos hemos separado, para cumplir con una obligación que para él hubiese sido sagrada, no debemos omitir, aunque bien sabido para la presente generación, que en unión de los señores Lacunza, Larrañaga, Prieto y don Joaquín Navarro, fue uno de los primeros individuos que formaron la Academia de San Juan de Letrán, por ser ese el lugar que tanto trabajó por los adelantos de la literatura en México. También queremos recordar que en unión de su hermano Antonio formó y llevó al cabo con sus expensas durante cuatro años la empresa de *El Año Nuevo*, teniendo a su cargo una parte muy especial de la composición literaria. Igualmente publicó casi solo, por haber sido muy débil la ayuda que le prestaron en la redacción sus amigos, *El Recreo de las Familias*, uno de los periódicos más amenos y variados que se hayan publicado en esta capital. Asombra a la verdad cómo pudo Rodríguez, disponiendo de tan poco tiempo, escribir tanto como escribió en la corta vida que le fue concedida y que fue acortada aún más por todo el tiempo que en ella fue perdido para la literatura, pero estos milagros hace siempre la laboriosidad y la constancia. Esas circunstancias reunidas formaron el carácter de nuestro amigo: ellas lo sostenían en todos sus trabajos y ellas hicieron de él uno de los hombres más generalmente conocidos entre nosotros. Uno de los méritos que nadie le podrá negar es el cuidado que siempre tuvo en elegir los argumentos de sus composiciones

149

en nuestra historia. Este empeño nacía del amor ardiente que profesaba a su país e hizo a Rodríguez un poeta verdaderamente nacional.

Sus estudios y bellas prendas personales le granjeaban las simpatías de todas las personas que lo trataban y fijaban la amistad de los que alguna vez habían llegado a profesársela. De esto más que otra cosa somos testigos irrecusables los que le consagramos este artículo. Llamaba fuertemente la atención la profunda religiosidad y severidad de principios morales que lo distinguían, especialmente cuando se reflexionaba que en este punto, como en todos los demás, sus cualidades eran obra propia, no debiendo nada a su educación. Era un modelo que se podía presentar a la juventud de buenas costumbres a pesar de la absoluta libertad que tuvo de conducirse según le parecía desde los primeros años de su vida. Aunque con una aversión decidida a la política y sobre todo a las sangrientas e infructuosas cuestiones que de una manera tan atroz se han ventilado entre nosotros, los males de su país lo conmovían fuertemente, y nadie adoptaba con más ardor una idea que creyese pudiera influir aunque fuese levemente en la felicidad de su patria. Nadie lamentaba más sinceramente sus desventuras y hacía por su dicha y felicidad de engrandecimiento votos más fervientes de los que continuamente exhalaba de su corazón. En uno de esos momentos en que su alma estaba llena del resentimiento que conviene a la elegía patriótica fue cuando en la composición *¡Bailad, bailad!*, que fue tan popular en México al publicarse en *El Cosmopolita*, pintó un cuadro tristísimo pero muy exacto de nuestro estado político.

Atormentado por desgracias propias y por las de su país, que influyeron tan directamente en su suerte, ha ido a morir a una tierra extranjera para que el término correspondiente a toda su infeliz carrera fuese la de verse privado en sus últimos momentos de todas las personas que siempre le habían sido caras, y cuyos consuelos habían sido tan dulces para su sensible corazón.

18 de agosto de 1842

Teatro Principal. Un hombre de bien. Escribir sobre acontecimientos teatrales tan variados en argumentos como en las sensaciones que producen, me parece una de las tareas más difíciles cuando me han precedido las plumas de Fidel, de Flaqueza, y de un YO más redondo que una bola. Después se exige de nosotros, pobres cronistas de algunas horas, aquella imparcialidad, aquella crítica sesuda que apenas se podrá en-

150

contrar en algunos historiadores, y eso que no hablan cual nosotros de sucesos contemporáneos, de sucesos recientes. Hablar pues de ese mundo abreviado que llaman teatro, censurar a los personajes cuyas pasiones son más vehementes e indefinibles que las nuestras, juzgar sus talentos sin prevención ninguna es obra demasiado difícil para un mortal que abandonando la carrera monástica se pone a caminar por el intrincado laberinto de dramas y de artistas.

El argumento de *Un hombre de bien* es pobre aunque la época en que se supone sucede el argumento es a propósito para dar interés a los personajes, el amor que se ha empleado hasta en las tragedias donde no había necesidad de él por ser una pasión tan fecunda en sentimientos extraordinarios, aquí se ve olvidado del todo. Se ve a dos jóvenes que debiendo unirse no hablan de su destino ni casi se hablan. La marcha de la fábula es forzada; no hay viveza en el diálogo y el autor en vez de conmover al público por medio de sorpresas bien calculadas y por un movimiento rápido le presenta lo que comúnmente llaman sin razón golpes de teatro, tan repetidos en la multitud de piezas venidas de España que no causan ninguna novedad. No se puede decir que sea buena la traducción y aunque no es de Ventura de la Vega o de Ochoa, por lo menos no se encuentra tan plagada de galicismos; habría querido que el lenguaje hubiese tenido aquel brillo, aquella pompa tan notable en Alejandro Dumas.

En honor de la señorita Cordero diré que desempeñó su papel perfectamente como siempre, pero por más que se esforzó en aparecer animada, tan mal desarrollado está el carácter de la dama, que no pudo darle un interés que no tenía. La señorita Cordero sacó una mantilla que es una impropiedad en semejantes circunstancias. El señor Pineda con aquella fisonomía expresiva, con aquella movilidad de facciones que tanto distingue al verdadero artista, supo manifestar hasta qué grado puede identificarse el actor con el poeta: si éste parece mediano, aquél puede tener la satisfacción de haber creado con toda verdad y sin exageración al protagonista. ¿Quién no creyó ver al anciano infeliz privado de la razón y atormentado por un remordimiento al recordar la propiedad con que ejecutó un papel de tan difícil ejecución?

El Padre Calancha
19 de agosto de 1842

El mercader flamenco. "La idea de reír me ha traído por estos rumbos, reverendo padre. Cansado estoy de tanto drama gemidor y asesino

151

como se representa en el Teatro de Nuevo México y en este que se llama Principal. No soy de opinión que haya placer en el llanto, según ha dicho cierto poeta. Quiero reír no llorar; sea el teatro la representación abreviada del mundo, yo no me opongo. Quizá advierta en él cosas que no deben considerarse por el lado serio, sino por el ridículo. El hombre que a través de este lente viere la naturaleza humana, se divertirá más y no dará un ardite por ella."

Tal era el lenguaje de uno joven seco de carne y largo de miembros. Mucho me sorprendió que en boca emboscada por luengas y enmarañadas barbas saliera una sola expresión festiva. "He corrido cortes, reverendo señor, prosiguió diciéndome; vengo de países donde esperé encontrar morigerada la especie que se llama racional. ¿Sabe V.R. lo que me encontré? Mayor hipocresía, mayor ferocidad en el corazón y más risa en los labios. El pueblo con pasiones brutales pugnando con el refinamiento de la civilización; el rico dando la mano al pobre que detesta por ganar aureola popular: ésta es la táctica. El siglo influye en los poetas, ellos difunden las doctrinas en boga, y aunque pretendan separarse de su poder irresistible, raros son los que no derraman a torrentes la inmoralidad sobre la nueva generación, raros son los que no santifican acciones atroces disculpándolas con la palabra necesidad o fuerza del destino. Dramas fundados en semejantes bases causan un mal de mucha trascendencia; ese familiarizar al pueblo no piensa y a la juventud ciegamente apasionada con un principio: dudar de todo excepto de la omnipotencia del oro. Por tanto, en vez de querer ver la representación del drama del Teatro de Nuevo México, prefiero ver esta comedia nueva en la capital pero que ya he visto en Europa y a fe mía que es muy divertida. Los sucesos que pasarán a la vista de V.R. se refieren a la época de Felipe III. No faltan cuchilladas, corchetes, bailes, disfraces, y aun palizas; costumbres españolas son éstas muy al gusto de nuestros tatarabuelos. Pero tate, que ya se levanta el telón; no quiero charlar como hacen algunos concurrentes, que parece que vienen por moda, sin cuidarse de decir gracias desgraciadas en el espectáculo. Pero qué, ¿no tienen esos parciales señores el derecho indiscutible de "cororear", como ellos dicen, aunque reniegue todo el público?

Ya que Vuestra Paternidad vio comedia tan aplaudida unánimemente, creo que habrá quedado complacido del modo con que fue desempeñada. Esta señora Doubreville ha sido admirable. ¡Cuánto donaire tiene, cuánto domina el teatro y qué singular talento es el suyo para representar el papel de característica! En cualquier parte puede lucir bien segura de que arrancará la risa del mismo Gestas en persona. El señor Salgado estuvo bien y quiera Dios que se olvide de esa indiferencia con que mira su difícil profesión. Con tal que la señorita Pautret quiera suavizar la voz cuando toca la cuerda de lo sentimental, segura estará de agradar, pues no se notará en ella cierta afectación que le hace mucho daño. Doña Soledad Cordero supo representar su papel: la dignidad y compostura de sus modales se hallan en armonía perfecta con la noble dama que caracterizó. Los que más inteligencia desplegaron, los que mejor cumplieron con su deber fueron el señor Castañeda y ese joven Antonio Castro a quien ve con predilección al público por su afanoso empeño en agradarlo, y porque se conoce que lo anima el entusiasmo y la ambición ardiente de gloria que es el alma del verdadero artista. Lástima que no procure pronunciar con propiedad el grave y celestial idioma de Cervantes. ¿No es V.R. de mi misma opinión? ¿No cree que reparto bien la justicia?"

El Padre Calancha
22 de agosto de 1842

Ascensión. Quinta ascensión aerostática en la Plaza de Toros de San Pablo por Juan Berthier, en el Globo Monstruo, y segunda del perro Minito, que descenderá en un paracaídas. El Globo Monstruo es seis o siete veces mayor que los globos de gas que se han visto hasta ahora y a pesar de su enorme dimensión será inflado totalmente en el corto tiempo de quince minutos, elevándose majestuosamente a continuación por las regiones aéreas, conteniendo una hornilla de alcohol inflamado y todo el aparato que sirve para inflamarlo, que es todo de la invención de dicho físico. El aeronauta tiene la satisfacción de invitar a todos los jóvenes aficionados que quieran acompañarlo en su viaje aéreo, para lo cual podrán concertarse con él anticipadamente. Juan Berthier, que es el único que hace hoy en día estas ascensiones en Montgolfiera, espera que el público mexicano, protector siempre de los experimentos científicos, acogerá favorablemente esta tan riesgosa experiencia que tal vez no se volverá a repetir en esta capital.

Programa de la función: A las 9 de la mañana una música militar, situada dentro de la Plaza, anunciará que las puertas se han abierto. A las diez se expedirán varios globos correos para observar los vientos en las regiones superiores de la atmósfera. A las diez y media se verificará la ascensión y descenso en paracaídas del perro Minito, tan conocido en Europa. A las once se comenzará la operación para inflar el

Globo Monstruo por medio de maniobras enteramente desconocidas en la República Mexicana. A las once y cuarto los asombrados hijos de México presenciarán este maravilloso espectáculo, el que si fuese del agrado del bello sexo quedarán colmados los deseos de Juan Berthier.

Precios de entrada: Lumbreras de sombra con diez boletos, 10 pesos. Idem de sol con idem, 5 pesos. Entrada general a sombra, 1 peso. Entrada general a sol, medio peso. Nota: Si por un caso fortuito no se pudiera efectuar esta ascensión para el día señalado, se transferirá para el próximo 4 de septiembre pero si algunas personas no quisieran esperan para este día, ocurrirán en seguida al paraje donde hayan tomado sus boletos para recibir su importe, previniendo a los asistentes que al empresario se le han extraviado cierto número de boletos, por lo que ha tenido que resellarlos, y en consecuencia sólo serán devueltos los expedidos en los parajes que se señalan: Se expenden los boletos en el Café de Paoli, calle de Plateros, en el Teatro de Nuevo México y en las alacenas de don Antonio y don Cristóbal de la Torre, en la esquina de Mercaderes y Agustinos y el día de la función en la misma Plaza en los parajes acostumbrados.

25 de agosto de 1842

Estado del teatro. ¡Cómo! ¿Sin decirme una palabra y sin pedirme permiso ha publicado la conversación que tuve con V.R ?Ni mis barbas ni mi estatura se ha dejado usted en el tintero. Reclamo a usted su proceder: bueno es que dé a luz lo que oiga, mas sin meterse a ridiculizar mi real persona ni extrañarse de que yo diga cosas racionales. ¿Qué importa que sea feo? ¿Acaso por serlo estamos abandonados de la mano de Dios y sólo a los gallardos mancebos les es permitido hablar con acierto? A los ridículos se nos comprende también, que bajo una mala capa suele haber un buen bebedor. Esto supuesto, fraile indiscreto, pare las orejas como es costumbre entre gente de su estofa, gente novelera, y haga el uso que guste de otras observaciones; no contraen ellas a ninguna pieza representada por esa turba alegre y regocijada, según llamó a los artistas el ilustre Manchego. Quiero, sí, hablar del teatro en general, porque me hace mucha fuerza que tantos buenos escritores que llevan la crónica de los teatros, se hayan olvidado de su fisonomía particular.

Dejemos a un lado las disputas de si la compañía de Nuevo mexicana es mejor o si la Principal se debe llevar la primacía; en fuerza de quererlo todo para sí los aficionados al teatro, se ha convertido una cuestión de gusto en cuestión gravísima de Estado. ¿Pues qué, ya no se puede hablar de los señores recitantes ni de comedias? ¿Toda la libertad que se nos concede será la que tendría el pobre Fígaro de Beaumarchais? Infelices de nosotros y de usted, reverendísimo anacoreta. Librados estamos con que por regalar nuestra boca diciendo la verdad nos detesten, y cuando menos tengan la filantropía de querer solfearnos las costillas con tan gentil talante.

A ese espectador que me pela los dientes no hay que hablarle del Teatro de Nuevo México porque la cólera lo saca de sus casillas, de tal suerte que a aquél le da fiebre cuartana con sólo mirar a un concurrente al Teatro Principal. Escuche usted: aquí se hallan congregadas todas las crónicas de los actores de más renombre que desde Revillagigedo hicieron resonar no digo sus bóvedas, sino tablas. Nuevos Jeremías, si concurren a ver los dramas que se representan es para llorar sobre las ruinas de su fantástica Jerusalem. Primero dejarían la vida que no conservar el asiento desde donde cruzaron ardientísimas miradas con la señora de sus pensamientos, y cuyas miradas decían: "Yo te adoro." Entonces se amaba riendo y gozando, entonces se veía como un sainete a la sociedad, mientras que ahora somos tan ruidosos como nuestras revoluciones y tan falsos en el sentimentalismo como esa común felicidad que algunos fabricantes de asonadas nos espetan en sus proclamones campanudos que siempre nos echan a las barbas. ¡Uf!, tienen mucha razón esos restos venerables de extrañar las épocas en que fueron su delicia aquel Luciano Cortés, aquel Amador, aquel Rosales, y más que todo deben llorar la festiva corte del amable, ligero y epicúreo virrey Iturrigaray.

Así vea V.P., cómo gesticulan, cómo se mueven, cómo fruncen las cejas al oír los aplausos de los aficionados del Principal. Tristes potrillos, imberbes mozalbetes, se atreven a loar la representación de noveles actores cuando aquí estamos los que tuvimos la dicha de ser adoradores de la Montenegro. Esto parece que nos dicen, y luego con indiferencia se ponen a departir sobre sus buenos tiempos. Seguro es que algunos ¡chist! prolongados corten el hilo de su conversación, pero ellos se quedan en sus trece y adelante con la cruz. Síguese una pandilla mixta, no la absoluta de que hablamos, que si se regocijó con los antiguos actores, no por eso dejan de divertirse con los modernos, y no pueden tolerar ver abandonado el ramo de baile a que son muy aficionados. Vaya V.P. a oírlos y se convencerá de que la república teatral se halla en decadencia porque ya no se presentan aquellas aristocracias pedestres

155

que les robaban el corazón a quienes dentro de sí levantaban un templo de mundana devoción. Ya no hay magia para ellos faltando tan hechiceras criaturas; se les presenta la descarnada realidad en todo y apenas se dignan ver los esfuerzos de la señorita Moctezuma. "Es gana —exclaman desconsolados— es gana que se afane la inexperta. ¿Por qué no será siempre joven la Cecilia Ortiz? En estos tiempos calamitosos no es posible hallar aquel salero tradicional que tienen las hijas de Terpsícore."

Tal nombre en su boca revela, como debe imaginar V.R., que son clásicos rematados, pero de aquellos clásicos capaces de armar camorra con el licenciado Cascales, que también zurró a Lope de Vega, a Mira de Mezcua y comparsas de sus tiempos. Este crítico, según ellos, es todavía niño de teta, y tienen anchas tragaderas para tolerar sus dislates. He aquí el oráculo respecto a preceptistas, que lo que es a autores no sufren más que Racine, Molière, Moratín y Quintana. Reniegan de Martínez de la Rosa porque escribió *La conjuración de Venecia*, cuando su *Edipo* es lo que hay que ver. ¿Quién es el atrevido que ose hablar en su presencia de *Marino Faliero*, de *Los amantes de Teruel* y de *Don Juan de Austria*? Danse al diablo cuando ven algo de Víctor Hugo o de Dumas, y cualquiera pieza suya la llaman con agreste voz: "comedión". Mas no hay miedo de que abandonen el puesto: como los venerables, también concurren al teatro por costumbre, y por costumbre aunque sepan de memoria *El Café, La Mogigata*, etcétera, lanzarían miradas furibundas al que se atreviese a decir que más conviene reírse con las comedias de Bretón que bostezar a dúo cuando se representan las comedias de Inarco Selenio a pesar de su bondad y perfección. Ya comprenderá Su Reverencia que la pandilla Verde Gay de verdegay, peina canas con pretensiones de pertenecer a la edad madura; por eso mismo podrá verlos S.R. en días de campo hechos unos dijes. Pero ¡Jesús!, me vuelvo maldiciente.

Ahora sigue lo más difícil y me voy a meter al campo de Agramante; aquí está lo incomprensible, aquí se ve la República personificada con sus inconsecuencias, defectos y mansedumbre, que es cualidad evangélica, con su mezcla de patán y pisaverde, o como diríamos hablando en culto político, veríamos pintiparada la jerigonza de progreso y retroceso, cuyo significado no puedo comprender por más que me devano los sesos. En el anfiteatro hay rebeldes a la última moda, más adelante críticos lechuguinos que es un primor, unos saben lo que se dicen y otros son hombres-ecos, que repiten lo que oyen o que palmotean lo que ven palmotear, mas en donde campea el hombre-eco por excelencia es en el Teatro de Nuevo México. Siguiendo la figura de la República, mire V.R. cómo está impreso en la concurrencia el *dolce-farniente* nacional que heredamos de los anahuaques; pásmese ante tan grande mayoría y dígame si no es justo amostazarse al ver que no tienen alientos ni para silbar o aplaudir. Desgañítese Castañeda, invente Pineda lo que guste, lleve una tos revolucionaria la voz de Bustamante, sepa o no su papel la joven Santa Cruz, hable o no en secreto Salgado lo que le toca de diálogo, poco importa, ni aplaude la benigna mayoría de los espectadores ni tampoco lo aprueba. ¿Qué se hace con ella? Lo mismo que ponen en práctica los que gobiernan esos mundos: ¿chilla el pueblo?, lo complacen, y si calla ni un bledo se les da a los mandarines por complacerlos ni darle goces. Añada V.P. a todo esto que es de buen tono interrumpir la representación dejando caer los bastones y estornudando sin ganas; añada también la magnitísima propiedad de no dejar ver ni concluir ninguna producción dramática porque se levantan de sus asientos muchos sin curarse de que los sensatos gustan de ver el desenlace, y tendrá una idea si no exacta por lo menos aproximada del teatro que se llama Principal.

Gracias a los empeños del señor Pineda, en breve tiempo vimos remozado este palomar. Hay por cierto más decencia en la galera por prolongada, pero su aspecto es el de una vieja coqueta o de una mujer terriblemente morena, que por más que se llenen de afeites y de albayaldes siempre se quedarán en lo que son.

¿Acabó usted, señor crítico?

Sí, Reverendísimo hermano.

Pues yo no las tengo todas conmigo. No he escuchado el estallido de un cañón hoy 29, día de la ascensión de M. Berthier. Cuando el domingo próximo pasado escuchábamos llenos de complacencia y de entusiasmo la brillante ascensión de Berthier, estábamos muy lejos de pensar que ese apreciable aeronauta al descender de su magnífico globo recibiera bárbaros ultrajes en lugar de los aplausos de que es digno. Pero *La Hesperia* del miércoles 31 ha publicado, para oprobio de algunos mexicanos, el hecho vergonzoso de haber sido ultrajado B. Berthier hasta verse en peligro de perder su vida y de no haberse salvado de este riesgo sino por los esfuerzos de la policía y de algunos oficiales del ejército que lo defendieron del furor de algunos perversos. No sabemos a qué atribuir tanta barbarie y nos complacemos en creer que todo mexicano que tiene nobles sentimientos, ha reprobado los ultrajes hechos a un extranjero recomendable por su ciencia y por la noble intrepidez con que ha hecho su ascensión. Hemos admirado la rapidez con que se infló el hermoso globo de M. Berthier y la serenidad con que maniobraba en su aparato cuando el mismo globo se elevaba majestuoso sobre la hermosa México. Toda la ciudad ha visto después a aquel globo que parecía inmóvil durante mucho tiempo como un panal suspendido en medio de los cielos. Tanto más hemos admirado esta ascensión cuando porque creemos que se ha hecho por un procedimiento bastante peligroso para el aeronauta, a cuya memoria consagramos estas líneas.

3 de septiembre de 1842

Teatro Principal. Domingo 13 de noviembre de 1842. *Las pruebas de amor conyugal*. Sainete en verso por Manuel Bretón de los Herreros.

> Por lo que hace a mi, no me queda la menor duda que estoy de vuelta. Después de darme por ello el parabién, es mi primer cuidado el escribirte. *Figaro*.

Quise ahorrarme de saludos y explicaciones con el epígrafe. Si no lo he conseguido, sana es la intención y poco el trabajo que me ha costado. ¿Más de tres meses Fidel sin hablar? ¿Sin que lo amenacen palizas de cómicos ni críticas mordaces, sin que se diviertan, si no con sus chistes, con su reputación? Parece increíble. ¡Qué de veces absorto en mis delirios, viviendo de lo pasado, nutriéndome con ilusiones como amante ausente, veía inerte la humilde pluma mía, pregón en otro tiempo de mi insuficiencia y de la de los demás! El recuerdo del teatro me atormentaba como al agiotista el cumplimiento de un plazo, como al pretendiente la realización de la cita frustrada. Porque no nos cansemos, el teatro ha dejado de ser un asunto que como la alquimia esté reducido a los iniciados en los secretos de ella. De teatro disputa el filósofo y el patán, el mercader y el petimetre, el literato y el guerrero.

Un periódico sin artículos de teatro es como un manifiesto en que se dejase en el tintero aquello de olvidar lo pasado y cubrirlo con un manto, o velo, o cosa semejante; es como conversación en que no se hablase de flaquezas del prójimo. Esto es, una cosa incompleta y sin sus debidos agregados. ¡Ay, si es un grano de anís! Aunque se presentan algunas dudillas, no está la gracia en resolverlas, sino en murmurarlas; por ejemplo, algunos dudan si hay teatro, si los actores merecen tal nombre, y si el público que los califica es propiamente público.

En cuanto a la primera cuestión, veo dos teatros; uno tiene cierta semejanza con el primer proyecto de constitución, el otro es unitario, y los dos son dos, sin saber hasta ahora si se podría decir con la tabla de multiplicar, ¿dos por uno?... En cuanto a lo literario, díganlo las entradas y resultará pobre y humilde la *Atalia* junto a la *Pata de cabra*; ruin y despreciable el *Otelo* al lado del *Campanero de San Pablo*. Sobre los censores no hablemos, porque hablar de censura es fastidioso, y más en tiempos que las obras dicen a gritos su mérito y valor.

Los actores, quién sabe si como antes, querrá alguno que otro probar su talento no con el estudio, porque eso es clásico, no con docilidad ni empeño, porque tiene algo de ruin y rutinero, sino con dicterios al crítico, con insultos y reconvenciones, porque así el arte gana y las cuestiones se esclarecen. Y por último, si el público no es público, díganlo los escándalos teatrales y los versos y los repiques de palos y palmadas, que el público debe calcularse por el ruido y no por el número y el juicio, porque esas son vejeces y cosas cuya época pasó tal vez para siempre.

Sirva de introducción esta charla y para corresponder al título de mi artículo, hablaré de *Las pruebas de amor conyugal*, representadas por primera vez anoche en el teatro. Sabido es que una mujer tonta es más onerosa que carga concejil, y más mal recibida que contribución directa; ridiculizar a una señorita que amortiza la ropa sin cintas y las camisas sin planchar, que zurce con seda amarilla los botones en la levita café y que tiene su cómoda en más desorden que escritorio de periodista, es gracioso, y de la fácil y armoniosa pluma de Bretón debió esperarse cuando menos un juguetillo jocoso y lleno de chistes, como la mayor parte de sus obras. Desgraciadamente no es así; el sainete representado anoche es menos que mediano, y sólo uno que otro destello de su inimitable versificación, puede hacer adivinar al autor inmortal de la *Marcela*. La última escena, que forma el desenlace, dice:

Paula. Dulce imán de mi albedrío,
    no me mires con desvío,
    que ya arrepentida estoy...

Don Agustín. Paula, ¿sabes tú lo que hoy
    me has hecho sufrir?
Paula. ¡Dios mío!

Don Agustín. Media resma de ternuras
en la carta más concisa,
monadas y bordaduras,
¡y ni el botón me aseguras
ni me planchas la camisa!
Mil alabanzas y mil
te merece un hombre vil
de perversas intenciones,
y al amigo honrado pones
como hoja de perejil.
Yo te creo como un loco
y al amigo fiel provoco
y se arma aquí, ¡Santo Dios!,
tal zalagarda, que a poco
no me mato con los dos.

No expresé con extensión al principio el argumento de esta comedia, porque es el anterior, puesto en boca de don Agustín, marido de Paula, que termina replicando a su consorte, y sirve de final y moraleja:

Pero, por Dios, dulce encanto,
por Dios, no me quieras tanto,
o quiéreme con talento.

De los actores en semejante pieza no se puede hablar con exactitud, por lo de:

No es tan malo aquel
que representa el papel,
como el que hace la comedia.

Terminaré dando satisfacción a algunos amigos de por qué me firmo Fidel, sabiendo todos quien soy, diciéndoles con don Mariano Larra:
"Desvanecidas mis dudas, quedábame aún que elegir un nombre muy desconocido que no fuese el mío, por el cual supiese todo el mundo que era yo quien esos artículos escribía; pero esto de decir *yo soy fulano*, tiene el inconveniente de ser claro y entenderlo todo el mundo, y tener visos de pedante, y aunque uno lo sea, bueno es y muy bueno no parecerlo."

Fidel
15 de noviembre de 1842

Teatro Principal. Domingo 20 de noviembre de 1842. *Don Trifón, o todo por el dinero.*

—¡Ah, ah, ah!, un lado.— Adelante.

—Con permiso de ustedes.

—¡Hola!, esperen.

—Alto.

—No se rompan las bombillas.

—A la derecha.

—No quiero.

—Abran la puerta.

—Cochero, no atropelle la gente.

—¿Qué es esto, señores?, ¿qué batahola arma esa turba incivil y alharaquienta?

—¡Viva la regeneración!

—¡Viva el progreso!

—Paso, paso a los que revocan y doran.

—Puf ... arre, descansen, que son vigas de a siete para los andamios.

—Es usted un torpe.

—Usted se equivoca, yo me llamo Pintor.

—Denle lugar a las artistas, ¿traen sus escobetas y bateas?

—Sí, señor.

—Entre la sección refrescadora y cristalina; conduzcan a los aguadores.

—¿Es tumulto?, ¿es pronunciamiento?, ¿se da hoy prorrateo a los artistas cesantes?

—¡Qué barahúnda, gran Dios! Ni los perros de San Bernardo, ni el Campanero de San Pablo, ni la reducción del cobre, ni las panaderías en esa época, nada puede compararse con este trajín y movimiento. ¿Qué es esto?, ¿qué sucede?

—¿Cómo qué?, que el Teatro Principal se rejuvenece, se regenera, y por eso hojalateros y pintores, y fregonas y albañiles, y barrenderos y aguadores concurren a consumir la grande obra.

Los talleres se mueven, las fuentes se agotan, las escobetas se acaban, las brochas se despeluzan y las prensas sudan anunciando tan fausto acontecimiento. ¡Oh gloria, oh placer, llegó el fausto día!, terror de las ratas, derrota de sabandijas y espanto y dispersión de los murciélagos.

Tronó por fin el acento que dijo: hágase la luz, y los ingenios se despabilaron para ostentar entre las garras de un águila la más irónica de las inscripiciones.

Pasó este tiempo, pasó este periodo febril de un día, y, ¿cuál es hoy el Teatro? El mismo de antes, con sus pelos y señales, con sus caducos

161

concurrentes de las bancas que alteran la noche platicando y durmiendo, con sus jovencitos joviales y chistosos, que así suenan sus lenguas fulminantes, o hacen *tronadores* de papel, *¡qué invención tan calculada!* Con sus terceros, en que se dan en espectáculos los foráneos embebecidos y su prole que saca las cabezas al par de los falderos entre las rodillas de la luenga parentela. Con sus cazueleras alharaquientas, algunas de las cuales, las de fecha antigua, suplen la falta de dientes con una voz estrepitosa y masculina; departamento con su división como los baños para determinados sexos, con sus semiaereonautas concurrentes al frente, cabalgando de medio cuerpo en los lisos y barnizados morillos; con sus ventilas; en fin, donde el anónimo hace atrevidos a los muchachos de mundo, a los veteranos...

Lo mismo, idéntico el teatro, por aquello de que *aunque la mona se vista de seda* y lo *del hábito no hace al monje* y otros muchos proloquios que me quiero dejar en el tintero, porque ya que tan mordaz y desatento he sido, fuerza es que endulce mi sátira la alabanza. ¿Y en quién mejor empleada que en la música? ¿Quién no admira su constancia? ¿Quién no elogia su variado repertorio de piezas? ¿Quién, por fin, puede olvidar su amor a las antigüedades y su deseo de imprimir en su auditorio lo que tocan? Verbigracia: el vals del *Gracioso* y el de la *Mexicana*, con otras cosillas con que en breve nos sorprenderán, y yo como que soy tan vivo ya sé, como por ejemplo, la tonadilla de *Cuando Mina se embarcó*, y el vals del *Amor*, y aquel *Osing y Obango* que asombró por los años de 27 y 28. Hablemos de don Trifón, que estoy por demás divagado y parlanchín.

Pues señor, diré serio, *Don Trifón o todo por el dinero* es una comedia, démosle este título y empéñense en cuestiones de nombre gentes de más categoría; parece a primera vista, yo tal creí, que se ridiculizaba a un avaro; pero no ha sido así según pude comprender el argumento. Don Trifón es avaro, porque él lo dice y es fuerza creerlo sobre su palabra; desea brillar por su sabiduría, ya que lo hace influyente su dinero; no tiene talento, pero quiere ser diputado, y en esto manifiesta no ser muy lerdo; hállase a mano un poeta a quien le encarga un folleto para lucir como escritor; el escrito es, por supuesto, de oposición, y se funda diciendo:

Eso sí, firme al gobierno,
y no le demos cuartel;
no habrá, si hablamos bien de él,
quien compre nuestro cuaderno.

162

El escrito alborota, la fama de don Trifón vuela, el público lo vitorea; pero el folleto se denuncia, aprehenden a don Trifón, y éste declara que el autor es don Carlos, aquel nuestro poeta. El autor verdadero conjura la tempestad, absuelven a don Trifón, lo conduce el pueblo en triunfo, en brazos, porque el pueblo es fuerte, y más aquél, compuesto, según los trajes, de empleados, de impresores y de músicos. Don Trifón es ya diputado, tiene los lauros del sabio, y entonces, ¡miren qué cosas!, cuando según sus planes iba a aspirar al ministerio para enriquecerse, se convierte en un santo padre, y en tono de moraleja dice que se va a reducir a su familia y nada más, y que ojalá hicieran lo mismo todos; ¡qué bobo don Trifón!

Como episódicos forman el enredo los amores de Leonor, hija del héroe, solicitada de don Carlos, a quien ella corresponde, y de don Liborio que por el dinero solicita su mano; pero que al fin desengañado por doña Petra, tía de Leonor, enamora a ésta siempre *por el dinero*, y sale desairado al fin, porque la tía da su capital a don Carlos para que se case con Leonor.

El argumento es debilísimo, el carácter de don Trifón inconsecuente, como se ve, y la escena en que doña Petra hace creer a don Liborio que su hermano, padre de Leonor, ha quedado en la miseria para que desista de sus pretensiones, está tomada del insigne autor de *Todo es farsa en este mundo*; otro tanto sucede con la apología del dinero, en que imitó don Trifón al testarudo don Donato, del *Novio para la niña*, y al festivo escritor que decía:

> ¿Quién hace al tuerto galán,
> y prudente al sin consejo?
> ¿Quién al avariento viejo
> le sirve de río Jordán?
> ¿Quién hace de piedras pan,
> sin ser el Dios verdadero?
>   Don dinero.

La versificación es generalmente fácil y armoniosa, y hay trozos en que se deslizan los versos con fluidez y dulzura; por ejemplo, don Carlos, amante que pasa de tímido, en medio de su encogimiento tiene un rapto en que por inferencia quiere que su novia se cerciore de su amor.

Leonor. ¿Conque amáis, según barrunto?
Carlos. Loco estoy, ciego de amor,

lo confieso. Amo, suspiro,
por una hermosa deliro,
y más se acrece mi ardor
mientras más la hablo y la miro.

Sus ojos son dos luceros
que al sol del cielo oscurecen;
en su faz jazmines crecen,
y en sus labios lisonjeros
risas y amores se mecen.

Vence a la rosa de abril
que el capullo abre gentil
al albor de la mañana,
y fresca, pura, lozana,
es la reina del pensil.

Alegra como la aurora
que entre púrpura esplendente
se asoma en día naciente
al campo que su luz dora
por los balcones de oriente.

Y es tan bella, tan cabal,
que a Venus dándole enojos
no tiene en el mundo igual;
mas nunca, ¡oh Dios!, por mi mal
pusiera en ella los ojos!

Efecto mágico de la anterior relación la muchacha no espera razones, completa la escena declarándosele al timorato, y se resuelve, se
pronuncia, se insurrecciona, ¡qué calor el de España! ¿Por qué esta niña,
como las de Bretón en general, serán tan así? Ahorran trabajo, pero
esa no la creo pintura del bello sexo español. ¿Habrá tanta abundancia
de jóvenes sin casar? Sépalo Dios.

Otra muestra de versificación fácil:

Don Liborio. (*Requebrando a la vieja*)
Amor cansado tal vez
de juveniles verdores
anima con sus ardores
la nieve de la vejez.

Y usted sin adulación
por más que esquive su fuego
aun ofrece al niño ciego
harto linda habitación.

De edad en vano es que intente

164

echar sobre sí la mengua,
pues lo que dice la lengua
esa cara lo desmiente...

—Interrumpiré tu charla, indeciso Fidel, para preguntarte: ¿la comedia es buena?

—No, señor.

Pues esa comedia gustó y arrancó aplausos, y todos salieron con sus caras risueñas. Y esto es lo que importa al público y a los actores, y que se muerdan los codos de rabia los críticos *pedestres*. La comedia está llena de alusiones políticas, graciosas, y como es tan bonito oír criticar a los que están en el poder, y como ciertas analogías entre España y nosotros, son tan marcadas, y por fin, como es tan dulce la murmuración, el público ríe, y yo también, y toman parte hasta los irracionales en el gozo, como sucedió allí con un monísimo faldero.

Por otra parte, como no hay hijos bastardos, ni la botica contribuye con sus venenos, ni el armero con sus puñales, ni ningún sacerdote con sus hábitos, las gentes como yo respiramos, y los padres de familia también, y todos tienen razón.

Los actores desempeñaron bien, muy bien. ¡Don Trifón con cuánta naturalidad caracterizó su papel! Don Carlos en su declaración, qué gracia, qué encogimiento tan verdadero, aquel jugar con el pañuelo, aquel toser para tomar el hilo de su narración, aquellas sorpresas, ¡qué escena tan bella!, ¡cuánto tino y decencia en la señora Cordero! ¡Y don Liborio y doña Petra, qué destreza, qué maestría! Yo salí complacido con los actores, y sólo una mesa que tiene antiguo conocimiento con todos, ¡aquella forrada de damasco!, tuve que criticar en el servicio de la escena, sí, que criticar, porque burló mis sospechas. Como no sabía el argumento, la creí al principio para algunos sacramentos, después me pareció no sé qué de archicofradía. ¿Por qué se molesta de balde a la parroquia vecina?, pensaba yo. Por fin vi que era para que se sentase junto a ella don Trifón cuando se ensaya para ministro. ¿No pudo hacerlo en una mesa redonda de madera, propia para el adorno de una sala? Punto en boca por ahora, que la economía del aceite me deja oscuras, y sólo podría ocuparme de los corrillos que en la salida al bajar las escaleras pasan revista e impiden el paso; de los jóvenes con una nueva edición de esclavinas, de capotillos sietemesinos, y de otros que no quiero que por ahora maldigan a su antiguo cronista, el parlanchín y asustadizo.

Fidel
23 de noviembre de 1842

165

Teatro de Nuevo México. Domingo 4 de diciembre de 1842. *Dos celosos.* Drama en cinco actos y en prosa, traducido del francés por don Isidoro Gil.

En loor y prez de teatros desataré mi pluma, porque caprichoso y testarudo de mío, quiero burlar mil esperanzas, desvanecer mil sueños y ahuyentar por mí mismo doradas ilusiones. Así pues, quédense en sus puestos los bastones con que han de invadir y romper mi cuasi mundo costillar; vuelvan los bisturís y las sierras quirúrgicas a sus estuches y permanezca inmóvil la pala que ha de cavar la fosa del mordaz *gazzetier*.

Prorrumpirá, digo, mi voz en alabanza, y un espíritu de concordia guiará mi pluma; tosco y desabrido me juzgaron *in illo tempore* los concurrentes del Nuevo-México; pero el mundo cambia, y yo tengo todas las probabilidades de pertenecer a él; así pues, canto de todo punto la palinodia y voy a convertirme en dulce apologista; si esto me quita la reputación de imparcial, si me atrae el desprecio de los actores mismos, en cambio qué sé yo si no encontraré variación alguna en mi bolsillo al entrar y salir del espectáculo, y viviré sano y sin calosfríos a la vista de los lógicos garrotes con que se deben, según algunos, discutir las contiendas literarias. Gran trabajo me ha costado reprimir mi inocente malicia, que oponía a mi propósito más dudas y objeciones que a la ley constitucional.

Pero como la conversión fue ardiente, sólo me respondía, poniendo cataratas a los ojos y a los oídos corchos, para no ver ni oír sino lo que a todos agradase.

Con tal atrición caminé la noche del domingo al Nuevo México, y no tuve que observar ni criticar nada; derretíase mi corazón de júbilo y brotaban de mis labios los encomios. La banqueta de la acera que conduce a la entrada al teatro parecióme económica y ventajosa en la estación actual, porque agrupados a la entrada y salida los concurrentes, el frío se nota poco; además, si alguien interrumpe la marcha por subir a los coches o por saludar, hay la ventaja de calcular el empedrado y confundirse entre los carruajes, lo que puede resultar en beneficio de la nueva industria *sobre piernas de palo*; en fin, más vale poco y bueno, si no, dígalo la banqueta de la calle de San Francisco, cuya vista debe regocijar a los médicos y cirujanos.

La entrada al salón es digna de alabanza; se hace de uno en fondo, y no hay temor de que *el hombre gordo* de Bretón penetre por ella. La mucha luz del salón no me pareció tan bien; en este punto son más caritativos los del Teatro Principal; esa mucha luz casi obliga a los concurrentes a lavarse los rostros, y a los actores a tener ropa limpia, y esto es injusto en época de catarros y constipados. Encontré una especie de apéndice, de voto particular, de tablas mondas y lirondas en las galerías, y eso, como lo demás, parecióme bien: eso es presentar la verdad desnuda; sobre todo, ¡son tan bonitos los contrastes! La galería es una parte distintiva del teatro de Nuevo-México; allí sin el punto de apoyo en el morrillo, como en el Teatro Principal, y sin el recurso del anónimo en esos nidos que apellidan ventilas, se presenta en pie y de cuerpo presente el espectador, con desprocupación democrática, y el chal, y el rebozo, y el jorongo, y el *paleteau*, suelen ofrecer un destello de igualdad republicana.

Mientras la vista goza, el oído no permanece en inacción; en las tablas retumban pasos, y se arrastran sillas, y eso es casi incesante; llore la *Tisbe* o ría *Paca la salada*, el run run sigue, y alguno, por buen tono, lo fomenta. Sonó la campanilla, está alzado el telón, y ahora, sin más distracciones, forzoso es ocuparse de los *Dos celosos*.

El ingenio no consiste en decir cosas nuevas, maravillosas y nunca oídas, sino en eternizar, en formular las verdades más sabidas. ¿Qué teatro, por mezquino que haya sido, no ha visto presentar en cada intriga amorosa, en cada argumento, mil y mil celosos? Pasión es ésta de que se han aprovechado la mayor parte de los autores, ya para comunicarle el trágico sombrío de Otelo y del Tetrarca, ya para ofrecerla al ridículo como *El marido en la chimenea*. Comunicar interés y novedad a un asunto casi trivial, desafiar el paralelo entre los grandes autores dramáticos y una nueva obra, es empresa casi temeraria...

Una mujer (Julia) que en sus primeros años concibe una pasión ardiente e invariable por un joven (Enrique) que durante la ausencia de éste, para reparar la ruina y la muerte de un padre enfermo, contrae casamiento con el bienhechor de su familia, el marqués de Monte-Alegre; que éste en su tristeza, en su abatimiento, sospecha que es engañado; que sus sospechas se realizan más y más por circunstancias que prepara la intriga; y que, por último, en una entrevista que presencia el marido entre su mujer y el antiguo amante, sin que la primera lo imaginase siquiera, se persuade que su mujer es pura, palpa el triunfo de la virtud y el honor, escucha de sus labios la vindicación más sublime, la consumación del sacrificio de cuanto la pasión tiene de más vehemente y el amor ilegítimo de más seductor a la virtud, y que entonces el marido se suicida, porque según él dice está de más en el mundo; tal es en un compendio imperfecto, y según las memorias

167

que puede dejar una primera ojeada, el argumento del drama que me ocupa.

La prosa en que está escrito es elegante y fluida, y el diálogo vivo y amenizado en los primeros actos con sales cómicas, llenas de oportunidad y buen gusto. Forman el enlace dos personajes episódicos y cuyos caracteres me parecieron como los demás, dibujados con tino. Un comerciante de modales bruscos, que habla sólo de su negocio y únicamente de su negocio, entiende que vive para hacer negocio, y se endosa en casamiento a una primita jovial e ingeniosa, burlona, perspicaz, aturdida; pero virtuosa, amiga íntima de Julia y amante también del señor Enrique, de quien equivocadamente concibe celos el negociante, ofreciendo escenas y contrastes hermosos esta pasión en un hombre sin cultura; y el marqués, cauto, lleno de previsión y conocedor profundo de la sociedad.

En cuanto al drama en general podría hacer algunas reflexiones que quiero callar por temor de difundirme demasiado; no mereceré, pues, título de rígido, porque no me detendré ni en el tiempo que transcurre de uno al otro acto, ni en la increíble facilidad con que se convierte Juanita, en seis meses, de humilde aldeana en astuta señorita de buen tono; no tampoco en la violencia con que desiste de su pasión a Enrique y se casa con un marido a quien ridiculiza y desprecia porque es marido; no notaré, por último, que conociéndose mucho Enrique y Valler, presente Juanita al primero, diciéndole: *Ved si se os decía bien, que mi marido tendría sumo gusto en conoceros*; en nada de esto quiero hacer alto, y sí en el desenlace, porque es lo más interesante del drama, y porque algo puede decirse sobre la moralidad que presenta.

El marqués es un español reservado y taciturno, de esos hombres que bajo un exterior de calma abrigan un corazón y unas pasiones de fuego; de aquellas almas que de la indiferencia afectada pasan al frenesí; de aquellos que taladran sus entrañas en medio del sufrimiento; de esos que encontramos en los festines, que vagan en los paseos, que pronuncian palabras de amor o de felicidad, y que, sin embargo, su mirada los desmiente, su frente sombría los denuncia, la imperceptible arruga de sus cejas nos dice: *¡Ah, no sabéis lo que padezco! Yo soy infeliz*. Así era el marqués; sus manos estaban teñidas en la sangre de su primera mujer perjura, y el presentimiento de un engaño de Julia, ídolo en quien se habían concentrado sus afectos otras veces burlados, era la última rama de salvación entre el despecho y la felicidad. Volvamos al desenlace.

La escena representa un dormitorio, Julia está en él por un engaño, allí debe concurrir Enrique, y el marido, a quien Julia creía a muchas leguas, oculto espera el resultado de la entrevista. El espectador sabe y está convencido de la inocencia de Julia; conoce y se interesa por el marqués tan caballero, tan intensamente apasionado, que la ama, que derrama lágrimas, que espera la decisión de su suerte, su horrible desengaño, y que supone cuánto sufrirá allí en vista de los amantes, recogiendo una a una sus palabras, devorándolos con los ojos, queriendo consumirlos con su aliento; sin embargo, Julia se arrodilla para orar y no puede, porque un oculto terror desconcierta sus palabras y hiela su corazón. Enrique llega; Julia, sorprendida, le ordena que se retire. En vano el antiguo amante la dice que quiere darle un adiós eterno; en vano con la viva elocuencia de un amor que ha tenido prestigio, y por el que se han hecho sacrificios, le ruega que le escuche; en vano le expone que por ella atravesó los mares, abandonó su madre idolatrada y se expatría y cavará su sepulcro en extraña tierra.

Julia es una joven virtuosa, ama a Enrique en el fondo de su alma; al marqués, como se ha dicho, le profesa amistad y reconocimiento, y Julia, que ha llorado por el amante ausente, y Julia, que le recordaba con el frenesí del amor de la niñez, y Julia, que regaba sus ricos trajes y sus soberbias alfombras con lágrimas por el amor frustrado, Julia triunfa, y ese triunfo es sublime, porque la virtud es augusta y resplandece como el sol, y porque la virtud en lo literario, en lo político, en lo social, es la más sólida y la primera de las bellezas.

El marqués escucha con inefable placer, y cuando ya lo suponía nadando en un mar de satisfacción y de deleite, su honor salvado, sus sueños de oro realzados... entonces, ¿creéis que vuela hacia la esposa honrada para acariciarla, para idolatrarla con vehemencia? Pues todo lo contrario, el muy zopenco se mata. ¿Y por qué? Porque está de más en el mundo, y porque su mujer es pura como los ángeles. Éste era vizcaíno, sin duda. ¿De más en el mundo, con una mujer tan bella y tan honrada?, ¿y marqués, y rico?, ¿y luego escribirlo en aquellos momentos? Ya se ve, marqués de por allá; los de por aquí sabe Dios cómo firman, aun cuando están en sus cinco sentidos.

El celo es una pasión egoísta, es la envidia disfrazada con otro título; el celo no es nunca indulgente con el amor del rival; el celo es la tortura por la felicidad de otro en los amores con la que se ama; y satisfacción semejante y triunfo tan supremo, embriaga y enardece y da tal superioridad, que ni al rival, ni al mundo se percibe. ¡Vive Dios, que no es descendiente de Pelayo quien hace lo que el marqués! Me dirán algunos que el marqués se mata por el horrible desengaño de que no es amado. ¿Cuándo estuvo en esa creencia? ¿No se conformó con la amistad y la gratitud? Y, ¿pudo nunca ser más consecuente su esposa con la una y hacer sacrificio mayor por la otra? No obstante, replicarán, se dio muerte el marqués por la felicidad misma de su esposa, amante y amada de Enrique; él estorbaba la unión, muerto podrían enlazarse, ser dichosos, él era el obstáculo; ¿cuál sacrificio más generoso que aproximar tal ventura quitándose de por medio?

En este punto el drama es eminentemente inmoral, porque envuelve la justificación más peligrosa del suicidio; su crimen es un acto de desprendimiento, es el sacrificio inmenso de la existencia a la ventura de la persona que se ama. ¡Qué seducción! ¡Qué generosidad! ¡Cuánta nobleza no adquiere este atentado, si así se considera! El marqués honrado, satisfecho, feliz, inmola su vida, premia de este modo la virtud de su esposa, forma de su sepulcro el ara nupcial. Ésta es la inicua moral del Werther confundida y contra la que recayó el anatema social; esto es engalanar y santificar el crimen, es la resurrección de la perniciosa escuela de Byron, es el proceso de los que le dieron su voto para representarse.

Aguardo; me desdigo para no entrar en honduras; será lo que Dios quiera y hablemos algo de la ejecución. El señor Barrera, a quien se encomendó el papel del marqués, lo desempeñó con admiración mía y con aplauso universal; puede considerarse su carácter como el examen de un actor; habla poco, su acción debe decirlo todo; recordaba sin duda que *el verdadero talento trágico no consiste en las contorsiones y los gestos, sino en el arte de expresar los afectos, de pintar las acciones con los acentos, con las inflexiones que forman el lenguaje del corazón.* Nada de contorsiones exageradas, no aullidos groseros que destruyen la ilusión y degradan el personaje; *verdad, verdad,* y ésta es la primera regla del buen gusto. Su voz, débil y apagada, tal vez impropia en otros papeles, en éste caracterizaba bien la reserva y la pasión concentrada del marqués, y el triunfo de su razón sobre sus afectos; en algunas escenas lo pintó con maestría. En una de las primeras escenas del acto tercero, cuando confiesa el marqués a su sobrino que tiene celos, esta palabra se supone que sale rompiendo su pecho y quemando sus labios; es confesión dura, horrible en un hombre de su carácter; confesión que lo debe pintar, y el actor dijo: *tengo celos,* con fría indiferencia y sin esfuerzo.

Gallarda es la presencia del señor O'Loghlin en escena, y siente con tanta verdad y algunas veces con tal fuego, que no obstante su voz, en lo que no tiene culpa, se pone a la altura de su papel; sus modales tienen decencia y compostura; pero cuando se exalta, habla sin pausa regular, en frases entrecortadas a compás, lo que produce ingrato martilleo. Cuando regresa a ofrecer su mano y sus riquezas a Julia, y sabe que se ha casado, hay una mudanza de voz, de acción, de afecto, que forman el contraste; la noticia debe dejarlo atónito al principio, y la explosión debe ser de cólera, no de dolor y llanto; así creo que lo quiso el autor.

No dejaremos de hablar a la señorita López sobre la declamación; cierto es que estas críticas deben estrellarse contra un vicio que no sólo tolera, sino que aplaude el público; su acento cuando muestra ansiedad es siempre exagerado; la agitación suya y más reprimida, como lo exige su papel, no se muestra con una ansia tal que parece enfermedad. En el cuarto acto, cuando ve a Enrique por primera vez después de su dilatada ausencia, me pareció la señorita López admirable; la sorpresa, el júbilo ahogado, el temor, el respeto a su marido, esa lucha de afectos que la anonadaban, que la confundían, que le hacían balbucir las palabras y la agobiaban hasta quitarle las fuerzas, lo desempeñó muy bien; débilmente sostenida del balcón al desfallecer, al caer. ¡Cuánta verdad! La última escena del drama la sintió y la expresó con pasión y con verdad; la vista de su esposo asesinado la aterra, la desconcierta, clama, discurre enloquecida por el aposento, ve horrorizada al marqués y gime y cae desfallecida, golpeando su cuerpo en el suelo, sin acordarse como otros y en medio de las ansias de la muerte, del costo ni calidad del vestido.

¿Y qué diré de la vivaracha y festiva Juanita? ¡Cuánta maestría y qué comprensión tan cabal de su papel en todos los actos, en todas las escenas, en todas las situaciones! A decir verdad, sintió más de lo que era de esperarse la primera partida de Enrique; era justo, lo quería; pero, ¿por qué acordarse del público en medio de conflicto tan atroz? Porque aquella garganta que se desencajaba, y aquel ahogío y aquellas pataditas en el suelo, era sentir de cuerpo entero, y a vista de la mamá y de Julia y de todos nosotros lloraba tan de veras, que reían todos, y quería el autor que lloraran, pero no de risa...

Valler era un patán, no un estúpido, un hombre fuera de su elemento, un aldeano que se improvisó caballero de buen tono; sabía más de remolacha y de canela que de modas y cumplimientos. Cuando por consejo de su amigo reprime su celo que estalla en medio del fingido buen humor, el disimulo es lo que exige el papel, no exclamar como frenético y reír después también como un loco; esa transición debió ser gradual, según las señas que se le hacían. En el final, su acción muda, su rostro atónito, sus ojos saliéndose de sus órbitas, su boca entreabierta, su ademán espantado, revelaron al excelente actor que tan constantemente recoge lauros.

Fatigado yo, el lector también rabiando con mi charla, en lo que habrá hecho mal, porque con voltear la hoja y leer avisos, punto en boca; pero, ¿cómo me ha de querer prestar su atención si le digo que la escena estuvo servida brillantemente? Lujo y variedad en los trajes y los comparsas afeitados y con camisa limpia. Cierto es que en la escena octava del acto tercero debían entrar varias modistas con las cajas y paquetes que el marqués compró a su mujer; pero era imprudencia desvelar tanta gente, y aquello de ¿los amos con los criados cómo?, ahorrándoles trabajo; vale más truncar el drama, que diez o doce renglones más, ¿qué valen en la conciencia de un director de escena? Juanita en el cuarto acto debe aparecer bordando, pero era picardía trabajar en día festivo, y luego después de sollozar con pies y manos.

El salón no estaba tan ricamente amueblado en el cuarto acto; ¡qué imprudencia! También Valler entonces sólo era diputado... ¡ah!, pero diputado de Francia, ¿y de oposición?... Eso sí que se le quedó en el tintero al autor del drama. ¿Y qué sería cierto ruido sordo como de coche, como de rezo en voz alta, durante toda la representación? ¿Dormirá alguno que ronque, bajo las tablas? Yo no sé; el ruido era por allí, y sépalo Dios.

Fidel
9 de diciembre de 1842

Teatro de Nuevo-México. Jueves 8 de diciembre de 1842. *El Barbero del Rey de Aragón*.

Más florido que el vergel
y más risueño que abril,
en estos versos Fidel
pinte un ilustre doncel
de la chusma *barberil*.
   Que así maneja el estoque
como la aguda lanceta,
y que por una coqueta
no quiere ni rey ni roque,
y fastidia la luneta.

172

Y hay barberos de talentos
que así escriben cual rasuran,
que se plegan a los vientos,
y más de cuatro figuran
en grandes pronunciamientos.

El barbero de Aragón
afeita la barba real,
y afeitará a su rival;
pero tiene corazón,
y es tierno y sentimental.

Érase un barbero novio,
y érase un patán amante,
era, en fin, un rey tunante,
que de ambos hace el oprobio
con chica de buen talante.

Pero conspira el arriero,
y el rey se roba la chica,
y se conjura el barbero,
y en el salón se repica
de palos un aguacero.

Y salta entonces la dama,
y habla en voz de pastorela,
y un murmullo se derrama
que asusta a su parentela
y perjudica su fama.

Siguen la conjuración;
sigue el barbero en holgorio,
y el pillo rey de Aragón
da a la niña protección
en su mismo dormitorio.

¡Pobre barbero!, se ardía,
va y viene que hace rajas,
y se arma de su bacía;
pero afila sus navajas
para que el público ría.

Aquí el lance se atropella;
está resuelto el barbero,
y ya casi al rey degüella;
pero no cortó el acero,
o no lo quiso su estrella.

173

El rey por esto se inquieta;
muestra cólera inhumana,
y lleva una servilleta
paso a paso a una ventana
con la calma de un profeta.

Allí es ello; se hacen rajas,
se escuchan bocas y pies;
pero guarda sus navajas
porque no muera un marqués
por quítame allá esas pajas.

Crece el trajín, crece el humo,
tose y clama el auditorio,
queda solo el dormitorio,
y de pólvora el consumo
es al público notorio.

Vuélvese el rey perillán
después de vengar la injuria,
y halla tras el duro afán
castigada su lujuria
por el pecado de Adán.

Campana, telón, violines
en desconcertada gresca;
se abandonan los cojines,
y el público se refresca
y gozan los parlanchines.

El marqués, antes barbero,
saca un vestido escarlata
en figura de tablero,
y el mismo puñal con plata,
y el mismísimo sombrero.

Hecho un Ortiz de Roelas
a su rival desafía;
¡cuánto mejor le estaría
ponerle unas sanguijuelas,
o bien darle una sangría!

¿Y la chica? En las montañas.
¿Y Alonso, rey de Aragón?
Pensando en las musarañas.
¿Y los rivales? De unión,
pero con malas entrañas.

De buena escapas, doncella,
de un indómito patán,
de un rey que te admira bella,
y un barbero perillán
que arde como una centella.

　　¡Qué concurso tan travieso!
¡Qué terceto tan maldito!
¡Oh tan selecto pito!
¡Oh garrotes de progreso!
¿Para cuándo sois, repito?

　　Y tú, joven adorada,
por tan extraño terceto,
quédate allá soterrada,
no te pierdan el respeto,
porque no te faltó nada.

　　Si esa ambición juvenil
no encierras en el bolero,
y en la *cachucha* gentil,
te pondrá el público entero
como hoja de perejil.

　　Si te cegó adulación
de los mismos que hoy te atacan,
di, para su confusión,
a ver, ¿y cómo me sacan
de los montes de Aragón . . . ?

　　Dar hoy un drama, otro ayer,
de este jaez y primores,
cosa fácil puede ser;
mas recordad, directores,
a la mula de alquiler.

　　Suenen pitos y panderos,
prepáranse menestrales,
los sastres y zapateros,
porque ya son inmortales . . .
Ya son grandes los barberos.

　　Y haya bulla y movimiento,
venga una noche un sainete,
y la otra un drama sangriento,
y Fidel en su elemento
diciendo cuántas son siete.

Y haya público que goce,
y haya siempre abono exacto,
y haya un siglo en cada entreacto,
y no se quebrante el pacto
de salir siempre a las doce.

Y gástese almagre en cargas,
figurando sangre viva,
y haya lágrimas amargas,
y haya a menudo descargas,
la pólvora no es nociva.

Yo entre tanto en el ridículo
ejercitaré el pincel,
no en anónimo papel,
porque al pie de cada artículo
pongo mi nombre.—Fidel.

11 de diciembre de 1842

Teatro Principal. Domingo 11 de diciembre de 1842. *La visionaria.*
Comedia en tres actos de Eugenio Hartzenbusch.

Pecho al agua y pluma en ristre,
a decir cuatro verdades,
pintando las novedades
del Teatro Principal.
  Las lágrimas de la viuda
y *La cabeza de bronce,*
allá por el año de once
se pudieron tolerar.
  Cuando el *Anillo de Giges*
y *El mágico prodigioso*
eran el lauro glorioso
del popular *Amador.*
  Cuando el virrey sonreía
a *Luciano* en un sainete,
y embelesaba al mosquete
El diablo predicador.
  Pasó el tiempo año tras año,

176

Vino Garay, llegó Prieto,
y revivió un esqueleto
en la escena teatral.

Pasó tiempo todavía
y se escucharon los cánticos
de apasionados románticos
y hubo veneno y puñal.

Y entonces tras las escenas
de horror, de sangre y de luto,
pidió de risa un tributo
el festivo Moratín.

Mas no reviváis comedias
cual *La cabeza de bronce*,
ni otras que en el año de once
debieron de tener fin.

Me vuelvo a *La visionaria*,
obra de un preclaro ingenio,
porque escribió Juan Eugenio
Los amantes de Teruel.

Y por Dios, quien tal escribe,
y asiento tan alto toma,
respeto pide y no broma
de un pigmeo cual Fidel.

Digo de *La visionaria*
que es en tres actos y en prosa;
una vieja cosijosa
en el papel principal.

Un español rico y guapo
ronda de noche y de día
la finca en que ella vivía
con interés comercial.

Así lo explica: la vieja,
que es maliciosa y endina,
piensa que con *Valentina*
trata el ricacho de amor.

Veía con él en un coche,
y doña *Críspula* boba
piensa que el hombre la roba
yendo a curar un dolor.

Hay gritos, hay ministriles,
queda el pueblo estupefacto

viendo que termina ese acto
una escena de entremés.

Al fin entre aquella grita
viene el amante exprofeso,
con frac casi del *progreso*
y con sombrerillo al tres.

¿Cómo acabar la comedia?
Casando al buen don Vicente,
y matando a un inocente,
y disparando un cañón.

La vieja se desengaña,
bendice al novio jumento,
y al último hay casamiento
y *tin*, abajo telón.

Dulce y sonora la lira
de Bretón de los Herreros,
alegra los *cazueleros*
y la luneta también.

De Coll, de Gil, y aun de Scribe,
en insulsas traducciones
hay hermosas producciones
y dramático interés.

¿Mas cómo decir lo mismo
de esta pieza estrafalaria,
de esta vieja visionaria?
¡No lo haré yo, vive Dios!

Así el actor se desvive,
y del aplauso se priva,
y se expone a que esto escriba
el *boletín*, con razón.

¿Creéis que os están atentos
mostrando así tanto empeño?
Serios están y es de sueño
muy honesta diversión.

¿Escuchasteis un murmullo?,
¿fue un chiste, fue una voz grata?
No, señores, una rata
del palco municipal.

Y en el techo dizque viven
del polvo entre el sucio piélago,
la lechuza y el murciélago,
y el ratón y el alacrán.

¿Y el proscenio?, ¿y los actores?,
¿y el pueblo? ¡Escritor exótico!

¿Todos bebieron narcótico?
No, mas confían en Dios.
   Por algo llaman al público
de sobrenombre sufrido,
que bueno para marido
jamás levanta la voz.
   Despierta, teatro mío,
sacude sueño tan largo,
sal de tu aciago letargo,
atiza bien tus quinqués.
   Compra gatos, busca escobas,
y cuando aseo y luz sobre,
no te quejarás de pobre
el treinta y uno del mes.

                              Fidel
                    15 de diciembre de 1842

Teatro de Nuevo-México. Diciembre 18 de 1842. *Cada cual con su razón.* Comedia en tres actos y en verso: su autor, don José Zorrilla.

Si una poesía robusta y sonora, si el encanto de una versificación fácil y melodiosa, fuesen las únicas dotes de una buena producción dramática, sin duda alguna ocuparía un lugar muy distinguido la del inminente poeta don José Zorrilla, cuyo título está al frente de mi artículo. El plan, los caracteres, el diálogo y la observación de los preceptos dramáticos, son grillos pesados para ingenios que, como Zorrilla, cantan en sus raptos de inspiración, y sin más traba se remontan a la sublimidad de la poesía lírica. En esta comedia se palpa la verdad que dejo asentada y aparece a su pesar el poeta en los momentos que nada debería revelarlo; parece que ostigado de los obstáculos que pugnan con la osadía de su genio, rompe los diques, se engolfa en las descripciones, en los tropos, en las imágenes que caracterizan otro género de composición.

   ¿Quién no reconoce el laúd de Zorrilla en estos versos en que se querella el marqués dudando del honor de su hija?

        ¡Pobre Elvira! ¡Elvira mía!
     ¿Cómo podrá suponer
     que te venga a sorprender
     quien a abrazarte venía?

Pobre niña encantadora,
mitad de mi corazón,
secretos del cielo son
que el hombre imbécil ignora.
¡Oh!, cuántos años sin verte,
hermosa luz de mis ojos,
llamé al son de mis cerrojos,
desesperado, a la muerte.

Sería preciso trasladar aquí la comedia entera para hacer notar la riqueza de poesía derramada en ella. Cuando Inés trata de justificar a su señora de las imputaciones que le hace el pundonoroso marqués, éste le replica:

¿No es mujer?
¿Corazón no tiene, di?
¿No puede a ciegas amar?
Quien duerme junto al hogar
al cabo se abrasa allí.
Tú sabes lo que las quejas
alcanzan de un galanteo
cuando avivan el deseo
imposible de unas rejas.
¿No sabes tú cómo abrasan
los requiebros de un galán,
que al corazón siempre van
si por los oídos pasan?
¿No sabes a una mujer
cuánto tientan en verdad
la noche, la soledad,
las palabras de placer,
que un labio audaz le prodiga,
cuando al jurar que la adora
la está llamando señora
y a ser su dama se obliga?
¿No sabes, Inés, por fin,
en quién con amor delira
el fuego infernal que inspira
la frescura de un jardín ...?

Terminaré mis difusas citaciones con el principio de la escena x del acto segundo, en que el rey reconviene al marqués y a don Pedro porque lo siguen tenazmente:

180

¿Quién sois vosotros que doquier tenaces
seguís a vuestro rey? ¿Dais al olvido
que ahuyenta las salvajes alimañas
del soberbio león ronco el rugido?
¿Me entendéis? Despejad.

D. *Pedro*.

Mucho te engañas
si piensas aterrarme con tus voces,
si imbéciles reptiles de repente
a la voz del león huyen veloces,
atrevida le aguarda la serpiente.
Bajo tu ley nací; nací vasallo,
mas también a su dueño se somete
el orgulloso y lidiador caballo
y tira, sin embargo, a su jinete.

Considera esta producción como dramática, a mi modo de ver, dista
mucho de ser una imitación feliz de Lope y Calderón, y mucho menos
de Tirso de Molina; los escondites y las cuchilladas, las habladurías de
la dueña y la arrogancia de los galanes, verdad es que son comunes en
las comedias de capa y espada y de otros autores que florecieron a principios del siglo XVII; pero ni el enredo de Lope, ni *los felices lances de
Calderón*, ni las sales cómicas de Tirso, percibí en la composición de Zorrilla. Por otra parte, aunque tan marcadas en la historia las costumbres
del reinado de Felipe IV, no las veo retratadas.

Este rey, mozo y galante, que amaba las letras, que en festines magníficos se ensordecía a las quejas de su pueblo, comunicó a su tiempo
y a su corte un tipo peculiar que no aparece en la comedia de Zorrilla.
No me detendré en enumerar sus defectos, porque saltan a la vista
menos perspicaz. El escondite de don Pedro, la libertad del marqués,
su riña interrumpida, el anónimo conservado en medio de tales ave-
rías, el narcótico y el tránsito de maroma por el balcón, ¿a quién pareció verosímil?

Hablemos dos palabras de la ejecución, aunque me ahorrará el trabajo Lope de Vega en los siguientes versos:

Si hablase el rey, imite cuanto pueda
la gravedad real; si el viejo hablare,
procure una modestia sentenciosa;
describa los amantes con afectos
que muevan con extremo a quien escucha.

181

Estos consejos, escritos para autores de comedia, no los creo inútiles a los actores, aunque la pieza en lo general me pareció bien desempeñada, y la escena servida con mucha propiedad y decencia. La dama debería ser joven; Felipe IV comenzó a reinar de diez y seis años y a muy poco fueron sus aventuras; pero eso no será tan notable para otros como para mí.

Fidel
22 de diciembre de 1842

1843

Teatro de Nuevo México. Jusepo el Veronés. Drama en cinco actos.

No hay duda, los románticos, como ellos se dicen, no han dejado estaca en pared, ni títere con cabeza, ni han perdonado ratón vivo, ni gallo muerto, ni rey, ni vasallo, ni alma en pena, arcángel ni demonio. Y el trono, y el templo, y el lupanar, y el taller, y la bartolina, y el subterráneo, y hasta, como Byron, el vacío, han querido ser teatro de sus calenturientas producciones.

Jusepo el Veronés es un dije, una presea romántica, un estuche de preciosidades patrióticas, una muestra de héroes de patente de nueva invención, que puede arder en un candil. ¡Catón y Washington, Guzmán el Bueno y Bolívar! Plaza, plaza: valen todos ustedes un comino; ser héroes de ese modo no tiene gracia, eso es ser del retroceso. Ven acá tú, ¡oh Jusepo!, lustre y dechado de los héroes de la nueva escuela, y mira sobre el hombro a esos infelices que buscaron la inmortalidad desfaciendo entuertos y combatiendo vestigios.

Jusepo, llamémoslo así porque no tan de luego a luego se ha de saber su nombre, no sólo está al servicio del Podestá de Verona, sino que es uno de sus más celosos partidarios, al parecer, y su más envilecido adulador. Pero es el caso que el partido del pueblo en Verona era el demonio; pero era un partido sin caudillo, un cuerpo sin alma, una bolsa sin dinero. Jusepo lo sabía y fijó los ojos, para que acaudillase al pueblo, en un mozalbete que más se cuidaba de los amoríos de la plebeya Estela, que de su cara patria; lo que no es un fenómeno, que mayor es el número de jóvenes que se desvelan por un frac más que por una invasión texana. Jusepo quiere avivar el fuego patrio, presentando al tirano con su sangrienta deformidad; y paf, violenta el asesinato frío de un viejo infeliz, que por conspirador estaba preso; la ejecución se verifica en los momentos mismos en que el Podestá y los patriotas beben y charlan alegremente. Pero en vista de aquella sorpresa de la muerte del viejo, claman los partidarios del pueblo, se atufa el tirano, los regaña como un pedagogo, y los héroes callan y beben después, porque es un evangelio que los duelos con pan son menos.

Para penetrar en el intrincado laberinto que después sigue, no bastaría el ovillo de Ariadna, conténtome con decir que Jusepo se complica en una travesurilla amorosa y hace de tercero a las mil maravillas; hasta cuidar una puerta, mientras el rey y Estela discuten y cuestionan ... y por fin precipita Jusepo la deshonra de la virgen; pudo, según todas las posibilidades, permanecer intacta la joven, pero entonces no tendría gracia lo que después verá el lector. Antes de esto, un amigo de Jusepo, el verdugo, le da una carta en que descubre que el viejo es su padre, que la joven con quien hace la vil tercería, es su hermana, porque es hijo de su padre; no a todos les sucede lo mismo, pero este Jusepo es un ser privilegiado, y tiene una misión que cumplir; pero no está el secreto para descubrirse. Los diputados del pueblo confían en los consejos de Jusepo para una conspiración; y así salen, van por lana y salen sin pelo; esto es, son por él mismo aprisionados y cargados de grillos en un subterráneo.

Los pobres patriotas se tiran del pelo y quieren tener a las manos al traidor, aun cuando sea en los últimos momentos. En esto llega Jusepo, por supuesto se le van encima como dos canes, pero le dicen: "A pesar de todo, sólo te queremos", y Jusepo queda solo. Se quejan de estar encadenados, no hay cosa más fácil, les deslían las cadenas, digo deslían porque las cadenas de Verona tienen los extremos como lazos; todo esto lo dicen los partidarios del pueblo con derrame de bilis; no obstante, el más frenético exclama: "¿Con qué te mato? Jusepo le da su puñal. Ya tiene todo, ya se acerca para herirlo, ya le despedaza el pecho, pero reflexiona y dice: "Híncate." Jusepo se hinca; entonces, ¡oh milagro!, ¡oh resurrección de los prodigios subrehumanos!, hay una voz secreta que dice: ¿quién sabe?, porque es secreta, y Jusepo se salva; porque eso de voces secretas no es para chanzas.

Tú, ¡oh vulgo pedestre y romo de inteligencia! Tú, digo, creíste a Jusepo un vil, un asesino, un tercero miserable ... pues era un héroe, sí señor, y por eso lo proclamaban mártir de la libertad. En efecto, si era gastrónomo, ¿qué mayor martirio que asistir a un convite y no probar bocado, pensando en el asesinato de un viejo infeliz? Si amaba el bello sexo, ¿qué mayor pena que oír puertas afuera los requiebros de un galán y una dama, expuesto, digámoslo así, a la más heroica intemperie?, y mil cosas por el estilo que me dejo en el tintero. En aquel trance, esto es, cuando todos lo proclamaban, descubre sus heroicos sufrimientos. Descubre que por espacio de cinco años ha vivido en el Podestá, ha sido instrumento de sus crímenes, ha besado su mano, le ha prodigado título de amigo y humillantes adulaciones; pero al paso que tal hacía, preparaba armas, acechaba el momento de herir aquel corazón, que por espacio de cinco años había estado señalando para no errar el tiro. Las armas las introducía por una especie de gatera al lugar mismo donde mandó poner a los patriotas para que de ellas se sirviesen. ¡Héroe cuadrúpedo, bajando al nivel del gato y del zorro por libertar tu patria!

Por fin, para no inoportunar al lector, los momentos vuelan, la insurrección está a punto de estallar; pero la hermana de Jusepo, con todo y deshonra, vive aún con el Podestá, y éste se aprovecha de la ocasión para que elija entre la vida de su hermana y la libertad. Bonito Jusepo, ¡prefiere que muera la muchacha! ¡Tunante!, ¡como recordó que ya nada tenía que perder! Aunque, según algunos, podía aun casarse con el antiguo amante; lo que le sucedió podía pasar por un sacrificio a la patria. ¡Nada más natural!

Llégase el momento supremo, el caudillo de Jusepo está regenteando la causa de la libertad; y la duda de si muere o vive, ha costado una vida: sacrificio de Jusepo, como el de arrojar un moribundo en un torrente, que se nos había olvidado decir. En los críticos instantes referidos, Jusepo se descubre al tirano y los dos se desafían a muerte; pero observan sin duda que peleando en aquella pieza podrán constiparse, y se van a matar a puerta cerrada. Los conspiradores penetran al interior del palacio, donde les sale al paso Jusepo, ya héroe, que expira entre las aclamaciones del pueblo libertado. La política, y más para un pueblo nuevo como el nuestro, tiene también su moral, y no sabremos decir hasta qué punto será conveniente presentarle semejantes modelos de heroísmo. *Traslado a los censores.*

En cuanto al desempeño, diremos que en general fue bueno y que la escena se sirvió con el decoro y la decencia de siempre. El señor Mata tuvo momentos muy felices, y quisiéramos que cuando reconviene a su corazón por no haberle dicho que a su padre era al que por sus sugestiones se ejecutaba, hubiera sido más indulgente con él, porque azotar al corazón como a un chico, fue desvanecer la ilusión y hacer risible una escena trágica y por otra parte comprendida y desempeñada muy bien. *Du sublime au ridicule il n'y a qu'un pas.* La señora Ca-

187

ñete, aunque fuera de su cuerda, trabajó con empeño y dejó complacidos a los espectadores; y el señor Martínez como siempre caracterizó perfectamente su papel.

Fidel
11 de enero de 1843

Teatro Principal. Solaces de un prisionero. Comedia en tres jornadas, por don Ángel Saavedra, Duque de Rivas.

En la memorable batalla de Pavía fue hecho prisionero el rey Francisco de Francia por Urbieta y conducido desde Pisleon a Madrid, donde permaneció hasta enero de 1526, en que por fin ratificaron un tratado Francisco y el emperador Carlos V; tratado que no fue muy escrupuloso en cumplir el rey de los franceses, según pormenor refiere el sesudo padre Mariana.

Después de la anterior digresión histórica, pasemos a dar una ligera idea de los *Solaces de un prisionero*, del duque de Rivas. Para aliviar sus cuitas, el rey Francisco se dio traza de escalar su prisión, y pasaba en honesto galanteo las noches con doña Leonor, de incógnito y fingiéndose un caballero francés que se había decidido a correr la suerte del real prisionero; esto contentaba más a doña Leonor, que al amante de su hermana Elvira, que era nada menos que el emperador Carlos V, que también, por solazarse de las graves ocupaciones del poder supremo, requebraba almibarado a Elvira, también ocultando su nombre. Celoso Carlos V del galán que rondaba la calle de su amada, lo acomete y acuchilla, descubre que es su ilustre prisionero por las habladurías del criado de Francisco, que parece que adrede se embriaga para delatar a su señor, y se desenlaza el drama con el reconocimiento de ambos monarcas y el desengaño de ambas jóvenes.

Pobre es el argumento, y los incidentes que sostienen esta comedia de capa y espada ofrecen en general poco interés, sobre todo en el desenlace. Parece que el autor se propuso imitar fielmente las comedias que en el siglo de oro de la dramática española llenaron con su riqueza el orbe literario y valieron una venerada inmortalidad a los nombres de Lope y Calderón. Ciertamente, considerados bajo este aspecto, los *Solaces de un prisionero* no desmerecen del esclarecido ingenio que los produjo. Pero pasaron ya los tiempos en que los caballeros tenían *en la boca el galanteo* y la mano en la espada; en que la lealtad al rey y el acatamiento a la hermosura eran como los artículos de un dogma, y

188

que los embozados rondaban la reja, y se daban músicas, y se acuchillaban; tales escenas en el teatro reproducían las costumbres y eran la expresión de la época y de la sociedad; pasado ese tiempo, es aventurarse reproducir en la escena comedias semejantes.

De eso a mi entender depende que casi provoca a risa el humilde rendimiento con que se ve en esa comedia a los reyes, la repugnancia con que se escuchan los diálogos entre ellos y sus ladinos domésticos; y del tiempo también depende el visible desagrado con que se ve altercar al monarca con un borracho, que casi lastima el decoro con sus contorsiones y con su asquerosa desvergüenza, lo que depende sólo del autor. Es una observación constante: a medida que la sociedad se desmoraliza, en el teatro se refina la decencia, o se entroniza la hipocresía; de allí es que mejor se tolera la relación de un crimen, que una sola palabra indecente; y mejor se soporta un malvado como Antony, que un ebrio como Pierres; éste es un hecho que no debe perder de vista el autor de comedias en nuestros días. Los otros inconvenientes que ofrece una imitación ciega del teatro antiguo, son de menos importancia, pero no despreciables; por ejemplo, la frecuente variación de lugar, porque por más que se diga, aunque existe ese convenio tácito entre el espectador y el autor, ese cambio de concesiones entre el arte y la ilusión de los espectadores, pasar del salón al jardín, del jardín a la prisión en momentos, y esto con la intervención de los criados que trasportan los muebles, es peligroso en todos los públicos y en todos los tiempos.

La versificación de los *Solaces de un prisionero* no necesita elogios, baste decir que el incomparable autor del *Moro expósito* la escribió; pero como ésta no es de las primeras cualidades de un buen drama, reservamos su mención para este lugar, aunque no somos insensibles a la armonía de versos como los que citamos. De cuando en cuando, en la composición que nos ocupa, se deja ver el poeta lírico con su gallarda valentía, recordando que ha conquistado más gloria a su nombre, inspirado por el estro de Herrera y de León, que por la musa festiva de Moreto y de Tirso. La silva, la redondilla, el romance y hasta el soneto austero, sirvieron a su pluma y empleó el autor felizmente haciendo más palpable la imitación del teatro del siglo XVI. No podemos renunciar al placer de citar aquí algunos trozos en que más luce la sonora versificación del señor Saavedra. Así disculpa el rey su galanteo con doña Elvira:

> Fuerza es dejar la relevante esfera
> de la alta majestad del sumo mando,

189

para poder gozar de cuando en cuando
los bienes de la vida placentera.
El blando amor y la amistad sincera
huyen del trono y del poder temblando,
aunque en el trono y el poder, ansiando
dulce amor y amistad, un hombre muera.
De la vida común yo así encubierto
mi nombre y mi dominio sin segundo,
vengo a buscar el sosegado puerto.
¿Pues qué sin amistad ni amor el mundo
es para el hombre? Un árido desierto,
un ciego abismo, un piélago profundo.

Vacilando Leonor entre su deseo de ver a su amante Francisco bajo
el nombre de don Juan y el temor de que vuelva a encontrarse con
Carlos V, que obsequia a su hermana, así se expresa:

¿Si seré tan desdichada
como anoche, ¡ay Dios!, lo fui,
y estaré esperando aquí
para quedarme burlada?
—Aún nada he sabido, nada,
de lo que anoche ocurrió.
—El que la ronda encontró
fue don Juan, esto es lo cierto,
le importa estar encubierto...
¿Pues por qué lo espero yo?
—Si otro encuentro ha de tener,
si por mí ha de peligrar.
no me venga, no, a rondar,
no me venga nunca a ver.
—Paciencia sabré tener
en la ausencia y el olvido,
porque mi amor no es fingido;
antes es tan puro y fuerte,
que prefiriera la muerte
a verlo comprometido.
—También el emperador
que por más que disimula,
mi prima aunque harto lo adula
es su amante rondador.
—Anoche, ¡duro vigor!,
vio a don Juan, y está celoso.

190

Esto me quita el reposo,
y todo, todo lo temo,
Que siempre hay peligro extremo
en turbar al poderoso.
Mas según es esforzado
don Juan, ¡ay triste de mí!,
por venir a verme, sí,
todo lo expondrá arriscado.

Esto aumenta mi cuidado,
esto mi ansiedad mantiene,
esto afanosa me tiene,
y es tal un dolor prolijo,
que si no viene me aflijo,
y me aflijo por si viene.

Aquella carta primera
que me escribió este francés
y que así rindió a sus pies
mi condición altanera.

¿Era hechizo?... ¿Rayo era?
¡Oh!, ¿con qué tinta encantada,
¡cielos!, estaba trazada,
que así el pecho me incendió,
que así el alma me robó,
que así quedé enamorada?

Y su talle, y su expresión,
y su hablar, y hasta el venir,
a un rey cautivo a servir,
que es noble y gallarda acción.
Cuanto en él vio mi atención,
todo me enciende y cautiva,
todo mi pasión aviva,
todo, ¡cielos!, me enloquece,
y tan sólo me parece
que para amarle estoy viva.

Mas... ¿quién es?, un caballero,
caballero de alta ley,
que tal lealtad a su rey
lo publica el orbe entero.
Y sea quien fuere lo quiero,
y me quiere, loca estoy,
ni sé, ¡ay triste!, lo que soy
ni qué ventura pretendo,
ni yo a mí misma me entiendo,
loca y despenada voy.

No abusaré más tiempo del lector citándole más versos, que por su hermosura y rotundidad merecen nombrarse así; como tampoco haciéndole notar algunos lunarcillos de *mal gusto*. Esto es, algunas palabras en boca de los criados, que se recibieron con notable disgusto.

Fidel
12 de enero de 1843

Gran Espectáculo Religioso. En la calle de la Palma junto al número 9 se presentará al público todas las noches de la oración a las 10, la Pasión y Muerte de N.S. Jesucristo dividida en 20 piezas, sacadas de las Sagradas Escrituras con la mayor exactitud posible. Siendo todos sus santos, figuras y animales de una cuarta de vara, y los templos, palacios, cercos y demás de madera, hecho todo con la mayor propiedad, no habiéndose omitido gasto alguno en obsequio de que el público pueda gozar de esta diversión o acto de devoción con el mayor placer, para cuyo efecto se tiene dispuesta una sala de desahogo en la pieza inmediata, adornada con la decencia que requiere un público respetable. Se avisa igualmente que la persona que quiera comprar dicho espectáculo, puede hablar en la mencionada casa con el propietario de él, que lo es don José Murguía, quien ofrece darlo en un precio bastante moderado. Entradas: Personas grandes, 2 reales. Niños de 4 a 7 años, 1 real.

11 de marzo de 1843

Teatro Principal. 23 de abril de 1843. Por la noche se representará la comedia en dos actos titulada *Perder y cobrar el cetro*. A continuación ejecutará el señor Delgado unas variaciones de violín, finalizando con el nuevo vals aragonés. Por la tarde se representará la aplaudida comedia titulada *Las memorias del diablo*, finalizando con una pieza de baile.

Teatro Principal. Gran función extraordinaria para el 26 de abril de 1843. Se representará la comedia en un acto y en prosa titulada *El día más feliz de la vida*. A continuación se presentará el verdadero HÉRCULES DEL NORTE, en compañía de los dos discípulos suyos el señor Mantecón y otro individuo mexicano, a ejecutar en compañía de su maestro ejercicios de su arte absolutamente nuevos en esta capital y tan fuertes como difíciles y vistosos.

Teatro de Nuevo México. Mañana 28 de abril estará abierto el despacho por la mañana con el objeto de que todos los antiguos abonados a palcos pasen a recoger sus billetes si quisieren continuar en esta temporada. Con el mismo objeto los días 29 y 30 estará también abierto el despacho para los abonados de luneta y balcones. En cuanto a los de galería alta, por las variaciones que ha sufrido no pueden contar con sus antiguas localidades, pero pueden pasar el día 30 a escoger los asientos que más les acomoden presentando sus respectivos billetes. Todos estos términos son perentorios y pasados no tienen ya derecho a reclamación alguna los abonados que no hayan pasado a recoger su billete, los que antes de hacerlo tendrán la amabilidad de verlos por si no les acomodase. El derecho de reservar localidades sólo se concede personalmente a los antiguos abonados. Los precios de los nuevos abonos por 22 funciones, son de 45 pesos los palcos, libres de todo gravamen. 8 pesos 4 reales de luneta o balcón. 3 pesos 4 reales de galería alta, siendo de cuenta de la empresa el pago de la contribución que el gobierno tiene asignada a los abonados.

Teatros. Días pasados los cronistas y noticiosos de los cafés hablando de la campaña de Yucatán, de los indios del Sur y de otras mil noticias y acontecimientos, para variar su conversación y dulcificar algún tanto sus amargas prefesías políticas, preguntaban si era cierto que se iba a presentar en el Teatro Principal un actor nuevo. "Sí, señor, es cierto." "¿Y qué tal lo hará?" "Mal, probablemente." "¿Y quién es ese joven?" "Es un muchacho decente y bien nacido que le ha dado la locura de meterse a cómico." "¡Hombre, qué lástima!" "Calaveradas, tonteras, caprichos de la juventud." "Es menester aplaudirlo." "Sí, sí, es paisano y debemos tener nacionalidad y espíritu público." Con estas u otras palabras semejantes concluyeron sus conversación los interlocutores y empinando el último trago de anisete y encendiendo un puro se marcharon del café.

En efecto, el joven de que hablaban se había decidido a lanzarse en una carrera ardua, difícil y espinosa, pero había soñado con la gloria, había divisado entre el oscuro mercantilismo de una tienda de ropa, algunas ráfagas de esa luz pura y diáfana que nos ilumina la senda que conduce a la inmortalidad. ¿Qué son los más insuperables obstáculos cuando el hombre ha tomado una resolución firme y enérgica de acometer una empresa? Venciendo dificultades, derribando y hollando las preocupaciones sociales que por desgracia tienen todavía raíces entre nosotros, y aventurando el porvenir entero de su vida, el joven José

Lucio Gutiérrez anunció su salida en el teatro, no con el papel secundario de una comedia de costumbres, sino con el de un protagonista fuerte lleno de pasiones encontradas, de sentimientos enérgicos y de contrastes difíciles. Pensó comenzar por donde otros han acabado, salvar atrevidamente una penosa y lenta escala, y ser una noche todo o nada. Sus presentimientos artísticos no le engañaron: el teatro estaba lleno, el público curioso aguardaba con impaciencia la salida del nuevo actor. Se levanta el telón y Gutiérrez aparece; el público lo aplaude por bondad, por indulgencia, por animarlo y librarlo del vértigo y la fiebre que se apoderan del que por primera vez se presenta delante de un público. Guitiérrez comienza a decir los versos y el público entonces aplaude con entusiasmo, con frenesí, no ya al joven tímido, sino al actor consumado. ¿Qué sentiría Gutiérrez cuando vio agitar las manos a la concurrencia? ¿Cuando los ojos de las hermosas acaso estaban llenos de lágrimas y sus corazones latían con más violencia? ¡Oh, cuán hermosos son los triunfos de un artista, cuán vivas las emociones de un joven cuando ve así compensadas sus horas de estudio y meditación! ¡Cuán dorado y risueño es el porvenir donde se divisa la luz inefable de la gloria! ¡Gracias, público mexicano, que tan bien pagáis los afanes del talento, gracias mil a nombre de Gutiérrez!

A propósito de las gentes a quienes causa lástima que un joven de educación se dedique al teatro, diremos que precisamente se requiere para esta carrera la más fina educación, las maneras más finas y delicadas. ¿Cómo se puede ser actor ignorando la ortografía del idioma? ¿Cómo podrá agradar al público el que en su voz, en su acción y en sus posturas, dé a conocer que no posee esos modales suaves que sólo se aprenden en la niñez, y que quien no los ha aprendido jamás los podrá imitar? Por otra parte, la profesión del teatro es noble porque sólo está reservada a los que poseen ese género de talento; es honrosa porque demanda un constante trabajo y un estudio; es gloriosa porque un buen actor arrebata, enajena, dispone a su voluntad de las mil sensaciones de los espectadores que los escuchan. Mas volvamos a Gutiérrez: la primera noche que se presentó en la escena no tuvimos el placer de concurrir, mas el domingo que vimos que se presentaba *El Trovador*, nos dirigimos al teatro y nos acomodamos lo más cercano al foro que nos fue posible, y tuvimos el placer de cerciorarnos de que los elogios que habíamos escuchado no eran aún los que merece. No sabemos por qué razón los acomodadores del patio separan los mejores asientos para los abonados de en las tardes, y el pobre que paga sus 6 reales y no tiene el patrocinio de esos mozos altaneros, tiene que sentarse en un rincón cualquiera a pesar de que aun comenzada la representación se conservan vacíos muchos de los asientos delanteros. Éste es un abuso que suplicamos a la empresa remedie; en la tarde los que ocurren primero son los que tienen derecho a ocupar los lugares sin distinciones que para su utilidad hacen los insufribles mozos del patio. Felicitamos de la manera más sincera al señor Gutiérrez por su triunfo y lo excitamos a que siga en esa carrera de gloria que tiene abierta delante de sí. El estudio de la historia y del idioma, y la imitación no de tal o cual escuela, ni de tal o cual actor, sino la de la naturaleza, que es la maestra de los artistas, unida al entusiasmo y a las felices disposiciones que ha manifestado, lo harán un actor distinguido que sea el orgullo y la prez de los mexicanos.

Ya que con algún detenimiento hemos hablado del señor Gutiérrez, ¿qué diremos de la apreciable joven Mariquita Santa Cruz? Francamente diremos que las sonoras y tiernas inflexiones de su voz nos conmovieron hasta el grado de llenársenos los ojos de lágrimas. No era la actriz, era la misma Leonor creada por la ardiente fantasía de García Gutiérrez la que veía el público sufriendo los efectos de un veneno agonizante, moribunda y exhalando su ultimo suspiro en brazos de su Trovador. Un silencio pavoroso reinaba en el teatro; nadie se atrevía ni aun a respirar, y prueba evidente de lo que sobresalió la actriz, ese público consternado, horrorizado por una escena tán terrible, tuvo fuerzas para aplaudir a la moribunda Leonor. La señora Doubreville también llenó perfectamente el papel de Azucena. García Gutiérrez habría quedado eminentemente complacido si hubiera asistido la tarde del domingo a la representación de su romántico y hermoso *Trovador*.

Yo (Manuel Payno)

Post Scriptum. Después que salimos del Principal, maquinalmente nos dirigimos al Teatro de los Gallos. La representación estaba concluyendo, pero ¡santo Dios!, qué escenas tan terribles: una porción de moros aporreaba a otra porción de frailes dominicos. Aquello era el campo de Agramante. ¿Qué no hay censor que revise los colosales dramas que se representan en el Teatro de la Cruz?

1º de junio de 1843

Teatro Principal. 11 de junio de 1843. Se representará el drama en tres actos y en verso original de don Fernando Calderón, intitulado

195

Herman o la vuelta del Cruzado, concluyendo con la graciosa pieza nominada *El secreto.* En la noche se representará la comedia nueva en cuatro actos de don Ventura de la Vega intitulada *Gaspar el ganadero,* finalizando con una pieza de baile.

Teatro Principal. 13 de junio de 1843. Se presentará el hermoso drama que tan bien ha sido recibido por el público en todas sus representaciones, el cual está dividido en cinco actos y lleva por título *El vaso de agua.* En el primer entreacto se cantará un himno patriótico por la señora Picco y el señor Spontini, compuesto por el señor Delgado, en el segundo intermedio el aplaudido dúo de los *Normandos en París,* concluyendo con un terceto de baile. La función comenzará a las 9 en punto y asistirá el Excmo. señor don Antonio López de Santa-Anna.

Teatro Principal. Martes 13 de junio de 1843. *El vaso de agua.*

> Por fin, Fidel, pecho al agua,
> porque es preciso pintar
> las novedades tremendas
> del teatro Principal.
> ¡Qué función! ¡Qué variedades!
> ¡Qué grita! ¡Qué disputar
> de *Santa Paula* y *Belchite*!
> ¡Qué gresca tan singular!
> Los *güelfos* y *gibelinos*
> se miraron faz a faz,
> no obstante que no están quietos
> dos gatos en un costal.
> Nos dieron el *Vaso de agua,*
> ¡qué flamante novedad!
> La saben hasta los chicos
> que estudian el *b, a, n, ban.*
> Eso sí, dejó el teatro
> su caduca suciedad,
> y aunque a riesgo de un resfrío
> se miró limpio brillar.
> Profusa anduvo la esperma,
> pero el aceite no tal;
> tapizaban cortinajes
> a guisa de delantal,
> los diminutos palcos
> y el palco municipal.

¡Cómo brillaba el concurso!
¡Cuán galana la beldad!
De sus gracias el tesoro
supo hechicera ostentar.

¡Qué lujo! ¡Qué pedrería!
¡Cuánto punto! ¡Cuánto chal!
¡Qué etiqueta en la cazuela!
En todo, ¡qué *seriedad*!

De los *acomodadores*
la insolencia es habitual,
como en el público oveja
es hábito tolerar.

¡Cuán astuta la codicia!,
supo asientos numerar,
do no cabía en conciencia
ni de un hombre la mitad.

Hubo gritos, y disputas,
monopolio, y mucho más
que callo, porque soy bueno
y es mi divisa la paz.

Por fin, alzóse el telón,
que ya eran las nueve y media,
y comenzó la función
con la sabida comedia.

¡Qué guapos los personajes!
No hablaré así de la escena,
la vista era propia y buena,
y eran lujosos los trajes.

Expuesta la fina intriga
fundándose en lo absoluto
en el periodista astuto.
y en su sagaz enemiga.

De Ana en el propio salón
brotó en esto un coro exótico,
que entonó un himno patriótico
a nuestra Constitución.

Tiernos cantaron los *Lores*
con sus trajes macarrónicos,
y helos allí filarmónicos
a los antes oradores.

Yo que nada comprendía
y creí como un jumento

197

que entraba en el argumento
la música algarabía,

como hablaron de motines,
dije yo, por San Antonio,
se arma aquí una del demonio
con aceros y violines.

Sin darse por entendida
volvió la reina a la escena,
y en paz prosiguió serena
la comedia interrumpida.

Bolimbruk sigue su empresa,
sigue Manzán sus amores,
sigue mostrando temores
Abigael por la marquesa.

Así las cosas pasaban,
cuando fueron asomando
una dama y un *normando*
que no sé yo qué buscaban.

Platicaron muy despacio,
y aunque en voz alta lo hacían,
ni las moscas se movían
en el salón del palacio.

Una viuda, tiernas preses,
una especie de contienda,
vaya el ministro de hacienda
de los señores ingleses,

dijeron varios; yo frío,
dije, la cosa está mala,
venir así a la antesala,
¡hablarán de Montepío!

Pero porfiaba el guerrero,
porfiaba en bajo *assoluto*,
y la señora de luto
cantaba como un jilguero.

Si esto la reina supiera,
triste en mi interior decía,
la cosa terminaría,
¡Santo Dios!, quién sordo fuera.

Volvió a anudarse la intriga,
vino como si tal cosa
la marquesa quisquillosa
fingiéndose tierna amiga.

¡Pero qué!, si el salón regio
era un campo de agramante,

198

heterogéneo y variante
con especial privilegio.
   En medio al fervor político,
¡sus!, resuenan los violines,
y vienen seis bailarines,
en aquel lance tan crítico,
   con cosmopolitas trajes,
con cuerpos de cortesanas,
con vestidos de sultanas
y con penachos salvajes.
   Que nada la reina viera
en mi corazón sentía,
porque la divertiría
aquella danza ligera.
   Juego hubo como de albures,
y una mesa circuían
los Lores, que parecían
algunos de ellos tahúres.
   ¡En la escena, qué servicio,
qué muebles tan divergentes,
qué candiles, a las gentes
parecían de un hospicio!
   ¡Y ésa es función nacional!
Y los actores en tropa
vieron fríos a la Europa
en el palco principal.
   ¿Do estáis, cómicas bellezas?
¿Se verán con microscopio?
¡Función empapada en opio
según lo que hizo dormir!
   Actores, no más se reúnan,
parecéis mal matrimonio,
ni en día de San Antonio
os queremos ver así.

                              Fidel
                     16 de junio de 1843

   Teatro de Nuevo-México. *La hija de Cromwell*, La Ponchada, baile,
etcétera.
   Para decir desatinos,
así sin temor de Dios,
para dar una mojada

al gallo de la Pasión,
para eso, amables lectores,
para eso, me pinto yo.
¿Por qué humedecer la pluma
en tinta de adulación,
cuando es mi musa tan libre
como el viento y como el sol?
Al grano, y pocas palabras,
y no me arredre el temor
que me señale *Belchite*
con la faz torva a lo sayón.

Delataré impertinente
desde el *acomodador*,
ya porque no se le encuentra,
ya porque cruza veloz,
y no escucha, aunque le llamen
con acento de *fagot*.

Ya porque sirve primero
a aquellos que sabe Dios,
todo el costo que le saca
obtener su protección.

Además, en los asientos
destinados para nos,
que somos pueblo ambulante,
¿no pudieran, por favor,
numerarse por la empresa
aunque fueran con carbón?

Y numerado el boleto,
santas pascuas, sabré yo
dónde debo dirigirme,
sin andar sin son ni ton
errante como un judío.

   ¿Sabrá así el que madrugó,
que encuentra sin ceremonias
tal vez asiento mejor?

¡Qué apego a darle tutores
al pueblo, por San Simón!
Hasta de Belchite un empeño
para el acomodador.

Dando saltos como cabra
me encaramo en un balcón,
semiexcusado, prohibido
como fardo de algodón,

200

reduciendo mi persona
a su cantidad menor.
Delante un mar de sombreros,
encima un pueblo, ¡gran Dios!,
que repica sus garrotes
en el sonoro tablón.
Al lado dos *subterráneos*
que no alumbran ni un farol,
porque aunque hay *quinqué*, lo apagan,
y *dizque* por el calor.
Pero ya suena la orquesta,
ya se levanta el telón.

No es murmullo, es alharaca,
es tumulto, es sanquintín;
cuánta voz, qué de saludos,
que imprudente ir y venir,
y los bastones y sillas,
qué ruido, ¿quién puede oír?
Alzan la voz los actores,
¿sí?, pues es grano de anís,
capaz de no escucharse
ni un pífano, ni un clarín.
¿Mas cómo hacerse notables?
Está bien, pero no así,
No hablo de *La hija de Cromwell*,
porque no tendría fin
mi biliosa algarabía,
¡qué argumento feliz!,
¡qué autor!, ¿me dirán ustedes,
dónde se le fue el magín?
¡Ya se ve que los actores
jamás lograrán lucir
con un sainete pedestre
que arder puede un candil!
Y aquel atroz desafío
de uno bravo como el Cid,
y otro con pistola en mano
ambos sin saber dónde ir.
Mas poniéndose entretanto
como hojas de perejil,
y ni da fuego el trabuco
ni sabe la espada herir.
Alza la voz el apunte,

se ven ... van a combatir,
y ruegan las fermosuras
de hinojos, y allí está el quid,
ni luchan ni se contentan,
y están, vamos, en un tris,
hasta que viene el rey mismo,
que es de estatura infantil,
vestido de roponcillo
o de bata de dormir;
y hay casorio, y la campana
suena, y da la pieza fin.

Pero no es tan malo, aquel
que representa el papel
como el que hace la comedia.

Por tan sencilla razón,
aunque tengo tentación,
no hablo de la ejecución
de ese pésimo entremés.

Por ahora los actores
pueden guardar sus rencores,
no ejerceré mis rigores
con ellos en esta vez.

¡Sus!, el baile, qué jaleo,
alza garbosa pareja,
que si alguno lo moteja,
diremos que es coliseo.

Ese rostro, ¡qué expresivo!,
¡qué postura tan extrema!
Sopla .. . ¡cuidado, que quema!
Eso es de lo más lascivo.

Un beso, otro, no es bicoca,
¡al cabo somos hermanos!
¡Qué bailes tan campechanos!
Otro beso, y en la boca.

Bien, aunque me caiga un rayo,
por el sol que me calienta,
que con la primer parienta
hago del baile un ensayo.

¿La moral excita dudas?
¡Qué graciosa sinrazón!
¿No veis que hasta en la pasión
se habla del beso de Judas?

¿Por qué, público, privarte,
de lo que no es un exceso?,
mejor, sabrás dar un beso
y con las reglas del arte.

Bien hecho, cayó el telón,
mas que aquel baile decente
bien haya quien lo consiente.
¡Que viva la ilustración!

Previendo sin duda el cielo
el mucho calor y el baile,
dispuso una buena lluvia
propia para refrescarse,
y que para eso se pinta
en funciones nacionales.
Salimos entre empellones
más magullados que panes,
y *sans façon* recibiendo
en las narices el aire.
Qué gentío en la banqueta,
qué pugnar por libertarse
de las ruedas de los coches
que casi, casi, la invaden.
Los coches, ¡cómo ocupaban
la plazuela y bocacalles!
Qué gritos, qué arremeterse,
qué los sitios disputarse.
Viva todo; pero un freno
a cocheras libertades;
establézcase algún orden,
algún paraje señálese,
déjese al pueblo pedestre
por donde sin riesgo pase.
¿Dónde está la policía?
¿Do esos *águilas* audaces?
¿Son sólo para paseos,
o de qué sirven, o qué hacen,
a lo menos por las noches,

que de día ya se sabe?
¡Triste es hacer en el lodo
piruetas como un danzante,
suplicando a los cocheros,
que de la ocasión se valen!
No sé quién tiene la culpa,
eso, que lo tase un sastre;
pero que exige remedio,
tampoco puede dudarse.
Es tan escaso un soldado,
es tan exquisito un sable,
que salvador de las piernas
y de costillas baluarte,
a subversivos cocheros
la senda del bien señale?
Es más peligroso un coche
desbocado en una calle,
que cualquier escrito anónimo
plagado de vaciedades.
Más peligra una familia
a pie en circunstancias tales,
que con los malos consejos
y con los besos del baile.
Hay más riesgo entre las patas
de dos bravos alazanes,
que entregado a la justicia
del más fungidor alcalde.
Conque enmienda en este punto,
entonces haremos las paces,
porque si por tal descuido
llega un coche a atropellarme,
pondré mi grito en las nubes,
me quejaré al santo padre,
y consumiré más resmas
y versos y memoriales,
que no dé abasto mi pluma
la fábrica de San Ángel.

Fidel
17 de junio de 1843

Teatro Principal. 21 de junio de 1843. Habiendo llegado a esta ciudad el señor Rapó, Rey del Fuego, después de haber recorrido las principales de Europa, tendrá el honor de presentarse ante el respetable

204

público mexicano. Dará principio la función con la graciosa pieza en un acto *El secreto*. Concluida el señor Rapó ejecutará sus juegos según se anuncia en los carteles.

Teatro de Nuevo México. 21 de junio de 1843. Función dedicada al Excmo. Ayuntamiento de esta ciudad en ocasión de los días de su ilustrado alcalde primero, Excmo. señor don Luis Gonzaga Cuevas. A una obertura seguirá el interesante drama original de F. Lumbreras y de J. D. del Valle. Su título, *La herencia de un valiente*. Terminando la función con las preciosas boleras nuevas: *Las fraguas de Vulcano*.

Gran Teatro de Santa-Anna. Un viajero visita sin falta todos los edificios, lugares y establecimientos y cuanto hay de notable en las poblaciones a que llega. Debe regularmente ser corta su mansión en ellas y tiene que satisfacer pronto la curiosidad sobre todas aquellas cosas que la excitan. Lo primero que yo he visto a mi llegada a esta ciudad, es el nuevo teatro que se construye en la calle de Vergara. Desde La Habana había oído hablar de él con elogio, y esa circunstancia, la de que se sabe que se edifica bajo la protección y el nombre del general Santa-Anna, y quizá más que todo mi afición a los teatros, me llevó como digo al que se está levantando en esta gran ciudad. Su vista y el examen que hice de la gran parte edificada, me han hecho hallar mucho más de lo que se ponderaba, y que era lícito dudar, porque siempre se exageran las cosas que llevan el nombre y la protección de los que gobiernan, mas aquí no se ha verificado esto como va a verse por las observaciones que hice del edificio.

El estado en que hoy se halla la obra material de las partes que preceden al teatro, manifiestan desde luego la regularidad y simetría con que se dirige esta grande obra; la distancia que media entre el salón y la fachada exterior del teatro comprueba que el arquitecto conoce lo interesante que es una entrada grandiosa y variada, que prepare y contribuya desde luego a aislar la imaginación en ideas de goces que se deben experimentar en el interior. Por la fachada, conocida ya por haberse litografiado y por la explicación de uno de los encargados de la construcción, no se puede dudar que definitivamente el arquitecto obtendrá un resultado cual se lo ha debido prometer al formar su plan. Internándose se observa que una de las condiciones esenciales en la disposición de un teatro, cual es que tenga escaleras amplias y cómodas y corredores espaciosos, se hallan cumplidas en el teatro en condiciones superabundantes, cosa no muy común por desgracia aun en los teatros principales de Europa.

A juzgar por la simple vista, la forma del salón del teatro resulta de un semicírculo y dos curvas de un radio mayor; por la poca convergencia de estas curvas y, por consiguiente, por la ancha desembocadura, se infiere que el arquitecto ha resuelto el problema (interesante para el espectador, para el pintor, decorador, maquinista, etcétera), de que las líneas de bastidores puedan ser tangentes a las curvas que terminan el proscenio, principio seguido en los célebres teatros de la Scala de Milán y San Carlo, de Nápoles, que son justamente admirados por esta razón. Las dimensiones del salón corresponden a las de un teatro de primer orden; el foro tiene una amplitud regular y suficiente para los grandes espectáculos del romanticismo. Una de las cosas que más prueban el estudio con que están dispuestas las partes de este edificio, es la combinación del proscenio, que sin suprimir los palcos se ha conseguido separar la escena del salón, de un modo elegante que de ninguna manera pueda confundirse el gran cuadro escénico con el ocupado por el auditorio. ¿Cómo es posible que la ilusión sea completa sin este artificio? ¿Cómo puede ser cautivada la atención cuando la vista se distrae a la vez con el actor que no está en el cuadro formado por las decoraciones y con los espectadores que parece que hacen parte de la escena? El arquitecto en esta parte ha unido a las exigencias de conveniencia para obtener mayor número de palcos, la grandeza y magnificencia de los teatros antiguos. En todo la embocadura debe causar un efecto magnífico y sorprendente si se decora con las pinturas y relieves que según la explicación del encargado debe llevar esta parte.

La regularidad y simetría que reina en todas las partes que he citado ligeramente, se observa igualmente en el interior del escenario. Los gabinetes de los actores en número suficiente, las demás dependencias, todo está dispuesto de un modo sencillo para la comodidad y el servicio interior. El maquinista y director tienen campo para desplegar su talento sin embarazos ni estorbos. Los tres grandes arcos de cada lado proporcionan esas ventajas, y prueban que a la disposición y estudio de todas las partes del salón, corresponden en el escenario. Parten infinitos teatros modernos determinados a la casualidad, sin principio ninguno y sin consideración a los efectos que en ellos se quieren obtener, resultando de esto trabas continuas al genio y limitando y forzando la imaginación del pintor, decorador, maquinista, del director y hasta del poeta, y sacrificando los efectos del arte al abandono de una parte tan interesante. Es de suponer que la cubierta que está próxima a colocarse corresponda a las calles que han de formar los bastidores, proyectándose cada grande forma sobre dos intervalos o planos para el gran mecanismo de un teatro de primer orden, circunstancia indispensable para un sistema perfecto y de maniobra general interior. Todo, en fin, inspira confianza en la acertada conclusión de una obra tan difícil, y por todas sus partes se descubren conocimientos profundos en la dirección, y el deseo de embellecer esta ciudad con el edificio principal de las poblaciones modernas. México a la verdad no lo tenía y va a tenerlo en términos que emulan lo mejor que se conoce de su género en el mundo, como puedo decirlo habiendo visto los principales de Europa, ni podría ser de otra suerte haciéndose la obra bajo la protección del supremo jefe de la nación, que de esta manera debe dejar a la posteridad un monumento de los progresos materiales de la época de su administración, pues que ya parece indudable que el teatro será concluido este mismo año. Si lo que falta se hace que corresponda a lo que está hecho, la obra será digna de una gran capital como la de México y llamará la atención del viajero como ha llamado la mía aun antes de concluirse. No debo omitir por último lo que se me ha informado respecto de la constancia del empresario, don Francisco Arbeu, que ha tenido que luchar con indecibles obstáculos y dificultades, por lo que tiene bien merecido el concepto del público mexicano que sabe hacer justicia, y mucho más a los que se empeñan en obras de ornato y utilidad pública. Al presente parece que han desaparecido todos los obstáculos y el mismo empresario por la protección del jefe de la nación contará con todos los recursos para estrenar el teatro este mismo año. Ojalá que nada lo impida. Debe ser para México lo que para todas las naciones importantes: un buen teatro.

Un amante de las bellas artes
22 de junio de 1843

Señores editores de El Siglo XIX. Suplicamos a ustedes se dignen dar lugar en sus columnas a lo siguiente: Por fin el domingo 11 del corriente se presentaron por primera vez en el Teatro de Nuevo México los señores y señoritas Pavía a bailar unas boleras que ejecutaron con sumo donaire mereciendo muchísimos aplausos. El miércoles 14 doña Mercedes y don Luis Pavía, su hermano, desempeñaron con gran habilidad y gracia el baile nominado *Paso Styrien*, y se bailaron después *Las Manchegas* por las dos parejas. El 15 en la noche tuvo lugar otra nueva pieza que ejecutaron los cuatro llamado *Paso Tártaro*, y en general agradó por la elegancia y perfección con que fue desempeñada y los vistosos trajes que sacaron. La adquisición de esta pequeña compañía de baile ha sido muy importante; el público está contento por la variedad que presentan los espectáculos y la empresa debe prometerse un buen suceso. El señor Rosendo Laymon tuvo un acierto en la contratación de la familia Pavía y por ello le están reconocidos.

Muchos abonados
27 de junio de 1843

Academia de Baile. Francisco Pavía, primer bailarín de los teatros de Barcelona y los principales de España, habiéndose contratado para el de Nuevo México, ofrece sus servicios a los cultos habitantes de esta ciudad en la enseñanza de rigodones, cuadrillas, galopas, el precioso baile de la mazurca, de Sala, el cual ha sorprendido en cuantos bailes de máscara se ha ejecutado, y particularmente en la Corte, las graciosas danzas del país, gavotín, wals de Strauss, la cosaca, papuri, greca, lanceros y todo baile nacional y extranjero, como boleros y fandangos; cachucha, zapateado de Cádiz, jaleo de Jerez, gavota, jota aragonesa y baile inglés, por el método más sencillo y fácil adoptado por los más distinguidos profesores, con toda la etiqueta que se observa en París, Madrid y otras capitales de Europa. Los caballeros y señoras que quieran honrarlo con recibir sus lecciones, así como los señores directores de colegios que también lo favorezcan encargándole este útil y necesario adorno de la educación, se servirán dejar las señas de sus casas en la suya, que serán servidos a la mayor brevedad. La academia quedará abierta desde hoy en adelante, calle de Zuleta número 12, y las horas de lección son de 6 a 9 de la noche.

7 de julio de 1843

Teatro Principal. Viernes 30 de junio de 1843. *¡Estaba de Dios!* Comedida original y en verso por don Manuel Bretón de los Herreros.

Érase un don Tadeo H., vejestorio y cachazudo, tutor de la más caprichosa mancuerna de muchachas de este mundo, Margarita y Paula; parecen los símbolos vivientes del intolerantismo aristócrata y republicano; la primera se ha impuesto, para salir de su estado, la condición que de conde abajo con ninguno se ha de casar; reverso de su medalla, Paula declara desde un principio que:

No quiero esposo
tan ilustre, tan augusto,
que piense hacerme merced
cuando me diga: "Soy tuyo".

Don Tadeo tiene furor de casar a sus pupilas y ellas por su parte discuten con bastante franqueza sobre la clase de cualidades de los candidatos. El primero, mercader de paños, es desechado de parte de Margarita, porque no tiene alcurnia noble, y de la de Paula, ¡raro capricho!, porque deseando un novio pobre, desvalido y oscuro, pregunta cuando se lo proponen:

¿Quién? ¿El mercader de paños?
¿El burgalés? El... jamás,
jamás será mi marido
un ricacho montaraz
que no sabrá distinguir
si soy mujer o batán...

Con todo, Paula es la que primero se aviene a secuestrar a un huésped suyo, don Álvaro, capitancillo pobre y acomodado a sus raras ideas. Aunque no le ha guiñado el ojo, ella se conviene a allanar el camino y en un abrir y cerrar de ojos se convienen con más facilidad que el necesitado y el agiotista; pero es el caso que don Álvaro es el solo pariente de cierto conde yucateco, que al ir a Madrid, deja el alma en un barranco, y al anunciarse a su querida presunta como heredero del título, pierde su cariño, se da al diablo, aunque Margarita lo codicia para esposo. Un oportuno desengaño restablece la paz; el conde no ha muerto y lo justifica él mismo presentándose en cuerpo y alma a su pariente, aunque no lo conoce, y en el hecho de ser conde, improvisándose futuro de Margarita, a quien antes una gitana (sólo rasgo de la época hallo en toda la comedia), le había predicho, lisonjeando sus ideas, un porvenir aristócrata. El conde yucateco es personaje realmente cómico, sus maneras desenvueltas y un si es no es ordinarias, su charla inagotable y sus asaltos resueltos con las hermosas. Margarita no le va en zaga, en resolución y flexibilidad; ambos se requiebran al acabar de reconocerse, ella le ofrece la hospitalidad, él acepta, y al despedirse, cualquiera puede conocer la buena armonía que entre los dos reina.

Margarita. Puede usted ya entrar.
Conde. ¿A dónde?

209

Margarita. A su aposento, aquél es.

Conde. ¡Que me place! Hasta después.

Margarita. Beso a usted la mano, conde.

Conde. Yo la de usted; mas mi norma
es, señora, diferente,
que usted lo hará verbalmente,
y yo . . .

Margarita. ¡Cómo!

Conde. En esta forma. (*Besándola la mano.*)

Margarita. ¡Ah, qué audacia!

Conde. ¡Oh!, yo no peco,
vengo de climas lejanos;
así se besan las manos
en estilo yucateco.

El conde, después de una conferencia con el oficiosísimo don Tadeo, se resuelve a pretender por escrito a una de las pupilas, a cualquiera; porque aún no se ha fijado su voluntad. Envía la carta a Paula: la republicana la despedaza; pero como la esquela va sin sobre, el despejado conde halla arbitrio para persuadir a Margarita que a ella se dirigía y quedan arreglados los futuros esposos. Un incidente viene a oscurecer aquella aurora risueña de amor. Es el caso, que el conde fue acusado de conspiración contra el rey, la justicia procede a prenderlo y al registro de sus papeles, entre los que se hallan comprobantes del delito y recae una orden de destierro contra el traidor. Antes de que recaiga tan tremendo decreto, concede la justicia al conde que permanezca en su casa, donde intrépido continúa sus preparativos de boda, y se complace con sus ilusiones matrimoniales. Margarita, sin embargo, protesta que no estará contenta hasta que lo vea libre.

Conde. Libre me verás, y pronto,
a despecho de mis viles
detractores. Entre tanto
no amargarán los belitres
el dulce pan de la boda.
Tú dispondrás el convite,
suntuoso, opíparo. Ya
presumo que oigo los brindis,
la algazara del festín,
los epigramas, los chistes
picantes, los maliciosos
cuchicheos de los títeres
que envidiarán nuestra dicha.

Serán de ver los melindres
de la novia vergonzosa,
que allá en sus adentros ríe
y pone la cara seria
para que alguien no malicie
que se da por entendida
de las pullas que le dicen.
Y yo sacando el reloj
cada veinte, cada quince
minutos, ¡ay!, anhelando
la hora de que desfilen
los convidados. Huy...

Tal estado guardaban las cosas, cuando agravando los anteriores
males y desvaneciendo tan picarescos ensueños, llueve de las nubes un
don Claudio Zepeda, a quien todos creían muerto; primero, a dar fe
que no estaba muerto, y en segundo lugar a descubrir que el conde
yucateco, novio de Margarita, no era el conde, sino un bribón, mayordomo del verdadero conde. Esta inesperada revelación eleva al capitán
don Álvaro al rango de conde, desengaña a Margarita, que a pesar de
todo, cuando le arguyen que su manía de no querer de conde abajo
le hizo más sensible al desengaño, responde:

Y lo digo, y lo repito,
y poco he dicho quizás;
que ahora, si bien lo medito,
estoy purgando el delito
de no haber pedido más.
Que una boda se trabuque
no importa, vendrá otro buque
con gente más linajuda.

Tadeo. Pero...
Margarita. Sí, sí, no hay duda,
Dios me guarda para un duque.

La que por lo pronto está inconsolable es Paula, que se encuentra
ya enlazada con un conde; pero al fin se consuela diciendo:

¡Estaba de Dios!
Me resigno a ser condesa.

211

El defecto dominante en toda esta comedia es el haber colocado la escena a principios del reinado de Felipe V, siendo la pintura de las costumbres, las alusiones y el lenguaje pecualiares a nuestra época; tal defecto hace aun inverosímiles algunos caracteres, y perjudica al argumento en general. Lo diré con franqueza: me parece mediana, aunque como de Bretón, posee sus gracias, su fértil versificación, y su armonía inimitable. La ejecución fue feliz; el señor Castañeda caracterizó su papel perfectamente, con particularidad en las últimas escenas, en que muestra su turbación y pesadumbre por la pérdida de su novia y el descubrimiento de su impostura.

Fidel
3 de julio de 1843

Teatro Principal. Domingo 9 de julio de 1843. *Las primeras campañas de Richelieu*, comedia en dos actos traducida por don Manuel Gutiérrez.

Deseosa la duquesa de Noailles de enlazar el nombre de su hija Diana con otro distinguido de la corrompida corte de Luis XIV, improvisó su matrimonio con el duque de Richelieu, que aún tenía quince años y que apenas conocía su consorte. En el contrato nupcial había una cláusula inverosímil, que era al pie de la letra lo siguiente: "Tan luego como el señor duque haya dado la mano de esposo a la señora duquesa, será separado de ella para no volver a verla sino en presencia de su madre, y cuando tenga cumplidos veinte años." La anulación de este capítulo (que es el 5º del contrato), forma realmente el problema dramático, y la cuestión que se propone al espectador, no es otra que la siguiente: ¿Derogará tan púdico decreto el duquesito de Richelieu? Desde las primeras escenas no es otro el objeto de sus desvelos; la tenaz resistencia de su suegra irrita su fogosidad y se le ve poseído más bien por el demonio que atormentaba a San Antonio Abad y a San Gerónimo, que por ninguna otra pasión más digna del duque y del público. No disputan su pecho otras inclinaciones como la ambición, la gloria; nada, ¡el artículo 5º y sólo el artículo 5º! Su suegra insiste en la observancia; él vota y reniega porque se destruya; ambos se acaloran, ambos se insultan, y el apodo de que el novio es un niño le arranca lágrimas y engendra y profundiza los deseos de venganza en su alma. Tan enérgicos proyectos los apoya con siniestra mira el caballero de Mentignon, primo de Diana y con quien desea realizar planes que infringen el tal artículo 5º; y el joven aturdido se proclama seductor del bello sexo para justificar que es hombre.

Principia sus hazañas pasando la noche en el dormitorio de la duquesa de Borgoña; allí es sorprendido por las damas de honor, que en trajes cuasi transparentes lo rodean, le reconocen y se realiza una escena que ocultó el telón con una decencia y oportunidad que no era de suponérsele. Con anterioridad había dirigido dos cartas el duquesito, una a la baronesa de Belle-Chasse y la otra a una dama de honor de la reina, todo con el objeto de manifestar que era hombre, cosa que nadie dudaba, ni aun el público, después del suceso del dormitorio. El pobre Richelieu no era del todo culpable; un digno maestro le había enseñado que era necesario atacar a la bayoneta a las mujeres; en cumplimiento de tan delicada máxima, había escrito sus dos insolentes epístolas. Concurren a su casa ambas damas; circunstancias accidentales las obligan a ocultarse; llegan el esposo y el amante de una y otra, descúbrense las hazañas del niño y termina en un duelo con ambos; pero antes la suegra, aunque con pruebas de que es hombre su yerno, insiste o en que parta, o en aprisionarlo en la Bastilla. Antes de todo marcha al doble combate y en esos momentos ve a su esposa y ambos se contemplan con enternecimiento.

Volvamos a Richelieu que torna cubierto de gloria; ha herido a un bribón y a otro que tenía el crimen de poseer una mujer hermosa, delitos igualmente dignos de escarmiento. Cuando la sucesión de tan escandalosos actos debe hacer más y más odioso al duque para con su esposa que jamás lo amó, que con la risa sardónica y la befa le arrancó en el día nupcial lágrimas, presentándole unos confites, emblema del sarcasmo y del desprecio, entonces Diana lo ama, y pasa grado por grado por el más repugnante envilecimiento, mientras el duque con sangre fría sin igual, la ve arrastrarse hasta sus brazos, de cuya resulta se deroga el artículo 5º, con aplauso de la rígida suegra y sin asombro de los espectadores.

Si alguna vez, chocando con opiniones sabias, me viniese la idea de que el teatro influye en la moralización de las costumbres, sin vacilar me fijaría en la comedia, cuyo objeto debe ser representar fielmente los caracteres y las costumbres de los hombres. Además, ya que no se pueden combatir estas últimas, porque siempre se plega la comedia al gusto o capricho de su época, para asegurar su éxito, el arte debe embellecer la naturaleza, idealizarla, por decirlo así, porque la presentación descarnada del vicio siempre desagradará. ¿Por qué sustituir a la gracia la licencia? ¿Por qué crear una desenvoltura ficticia y sin objeto? ¿Por qué personificar la puerilidad maligna, si esto no tiene otro fin ni más consecuencia que presentar la saciación brutal de deseos de un niño que parece más bien un enfermo? Prescindiendo de estas reflexiones, cuando el vicio mismo sale del círculo ordinario, cuando el crimen idealizado aparece sobre la frente de Edipo o de Orestes, nos horroriza; pero nos conmueve, jamás lo condenamos a la indiferencia como a estos entes despreciables aun para el vicio y pigmeos en la maldad.

El Mentiroso, de nuestro paisano Alarcón, tiene un imperdonable defecto; pero, ¿cómo despreciarlo siendo tan franco, tan galante, tan buen caballero? ¿Cómo describir al jovencito Richelieu audaz y deján- dose engañar por el seductor de su mujer? ¿Valiente y dejándose mofar por unos dulces? ¿Enamorado de su mujer y teniendo la soez compla- cencia de dilatar su humillación? ¿Vivo, y para halagar a la novia jurando que detesta a la suegra? ¿De mundo, sin saber distinguir entre la Patin y Madame Nocé? ¿Cauto, y contando su prostitución con la princesa de Borgoña, al primo de su mujer? Si del carácter descende- mos al lenguaje y maneras del duque, convendremos en que ignoraría las ciencias, y sería impertinente, caprichoso y mal educado; pero nunca al extremo de votar como un lacayo y desconocer como el más rudo ganapán las leyes de la etiqueta; porque eso en la alta clase se sabe por imitación, sin necesidad de aprenderse.

Conozco que las antes expuestas, son palabras que en nada corregi- rán a los autores de esta pieza, que no debo llamar comedia; pero lo escribo primero por aprender y por mi amor a la buena literatura dra- mática. Yo hubiera querido ver empleada tan castiza (generalmente hablando) y fácil traducción en una comedia en que se hubiera ejerci- tado el claro ingenio del señor Gutiérrez con mayor complacencia del público. Los trozos en verso que contiene la comedia me parecen fluidos.

Hablemos de la ejecución. Tiene no sé qué de grande y romancesco ver combatir a un joven con las disimuladas preocupaciones de su clase, lanzarse airoso y resuelto a conquistar un lauro entre esa república de inteligencias, entre esa aristocracia del genio que emana de Dios y ante la cual se habrán de abatir un día los grandes de la tierra. No obstante tan enérgico atractivo, he rehusado ver en escena a mi amigo don Lucio Gutiérrez, por temor de emitir una alabanza parcial o tener el disgusto de notarle defectos de que tal vez carece y que sólo advierte la rigidez de mi sincera amistad. La curiosidad pudo más que todo: en el duque de Richelieu admiré su desembarazo, su pronunciación correcta y sonora, y en general sus maneras como de un actor ejercitado. Para caracterizar a un muchacho truhán, pueril y sin seso, no siempre era forzoso precipitar la voz y discurrir de uno a otro lado desvaneciendo al espectador, esto se hizo notable en su relación primera, cuando expuso su cita y las distinciones de la princesa. Al reñir con su suegra por la derogación del artículo 5º, debió tener raptos de cólera; pero la cólera frenética, con pasión vehementísima, es de corta duración y sólo en tales momentos podría creerse pateando al duque tan desesperadamente. Con suma economía y en raptos muy apasionados puede tolerarse que un actor se alce sobre las puntas de los pies; actitud de orgullo, de sorpresa; pero que en la comedia no conviene. Lo mismo puede decirse del encogimiento de hombros, zambullendo entre ellos el cuello, ése era un defecto de Pineda, y de los buenos actores se debe imitar lo bello.

Estos levísimos lunares, alguna monotonía en la acción de las manos, alguna vibración trágica en la voz, todo desaparecía frecuentemente, cuando el joven Gutiérrez, oyendo las inspiraciones de la naturaleza, se poseía, dominaba la escena, nos arrebataba con su talento cómico. Tal fue, entre otras, la escena trece del dilatado acto primero: ¡qué vigor de acción en el señor Gutiérrez, qué consecuencia en el carácter de la señorita Santa Cruz! ¡Cuánto me regocijé al ver a estos dos jóvenes mis paisanos, sin más escuela que su genio, sin más estímulo que su talento, gracias a que siempre están bajo cero en el Teatro Principal, sobresaliendo con dotes alta y positivamente dramáticas! ¿Por qué, me preguntaba yo, no elegiría el señor Gutiérrez otro protagonista más amable o más fecundo en recursos para el actor? Las señoritas Cordero, Santa Cruz y Pautret vistieron perfectamente, y la señora Dubrevil con lujo regio; en este punto, y en el de servicio de escena, poco quedó que desear. En medio de tanto lujo y elegancia, sólo el despreocupado barón de Belle-Chasse no se presentó al rey como debía, y es de advertir que entonces Luis XIV estaba sordo, pero no ciego; eso es en cuanto al vestido, su papel lo desempeñó muy bien, y hubiera sido mejor sin sus roncos y reiterados quejidos por sus heridas en el duelo.

Fidel

12 de julio de 1843

Las primeras campañas de Richelieu, en traducción de don Manuel Gutiérrez. El viernes 7 de este mes se distribuyó en el teatro el anuncio de la función del domingo concebido en estos modestos términos:

"Alentado por la benévola acogida que el público de México se ha dignado conceder a mis primeros ensayos dramáticos, vuelvo, etc." Más adelante se lee: "Se abrirá la escena dos hermosos vals nuevos, etc." Después continúa diciendo: "No quería hacerlo por exponer tal vez con mi incapacidad su naciente reputación de poeta" (habla de su hermano), y concluye: "Tal es la función que presento al público y la circunstancia de ser obra de un mexicano, y si me es permitido decirlo la no común casualidad de que un hermano pueda dar vida y expresión a los trabajos literarios de otro hermano, etc." Y firmaba José L. Gutiérrez. El domingo se efectuó la comedia anunciada. Mucho podríamos decir acerca de los "trabajos literarios" de "abrirá la escena dos wals", de "su naciente reputación de poeta" y de "dar vida y expresión a los trabajos literarios de un hermano", pero éstas son cosas que repugnan al recto juicio y que no han menester de nuestras observaciones. Nos limitaremos pues a hablar de ellas superficialmente a su tiempo.

Las primeras campañas de Richelieu en nuestro concepto no son comedia, porque no llenan ninguno de los objetos de las composiciones de este nombre; su fábula está fundada en que el cardenal de Richelieu plugo que a su sobrino lo llamasen duque a la edad de quince años para que una cortesana ambiciosa, la duquesa de Noailles, proyectase inmediatamente un matrimonio con su hija la señorita Diana de Noailles, sin embargo de que estaba persuadida de la incapacidad física del duquesito, como lo da a entender el artículo 5º de las capitulaciones matrimoniales, por cuya segregación anhela secretamente el joven novio. He aquí lo que llaman una comedia, una compilación indigesta de absurdos y de inverosimilitudes, un tejido de obscenidades destituido de todo objeto moral y de toda regla de buen gusto.

Veamos ahora la traducción, obra de una poeta de "naciente reputación". Decir que ella es pésima en su totalidad, sería no decir nada, y calificarla de peor que la misma comedia, sería decir algo, pero nos limitaremos a decir que el señor Gutiérrez (poeta), se aprovechó mucho de los consejos que da don Mariano de Larra a los malos traductores, diciéndoles que con un mal vocabulario francés y audacia, están aptos para traducir comedias francesas. Diremos aún que el señor Gutiérrez (traductor) no necesitó ni del vocabulario, pues para que Richelieu anduviese rápidamente "sobre sus tacones", para que el rey fuese una "calabaza podrida" y todo él "podredumbre", y para que la baronesa de Belle-Chasse le pareciese "escuchar" y no oír, no hay necesidad de vocabulario ni de otros adminículos; para que Richelieu convirtiese el teatro en una jaula de canarios y en un infierno de diablos,

216

no se ha menester vocabulario, sino no tener sentido común, y de este modo se consigue fácilmente que sin necesidad de árbol genealógico se conozcan a primera vista las parentelas, como sucedió el domingo, que al tercer ¡canario!, dijo un amigo que Richelieu era por lo menos hermano uterino de don Ventura Bazán, nuestro conocido del cambio de diligencias.

Estas pocas palabras que debemos recordar porque no tenemos a la vista la traducción impresa, nos revela cuántas más pudieran hallarse si quisiéramos hacer el sacrificio de gastar cuatro o cinco reales en comprarla, pero no hay necesidad de ello para tildarla de vulgar y ridícula. Dice el señor Gutiérrez (actor): "La compañía empresaria ha dejado a mi arbitrio el arreglo y orden de esta función, y aprovechando tan plausible oportunidad la he ordenado del modo siguiente", que quiere decir tanto como que la dirección escénica y demás pequeñeces es obra suya. Veamos qué tal la desempeñó. En virtud de los consejos que da Matignon a Richelieu para que se consuele de los desdenes de su novia, debe enamorar a todas las mujeres nobles y plebeyas, y para lo que su servicial mentor le deja precisamente la carta que había escrito a la mujer de Richelieu y que ésta le había devuelto. Cuando ya todos estaban recogidos, se le ocurre a Richelieu poner en práctica los consejos de su amigo, y como le sobraba tiempo, pudo sacar una copia de la susodicha carta que rotula a la señora de Nocce y escribió otra a la baronesa de Belle-Chasse. En virtud de ambas ocurren las dos madamas, pero la primera que sabía los divorcios de la señora de Noailles dice al duque que aquella carta "que estaba escrita de letra de Matignon", había sido dirigida a la mujer de Richelieu, quien había rehusado recibirlo y que sin duda aquél había dejado olvidada. Preguntamos ahora: ¿cómo una carta que escribió Richelieu resultó de letra de Matignon? Este descuido como otros muchos deben convencer al señor Gutiérrez (actor) de que sean cuales fueren sus cualidades para llegar a ser cómico, está muy distante de ser director de escena, empleo que requiere muchos conocimientos del arte y que no admite improvisaciones.

La representación estuvo pésima: el señor Gutiérrez desde que comenzó hasta que finalizó la comedia nos pareció azogado, no supo lo que hizo ni lo que dijo, y esto lo convencerá de que no es un genio como gratuitamente se le atribuye. Inteligencia, sensibilidad y estudio constante son necesarios para la difícil carrera que ha emprendido, según don Carlos Latorre, pues veamos lo que dice a este respecto: "Sin la sensibilidad y la inteligencia no hay actor; de la naturaleza ha de recibir sus principales dotes, como la figura, la voz, la sensibilidad, el juicio y la pureza, y el estudio de los maestros, la práctica del teatro y la reflexión deben proporcionar las dichas dotes." Nosotros añadiremos que sin la modestia sobran todas ellas. No crea el señor Gutiérrez (actor) por lo que dejamos dicho que somos sus enemigos, no, le deseamos éxito brillante en todas sus empresas, pero para que lo consiga es menester que oiga con sumisión los consejos de la razón, pues de otra suerte nunca pasará de un "hombre mediano" en la brillante y difícil profesión que ha abrazado.

N.

16 de julio de 1843

Respuesta a N. Señores editores: En su apreciable periódico han insertado un artículo firmado por N., que juro con la conciencia más tranquila que no fue escrito por algún mexicano o que merezca serlo. El objeto es criticar despiadadamente a don Manuel Gutiérrez como traductor y a don José L. Gutiérrez como actor. No los defiendo ni entro en el examen de los cargos que les hace el articulista, mas repruebo que a dos jóvenes que se atreven a poner la planta en la senda difícil y estrecha de la gloria literaria, se les empuje hacia atrás porque sus primeros ensayos no han alcanzado la perfección. Pobres de los talentos que han ganado celebridad si se les hubiera detenido antes de alcanzar el término de su carrera. Han de saber ustedes, señores, y creo que no lo ignorará el articulista, que Molière, que Calderón de la Barca, Talma, Máiquez, no nacieron sabiendo, y que para obtener su fama contemporánea de afianzar su renombre póstumo, pasaron mil trabajos y sufrieron contradicciones infinitas hasta vencer a la envidia con las reiteradas demostraciones de su ingenio. Estos hombres verdaderamente notables incurrieron en defectos que fueron sucesivamente mermando, y quizá si se hubieran encontrado con críticos demasiado severos, hubiéranse perdido sus esfuerzos para contribuir al honor de sus naciones, orgullosas hoy por haber dado genios que han escrito sus nombres en ese templo de la fama de tan penoso y difícil acceso. Perdónenme ustedes que les diga que en las obras de Scribe y de Bretón de los Herreros, dos tan justamente celebrados ingenios, se advierten defectos que parecen acreditar suma ignorancia de los preceptos del viejo Horacio y del muy severo Boileau. Leemos, sin embargo, con entusiasmo sus obras porque no nos ofendemos con pequeñas manchas, y hasta cerramos los ojos para no advertir imperfecciones muy caracterizadas contra las reglas, a fin de no perder bellezas ideales que se presentan mezcladas con muchas deformidades.

218

A los jóvenes debe dárseles la mano cuando se les encuentra en el camino de la gloria. Es una impiedad obligarlos a retroceder porque les basta con concebir un gran designio para que se ganen las simpatías de los patriotas sinceros. Tropezarán y aun caerán, pero esto quiere decir que son merecedores de amparo, antes que de una censura intempestiva que los desaliente.

¿Se pretende acaso que jamás sea original México en sus obras dramáticas o que para proveer a su teatro de actores sea siempre necesario importarlos de España o de la isla de Cuba? No, señores, algún día contaremos con una gloria propia, y el medio más seguro es favorecer a los talentos mexicanos, aunque sea preciso ayudarlos con nuestra indulgencia. Reflexiónese el temor con que estos dos hermanos, dignos en verdad de la estimación pública, se habrán lanzado en una tarea sembrada de dificultades. Han debido vencer preocupaciones muy arraigadas y sudar antes de darse en espectáculo. ¿Y no son acreedores al favor de ese público al que consagran las primicias de sus talentos? Recuérdese la cáustica censura que se aplicó a las obras de ese malhadado Rodríguez Galván, a quien tanto persiguió la maligna estrella de su patria. ¿No descubre todo esto el designio de apagar en su nacimiento todas las luces que pueden brillar entre nosotros?

J. M. T.
17 de julio de 1843

Contestación al señor N. Dice un refrán español que no hay mal que por bien no venga, y prueba de esto es que el artículo que contra *Las primeras campañas de Richelieu* escribió un N, me proporcionó el ver en el diario de hoy otro firmado por J. M. T. y cuya lectura me ha hecho verter lágrimas de placer y gratitud. Jamás he presumido de autor pero siempre he trabajado con un empeño sin ejemplo, tengo en orgullo en decirlo, para proporcionarme los conocimientos que por mi desgraciada suerte no pude ni puedo aún recibir de ajena mano. De allí que cuando se me ofrece en medio de los espinos con que la preocupación, la envidia, la ignorancia, ciegan la carrera de las bellas letras, un bello artículo como el del señor J. M. T., no puede menos que llenarme del más vivo entusiasmo y llorar, vuelvo a decirlo, de placer deseando hacerme digno algún día del aprecio, si no del aplauso de mis ilustrados compatriotas. A esto he dirigido todos mis afanes, para esto he velado muchas noches con detrimento de mi salud y sin espera de otra recompensa me he expuesto a los caprichos de un público entero, ¿y todo esto no merece más que desprecio y vilipendio?

Dispensen ustedes, señores, este desahogo de un pecho demasiado oprimido, y tengan la bondad de insertar en su apreciable periódico esta carta para público testimonio de reconocimiento hacia mi favorecedor el señor J. M. T., y el adjunto artículo en contestación al señor N., seguros de la gratitud de su amigo y seguro servidor Q. B. S. M. Manuel Gutiérrez.

Dos palabritas al señor don N. Pues señor, como iba diciendo, yo, miserable inteligencia del luminoso siglo xix, poeta chabacano, traductor audaz, etc., tengo mis manías como cualquier hijo de vecino y he dado en aprender de memoria la mayor parte de unos referidos consejillos y una regular dosis de otros, inventados por diferentes buenos servidores del Señor, que en paz descansen y que cumplieron con el precepto de enseñar al que no sabe. Por esta razón me es posible tratar una materia semejante a la que usted se ocupó en *El Siglo XIX*, y vino a mi propósito porque es grande el número de los... compañeros de usted, y porque no habrá dejado de pavonearse orgulloso con su articulejo en letras de molde como un muchacho con su primera plana de palotes, y porque si no me hubiese atacado no ya como mal traductor, sino como hombre inmoral y desvergonzado, guardaríame muy bien de perder el tiempo contestando a sandeces y ladridos que poco daño pueden hacerme.

Cuando usted, señor don N., sepa lo que es traducir, convendrá con los que saben, que es cosa muy difícil trasladar de un idioma a otro frases con ligereza, fluidez y naturalidad el diálogo, y que comedias como ésta no se ponen en castellano por los que se juzgan aptos teniendo audacia y vocabulario. Si llega usted alguna vez a saber lo que es discurrir, ya que no basta decir que una cosa es mala, sino que es preciso probar por qué es mala, y entonces es muy regular que conozca también que su articulejo es solamente un miserable tejido de insultos y disparates, y que si bien parece que estaba usted loco cuando lo escribió, yo creo y afirmo que únicamente estuvo, ha estado y estará, si Dios no lo remedia, necio y muy necio. Adelante, pida usted a Dios de todo corazón, que le dé un porquito de entendimiento, y cuando lo tenga, que lo dudo, conocerá que en boca de madame Patin, una lugareña de cuyas maneras y lenguaje se burlan altamente en la corte, están muy bien las palabras "calabaza podrida", "podredumbre", etc. En el propio supuesto, convendrá usted que aquel "me pareció escuchar", está perfectamente, pues el *Diccionario de la Lengua* dice: "escuchar se toma por oír", y que todo el mundo está en tal inteligencia, y que yo creo, para que usted se admire, que está así mejor dicho, porque escuchar expresa más, porque es oír con atención.

Por último, para contestar a todo lo que notó usted respecto a su lenguaje, le diré que ya conocerá cuando Dios le dé lo que dijimos, que el "andar rápidamente sobre sus tacones", lo sacó usted "rápidamente" de su cabeza y lo encajó también "rápidamente" en su peregrino artículo. De manera que usted concluye: "Estas pocas palabras que podemos recordar revelan cuantas más pudieran hallarse (mal usadas, se sobreentiende) bastan para calificar la traducción de vulgar y ridícula." Y yo digo a mi vez: ¿Es así que en esas pocas palabras no hay nada más que notar que el que las criticó es un borrico, y luego... usted sacará las consecuencias. No se piense con esto, y aquí hablo con todos mis lectores, que yo juzgue perfecta mi obra; estoy muy lejos de creer que se acierte en los primeros ensayos, y sobre todo en ensayos como el que me ocupo, y digo con el corazón en la mano que estimaré mucho que se me adviertan y reprueben mis faltas, que se me dirija para otra vez si acaso los desengaños que da este pícaro mundo no dan con mi manía de aficionado a las bellas letras en tierra...

Comete usted una equivocación: más claro no entiende usted de la cruz a la fecha la comedia de cuyo juicio crítico tuvo la avilantez de ocuparse. El duque de Richelieu padre, y no el cardenal, fue quien obtuvo del rey Luis XII el permiso para que el duque de Richelieu, nuestro héroe, usase este título, pero esto no produjo, como usted asegura, que la duquesa de Noailles le diese a su hija Diana en matrimonio, y si usted hubiese querido decir algo con algún fundamento, hubiera puesto cuidado en lo que dice Matignon en el acto primero y el propio Richelieu en el mismo acto. De esta última habría usted podido sacar razones para conocer que el origen del casamiento fue que madame de Maintegnon llegó a advertir que la duquesa de Borgoña veía con ojos demasiado tiernos al chicuelo Richelieu, un chicuelo sin malicia entonces, y que juzgó oportuno casarlo y separarlo de la corte por cinco años, lo que da ocasión al artículo 5º, que el mismo rey aprueba, y que por consiguiente no hay nada de suposición de incapacidad física, así como tampoco hay nada de que Richelieu para probar que es hombre se valga de recursos inmorales. En cuanto el articulista N., o necio, o nadie, o nulo, le diré que no he de ocuparme más de él aunque tenga a bien buscarme el pico; no le conozco y tanto mejor, porque quien firma con una inicial está respecto de quien pone su nombre clarito,

221

como un enmascarado respecto de quien no lo está. Será un excelente señor, muy bondadoso, muy amigo mío, muy respetable, muy... pero doile por muerto en este asunto.

Manuel Gutiérrez
21 de julio de 1843

Teatro Principal. 23 de julio de 1843. La comedia en cinco actos titulada *El hipócrita*, en la que por primera vez se presentará la señora Manuela Francesconi. Por la tarde el drama en cuatro actos y un prólogo, titulado *Favio el novicio*.

Teatro de Nuevo México. Comenzará la función el hermoso drama de don Antonio Gil y Zárate, *Cecilia la cieguecita*, en el cual se restituye a la escena después de algunos años de ausencia de ella, la actriz mexicana Guadalupe Munguía. En el primer acto y cuando la escena lo pida, la señora Cañete cantará con acompañamiento de guitarra y triángulo, una preciosa canción nueva intitulada *El charrán*, música del maestro Carnicer. En seguida, se bailará por primera vez en esta capital la hermosa *Sinfonía de los dos Fígaros*, compuesta de tres parejas. Por la tarde se representará la preciosa comedia en tres actos, *Los celos*, concluyendo con el baile intitulado *La inglesita*.

Teatro de los Gallos. Esta tarde el drama en tres actos, *El duque de Viseo*.

Teatro de la Unión. Esta tarde la comedia *No más muchachos*, dando fin con unas preciosas sombras mágicas.

La señora Francesconi. El domingo 23 del corriente se presentó al público del Teatro Principal esta actriz, con la comedia de *El hipócrita*, y también la comedia de Bretón de los Herreros, *El amante prestado*. Como ambas composiciones son bastante conocidas del público mexicano, no los comentaremos y daremos sólo una ligera idea de su ejecución. Con impaciencia aguardaba el domingo el numeroso público que asistió al Teatro Principal la salida de la nueva actriz, hasta que se presentó en la escena y fue saludada con generales aplausos. Una hermosa figura, voz clara e inflexiones sonoras, acento sumamente castizo y prosódico, posturas teatrales y expresión despejada, fueron desde luego las dotes artísticas que se notaron en la señora Francesconi. El papel que desempeñó, aunque bastante cómico, no es ciertamente de primer orden, y por tanto no se puede juzgar por esto de lo que es capaz una actriz.

La comedia fue interrumpida varias veces por los aplausos y al fin de ella el palmoteo continuó hasta que se presentó en la escena la señora Francesconi. Los demás actores, animados por la numerosa concurrencia y deseando hacer brillar a su nueva compañera de éxitos en la escena, tuvieron momento muy felices. El público se retiró verdaderamente contento y satisfecho y todos confesaron el mérito de la actriz.

Anoche volvió a salir a la escena. La comedia de *El amante prestado* es uno de los tantos juguetes dramáticos preciosos que salen de la pluma del señor Bretón, en el que el carácter de la sencilla e inocente jardinera es interesante y algún tanto original. Este papel fue precisamente el señalado a la señora Francesconi. El fondo de la sencilla coquetería de la jardinera, sus lágrimas candorosas por la falta de un amante, la alegría natural que experimenta con el amor prestado del conde y el fondo honrado y sincero de su corazón que prefiere siempre al sencillo y palurdo Bartolo, en fin, toda esta serie de contrastes fue comprendida y felizmente ejecutada por la señora Francesconi, si bien creemos que con más reflexión y ensayos podría salir perfectamente la comedia. Después de haber expuesto lacónica pero sinceramente nuestra opinión sobre esta actriz, séanos permitido hacerle notar dos pequeños defectos: en la primera comedia le advertimos una ligera inclinación hacia adelante del cuerpo que no hace buen efecto, principalmente en ciertas escenas en que la postura del actor debe guardar íntima relación con las palabras que recita, y en la segunda advertimos más rapidez que la necesaria en ciertos movimientos. Estas indicaciones las hacemos en verdad con desconfianza y si no son razonables y exactas damos con ellas al menos una prueba de que no somos parciales en favor del Teatro Principal. Las opiniones sobre el mérito de las señoras Cañete y Francesconi son diversas; nosotros nos ceñimos a decir que por lo que hemos visto hasta ahora, nos parece que la señora Francesconi es una excelente actriz.

Yo (Manuel Payno)
27 de julio de 1843

Crónica. Vimos en el Teatro Principal un interesante drama dividido en tres actos y escrito en verso por el distinguido literato español don Antonio Gil de Zárate, intitulado *Cecilia la cieguecita*. En esta función se ha presentado nuevamente la actriz mexicana doña Guadalupe Munguía, y aunque en ella se advirtieran los resabios de una escuela antigua, sobre todo el tono declamatorio que se acostumbraba usar en la representación de la tragedia clásica, pero al través de estos defectos se conocía que la señorita Munguía tiene talento y facultades pues que comprendió bien el carácter del personaje que le fue encomendado. También el temor que tenía de desagradar sofocaba algún tanto su voz haciéndola aparecer débil y opaca, pero creemos que estos defectos irán desapareciendo al trabajar en un cuadro de compañía, en el que tiene excelentes modelos que imitar y que por lo tanto ocupará dignamente el lugar que ocupa de segunda dama. Pero a quien no podemos menos de tributar separadamente los más cumplidos elogios, es a la señora Cañete por el feliz acierto que ha tenido en la ejecución del difícil papel de Cecilia. ¡Qué sufrimiento, qué expresión en el modo de decir los versos, cuánta naturalidad en la acción! Creemos que no puede darse una ejecución más perfecta y como nuestra opinión ha sido la de todo el público, pues lo demostraban los semblantes de los espectadores y los aplausos que le prodigaron durante la representación. La señora Cañete que se ha considerado desde que se presentó en México como una actriz muy distinguida por la gracia inimitable con que desempeña los papeles jocosos, después que se la ha visto trabajar en el género serio y sentimental, se ha confirmado más el concepto de que en ella poseía el Teatro de Nuevo México una joya de un precio inestimable. En el drama *Los celos* ha revelado su gran talento para demostrar y sentir la más fuerte de las pasiones; en el de *La hija del abogado* ha admirado también, pero en el de *Cecilia la cieguecita* ha sido la última mano de obra de su talento, el más brillante resultado de un estudio en el difícil arte dramático. Reciba pues esta ilustre actriz tan justamente celebrada, el tributo de admiración que le rinden los mexicanos.

29 de julio de 1843

Teatro de Nuevo México. 1º de agosto de 1843. Por la noche gran función extraordinaria dedicada al Excmo. señor presidente de la República. Por primera vez se presentará en esta escena el "Niño Prodigioso" a ejecutar toda clase de contorsiones corpóreas en las que tantos aplausos ha merecido no sólo en La Habana, sino en los Departamentos de esta República en que ha trabajado. Este joven es el único y digno rival de los Raveles, y en esto consiste su verdadero mérito si alguno se le dispensa. La función se distribuirá del modo siguiente. Parte primera: 1º Obertura a toda orquesta. 2º Se presentará en la escena una cajita de menos de 14 pulgadas de largo por 10 de ancho, puesta

224

sobre dos sillas, de donde saldrá el "Niño Prodigioso" (espectáculo sorprendente atendiendo a que su estatura pasa de vara y tres cuartas), ejecutando en seguida toda clase de contorsiones corpóreas tanto en las sillas como en el tablado, verificando algunas transformaciones en varias especies de animales. También trabajará sobre dos cuerdas perpendiculares haciendo variadas y difíciles suertes, y concluidas éstas se volverá a introducir en la cajita en presencia del público. Parte segunda: 1º Grandes variaciones de flauta por el profesor Gregorio Valdez, que por primera vez se presentará en la escena de México. 2º En seguida se presentará el niño Hernández a imitar la rana y el lagarto con su correspondiente traje. 3º Grandes variaciones de violín dedicadas a Paganini por el célebre Mayseger e interpretadas por don Agustín Morales, quien igualmente se presenta por primera vez. 4º Con acompañamiento de orquesta cantará el Niño la preciosa canción del Jaque Andaluz. 5º Terminará la función con el gracioso Baile Húngaro.

Gran Música Mecánica traída de Europa. 2 de agosto de 1843. Primera galería: Representa una mecánica de operaciones de tropas de Bonaparte, en las cuales verán grupos y figuras que serán movidas con distintas posiciones militares. También estarán varios caballeros tomando refrescos y en seguida estará un maromero ejecutando algunos movimientos, y en una de sus manos tendrá un plato para recoger la moneda y la echará en una caja, dando al mismo tiempo las gracias a las personas que lo han favorecido con su obsequio.

Segunda galería: Hay una compañía de alemanes en donde se verán señoras y señores con su correspondiente música. Otra comparsa haciendo figuras de baile, y en él se verá un oso cuyo amo lo hace bailar y lo está castigando con un garrote. Se verá a un caballero que está peleando con su señora llevando a sus hijos consigo y los dos están dándose de palos.

Tercera galería: Se verá una magnífica carroza de Estado y serán vistos los reyes de la Europa acompañados de muchos generales de todas las naciones; harán su correspondiente saludo cuando pase dicha carroza.

Cuarta galería: Estarán bailando en una cuerda dos señoras y dos señores haciendo distintas figuras. También se verán otros dos señores bailando en su mismo puesto.

Ha llegado de Europa un mono muy gracioso que sabe tocar una campanilla y los platillos; sabe barrer, se pone los anteojos, toca el violín y el pandero, y cepilla a su amo. Desenvaina la espada, descarga una pistola y hace otras muchas cosas. Se verá esta diversión en la primera calle de San Francisco número 5 desde las 10 de la mañana hasta las 2 de la tarde, y desde las 4 hasta las 10 de la noche. La entrada será a un real cada persona. Las figuras que trabajan son 200.

Teatro Principal. 13 de agosto de 1843. Se pondrá por primera vez el drama en cinco actos clasificados del modo siguiente: 1º Los peregrinos. 2º El desafío. 3º El asalto. 4º Los templarios. 5º El collar. Su título: *Ivanhoe o la judía.* Será puesta con todo el aparato escénico que requiere su argumento. Por la tarde la graciosa comedia en prosa en tres actos, *El galán dueño,* concluyendo con la Jota Aragonesa dirigida por el señor Castañeda y bailada por doce personas.

Teatro de Nuevo México. Se pondrá en escena la comedia nueva de cinco actos intitulada *Un amigo en el candelero,* original de don Antonio Gil de Zárate, terminando la función con la muy aplaudida pieza de baile *La cachucha,* bailada por la señorita Francisca Pavía. Por la tarde el melodrama de grande espectáculo en tres actos denominado *El hombre de la selva negra,* en el que la señora Cañete desempeñará el papel del gracioso Pedro. Seguirá el hermoso padedú tomado del gran baile *La encantadora o el triunfo de la cruz,* desempeñado por la señorita Merced Pavía y por don Luis Pavía, terminando el espectáculo con la graciosa comedia en un acto, *El amante prestado.*

Teatro de la Unión. Esta tarde la compañía de niños desempeñará la célebre tragedia denominada *Guillermo Tell o la Suiza libre.*

Teatro de Nuevo México. La Emilia. Drama en cinco actos por don Ramón de Navarrete y Landa.

El año de 1819, una familia distinguida, cambiando su nombre, se refugió en Sevilla huyendo de la persecución política; allí recogió a una niña recién nacida, sin más título ni antecedente que un billete misterioso que iba en el fondo del cesto en que la expusieron, y se dirigía a doña Clara en estos términos: "A vos, señora, a quien sólo por la fama de su caridad y virtudes conoce, os confía una madre el fruto de un amor desgraciado, etcétera." Habían transcurrido veinte años en este intervalo; grandes trastornos había padecido la familia de doña Clara. Su esposo había dejado de existir, su hijo único, cediendo a un carácter indisplicente y sombrío, abrazó la carrera eclesiástica; sólo Emilia, feliz con la ignorancia de su origen, halagada por la mano maternal de doña Clara, tímida y hermosa crecía, siendo el encanto de cuantos la miraban.

226

El conde de Marvan, joven de veintidós años, con toda la inexperiencia de la edad, generoso y versátil, apasionado y pueril, se presentó como pretendiente de Emilia y fue forzoso revelarle el nacimiento de ésta, lo que lejos de entibiar su afecto, le comunicó un enérgico estímulo, emplazándose la boda para dos meses después de la explicación, previo el consentimiento de Emilia, que mostró amar al conde con toda la vehemencia de un corazón virgen. Llena de júbilo doña Clara, propuso que su propio hijo Leoncio bendijese aquella unión ante los altares; y el monosílabo expresivo y la extrañeza con que responde, revelan hondos misterios, una vida de martirio secreto, el despecho del amor imposible, la agonía lenta de una alma que se consume en silencio y que deja escapar en una sílaba un relámpago que indica las terribles tempestades del corazón. La noticia de los amores de Emilia y el conde había circulado con rapidez en la corte y excitado particularmente la envidia de Luisa, antigua querida del marqués de San Jacinto. En un baile que da la baronesa del Barco, un charlatán, su amante, propone a Luisa la manera de cautivarlo, frustrando su amor a Emilia. Realiza la astuta mujer sus planes: seduce en momentos al conde de Marvan y raya su coquetismo en desenvoltura, proporcionando partir con el conde en su coche, precisamente cuando Emilia venía a buscarlo, celosa de su conducta. El ingrato conde desaparece a la presencia de su novia con Luisa y el marqués también palpa una nueva infidelidad de la que por veinte años ha sido objeto de sus desvelos.

Preciso no es, siguiendo al autor, dividir la atención de nuestros lectores para darles cuenta de las pasiones que agitaron a los diversos personajes que de una manera tan activa intervienen ya en el complicado drama. El marqués de San Jacinto era un hombre que en los primeros días de su juventud tumultuosa concibió una pasión frenética por Luisa, joven oscura y de humilde extracción, a quien sedujo, alimentando por veinte años unas relaciones ilegítimas; pero por una parte el respeto a ciertas conveniencias sociales y por la otra el temor de desagradar el marqués a su madre, conservó en tal estado este amor, hasta que, muriendo aquélla, afreció el marqués generoso su fortuna y su mano a Luisa.

Los tiempos habían cambiado: Luisa no era la joven humilde y sencilla; embriagada con las seducciones de la alta sociedad, mancillada en el torbellino de las pasiones, díscola y coqueta, se complacía en desgarrar fibra a fibra el corazón del amante noble que quería santificar el amor impuro, que la llamaba a sí, que la posesionaba de un nombre distinguido, que legalizaba su riqueza, y lloraba como un amante tímido a sus pies. A Luisa ocupaba sólo el conde de Marvan; rompió con el marqués, que se vengó dejándole cuando poesía y rogándola enternecido que lo ocupase servirle con fino rendimiento. Aún no enjuto el llanto que arrancó tanta dignidad, tanta grandeza, buscó afeites para borrar su huella y presentarse al conde de Marvan, a quien seduce; y el insustancial mancebo se abandona al comercio impúdico de la elegante ramera y ultraja indecente a la niña cándida y sublime que lo adoraba con tan sentida ternura. La situación de Emilia era fatal: brotaba aún sangre la herida que le había hecho una revelación dolorosa; se veía hija del crimen, huérfana y perdido el único bálsamo de consuelo que le quedaba, su amor al conde, su primer amor.

Desamparada, celosa, con la vista de la rival triunfante, con el desprecio del amante tan versátil, tan mal caballero, y sin embargo tan querido de su alma. En vano su madre la consuela; en vano se le propone marchar a lejanos países, donde la belleza del cielo y las pinturas más risueñas pueden distraerla. Ella responde: ¡*Pero si él no estará allí*! Sentimiento elocuentísimo y sublime, que vale por un tomo de declamaciones; porque para la mujer que ama, el amante es su universo, su armonía, su felicidad; se ausenta, ¡y todo aparece lúgubre y desierto! Emilia se queja a Leoncio de su amante perjuro; y el que haya entrevisto en las palabras de este mártir su amor intenso a Emilia, que creyó su hermana, y huyendo de la pasión criminal que germinaba, hunde su vida en la austeridad y la penitencia, y cuando ya lo ligan vínculos eternos, cuando ya la palabra amor en sus labios es sacrílega ... entonces sabe que podía haber amado a Emilia, que podía ser feliz ... y entonces, para más profundizar este tormento, para revolver la daga del dolor en sus entrañas, entonces Emilia se queja con él del amante ingrato, le hace confidente de su delirio y de su amor mal pagado. Y Leoncio llora en silencio y caen a su corazón sus lágrimas, porque ya es un crimen su llanto mismo.

Por fin, el marqués de San Jacinto y el conde tienen un duelo, del que resulta mortalmente herido Marvan; en situación tan dolorosa, cuasi moribundo, es conducido a la casa de Emilia; pero el marqués, siempre digno y generoso, antes de huir por la persecución judicial, hace dueña de sus bienes a Emilia, como para repararle la pérdida de su amante. Sabedora Luisa de la agonía del conde, corre a profanar con sus exclamaciones de amor el lecho de muerte del indiscreto joven; allí está Emilia, Emilia, como un ángel de salvación y de bondad, contando las pulsaciones de su corazón, humedeciendo con llanto la herida que recibió por la mujer infame; pero el conde, arrepentido, en aquellos instantes sólo piensa en Emilia, su nombre vaga con ternura sobre sus labios sin color, y, en aquellos momentos solemnes, la muerte diviniza su amor para confundir a la vil Luisa, que con el pelo descompuesto, arrodillada, gimiendo frenética, se retuerce pidiendo una mirada, una sílaba que no obtiene. Su imprudencia es tal, que quiere disputar los restos de su amante; Emilia indignada la repulsa, defiende el lecho, insta, se arroja sobre la rival odiosa, y ésta con un puñal va atravesar el corazón de la niña, cuando aparece el marqués...

Marqués. Detente, desdichada; es tu hija.
Luisa (soltando el puñal), ¡Ah!
Emilia. ¡Gran Dios!
Luisa (de rodillas). ¡Misericordia, misericordia!
Emilia. ¡Su hija!... Madre, olvido, y perdón. (Abriéndole los brazos.)
Luisa (precipitándose a ellos). ¡Hija mía!

He aquí el drama del señor Navarrete, considerado en su acción principal y desnudo de varios incidentes, que si no favorecen su corrección y buenas prendas como acabada composición dramática, al menos sostienen su interés; y esto sólo es cualidad eminente, en mi modo de ver, para un dramaturgo. El defecto esencial de esta composición consiste en haber dividido el interés de la acción, comunicando demasiado realce a personajes subalternos, que deberían sólo robustecer la unidad del argumento y en haber manifestado un estudio acaso demasiado prolijo, presentando contrastes que no siempre producen el mejor efecto. Los amores del marqués y de Luisa, aunque se enlazan oportunamente a la acción principal para producir la catástrofe, distraen por mucho tiempo al espectador que ya tiene sumo interés por la pasión oculta y desesperada de Leoncio, personaje episódico, pero hábilmente descrito, cuyas penas nos conmueven y cuyo silencio taciturno es una agonía lenta, que tiene el espectador ante los ojos con demasiada constancia; lo mismo sucede con el celo de Emilia, avivado por las impertinentes delaciones de la baronesa del Barco, que unida a su compañero, es una pareja cómica e inútil para el desarrollo del drama, y que del solo apuro que sacan al poeta, es el de avisar el estado de los amores de Luisa y el conde, de participar el desafío de éste con el marqués, y el de producir uno que otro contraste frío y desairado, como el que ofrece su aparición después de la vehemente revelación de Leoncio a su madre sobre su amor a Emilia.

Estas interrupciones no son siempre oportunas, la suma dilación del baile, la agonía demasiado prolongada del conde, así como la disputa sobre quien debería poseer sus restos, son de malísimo efecto, y sobre esto hay una máxima de Martínez de la Rosa, que no debió haber olvidado el autor. Por lo demás, el drama me interesó sobremanera, y hay frases y situaciones que descubren profundo conocimiento del corazón, vasta lectura y un excelente gusto dramático. El lenguaje en que está redactado este drama es correcto, nervioso y castizo; algunas veces la lozanía de imaginación del autor lo distrae, haciéndolo recurrir a comparaciones y figuras retóricas que no son el idioma del corazón; no hay sublimidad sin sencillez, y en el drama se advierten trozos en que se deja ver demasiado el poeta. Me han asegurado que esta producción es de un mexicano, y no he podido dejar de ver con entusiasmo y orgullo las excelentes dotes dramáticas que en ella descubre su autor.

Con placer diré que el desempeño de este drama ha sido sobresaliente, y en el silencio constante y en la atención no interrumpida del público, deben ver un lauro los actores, mucho más que en esos aplausos estrepitosos en los que más que el talento y el criterio tienen parte la robustez de los garrotes y la fortaleza de los pulmones. Las señoras Cañete y Peluffo dejaron en extremo satisfecho al público; la primera caracterizó su papel con admirable maestría, y esa mezcla de candor y pasiones, de inocencia y de celo, de pureza virginal y de despecho, supo sostenerla con firmeza, ¡cuánto me conmovió con su amargura!, ¡cuán verdaderos eran sus sollozos!, ¡cuán enérgica y digna su actitud en la penúltima escena del drama! Aunque en la pintura del carácter encargado a la señora Peluffo, no siempre fue consecuente su autor, pintándola al principio como una mujer frívola y engañosa y poniendo después en su boca expresiones llenas de franqueza cuando rehúsa otorgar su mano al marqués; sin embargo, la señora Peluffo manifestó que es una actriz de mucho mérito. En la escena que dejo referida sobresalió; pero nunca más interesante, más natural, más digna de elogio que en el final del drama. Los que la vieron arrodillada y con el pelo descompuesto, con las manos tendidas al moribundo, golpeando su frente sobre el lecho mortuorio; los que oyeron los sollozos que la ahogaban, y en aquella actitud, y con aquellos ojos errantes ... Esto es ser actor ... Sin verdad no hay belleza, ¡y ojalá siempre huyendo la afectación y la inverosimilitud, me diera motivo esta señora para elogiarla con la justicia y la sinceridad que ahora!

Aunque en un papel más subalterno, no puedo menos de hablar dos palabras de la señora Munguía, que en aquella noche se despidió del público, según asegura ella misma, por sus enfermedades. Éste me parece un pretexto honroso, pues según creo, la verdadera causa es el desagrado con que la recibió lo que en el Nuevo México se abroga el nombre de público. Sea como fuere, en la Emilia desempeñó muy bien su papel, y en la escena en que Leoncio le descubre su pasión a Emilia, nos pareció sobresaliente. Pero nada es bastante, cuando una actriz se halla entre opuestos y rastreros partidos, verdaderos elementos de destrucción del teatro, y cuando puede decidir de la suerte de una infeliz una decena de entes que se sospecha pertenecen a la especie humana por la habilidad del peluquero y del sastre.

¿Cómo recordar mi artículo sin recordar a Leoncio y al marqués? ¿Cómo no elogiar esa asiduidad, ese ahínco del señor Mata para conservar el aprecio que justamente le profesa el público? En el fin de la escena 5ª del acto primero, cuando se le propone que bendiga el enlace de Emilia, responde: ¡¡Yo!! Como ya el lector conoce los antecedentes de esta sílaba, que encierra todo el asombro, todo el carácter del clérigo, no extrañará recomiende al señor Mata fije su atención en él si lo volvieie a repetir. El indicado es un levísimo defecto, que se pierde entre tanta belleza y maestría como empleó en dar lleno a un carácter singular que honra a su talento de actor. Tenía deseo de rendir un homenaje al mérito sobresaliente del señor Hermosilla; yo, como rancio en mis gustos, como enemigo de esa declamación compasada y poco natural, de esos arranques bruscos y estrepitosos, de esos movimientos exasperados y ridículos, veo en el señor Hermosilla un discípulo de la verdadera escuela española, muy digno de que se le haga lucir, muy correcto en sus maneras y lenguaje; en fin, un actor al que sólo la falta de estímulo puede inutilizar, como no es muy difícil que suceda.

La agonía penosa, las ansias y la muerte del señor Armenta, fueron lo mejor posible. Navarrete descuidó su carácter, la inconsecuencia que lo constituye, y es un resorte poderoso del drama, está mal indicada y desenvuelta con menos habilidad que el de los otros personajes. El señor Armenta, por su estatura, voz, fisonomía y maneras, no puede representar un joven de ventidós años; y si no se advirtió en escena este capitalísimo defecto, fue porque el actor sacó mil ventajas de su papel, mereciendo en la muerte los aplausos que se le tributaron por su naturalidad, por el talento con que se poseyó de su situación, y porque supo hacer sublimes los últimos momentos de un amante. Concluyo recomendando a la empresa la economía del tiempo en los entreactos; es más útil esto que la de género en los vestidos de las bailarinas, y si no, pregúntenselo a los imparciales.

Fidel
22 de agosto de 1843

231

Crónica. Tres novedades nos ha presentado el Teatro Principal en la última semana: el *Ivanhoe,* la *Emilia* y *A un apuro otro mayor.* Esto demuestra un empeño digno de recompensa, y después de desear que la obtenga la compañía empresaria, vamos a tratar de aquellas dos primeras producciones. *El Ivanhoe* (a cuyo autor se hizo sabiamente guardar el anónimo) reúne el defecto de haber sido extractado de novela, y precisamente de una de Scott, y eso en un compendio pésimamente compaginado. Es en nuestra opinión una malísima novela en diálogo de cuyo argumento quédase casi a oscuras quien no ha leído la novela primitiva, y cuyos caracteres y situaciones copiados a *pedem litera* de ésta nos están, y fácil es concebir la razón, produciendo un insoportable embolismo en que poco o nada se comprende y algo a duras penas se adivina. Su estilo enfático y gongorino posee innumerables linderas de palabra y de frase, como una pira encendida con "fatídica mesura", una llama que arde con "calma diabólica", y finalmente hay en cada relación de Rebeca y de Isaac un compendio compendiado de la Biblia, cuyo lenguaje no es el más apropiado para las pasiones y efectos del drama. La señora Francesconi agradó bastante y sobremanera en las estrofas que canta al piano; lo mismo decimos de la señorita Santa Cruz, pero hubo una desigualdad notable en el todo de la ejecución por parte de las actrices; no podemos decir lo mismo respecto de los actores, quienes lo hicieron igualmente mal todos y en todas las ocasiones.

J. P.

23 de agosto de 1843

Teatro de Santa-Anna. Señores editores. México, 30 de agosto de 1843. Muy señores míos: Como mexicano celoso de la seguridad del pueblo a que pertenezco, y anhelando ser escuchado con el empeño que merece la materia que deseo poner en cuestión para que se dilucide, me valgo del periódico de ustedes a fin de que las autoridades a quien corresponde en desempeño del deber que tienen de velar por la seguridad de los habitantes de México, impidan las desgracias que preveo sucederán si se concluye y pone en uso el teatro de la calle de Vergara bajo el orden de construcción que se comenzó y ha seguido hasta el punto en que hoy se encuentra. En tal concepto llamo la atención del Supremo Gobierno, la del Excmo. Ayuntamiento, la de todos los aficionados a las representaciones teatrales, y asimismo la de los empresarios de la obra respecto a sus intereses, para advertirles el riesgo que respecto a mi parecer se encuentra dicho edificio, comprometiéndome a demostrar, según mis cálculos y mis observaciones hechas en la obra material, que peca en su construcción contra las reglas del arte y contra las reglas seguidas en México en consideración a la clase de terreno.

Fácil me sería, tratando de hacer el charlatán, llenar este comunicado de frases pomposas y de cálculos que no serían claros para la mayor parte de los lectores, pero como mi verdadero objeto es hacer que mis pocas luces sean útiles a mis compatriotas, me ciño por ahora a la anterior advertencia y repito que dicho teatro está expuesto a derrumbarse definitivamente, y con más facilidad una vez que se encuentre ocupado, debiendo ocasionar tal acontecimiento desgracias que se pueden evitar si mis objeciones son de algún peso y se procura aplicar un remedio al mal que llevo indicado. Bien sé por lo expuesto que bajo la sombra del anónimo se me apodará como es de costumbre y como se ha hecho últimamente, con el señor Griffon, por haber obtenido el primer premio dado por la Academia Nacional como autor del monumento que debía colocarse en la plaza, y como se hizo conmigo cuando hablé sobre el mercado, pero declaro solemnemente que a lo único que me comprometo es a sostener ante los profesores de la Facultad y ante el público si fuese necesario, que la construcción del teatro es eminentemente arriesgada, y de ninguna manera a contestar insultos y observaciones que se me dirijan, si no se dieren a luz bajo la firma del autor como yo lo hago con el presente artículo.

Recordarán ustedes, señores editores, que sin embargo de ver constantemente atacados mis intereses con las preferencias que se han dado a otros sobre mí, desde que regresé de París donde concluí mis estudios hasta recibirme de arquitecto en aquella academia y después en la de México, nunca he despegado mis labios sino en las veces en que el interés del pueblo mexicano me lo ha exigido, como lo fue el asunto del mercado en que se dilapidaron los fondos municipales, y en la ocasión presente en que imploro a las autoridades a quienes me dirijo, que tomen las providencias necesarias para evitar los desastres que he indicado.

Vicente Casarín
1º de septiembre de 1843

Teatro de Nuevo México. La gratitud es uno de los primeros deberes del hombre y un sentimiento propio de los tiernos corazones, y con cuánta eficacia no ha de producirse en el de un padre que ve premiados brillantemente los primeros ensayos de su hija de seis años. Hablo de lo ocurrido la noche del 27 de septiembre cuando por segunda vez se presentó mi pequeña Pilar a bailar en el *Caballo jaleado*, y recibió una lucida corona con monedas de oro. Las continuas muestras de benevolencia y aprecio que el respetable público que concurre a este teatro se ha dignado dar en favor de mi familia, han obligado sincera y eficazmente mi reconocimiento y el de mi esposa, y para manifestarlo públicamente me valgo de este estimable periódico.

Francisco Pavía
1º de septiembre de 1843

Contestación al señor Casarín. Señores editores: En el número 645 de su apreciable periódico aparece un comunicado del señor Casarín en el que manifiesta sus temores sobre la inestabilidad del teatro de la calle de Vergara. Según dicho señor el teatro está construido "contra las reglas del arte y las del uso seguido en México por consideración a la clase del terreno". Deja para más adelante su demostración y se propone sostener una polémica científica. Espero, señores, que me harán el favor de insertar mi artículo sobre la cuestión, en la que entro gustoso. Para que dicho señor pueda hablar con seriedad sobre la buena o mala construcción de la obra, puede pedirme los planos y acercarse cuanto guste al teatro, porque sin el examen de aquéllos y con una sola visita que ha hecho, según creo, a la obra, y sin los pormenores del sistema seguido en los cimientos y paredes, es muy expuesto caer en el error de decir todo lo contrario de lo que es en realidad.

Puede tranquilizarse el señor Casarín y desechar sus temores de las desgracias que prevé, porque ya la autoridad competente ha nombrado una comisión de peritos para que examinen la obra y dictaminen, medida originada por el desgraciado accidente ocurrido en un ángulo del teatro. Siendo esencial para la estabilidad de los edificios que las paredes tengan el espesor correspondiente, puedo demostrar matemáticamente por la fórmula del sabio constructor Rondelet, que no solamente tienen el espesor que exigen las reglas, sino aún más, y que se ha dicho por algunas personas parciales que hay reglas y fórmulas que dan mayor espesor. Esto es un error o ignorancia y malicia imperdonable en las artes. Citan a Borguis en su favor y este autor no da más reglas que las de Rondelet...

Haga el señor Casarín sus aplicaciones con los datos que puede sacar de los planos de la obra y examine bien el sistema de construcción de

234

los cimientos, y podrá entonces o convencerse de su error o convencer al público de que lo manifestado en su artículo está fundado, con lo que conseguirá destruir mi poca o mucha reputación artística sin tener que acudir a otros medios poco favorables en lo general para el que lo emplea.

Lorenzo Hidalga
3 de septiembre de 1843

Teatro de Nuevo México. 27 de septiembre de 1843. Deseando la empresa contribuir por su parte al aniversario de la gloriosa Independencia de la República, ha escogido una selecta función en estos términos: La orquesta considerablemente aumentada tocará una brillante obertura, representándose el drama en cinco actos de Alejandro Dumas intitulado, *Lorencino*. Concluido el drama se bailará un hermoso cuarteto serio tomado del gran baile de *Julio César*, y por primera vez se presentarán las señoritas Francisca y Merced Pavía, y los señores Francisco y Luis Pavía. Los entreactos se cubrirán con piezas de oberturas escogidas. El interior del salón y todo el edificio estarán iluminados extraordinariamente.

Lorencino. Drama en cinco actos por M. Alejandro Dumas, representado en el Teatro de Nuevo México la noche del 27 del pasado.

Lorenzo de Médicis, pariente del bastardo Alejandro de Médicis, duque de Florencia, concibió en su interior el audaz proyecto de libertar a su patria del dominio de un hombre inmoral y tirano como Alejandro. Para llevar adelante su secreto designio, se incomunicó totalmente de Felipe Strozzi y sus partidarios, defensores ardientes del sistema republicano abolido por el emperador Carlos V, que fue quien nombró a Alejandro duque de Florencia, después de haberse éste casado con Margarita, su hija natural.

Para iniciarse y obtener Lorencino, como lo consiguió, los favores y la confianza del duque, le fue forzoso desempeñar el papel de vil esbirro y encarnizado perseguidor de sus hermanos. Aparentaba ser un loco, un cobarde, un hombre a quien horripilaba una gota de sangre; protegía la vida licenciosa del duque y con una máscara de hielo impasible a todos los afectos, encubría una resolución terrible y enérgica. Es una especie de consagración voluntaria y penosa a la que se entrega Lorencino; es

235

una vida de humillación y vilipendio; un martirio lento y doloroso por la patria; un acecho constante de las miradas, de los movimientos, de las palpitaciones de la víctima que tiene el buitre bajo su garra y sobre la cual vacila desconfiado.

En ese hipócrita envilecimiento entre la niebla de que se rodea aquel ser abyecto, cruzan relámpagos de grandeza sublime, que hacen su carácter excepcional e incomprensible. Una circunstancia digna de referirse, pone en manos de Lorencino el instrumento más a propósito para llevar al cabo sus miras. Amaba éste con delirio a Luisa, hija de Felipe Strozzi, jefe de los insurgentes como hemos dicho. Proscrito y puesta a precio su cabeza, dejó a su hija en Florencia en la casa de una parienta cercana; pero habiendo allí sido vista por el duque y mostrando éste deseo de obtener sus favores, se hizo a Luisa mudar a una oscura habitación; allí, con el mayor sigilo, rodeado de un misterio impenetrable, la visitaba Lorencino. En una de sus entrevistas nocturnas, fue sorprendido por Felipe Strozzi, quien le obligaba a casarse con su hija; rehusó Lorenzo. Le pidió una satisfacción, rehusó también con su estúpida risa y su cobardía ficticia, y entonces Strozzi mandó que uno de sus súbditos, Michele Seorenconcolo, asesinase al traidor favorito de Alejandro. Había olvidado que Strozzi se hallaba en Florencia, no obstante las circunstancias que hemos dicho, porque había querido ocultamente en compañía de los suyos asesinar a Alejandro; tentativa frustrada con pérdida de dos de los más arrojados conspiradores.

Michele, para cumplir con su encargo de asesinar a Lorencino, se fingió cómico, penetró en su estancia, le dijo que había representado las tragedias de que Lorenzo era autor en los principales teatros de Italia; y llevó la ficción al extremo de recitar una escena del Bruto, obligando a Lorencino que refiriese los versos que decía César; llegan al momento en que el romano empuña la daga, lo hace realmente el fingido actor, se precipita sobre Lorencino, el que cauto para el golpe, derriba a su adversario, y al ir a extinguir su existencia, retira su puñal y obliga a su confundido asesino a que le cuente su historia. Era Michele bufón infeliz de la licenciosa corte de Alejandro; amó en medio de su degradación a una mujer *apacible y hermosa, joven, pura y risueña; el lirio más cándido era menos blanco que su frente; una hoja arrancada del corazón de una rosa era menos fresca que sus mejillas.* En medio de su delirio de felicidad, pidió al duque licencia de casarse; la burla fue la respuesta. Insistió Michele y a la burla se añadió la amenaza. Ésta se cumplió al siguiente día: lo azotaron hasta sacarle sangre; reincidió en su súplica no obstante, primero hubo amenazas, después como compadecido preguntó el nombre de la novia; lo dijo el humilde bufón, y en la noche, en medio de una orgía, se arrojó a su amada para que la prostituyera y fuese ludibrio del duque y sus amigos. Nella, que era su amada, murió en un claustro víctima de su vergüenza; el bufón había jurado venganza, y esa sed lo hizo ingresar al partido de Strozzi; pero en aquel momento debía a Lorencino la vida. Él sólo le exigía una recompensa a que lo espere esa noche entre once y una en un paraje determinado. Éste era el hombre que buscaba Lorencino.

Felipe Strozzi, de resultas de su tentativa frustrada, se había refugiado en el convento de San Marcos, en la celda de fray Leonardo, domínico entusiasta por la libertad; ignoraba esto Lorencino y el duque mismo; pero ambos lo supieron de la manera siguiente. Hemos indicado el vehemente amor que Lorencino profesaba a Luisa Strozzi, amor santo que florecía con la esperanza de una dicha futura, pero rodeado de las tinieblas del misterio; también hemos indicado que el duque solicitaba a Luisa; se valió de sus agentes para que la espiaran y acababa de ser descubierta su nueva morada. Llena de espanto la joven, cubierta con una careta vuela a que la salve su amante; le expone su peligro y éste la oye con impasible frialdad, asegurándole que no tema; además le cuenta sus conversaciones con Strozzi que rehusó su mano, que no quiso abrazar el partido de los libres, terminando por protestarle su amor y halagarla con su próxima unión feliz; la hija cándida de Strozzi le confía el asilo de su padre. Lorencino, en una entrevista con el duque, se ofrece como protector de sus amores con Luisa y después de su cita con Michele pone al duque un papel en que delata el refugio de Strozzi. Insistió anteriormente Lorencino en que al padre de Luisa no se diese muerte, halagando al duque con la idea que no más prendiéndolo y formándole proceso, Luisa misma compraría con su honor la existencia de su padre.

Temía Strozzi por la existencia de su hija, cuyo amor con Lorencino sabía y protegió en su origen cuando era éste la esperanza del pueblo. Fray Leonardo le asegura su pureza; su hija misma, que penetra en la celda, se lo afirma con la verdad de la inocencia; le confiesa que ama a Lorenzo, le refiere su conversación con él; por último, con su genial candor, no oculta que por su boca ha sabido su amante el paradero de Strozzi. El padre culpa a la hija de haberle traicionado; confirman esta acusación los esbirros del duque, y el duque mismo, que vienen a prender a Strozzi y a fray Leonardo. Aun allí tranquiliza Lorencino a Luisa, le promete la salvación de su padre, le asegura el cambio de las cosas y le exige una ciega obediencia; ella jura tenerla; le anuncia, por último, que un hombre la irá a buscar a media noche y le ordena lo siga sin vacilar.

Los Strozzi marchan a su estrecha prisión y Lorencino promete al duque que en aquella noche serán satisfechos sus impúdicos deseos. Luisa ha visto al duque y ha obtenido licencia para hablar a su padre en la prisión; éste, cediendo a los pensamientos sombríos que lo asaltan a la vista de su hija, le pregunta: ¿Cuántos años de inocencia te ha costado el permiso de estar conmigo media hora? Strozzi entrevé en la explicación de su hija un peligro, peligro que exagera su impotencia de defenderla. Luisa, le dice en medio de la más dolorosa inquietud, ¿quieres más bien morir joven y pura que vivir deshonrada y cubierta de vergüenza? A la respuesta afirmativa, añade la representación de verla en poder del duque, indefensa, clamando al cielo desvalida; la muerte es preferible a soportar tan brutal ultraje. Strozzi padre, Strozzi enemigo del duque, y sobre todo, Strozzi italiano, da un pomo de veneno a su hija para que lo apure si no halla otro remedio que salve su honor.

Interrumpe aquel diálogo un esbirro; con él se presenta un enmascarado que queda solo con fray Leonardo... es Lorencino, que va a pedir su absolución al sacerdote para realizar un temerario proyecto. Ésta es la revelación sombría de los sufrimientos de un hombre por lograr su fin; ya no es el maniquí ridículo de los caprichos del duque; no es el adulador cobarde de un tirano; es una figura colosal e incomprensible, que se despoja de un manto de escarnio para aparecer con la diadema de los héroes. Lorencino obtiene la absolución, al salir se encuentra a los prisioneros que claman a su derredor venganza... Fray Leonardo le abre el paso haciendo aún más oscuro para ellos aquel hombre aborrecible y misterioso. Lorencino aparece con Michele en un aposento retirado del palacio ducal; el primero le ha ofrecido que allí se vengaría de uno de los que ultrajaron a la adorada de su corazón con astucia sutil; se le recuerda aquella orgía inmunda, aquella algazara en medio de la cual se sacrificó a la prenda más amada de su alma, al desenfreno brutal del duque y sus amigos; esos recuerdos desvendan sus heridas, avivan su sed de venganza, lo afirman en su resolución; queda solo, reconoce el aposento en que se halla; en él se ha sacrificado a quien debió hacer la felicidad de su vida... se oculta porque oye pasos... es Luisa...

Quien haya reflexionado detenidamente sobre el carácter especial de Lorencino; quien tenga presente los antecedentes de la prisión de Strozzi y las últimas palabras de éste considerará la situación de Luisa, sola, abandonada en aquel paraje; allí está el retrato, allí su capa... nada interrumpe el silencio, parece que todo enmudece presintiendo el sacrificio de su pureza; una carta que está abierta en la mesa de letra de Lorencino dice así: "Monseñor: cenad alegremente; acabo de ver a nuestra hermosa afligida; como lo había previsto, no ha sido insensible a la esperanza de salvar a su padre... la cita siempre es a la una en el cuarto verde..." Va a sonar la hora fatal: Lorencino la ha vendido; Lorencino el delator de su padre. Se arroja fuera del aposento, todo está cerrado, nadie responde; crece su congoja, escucha pasos y apura el veneno salvador...

Aparece Lorencino tranquilizándola, le revela los arcanos de su existencia; le pinta con el entusiasmo de la felicidad la libertad de su padre, su porvenir; pero nota demudado el semblante de Luisa, le muestra ésta vacío el pomo de veneno con la sonrisa de la agonía mortal. Ésa es una situación eminentemente trágica; aspirar a la dicha, sacrificarse por ella, casi palparla, y hallarse con desengaño tan atroz, con la muerte de quien más se ama... y Luisa oír hablar de juventud, de unión y de placeres, no teniendo más presente que la agonía que la consume, ni más porvenir que el sepulcro. El duque llega a realizar sus sueños de deleite; se halla con Lorencino, que se le revela en su deformidad, en su venganza implacable y sombría. Michele le cierra el paso; consuma el asesinato del duque y entre la sangre humeante de las víctimas se percibe la aurora de la libertad de Florencia...

He aquí una ligerísima idea del drama de Alejandro Dumas; difuso trabajo sería, en nuestro juicio, manifestar hasta dónde el autor se ha separado de la historia y hasta qué punto conviene con ella; ésta refiere que Lorenzo de Médicis llevó a Alejandro a un lugar secreto, bajo pretexto de proporcionarle una entrevista con la esposa de Leonardo Guiori, y allí lo asesinó Lorencino, cuando el tirano ciego de deleite iba en busca de los favores de la hermosa florentina. Volviendo al drama, me parece que debe juzgarse bajo dos aspectos diferentes: uno literario y otro moral. Respecto del primero, se admira bien establecida la lucha de pasiones y de intereses opuestos; el interés está sostenido con maestría admirable, las escenas perfectamente enlazadas, los caracteres siempre consecuentes, el desenlace verosímil y hermoso.

Bajo el aspecto moral sí se ofrecen algunas reflexiones. De luego a luego repugna ver disfrazada la más sublime de las virtudes sociales, el patriotismo, con la helada máscara de la perfidia, y por mí, sé decir que no concibo ni valor, ni grandeza, ni heroicidad, en el disimulo sordo y prolongado de un hombre que tiende a otro una mano amiga, que se une a él en sus placeres, se complica en sus crímenes, lo adula y lo hace dueño de su ternura y de su confianza, meditando con alevosía en un cobarde asesinato que no se sabe por qué no ejecuta en mil ocasiones que se le presentan, saboreando momento a momento su

239

atentado y esperando sin cesar el momento en que desnude el corazón de quien llama amigo para asesinarlo. Repugna ciertamente ver elevada esta sucesión extraña de traiciones al rango de padecimientos heroicos, y ver elevado también al rango de consagración y virtudes sublimes al plan traidor de un hombre que no se atreve a ver la cara de su víctima cuando está sola y desarmada, y pudiéndolo aniquilar en un reto honroso, lo entrega a una mano extraña para que consume el más villano de los asesinatos; éste es el trastorno de los principios: confundir el heroísmo con la más bastarda de las pasiones, presentar un ejemplo funesto entronizando la cobardía. ¡Parodias ruines de Bruto y de Scévola!

Podrá alguno decir que ésta es una lección que prueba que la tiranía no tiene amigos, y que bajo el manto de adulador oculta frecuentemente su dogal el verdugo; pero, a mi entender, es menos benéfica tal advertencia a los tiranos, que perjudicial al pueblo un modelo en que se vicia un principio justo de insurrección, envileciéndolo al personificarlo en un ser como Lorencino. Por otra parte, yo creo que el castigo que recibe éste con la muerte de Luisa puede ser de algún efecto moral; pero no se percibe con claridad tal objeto, o pertenece más bien esa muerte al efecto trágico y a establecer con sublimidad un contraste dramático. Es necesario advertir, sin embargo, que nosotros juzgamos a Lorencino bajo la influencia de costumbres altamente civilizadas, en medio de una sociedad en que sería un anacronismo un hombre como el protagonista, y bajo ese respecto Merimée se expresa con suma sensatez cuando dice: "Hacia el año de 1500, un asesinato o un envenenamiento no inspiraban el mismo horror que hoy día. Un gentilhombre mataba a su enemigo a traición; el asesino imploraba perdón, lo obtenía, y reaparecía en el mundo sin que nadie lo viese con mal ceño. También algunas veces, si el asesinato era efecto de una venganza legítima se hablaba de su autor como se habla hoy de un caballero cuando gravemente ofendido por un fatuo lo mata en desafío. Me parece evidente que las acciones del siglo xvi no deben ser juzgadas con nuestras ideas del siglo xix. Lo que es crimen en un estado de civilización perfecta, no es sino un rasgo de audacia en un estado de civilización menos adelantada, o una acción loable en tiempos de barbarie. El juicio que conviene aplicar a las mismas acciones debe, según creo, variar siguiendo las costumbres de los diversos países, porque entre un pueblo y otro pueblo hay tanta diferencia, como entre un siglo y otro siglo."

Si conforme a esta doctrina se juzga Lorencino, el drama ganará en verosimilitud, en moral política; pero no tendrá simpatías ese carácter, por lo mismo que son diversos los pueblos y los hombres. Por eso sin duda repugna que un hombre antes de consumar su crimen pida la absolución, y se le otorgue; pero en este caso la culpa recae sobre el fraile que le confiesa, pudiéndose considerar su fallo como un extravío que produce en él la exaltación de la libertad. Sería necesario reproducir aquí el drama para notar una a una sus bellezas dramáticas, su lenguaje fácil y expresivo, sus escenas llenas algunas de tierna sublimidad y la creación inmaculada y angélica de Luisa, cándida, crédula, apasionada, adorable.

La traducción es correcta y castiza, no parece obra de un solo día; y aunque sus autores lamentaron que se tomaran la libertad en el teatro de poner sus nombres en los avisos, frente a un trabajo que se emprendió por diversión y sin jactarse nadie de una tarea en que hubieran sido pueriles fincando pretensiones, no deben avergonzarse, repito, porque dicha traducción corresponde al nombre que esos jóvenes se han sabido granjear con su aplicación y sus producciones entre los amantes de la literatura nacional. Respecto del desempeño, valiera más no hablar; la señora Cañete, el señor Mata y el señor Barrera comprendieron sus papeles y se hicieron dignos de elogio; por lo demás, escenas truncas, barbarismos sin número, supresión de unos nombres y sustituciones arbitrarias; de suerte que para los que conozcan el drama de Dumas hubo dos tragedias que podrían titularse: una la muerte de Alejandro de Médicis, y la otra el sacrificio del *Lorencino*, de Alejandro Dumas.

Fidel
8 de octubre de 1843

Teatro de Nuevo México. 17 de octubre de 1843. Gran espectáculo de magia. Se representará la magnífica comedia de magia artificial en tres actos cuyo título es *Marta la Romarantina*. Será adornada con variadas decoraciones, trajes lucidos, multitud de transformaciones y juguetes de maquinaria, vistosos bailables y hermosos coros. Decoraciones nuevas inventadas por el pintor don Juan Alerci. Acto primero. 1ª Selva. 2ª Salón corto. 3ª Exterior de una fortaleza. Acto segundo 1ª Vista de castillo. 2ª Gran galería transparente. 3ª Un mercado. Acto tercero. 1ª Fachada de palacio en un jardín. 2ª Gran decoración de infierno. 3ª Templo de Nuestra Señora. 4ª Gloria. Bailes arreglados por don Francisco Pavía, director del ramo. Wals grande y galopado por ocho parejas. Fuga de furias por cuatro parejas. La música del coro es composición del maestro de orquesta don José María Chávez.

Teatro de Nuevo México. 31 de octubre de 1843. Función extraordinaria a favor de don Juan de Mata, primer actor y director de este teatro. Se representará el hermoso e interesante drama nuevo de don Antonio García Gutiérrez, dividido en cuatro actos, precedidos de un prólogo, cuyo título es *Simón Bocanegra.* A continuación se ejecutará un baile pantomímico nuevo en su género, composición de los señores Raveles, representado con aplauso en Francia y Estados Unidos, cuyo título es *Los ladrones nocturnos.* Se finalizará con los hermosos y sorprendentes cuadros mímico-animados.

Gran Diorama. Plaza de la Constitución. Portal de Mercaderes número 4. Cuadros químicos de Daguerre, de París. Espectáculo enteramente nuevo en esta capital y en toda la República. Esos grandiosos cuadros que han causado la admiración de Europa y de los Estados Unidos por la ilusión completa que produce, pasando del día a la noche, tienen todas las graduaciones de la luz, presentando escenas enteramente distintas en la misma tela, efecto obtenido por la descomposición de la luz, nuevo procedimiento de pintura inventado por el célebre Daguerre. La exhibición constará de cuatro cuadros que todos los espectadores verán a la vez, sin vidrio de aumento, como sucedió con el Cosmorama, etcétera.

Primer cuadro. Interior del monasterio de Monserrate en Cataluña. Esta iglesia adornada con arabescos dorados es una de las más ricas de España. El santuario está adornado de las materias más preciosas. 74 lámparas de plata se hallan alrededor de la Virgen de Monserrate, colocada encima del altar mayor, y que se halla revestida de ornamentos de una riqueza suma. Su iglesia se ve primeramente de día, pasa por todas las modificaciones de luz hasta la noche, entonces las lámparas se alumbran derramando un vivo resplandor sobre el santuario, al mismo tiempo que se apercibe la claridad de la luna, que se introduce por los balaustres y por la puerta de la iglesia que se encuentra a la derecha. Aquí la escena cambia completamente representando el episodio histórico que tuvo lugar en 1808 cuando los franceses entraron en España. La iglesia antes vacía se llena de catalanes armados que acuden en motín en medio de la noche y guiados por un sacerdote revestido de las sagradas insignias, quien con un crucifijo en una mano y un puñal en la otra, excita su patriotismo y les hace jurar guerra de muerte contra los invasores de su patria.

Segundo cuadro. Derrumbamiento de una montaña en Suiza. Un valle era el más hermoso de Suiza antes de la grande catástrofe acaecida la noche del 2 de septiembre de 1806. Vemos que la noche va llegando por grados en medio de una violenta tempestad acompañada de relámpagos y truenos y de una copiosa lluvia, durante la cual una parte de la montaña de Ruffiberg, que se halla a la derecha sobre el pueblo y el lago que desaparecen para siempre sepultando a más de quinientas víctimas. Después de aquella catástrofe a los supervivientes escapados milagrosamente con las teas encendidas contemplando tan horrible escena. La luz de las antorchas por un lado alumbrando la única casa que ha quedado en pie y la vacilante claridad de la luna por otro, formando un contraste sorprendente.

Tercer cuadro. Interior de la iglesia de San Esteban en París y celebración de la Misa del Gallo. Este cuadro representa el interior de esta iglesia; su arquitectura de tipo sarraceno se distingue por la delicadeza y elegancia que los artistas de aquella época daban a sus obras. Vista de día se halla desierta, las sillas vacías, dos personas solas, de pie, están contemplando sus bellezas. Luego va llegando la noche por grados y a medida que oscurece la claridad de la luna penetra por las ventanas y por la galería superior con tal ilusión que no se puede describir, es preciso verlo. El altar mayor se alumbra, aparece el sacerdote acompañado de dos acólitos celebrando el Oficio Divino, y las sillas antes vacías se ven llenas de gente que asiste a la Misa del Gallo con acompañamiento de órgano.

Cuadro cuarto. La inauguración del Templo de Salomón en Jerusalén. El cuadro visto de día representa el magnífico templo que el rey Salomón hizo construir en Jerusalén rodeado de otros palacios no menos magníficos. Después de haber pasado por todas las modificaciones de luz, llega la noche y entonces las lámparas del interior del templo se encienden, esparciendo al exterior una luz intensa que descubre la plaza de Jerusalén llena de un pueblo inmenso que acude a adorar el Arca de la Alianza que se acaba de colocar en el Tabernáculo. Para completar la ilusión se oyen los melodiosos acentos de una música sagrada.

En los intervalos de los cuadros se oirán los melodiosos sonidos de un instrumento de un mérito raro por la perfección y dulzura de sus voces. Habrá dos exhibiciones todos los días; la primera a las cinco de la tarde, y la segunda a las ocho de la noche. Media hora antes estará abierto el salón para que los espectadores vayan colocándose. Se invita al público a que asista con puntualidad a fin de que pueda asistir a la representación completa de los cuadros, porque éstos no se repetirán en la misma función. Precio de entrada, 4 reales. Niños, 2 reales.

Teatro de Nuevo México, 15 de noviembre de 1843. Función extraordinaria a beneficio de la primera actriz doña Rosa Peluffo. Se representará el drama en tres actos escrito en francés por M. Elzear y Blaze y traducido por la beneficiada. Su título, *Brígida la azotada y veinte años de rencor*. Don Francisco Pavía ejecutará concluido el drama, en compañía de sus hijos y de la señorita doña Antonia Menocal, un quinteto nuevo de medio carácter, música de Rossini. La beneficiada cantará la nueva tonadilla, *Los maestros de la Raboso*, y concluirá con las coplas del *Trípili*, terminando la función con las preciosas boleras nuevas del *Chairo*, que ejecutará la beneficiada acompañada por don Luis Pavía.

Brígida la azotada y veinte años de rencor. Desde que leímos en el convite que se repartió, el título de esta composición, formamos mal concepto de ella, mas no queriéndonos guiar por las desfavorables impresiones que a veces hacen concebir los retumbantes títulos de las obras, aguardamos la noche de la representación, en la cual con no pocas dificultades y a costa de satisfacer triple el valor de un boleto, hubimos a fuer de humildes sarracenos de colocarnos en un rincón, hechos tres dobleces y sufriendo la vecindad de un robusto bajo que junto a nuestras mahometanas personas le plugo poner a un diletante de la orquesta. Álzase el telón: aquí nos ocurrió la duda de qué se representaría primero, si Brígida la azotada o los veinte años de rencor. Necios, ¿no estaba marcado en el convite el programa de la función? Nos parece el asunto radical del drama de todo punto inverosímil; el agravio que sufrió Brígida deshonrada y abandonada por un hombre que la vio ultrajar públicamente es grande, pero después de veinte años, cuando la posición de Brígida había cambiado, cuando tenía goces y comodidades y una hija a quien amar, parece cosa increíble que se conserven a pesar del tiempo y de los sucesos tan enérgicos y vivos sentimientos de venganza que se pospongan a los del amor maternal y a los del propio interés. Esto nos parece que es una monstruosidad y que el corazón humano por más endurecido que se juzgue, jamás llega a grado semejante.

Tiene el drama, a pesar de lo dicho, escenas muy bellas, particularmente donde la hija de Brígida rehúsa creer que su marido haya cometido el crimen de robo, y cuando éste lo afirma a la madre, dice: "Pues bien, el crimen es una desgracia y los desgraciados siempre necesitan compasión." Éste es un bellísimo rasgo que aunque ideal porque por lo común tampoco es así el corazón de las mujeres, conmueve y agrada bastante. En cuanto a la traducción nos pareció en lo general fluida, con excepción de una que otra cosa, como "pisar con los pies", "cenar en familia" y "pérdida" en lugar de perdición, que son alocuciones de lo más castizas. La señora Peluffo se esmeró mucho en el desempeño de su papel y tuvo algunos momentos muy felices. En seguida se cantaron las coplas del *Trípili* y los señores Hermosilla y Mata se esforzaron en agradar al público, el cual fue numeroso y aplaudió con la ferocidad que acostumbra. Terminó a media noche la función con las boleras del *Chairo*, bailadas por la señora Peluffo y el señor Pavía.

Tareh y Gazul.
19 de noviembre de 1843

Teatro de Nuevo México. Declarada ya la moda en favor de los beneficios en este teatro por la concurrencia, ella ha sido cada día más brillante, descollando entre todos, como las rosas entre el abrojo, por su belleza, las señoritas, no menos que los caballeros, que tanto brillo dan a esos espectáculos con su presencia. Por manera que el pequeño salón de dicho teatro se ha convertido a menudo en el templo de la hermosura y de la elegancia. Por eso es que en estas noches al paso que hemos admirado la propiedad y lujo con que se han vestido los actores, el buen repartimiento de papeles y la decoración escénica, aplaudimos el deseo que de parte de los espectadores ha habido en premiar en un día señalado a este o el otro artista, cuyo esmero en complacerlo ha sido más patente cada noche. Satisfactorio es esto para el público y para el actor, y si él corresponde con cuanto está de su parte a la bondad con que los estimulan los concurrentes al teatro, éstos premian al artista estudioso y útil que les divierte y conmueve. Uno de éstos es el señor Barrera, cuyo beneficio tendrá efecto el martes próximo. Siempre agradecido a los aplausos que el público le dispensa desde que se presentó en el Teatro de Nuevo México, de esperar era que la función que preparase para aquella noche fuese digna de la ilustrada concurrencia a quien la dedica. La elección de las piezas que la compondrán no puede ser más acertada y en esto da una nueva prueba de su buen gusto.

Compondráse de una nueva pieza original que si bien tiene título de drama, ni es patibulario ni tiene un solo rasgo horroroso, y de la aria de *La Cenicienta* que cantará el señor Hermosilla, y del balie por las señoritas Pavía. Como en toda producción donde triunfa la virtud y la inocencia, en aquélla están pintados el vicio y la depravación con los colores más vivos, causando un contraste de mucho efecto la pureza de un pescador con la infamia de un magistrado corrompido y vicioso, cuyo papel es el que ha elegido el beneficiado, y no dudamos que en él nos agradará tanto o más si cabe que en *La berlina* y en otros que ha ejecutado con su acostumbrado donaire y maestría. ¿Dejaremos pues de presenciar la difícil ejecución del papel de Don Guillén de Alcaraz que añadirá sin duda un laurel más con que hemos coronado a ese joven estudioso? ¿Fallaremos al teatro esta noche en que la Cañete va a representar el difícil papel de una inocente y bella pescadora? ¿En que la grande actriz, la señora Peluffo, está encargada en el suyo de dar al infame seductor el merecido castigo, y en que el apreciable señor Mata, como él mismo nos lo ha asegurado, desempeñará un papel digno de Prieto y aun de Márquez? No. El señor Barrera puede estar seguro de que todas las personas de gusto acudirán con nosotros a recompensar sus afanes y el acierto que ha tenido en la elección de su beneficio.

Varios abonados
20 de noviembre de 1843

Una ausencia, drama de don Ventura de la Vega. La señorita Cordero caracterizó su papel admirablemente: en el delirio se excedió a sí misma, sus pasos descompasados, su mirada incierta, sus actitudes expresivas y su desfallecimiento, resultado de lo abatido de sus facultades mentales, todo nos admiró cuando la veíamos silenciosa al lado de Enrique reprimiendo de cuando en cuando un sollozo que estremecía sus labios y revelaba su tortura. Padecímos con ella y no teníamos ni reflexión para admirarla. Después, cuando reflexionábamos que había tocado la perfección artística sin más maestros que la naturaleza y sus inspiraciones, cuando vemos realizadas en ella nuestras doctrinas de que el arte de conmover no consiste en crispantes aullidos, ni en exageradas contorsiones, ni en gesticular como energúmenos, ni abollarse el cráneo contra las tablas, sino en imitar la naturaleza embelleciéndola, entonces tuvimos cierto orgullo en que fuese mexicana. De Valleto nunca encomiaremos suficientemente la felicidad y maestría con que desempeñó la escena donde Clara le cuenta su amor criminal. Inmóvil, con uno de sus brazos doblados sobre la cintura y la otra mano apoyada en la barba, indeciso primero, después sofocando todo encono para compadecerla; cuando aterrado de lo que acababa de oír, perdida su mente en aquella relación llena de horrores, tiende la mano y restriega su frente como para esclarecer sus ideas. ¿Y cómo no aplaudir a Salgado, quien nos hacía llorar con la risa en los labios y que no fue un solo instante inconsecuente con su carácter brusco y tierno? Baste decir que la señora Doubreville desempeñó un papel de característica de peluca, y que en esto es inimitable, única en México. El señor Antonio Castro, joya de la escena mexicana cuando él ni lo dice ni lo cree ni enmienda la plana a los autores, hizo muy bien su insignificante papelillo.

Yo

22 de noviembre de 1843

La cruz de mi madre o el pescador. Comedia en cinco actos y en prosa.

—¿Las nueve y tú durmiendo?

—¿Qué quieres, carísimo Fidel?, se acabó el beneficio del señor Barrera a la una. El drama tiene cinco actos largos y es éste uno de sus defectos más notables. La función que ofreció para su beneficio el señor Barrera fue ésta. El drama se ha anunciado como original y muchos dicen ... dicen tanto que no quiero repetirlo. Sea de quien fuere tiene varios defectos vitales, a saber: inverosimilitud, frecuentes repeticiones, multitud de diálogos inútiles y cansados, lentitud y muy grande en la marcha de la acción. Los españoles todo son en el drama menos españoles, y los pescadores napolitanos en el drama son tan eruditos que pueden ocupar un asiento en cualquiera academia literaria. En cuanto al idioma no juzgamos que es de lo más correcto y nos dimos cuenta de algunas frases, como "bajaventana", cuya construcción huele mucho a inglés.

—Pero dime, crítico insoportable y charlatán, ¿por qué se titula el drama *La cruz de mi madre*, que es lo que no he podido averiguar?

—¡Ah, con cien de a caballo, se me había olvidado! Laura, la mujer de Ruggiero, tenía una cruz que le fue arrebatada por su seductor. El seductor murió y la cruz no recuerdo por qué, pasó a poder de don

Guillén, quien le cambió la cruz a María por un relicario con pelo, y María confesándole el hecho a su padre se lo entregó. El padre al fin para que su hija recordase la divertida aventura vio la cruz de su madre. Vamos, este Ruggiero era un hombre que no se debería haber ocupado más que de atrapar pescados. ¡Pobre Víctor Hugo, cómo te parodian! ¡Infeliz romanticismo que te ves calumniado vilmente por los omniscios de estos tiempos de progreso!

—Deja esas lamentaciones que nada valen y que no importarán un bledo al actor beneficiado, pues más sabio y más afortunado que muchos eruditos que vagan por estos cafés con el estómago pegado al espinazo, gozando el fruto de la benevolencia de los espectadores, se reirá de tu insulsa e indignada crítica.

—Dices bien, Fidel, pero cada quien vive de su oficio y el de nosotros es morder al prójimo, expuestos a que un día se enfulline el prójimo y nos dé un saludable escarmiento.

—¿Y la ejecución del drama qué tal estuvo?

—Los actores se veía que estaban resueltos a salvar la obra y se esforzaron hasta el grado de que Mata y la Cañete recargaron un poco el papel. La señora Peluffo lo hizo como acostumbra en papeles que son de su carácter, es decir, bien, muy bien. En seguida cantó el señor Hermosilla el aria de *La Cenicienta*, cuya calificación la dejo a juicio de quienes la entienden, porque en cuanto a mí sólo noté que la "famosa orquesta" recibió el aumento de un bombo, vulgo-tambora, que dizque hacía muy buen efecto. La concurrencia fue numerosa; los palcos estaban llenos de hermosuras y la iluminación del teatro aumentada con velas de esperma. Tal es, curioso Fidel, la función a la que tuve el gusto de asistir anoche.

Yo
24 de noviembre de 1843

A la señora Amalia Passi en ejecución de La Sonámbula.

¡Celestial ilusión, gratos acentos,
torrentes de dulzura y melodía!
¡Cual me hacéis odiar mis propias penas!
¡Oh Bellini inmortal, ¿quién te dictaba
esas cadencias llenas de dulzura,
esa expresión de amor y de ternura
en que tu alma sublime rebosaba?

248

Sin duda de los ángeles el coro
en aquellos momentos escuchabas,
y al mundo con tu pluma trasladabas
el eco dulce de tus arpas de oro.
Y tú, sublime actriz, Passi divina,
tú, cuya voz dulcísima enamora,
¿quién al mirar tus lágrimas no llora?
¿quién no idolatra la sensible Amina?
¡Oh, con cuánta amargura
al mirarte de Elvino despreciada,
tu alma por el dolor despedazada
lanzó un gemido de ternura lleno!
¡Cómo palpita tu elevado seno!
Inocente y sencilla, tus amores
colmaban el encanto de tu vida;
ya miras triste tu ilusión perdida,
y besas sola las marchitas flores.
¿Dónde el anillo está que te dio Elvino?
¿Do el gozo que bañaba tu semblante?
¡Cómo cambió tu suerte en un instante,
cómo te abruma un bárbaro destino!
¡Sonámbula infeliz! ¡Ay, cada acento
de tu argentina voz es un suspiro!
Suspiros tiernos que hasta el alma llegan
porque del fondo de la tuya brotan.
Mas ya desengañado está tu amante,
su perdón a tus pies sumiso implora,
su error conoce, tu virtud adora,
y te estrecha en su pecho palpitante.
Una dulce sonrisa
llena tu labio hermoso,
tu seno generoso
late con noble ardor.
Amor son tus palabras
y tu mirar divino,
amar es tu destino,
tu recompensa amor.
De tu talento, Amalia, el triunfo mira,
ciñen las artes tu elevada frente,
te aplaude un pueblo en su entusiasmo ardiente,
y yo te consagro un canto de mi lira.

Fernando Calderón
Zacatecas, 6 de noviembre de 1843

249

Teatro. A pesar de las rivalidades y continuas disputas sobre la mejoría absoluta o relativa de los teatros de actores, no han dejado de tener en estos días alguna animación, presentando el de Nuevo México funciones pomposas dedicadas al beneficio de los actores, y el Principal funciones escogidas a las que ha acudido bastante concurrencia. Esta benévola introducción prueba que los folletinistas no siempre estamos en guerra con los actores, a pesar de que mal que bien no nos faltan motivos. El domingo último se presentó en la escena desempeñando el papel de Medea en el baile *Jasón en Corinto,* la señora doña María Rubio de Pautret. Mucho tiempo hacía que esta recomendable artista que tan en boga estuvo en México por los años de 1826 y 27, no se presentaba al público, ni éste gozaba del espectáculo realmente encantador de un baile de gran aparato. Como se debe suponer, la concurrencia fue numerosa y los curiosos espectadores esperaban el momento en que se presentara la señora Pautret. Animada por los ruidosos aplausos, comenzó a bailar con una ligereza y maestría que asombró verdaderamente, tanto más que como queda dicho, hacía muchos años que no se dedicaba a este ejercicio. Distinguiéronse también la joven Joaquina Pautret y don Antonio Castañeda, quienes a competencia se esmeraron en ejecutar los difíciles pasos de baile. Muy poco hay que decir de un espectáculo de esta naturaleza, y sobre todo cuando se carece de la terminología propia del baile, pero apelando sólo a nuestro instinto, diremos que salimos verdaderamente complacidos y que sería de desear que los empresarios del Gran Teatro de Santa Anna no echaran en olvido la idea de contratar una compañía de baile, que a falta de ópera italiana alternara sus funciones con la compañía dramática. El baile fue precedido de una graciosa pieza cómica titulada *Toma y daca,* y los aplausos fueron repetidos.

Anoche se verificó en el Teatro de Nuevo México el beneficio de la apreciable familia Pavía, que también se ha sabido granjear las simpatías de los mexicanos. Hemos oído decir en lo general que la comedia fue mala y el baile no de los mejores. Sentimos infinito que tal función no haya sido del agrado de los concurrentes, pero creemos que éstos, como nosotros, tendrán indulgencia, pues las señoritas Pavía no han hecho preceder su función de anuncios orgullosos y retumbantes que pueden interpretarse como un insulto a un público que quizá prodiga sus favores más de lo que debiera.

Dos
3 de diciembre de 1843

Crónica. Nos ha sido en extremo sensible que la función de beneficio de la familia Pavía no haya correspondido a lo que el público esperaba y los beneficiados con toda buena fe se propusieron en cuanto a llenar el agrado de los espectadores. Hemos sabido que circunstancias especiales impulsaron a don Francisco Pavía a poner en escena con grandes esperanzas de éxito y aprobación el drama titulado *Lealtad a un juramento,* pues en Barcelona fue testigo de todas las demostraciones que se hicieron en elogio de la señorita Graci como autora, sin duda alguna porque causara asombro que esa joven a la edad de catorce años hubiese compuesto esa pieza, y tal vez con el objeto de estimular sus talentos. Esto fue lo que movió a Pavía para hacerse a toda costa del drama, guardándolo como una joya preciosa y persuadido de que hacía un obsequio al público de México presentándoselo en la noche de su beneficio. Por esta equivocación no debemos culpar al señor Pavía, pero es de creer que la experiencia le habrá enseñado que para la otra función que a beneficio de sus amables hijas tendrá lugar el martes, debe elegir una comedia o drama conocido, de autor acreditado y que con seguridad pueda llenar sus buenos deseos de agradar al público. Al escribir este artículo se nos ha asegurado que don Francisco Pavía está disponiendo para esa segunda función de beneficio, el excelente drama de Zorrilla dominado *Segunda parte de El zapatero y el rey,* sin omitir gastos para que se haga con todo el aparato que requiere su argumento y para terminar el espectáculo se dará un sorprendente baile de piezas escogidas.

Dos abonados
12 de diciembre de 1843

Diorama. Suplicamos a ustedes tengan la bondad de dar cabida en su periódico a las siguientes líneas: Los propietarios del Diorama abierto en el Portal de Mercaderes número 4, lisonjeados agradablemente y reconocidos de la buena acogida que el público ilustrado de esta capital ha hecho a la exhibición de sus cuadros, presentándose ansioso a sus representaciones, no puede menos que tributarle sus más sinceras gracias por el honor que han recibido. No les queda más que un sentimiento: esto es, el de no haber podido contar con un local más capaz para albergar una sociedad más numerosa, habiéndose visto obligados, a pesar suyo, a rehusar boletos por falta de localidades. Esta circunstancia ha retardado el cambio de nuevos cuadros, porque su deseo sería, antes de cambiar los que se hayan puestos actualmente, que fuesen vistos por todas las personas de gusto que encierra esta populosa ciudad. En todas partes donde estos cuadros diorámicos han sido expuestos, han excitado el entusiasmo general, tanto en La Habana como en los Estados Unidos los salones se han encontrado demasiado reducidos para contener el gran número de concurrentes que se presentaban en todas las representaciones. El bello sexo particularmente, dotado de tanto gusto como de curiosidad, parece que tomaba bajo su protección aquel espectáculo, puesto que se presentaba en mayor número que los caballeros. No se podía dudar que unos cuadros tan sorprendentes en su ejecución como por el efecto maravilloso e inesperado que producen en el espectador no excitasen en el más alto grado la curiosidad pública de esta gran capital, tan culta como opulenta, cuya población tiene la fama bien merecida de amantes decididos de las bellas artes, y de todo lo que es perfecto y bien reconocido, así que el resultado ha ido más allá de lo que se podía esperar, y las señoras aquí como en todas partes no se han quedado atrás, muy al contrario, es a su interesante presencia que los propietarios atribuyen el brillante éxito que han obtenido. Con este motivo tienen el honor de prevenir a las personas que no han gozado aún de la belleza de estos cuadros, que tengan la bondad de apresurarse a asistir si no quieren quedar privados de verlos, pues muy en breve se deben cambiar.

31 de diciembre de 1843

1844

Teatro de Nuevo México. 4 de enero de 1844. Gran función extraordinaria a beneficio del actor Ignacio Servín. La orquesta, aumentada considerablemente, abrirá la escena con la brillante obertura de *Zampa*. A continuación se representará el drama en tres actos intitulado *Caín pirata*. En el entreacto se tocará a toda orquesta la pieza de música compuesta por don Francisco Guasco, conocida por el *15 de julio*. Seguirá el drama *Un año y un día*. Concluido éste se presentará la extraordinaria niña Pilar Pavía a bailar *La Cachucha*, finalizando con el precioso baile habanero de *Los Negritos*.

Teatro Principal. 7 de enero de 1844. Solemne función en celebridad de elección de presidente hecha en la persona del Excmo. señor, benemérito de la patria, don Antonio López de Santa Anna, en la que se representará la comedia en tres actos *La escuela de las coquetas*, finalizando con el padedú de los *Puritanos*.

Teatro de Nuevo México. Comedia en dos actos *Lady Winton o el hijo de un proscrito*. Concluirá con la niña Pavía cantando *El santurrón* y bailando *La Cachucha* y la *Tarantela*.

Teatro de Puesto Nuevo. Por la noche se representará la pastorela titulada *Miguel y Luzbel, pastores por contrarias opiniones*, concluyendo con la pieza en un acto *El payo de centinela*.

Gran Teatro de Santa-Anna. Señores editores de *El Siglo XIX*. 27 de enero de 1844. Muy señores míos y de mi aprecio: La inauguración o apertura de los teatros modernos ha sido solemnizada literariamente con cuanta esplendidez puede lograrse. En ellos se han leído por los autores célebres, odas, discursos, himnos, bellas producciones que con razón se ven con mayor entusiasmo en el estreno de un teatro, pues

255

de facto, en éstos mira la poesía un templo, el ingenio un estímulo, la sociedad un deleite, la filosofía un estudio, las costumbres un conservatorio, la moral una escuela, los gobiernos una diversión sublime y agradable en la que mantienen el gusto honesto y debido de los ciudadanos. Los encantos del teatro no han prescrito por el transcurso de los siglos, pues por el contrario la civilización y la cultura parecen caminar a la par en esplendidez y perfección. Los actores, que antes se miraban con desprecio, hoy son estimados y aplaudidos; los poetas, antes abyectos, hoy deben al talento los honores, aplausos y riquezas; y los teatros, antes meros monumentos accesorios de una gran metrópoli, hoy son considerados como su primer ornato, como indicadores de su ilustración y grandeza y como a tales se les adorna magníficamente y se les enriquece con cuanto hay de agradable y de bello. Puede por último decirse que el teatro es el foco de las afecciones públicas, el espejo donde se reflejan las costumbres, el termómetro de la civilización, el indicador de la cultura.

El lenguaje y las costumbres ganan admirablemente con una escena propia, y el ingenio hace esfuerzos divinos para la creación de nuevos asuntos, de nuevos personajes y de bellezas nuevas. ¡Oh, ciertamente un público ilustrado necesita de una escena propia, y ésta decorada con todos sus atractivos, virtudes y aun vicios y crímenes indica la virilidad de un pueblo y las glorias del talento! Cuando yo concebí la idea de un gran teatro para la hermosa e ilustrada México, tenía esta grandiosa perspectiva a la vista y me animaba con un porvenir de entusiasmo y de emulación. Lográronse mis planes, encuéntrase erigido el Teatro de Santa Anna, y él ciertamente, si no es tan magnífico cuanto se deseara, **es tan bello cuanto cómodo,** y manifiesta los esfuerzos más constantes y asiduos para lograrse por sus directores, ya que no una inmensa riqueza de sus empresarios. Y por último si él ha tenido contradicciones aisladas tiene la simpatías más manifiestas de un público apreciador e imparcial del mérito.

Logrado ya todo esto, ¿qué nos resta que hacer? ¿Cuál indicación falta por realizar como empresarios? Ésta es sin duda para mí la más necesaria, la más urgente, y es la de proporcionar con este edificio un estímulo al talento, una gloria a la literatura de la patria. En tal concepto he creído que la inauguración del teatro debe hacerse con una función literaria y artística. El programa por mi elección sería el siguiente:

Adornado el local con esplendidez, formaría un solo salón del foro y de la sala verdaderamente dicha; se tocarían por principio las más escogidas piezas de la música moderna y después en un gran concierto se alternarían las habilidades de poesía, canto y música, cultivados por la juventud aficionada a estas bellísimas artes, leyéndose composiciones análogas y cantándose himnos y piezas selectas. Terminaría este hermoso concierto con un gran baile en que reinasen el decoro y la jovialidad y en que las glorias de la belleza y del talento viesen en el nuevo teatro el punto de esplendor que ha deseado presentarles el que suscribe.

La instrucción pública, este móvil grandioso del poder y de la cultura de un gran pueblo, puede ser acatado por la sociedad y especialmente protegido por un establecimiento como el teatro, después de enriquecerse con los talentos propios. Por lo pronto, yo cedería gustoso el producto líquido de una función semejante a la Sociedad Lancasteriana, a esa respetable corporación que tantos días de júbilo ha prestado a la patria, y de este modo los efectos serían consecuentes con los principios. Las señoritas mexicanas acogerían con entusiasmo tan bella oportunidad haciendo vibrar sus angélicas y armoniosas voces en el nuevo teatro en día de tanto placer, y yo habría cumplido con el primero de mis propósitos y con la más grata de mis aficiones.

Por lo tanto, suplico a ustedes se sirvan dar lugar en su apreciable periódico a estas líneas, por medio de las cuales tengo el honor de excitar a los talentos poéticos de la República para que se sirvan preparar sus composiciones y que se lean ya por los mismos autores o ya por otras personas en la inauguración del teatro. Asimismo, se excita a las señoritas y caballeros afectos a la música para que cooperen con sus habilidades a la función antedicha, y por último suplico a la Academia Literaria de San Juan de Letrán para que dé su pase a las composiciones que deban leerse. Mas como es necesario que el tiempo que se dé a los autores esté acorde con el que necesita la empresa para preparar la función, es preciso también advertir que las composiciones estarán acabadas y manifestadas a la Academia para el día 10 del próximo marzo. Si así se efectuase, si un tan bello día fuese así obsequiado y si un servicio semejante me es posible prestar con la ayuda de la juventud mexicana a la interesante instrucción primaria y a la literatura patria, tendrá el mayor placer este que es de ustedes su atento y seguro servidor Q. B. S. M.

Francisco Arbeu
13 de febrero de 1844

257

Gran Teatro de Santa Anna. Hemos tenido la satisfacción de ver este edificio casi concluido. Su elegancia y magnificencia nos ha sorprendido a la vez que hecho concebir ideas halagüeñas. Quizá este local tan hermoso y que no puede menos que entusiasmar a los artistas, será el digno plantel donde comiencen a brillar los talentos de nuestra estudiosa juventud. Todas las naciones han comenzado con fatigas y esfuerzos a formar su teatro propio y exclusivo. Quizá ya es tiempo de que esas muestras de genio dramático que nos han dado el esclarecido y desgraciado Rodríguez Galván, Calderón y otros, fructifiquen y progresen hasta que al fin den por resultado la formación de un teatro de una literatura mexicana que revele el genio y las costumbre de esta nación siempre desgraciada, pero constante y animada a pesar de las convulsiones políticas, en la marcha de sus progresos literarios. Con el mayor placer hemos insertado hoy un comunicado de don Francisco Arbeu, empresario de dicho teatro, en el que invita a los artistas para que, como se acostumbra en Europa, se inaugure este plantel de la civilización con una función literaria.

Somos absolutamente de las mismas ideas que el señor Arbeu, y le aplaudimos que con tanta espontaneidad y franqueza haya hecho semejante invitación, a la que no podrán sino corresponder los jóvenes que con tan buen éxito cultivan en México las bellas artes. El señor Arbeu asienta además que los productos líquidos de esta función se dedicarían a la Escuela Lancasteriana. Esta idea es eminentemente filantrópica y para cuya realización no dudamos se prestarán no sólo los poetas, sino hasta nuestras hermosas jóvenes que cultivan el divino arte de la música. Nunca nos parecieron más interesantes ni más amables las mexicanas que cuando dejando a un lado la cortedad y la mortificación naturales en casos semejantes, se prestaron a cantar en el Teatro Principal para dedicar los productos de tal función al auxilio de los heridos de Veracruz y Ulúa.

En esta vez esa porción de niños y niñas que se educan en las Escuelas Lancasterianas, merced a la caridad pública, les deberán un considerable beneficio y alzarán sus tiernas manecitas a Dios para rogar por las bellas que hicieron el sacrificio de mostrar su habilidad para beneficio y socorro de establecimientos tan piadosos. Por nuestra parte, excitamos a todos los artistas que cultiven la poesía y la música para que cooperen eficazmente al esplendor y brillo de una función digna de la cultura y progresos de México. En cuanto a las señoritas, sabemos que en cuanto se trata de hacer algún bien, se prestan gustosas a cualquier sacrificio.

Los editores de *El Siglo XIX*, aunque insignificantes, prometen cooperar en cuanto esté de su parte a la realización de tan feliz pensamiento que honra ciertamente al señor Arbeu y que honrará a cuantos contribuyan a ponerlo en ejecución.

16 de febrero de 1844

Al propietario del Teatro de Santa Anna. Muy bello y propio es adornar un teatro con las medallas de hombres célebres en la literatura dramática, y así lo pensó sin duda don Francisco Arbeu con el gusto y tino que acostumbra, y mandó pintar en el teatro los retratos de algunos poetas dramáticos. Mas como a pesar de su celo infatigable no puede estar en todo, no ha respondido el proyecto en su ejecución a lo que sin duda quiso dicho señor. Algunas faltas no pequeñas se notan que fácilmente pudieran remediarse y que si no se hacen lejos de ser los tales retratos un adorno digno, no servirán sino de lunares en una obra tan bien acabada. Por otra parte, lunares tanto más notables cuanto que se hayan en el primer teatro de la República y en la parte en que es de suponerse se tuvo más cuidado: en la parte histórica, por decirlo así. Aunque la mayor parte de las medallas no tienen aún el nombre del poeta que representan, por el examen prolijo de cada una de ellas se advierte la falta de nuestro desgraciado e ilustre compatriota Ignacio Rodríguez Galván. Falta imperdonable cuando pocos habrá tan merecedores como él de semejante distinción, y cuando por otra parte se han colocado bustos de personas vivas que aun cuando no carecen de mérito, no le son sin duda superiores. Suplicamos pues al señor Arbeu haga la justicia que se merece a la memoria del poeta verdaderamente nacional, del padre del drama mexicano. Podría objetársenos la falta de lugar para su colocación. ¿Qué inconveniente habría para sustituir el nombre y el retrato de un mexicano que fue el decoro y el más bello ornamento de la literatura dramática mexicana, al de un poeta extranjero que por mucho que sea su mérito y el aprecio que le tengamos no es comparable al que nos merece Rodríguez Galván? Nombres hay allí que aunque insignes no debieron haberse colocado, suprimiendo otros más ilustres aun para los mexicanos. Tal es el italiano Goldoni y hasta el mismo Cervantes no debieran ocupar un lugar entre dramáticos tan esclarecidos cuando su lugar en esta línea no pasó de mediano.

Sospechamos que algunos de los retratos que no tienen todavía nombre estará el de Ruiz de Alarcón, que debía ocupar el lugar que tiene

259

el español Calderón de la Barca. Si un mexicano que no tiene rival entre los antiguos dramáticos se omitiera, además de ser la ingratitud más grande se daría con ello margen para que los extranjeros, mejor apreciadores que nosotros de los grandes hombres, se lastimaran de nuestra ignorancia suponiendo que no conocíamos al poeta mexicano que sirvió de modelo a Corneille. Por último, suplicamos al señor Arbeu que al tomar en consideración, como creemos que hará por su propio honor, las anteriores reflexiones, cuide también de que se ponga el mayor cuidado en la ortografía de los nombres, pues que algunas faltas hemos advertido con sentimiento, como Galdoni por Goldoni, Savedra por Saavedra, Michael por Miguel, etcétera. Interesados por el buen nombre de México y amigos del señor Arbeu no hemos podido menos que hacer las anteriores advertencias que creemos redundarán en beneficio del propietario del teatro.

Unos amigos del buen nombre de México
9 de febrero de 1844

Max Bohrer. Hace algunos días que los diletantes de esta capital andan alborotados con la llegada del señor Bohrer, el grande profesor de violoncello que parece va a inaugurar con un concierto el Gran Teatro de Santa Anna, y a la verdad que no es para menos la cosa. Los que no hayan oído a este profesor, no pueden formarse ni siquiera una remota idea de la maestría con que toca su instrumento. Ora escale los tiernos suspiros de la *Norma*, ora haga sonar las enérgicas protestas de *Guillermo Tell*, ora en fin ejecute las alegres y bulliciosas notas de *El barbero de Sevilla*, Max Bohrer es siempre grande, siempre sublime, siempre inimitable, pero nunca arrebata tanto a sus admiradores como cuando ejecuta una de sus propias composiciones. Entonces se cree uno transportado al paraíso, entonces parecen oírse las arpas de los querubines; sólo entonces puede concebirse las creaciones de ese artista colosal. Los que hemos tenido el placer y la fortuna de oírlo en otros países, los que hemos sido testigos de los frenéticos aplausos que arrancaba en el Apollo Saloon, en el Tabernacle, en el Washington Hall, en el Teatro de Tacon, le damos la bienvenida y no desperdiciamos tan oportuna ocasión de ensalzar las dulzuras de su divino arte, de admirar de nuevo la rareza e inmensidad de su genio. ¡Max Bohrer está en México! Nadie dejará de oírle y ojalá su permanencia en este país no sea tan corta como lo ha sido en otros.

9 de febrero de 1844

Teatro de Santa Anna. Gran concierto para la noche del sábado 10 de febrero de 1844. Presentación del señor Maximiliano Bohrer, profesor de violoncello. Primera parte: 1º Obertura a toda orquesta, *La Palmira*, composición del mexicano don Miguel Covarrubias. 2º Concierto de violoncello con acompañamiento de orquesta compuesto y ejecutado por Maximiliano Bohrer. 3º Variaciones de violín con acompañamiento de orquesta compuesto por Beriot y ejecutadas por don José María Chávez. 4º Obertura *Emma de Antioquía.* 5º Gran fantasía sobre canciones tirolienses (*sic*) para violoncello con acompañamiento de piano, compuesta por él mismo y ejecutada por él y por don Vicente Blanco. Segunda parte: 6º Obertura *La Fausta.* 7º Fantasía sobre temas de Bellini para violoncello con acompañamiento, arreglada por M. Bohrer y ejecutada por él mismo. 8º Gran concierto de flauta ejecutado por don Antonio Aduna. 9º Obertura *Il conte d'Essex.* 10º Fantasía sobre sonecitos mexicanos y españoles arreglada en México por M. Bohrer para violoncello y piano y ejecutada por él mismo y don Vicente Blanco. La orquesta será completa y compuesta de los mejores profesores de esta capital y dirigida por don José María Chávez. Precios: Palcos primeros, segundos y terceros, y plateas con ocho boletos, 16 pesos. Patio, 2 pesos. Balcones, 2 pesos. Entrada a palcos por persona pasando de los ocho boletos, 1 peso. Galería alta, 4 reales.

Crónica. Teatro de Nuevo México. *El café,* comedia en dos actos de Moratín, y *Albures de amores,* comedia en medio acto y tres cuadros, de Cobo. Función dedicada a la Sociedad Española. ¡Oh alma beneficencia, qué poderoso es tu influjo y cómo haces milagros incomprensibles! ¿A quién si no a ti debemos el prodigio de que Moratín y Cobo se juntasen en una sola noche? ¡Moratín y Cobo! ¿Qué hay de extraño en esto? Es como si dijéramos San Pedro y San Pablo, Pílades y Orestes, Filemón y Baucis. Y por otra parte los genios siempre se encuentran y qué especialidad: los dos clásicos a macha martillo, los dos observantes de las reglas aristotélicas. ¡Oh!

No os aflijáis, concurrentes a los teatros, puesto que ya tenemos entre nosotros a un nuevo Bretón, gracioso hasta reventar de risa, y picaresco. ¡Qué observación, qué malicia, qué estudio del corazón humano! ¿No habéis visto *La romántica?* Pues os habéis perdido de ver el más estrepitoso y ridículo sainete que ha parido madre. *El café,* esa amarga y terrible sátira contra los malos autores de comedias, es bastante conocida de todo el público y esto nos dispensa de hacer su análisis, tanto más cuanto que había de ser atrevimiento censurar obras tan concienzudas y acabadas como las de Moratín. Pasamos pues a la pieza con que concluyó la función, llamada *Amores y albures*. El argumento de esta *petit farse* es el siguiente: Guadalupe, hija de una vieja ridícula y de un papatacho imbécil, es cortejada por un rico. En los días de Pascua de San Agustín se marcha el novio con el hermano de Guadalupe, capitán con banda verde, y pierde todo su caudal al juego, a la vez que Benito, meritorio en una tienda de ropa, novio suplantado de Guadalupe, gana considerables sumas. La familia, que a fuer de valiente y paseadora ha ido también a las fiestas de Tlálpam, se entera en el baile de plaza de gallos de la ruina del novio y de la fortuna del otro. Guadalupe desprecia al capitalista arruinado, mas en cambio Benito se desquita cortejando a otra en las barbas de Guadalupe. El baile de Tlalpan concluye sin duda por este acontecimiento y el telón cae no sin haberse pronunciado por los actores su trozo de moraleja, que es un bonito y comedido insulto a las damas mexicanas.

Veamos pues cómo pintó a la sociedad mexicana y a sus costumbres el autor de tan famosa y estupenda comedia: en el primer cuadro ve el público un hombre imbécil que dice cuatro palabras a la muchacha sólo para enterar al público que está enamorada de ella; una vieja venal que aconseja a su hija que se case con él para arruinarlo; un viejo necio que es el marido para quien no tiene ni su mujer consideraciones ni su hija respeto; una muchacha grosera que deja con la palabra en la boca a su antiguo novio Benito, y el Benito ... un pícaro que tiene dos onzas ajenas y va a jugarlas. No es posible hacinar en un solo cuadro caracteres tan repugnantes como los que imaginó el autor. En el segundo cuadro aparece una mesa de juego, pero no de esos juegos circunspectos donde es público y notorio que los caballeros ven en silencio desaparecer su fortuna, sino un garito infame lleno de léperos donde un viejo borracho pide prestado a todos y todos le contestan groserías. Este juego no es ciertamente de los que ha visto el señor Cobo en San Agustín, ni los diálogos que tienen lugar son los de la gente viciosa si se quiere en esos días, pero nunca grotesca, que concurre a las partidas decentes. El tercer cuadro representa la plaza de los gallos. Allí vemos una porción de "gente de bronce", con sombreros ordinarios y vestidos de oficiales sastre; armando bulla y algazara aparecen unas cuantas señoras que bailan cuadrillas. Esto tampoco pasa en San Agustín donde los bailes son espléndidos y con todo el orden posible. Pero sobre todo ese carácter venal, brusco y repugnante que da a Guadalupe no es el que se puede decir domina en la sociedad mexicana, sea de la clase que fuere, y el señor Cobo con más consideración, con más gratitud del país donde vive, podía haber recargado menos el colorido de su heroina, a quien pinta sin educación, sin moral, sin corazón y aun sin ese barniz con que se cubren por lo regular las inconsecuencias.

¿Y eso tuvo el valor el señor Cobo de presentar con su nombre en una función dedicada a la beneficencia española? ¿Y esta pieza sin interés, sin caracteres, se representa después de *El café*? ¿Y éstos son los genios ultramarinos que desvergonzadamente se atreven a pedir moral en el teatro? La cosa no ha sido un sueño, fue cierta y tan cierta cuanto que las bolsas de los concurrentes se hallan con una onza menos de buena y brillante plata. No obstante habrá quienes sostengan que *La romántica* y *Albures de amores* son joyas que de adornar han la frente del señor Cobo. La función concluyó a las once y media. Algunos garrotes paisanos sonaron pero fueron acallados por silbidos. Terminaremos con Moratín diciendo: "¡Oh almas grandes para quienes los silbidos son arrullos y las maldiciones alabanzas!"

Réstanos felicitar a la empresa por la magnífica vista de la plaza de gallos de San Agustín. Nos cautivó tanto su belleza y su punto de vista óptica, que suponemos la habrá enviado de Roma don Cayetano Paris. ¿Y las cuadrillas? ¡Ah! ¿Y los gritos? ¡Oh! ¿Y los jugadores? ¡Puf! No puede dudarse que los directores de escena contribuyeron a dar lustre al autor dramático.

11 de febrero de 1844

Inauguración del Gran Teatro de Santa Ana. Maximiliano Bohrer. Según se había anunciado, la noche del sábado último se abrió al público el Gran Teatro de Santa Anna. Ya desde mucho antes de la hora señalada se hallaban las puertas asediadas por una numerosa y lucida concurrencia que ansiaba el momento de saciar su curiosidad de ver acabada y en todo su esplendor una obra tan universalmente deseada. Esta obra llena el mayor vacío que se notaba en los monumentos públicos de nuestra capital, y ya de hoy más podremos decir que poseemos un teatro que por su belleza y capacidad puede competir con los mejores de Europa. El público quedó sumamente complacido con la hermosa estructura que ha sido erigida para su recreo, y así lo demostró con los entusiastas y prolongados aplausos que prodigó a los señores Francisco Arbeu y Lorenzo Hidalga. Antes de concurrir al teatro nos pareció poco acertada la función que para su inauguración se había escogido. Un concierto, decíamos, por brillante que sea deja por lo común mucho que desear. Es un recurso al que se acude en los teatros

263

cuando el público está cansado de otras diversiones. Es que no conocíamos a Maximiliano Bohrer, es que no creíamos que un artista de tan extraordinario mérito abandonase las cortes de Europa para visitar las ciudades de América. En efecto, México no había oído jamás semejante prodigio. Los que no asistieron a su concierto no podrán formarse una ligera idea de la habilidad sorprendente de este músico aun cuando escribiésemos columnas enteras en su elogio, pero sí diremos sin titubear que ni el divino Bacca ha excedido jamás a Bohrer. El público de México le ha hecho justicia y ha manifestado con repetidos y entusiastas aplausos que sabe apreciar el verdadero mérito y que no es indiferente a los esfuerzos de los que se afanan por complacerle. Esperamos poder tener otra vez, o mejor dicho otras veces el inefable placer de escuchar a ese artista y exhortar a los que no asistieron al concierto, no dejen de admirar la maestría, la destreza y los prodigios del músico más admirable que jamás haya pisado nuestro suelo.

12 de febrero de 1844

SALMO TEATRAL

> Perdónalos, Señor, que no saben lo que hacen.

Y se abrieron las puertas de los templos de Talía y los necesitados se llenaron de bienes.

Mentira puso Satán en los labios de las empresas y la nacionalidad lloró hilo a hilo junto a la concha del apuntador.

Engriéronse los otros con su triunfo, y ensalzaron su victoria.

Y la inauguración se tornó en humo, porque no hay loco que coma lumbre.

Permaneció la censura como mujer pública, cometida a la policía, y las producciones del arte se juzgarán entre los ebrios consuetudinarios, y gemirán algunos dramas entre los expedientes de limpia de atarjea.

Perturbó los cerebros la codicia, y los más amigos se volvieron la espalda.

Conmoviéronse las entrañas de la tierra, y las predicciones de los arquitectos se frustraron.

En verdad que han acontecido cosas grandes. Nadie sospechaba que el caduco Principal quedase desierto, porque la basura lo henchía y de su corazón la sacaron en carros.

Nadie sospechaba que el gigante cómico, el Teatro de Santa Anna, protegiera así las ciencias.

Multiplicáronse los telescopios para ver su galería, y la galería se llamará gloria, porque se necesita cierta dosis de bienaventuranza para oír y ver desde allí.

Vinieron notabilidades artísticas de los Departamentos lejanos, y los hombres de diferentes creencias se amalgamaron. Levantó su cabeza despavorido Belchite, y sobre sus bastidores jugaron suertes como sobre la túnica de Cristo.

La caduca Santa Paula se ha puesto atavíos de boda; pero su corazón está conturbado, porque aun cobijada con el manto de la patria, sus bancas estarán desiertas y anidarán las aves en sus paredes y los murciélagos en el cotense de su techo.

¡Orgulloso te levantas, Vergara! Tu alegría trasciende como el vino en la vasija nueva. Ojalá no llegue día en que se levante empresa contra empresa y gentes contra gentes se destruyan.

Bello eres, ¡oh Vergara!, como la Raquel de la Escritura. Soberbio estás con tu grandeza, como el cedro del Líbano.

Que los dramas patibularios no te profanen; que no prostituyan tu mirada de virgen los bailes obscenos; que no se llame en tu seno a la desenvoltura, entusiasmo; a los berridos desentonados, declamación moderna; y al exagerado descoyuntamiento, perfección artística y cosas de Máiquez y de Talma.

Gigante de cien ojos es la Hesperia; acechará tus movimientos, pero no te hará su ludibrio, porque ella es dulce y magnánima con los fuertes, y reserva el fuego de su ira para herir a los necesitados y los débiles.

La tijera del maromero algún día se entronizará en Belchite; en ti, Belchite, que te levantaste entre los arrabales para ser cortejado de los grandes, te han hecho rey de burlas, con cortejo de farsa te rodea, un consistorio de fariseos te tornó en anzuelo para los bobos, y el pueblo percibió que era un sainete tu resurrección, y una fábula tu futura grandeza.

En verdad os digo que tenemos que ver cosas grandes. El pueblo canta *aleluya*.

Se han arrojado ramas a los pies de los notables cómicos de los Departamentos.

¡Hosanna sobre las tablas; tiemblen de gozo los bastidores! Los de allende y aquende de los mares se han abrazado como hermanos, y por todas partes se clama: "Somos mexicanos."

265

Extienden los brazos para estrechar a la juventud literaria, y ofrecen premios a lo dramas y lauros al genio, y la juventud los oye y menea la cabeza y con gesto malicioso les dice: En verdad os aseguramos que no falta quien recuerde la fábula del palacio de naipes, y que todas esas son tortas y pan pintado.

Triste está mi alma, porque la censura de teatros gime entre cadenas; porque nos inundarán producciones pueriles o inmorales del extranjero, y porque la verdadera literatura dramática mexicana llorará huérfana, quedando las costumbres nacionales para que las desfiguren plumas como las del autor de *Albures y amores*.

Cosas grandes y maravillosas tiene que ver México. Se han propagado los artistas como las langosta, y no obstante se necesita la linterna de Diógenes para encontrar un buen cómico.

Frente a frente se han puesto los amantes platónicos de Santa Paula y los empresarios de Vergara; y el público conoce todo y menea la cabeza diciendo: ¡Hosanna en las alturas! Cuánto y con cuánto interés se me ama y se ve por mi engrandecimiento. Así sea, aleluya, aleluya, que ésta es la más divertida de todas las farsas.

Fidel
El Museo Mexicano, tomo III. México, 1844, p. 264

Teatro de Santa Anna. Bailes de máscaras para las noches del 18, 19 y 20 de febrero de 1844. Al fin este edificio se halla en estado de presentarse y ofrecerse a los habitantes de la hermosa México. Su erección era una necesidad exigida de tiempo atrás para poner ramo de civilización en armonía con los soberbios monumentos que decoran nuestra capital y con la suntuosidad de sus fiestas. Era traer el teatro al nivel del gusto y de tantas otras mejoras formales y materiales. Dificultades, embarazos, contrariedades de todo género debió encontrar mi celo entusiasta para llevar al cabo una empresa tan superior a mis recursos como desproporcionada a mi insignificante posición social. Pero la constancia ha triunfado. El nuevo teatro existe como un monumento como los que exclusivamente pertenecen a la era de nuestra emancipación. El mexicano que conoce los mejores teatros de Europa no sentirá vergüenza y humillación al mostrar el nuestro a los extranjeros que le hacen justicia. Pueden el tiempo y el progreso de las ciencias hacer de este edificio el verdadero teatro donde la susceptibilidad de los talentos y el ingenio mexicano luzca algún día y corone a los que siguen las

266

huellas de Calderón, Vega, Moreto, Bretón de los Herreros, Racine, Molière, Shakespeare, etcétera. Húndase luego de haber sido el primer templo en que se inmortalice la poesía mexicana, en que se iguale a la de los bellos días de nuestros padres. Nosotros hemos llenado nuestro deber levantando el templo y asentado en él los pedestales que han de sostener a nuestros trágicos dramáticos. Lugar queda a sus nombres al lado de los más célebres y llenarlo con merecimientos será la más cara de las ambiciones.

No se ha cumplido mi voto porque la inauguración o apertura fuese el día de la instalación del Supremo Gobierno Constitucional. Éste era para mí un deber de gratitud ante el Jefe Supremo de la República, en quien encontré apoyo y protección decidida, y sin la cual quizá habría sucumbido bajo las dificultades en mi empresa. Esta manifestación no es una lisonja sino un tributo de gratitud que pago con la sinceridad exenta de ambiciones y extraña a las pasiones políticas. Ya que tantos y tan invencibles obstáculos impidieron coronar mis esfuerzos haciendo la inauguración el 2 del corriente y ya que la estrechez de periodo hasta el carnaval hacía imposible anticipar el año cómico que comenzará en la Pascua con la acreditada compañía del Teatro de Nuevo México aumentada por algunos de los mejores actores de la del Principal que están ya contratados y de otros que espera se contratarán, hay necesidad de comenzar por los bailes de máscaras, dejando el estreno cómico para aquella fiesta en que todo el escenario habrá recibido el completo de sus decoraciones y la perfección de su maquinaria, para que las piezas que se representen satisfagan la ansiedad pública.

Entre tanto, nada se ha omitido para que los bailes estén acordes con la suntuosidad, belleza y lujo del edificio. Dos orquestas y una música militar en el peristilo de la fachada, una magnífica decoración propia para el baile, una hermosa iluminación en el interior del salón y en el exterior con vasos de colores, salas donde se encontrarán todo género de refrescos y se servirán licores y alimentos exquisitos, gabinetes para señoras donde habrá mujeres para su servicio, un departamento de alquiler de caretas y disfraces, guantes de venta. Todo en fin cuanto puede discurrirse para comodidad sin tener que salir del interior del teatro. Habrá dos bastoneros que dirijan el baile según el método seguido en estos espectáculos en los primeros teatros de Europa, y se han tomado además todas las precauciones necesarias para que reine el mayor orden. El baile dará principio a las nueve de la noche y los precios de entrada serán los siguientes: Palcos por entero con 8 entradas,

16 pesos. Patio, 2 pesos. Galería, 4 reales. Las familias que tomen palco tendrán derecho a bajar al patio, para lo que servirán los boletos de entrada. No habiendo asientos en el patio, los abonados a palcos y galería alta se les reservarán sus localidades hasta las 10 de la mañana del sábado 27, sirviéndose tomar las que les corresponden, pues pasada la hora fijada se dispondrán de las que queden libres.

Albures y amores. Comedia representada por primera vez (y última, según creemos) en el Teatro de Nuevo México. "Es increíble: allí no hay más que un hacinamiento complejo de especies, una acción informe, lances inverosímiles, episodios inconexos, caracteres mal expresados y mal escogidos; en vez de artificio, embrollo, en vez de situaciones cómicas, mamarrachadas... ¡Y el estilo!" Moratín, *La comedia nueva,* acto II, escena V.

"No quiero dejarle; me da compasión, y sobre todo es demasiada necesidad después de lo que ha sucedido, que siga creyendo el señor que su obra es buena. ¿Por qué ha de serlo? ¿Qué no hay más que ponerse a escribir a salga lo que salga, decirlo en un embrollo, ponerlo en malos versos, darlo el teatro y ya soy autor?" Moratín, acto citado, escena VIII.

Perdonad, lectores, que por vía de exordio, os haya regalado con una copiosa cita de Moratín, mas mi mente preñada con los recuerdos de la función de anoche, no puede olvidar el sangriento epigrama con que ha saludado algún malévolo al autor de *Albures y amores,* al representar su malhadado sentón después de *La comedia nueva,* o sea *El café.* ¿Por qué no dejó esta última para la postre? La ilusión hubiera sido más completa y don Pedro, el personaje de Moratín, habría aparecido en todo su esplendor para criticar una pieza que no le va en zaga al *Gran cerco de Viena.* Lástima da en todo caso el ver a un triste escritor exponerse a la rechifla del público, más cuando ese escritor equivoca los hechos, presenta como pasiones legendarias de una sociedad entera y emborrona en vez de pintar las costumbres de una nación, entonces no da lástima, da cólera. Y es justamente lo que me ha sucedido al asistir a la representación de ese cuadro de costumbres mexicanas en la Pascua de San Agustín de las Cuevas. Las mexicanas que pinta el señor Cobos no son señoras, sino manolas, y apelo a su propia sinceridad. ¿El autor de *Albures y amores* no ha encontrado entre las hijas de México más que esa impudencia y ese vil apego al oro que ha estampado en su comedia? No ciertamente, y el cielo ha permitido que a pesar de las azumbres de tinta que vierta la mal tajada pluma de uno que otro escritorzuelo, la reputación de mis bellas paisanas se encuentra bien sentada, y que ellas contemplen con la calma de la inocencia y del desprecio las sandeces de algunos infelices aprendices de copleros.

Pero dejemos esto porque siento que la bilis se me exalta y tratemos de examinar qué plan, qué caracteres, qué pensamiento se propuso desarrollar en su pieza el señor Cobo. Todo esto hemos buscado con ansia y nada hemos podido hallar. Esperábamos algún rasgo feliz, algún trozo de versificación fácil y correcta, pero nada de esto ha habido. Nuestras esperanzas han salido fallidas y el autor ha caminado con tal desgracia que hasta la representación ha venido a consignar su ruina. Al mirar la partida de los concurrentes, nos acordamos de Tlalpan, es cierto, pero no de las casas a donde concurre gente de fina educación, sino en aquellos miserables garitos a los que asiste la aristocracia de "pasada" y zapato de baqueta, y que ocupan en esos días de alegría disipada y bulliciosa la plaza central de San Agustín de las Cuevas. La ambriaguez de Don Remigio es un rasgo verdaderamente... ¿cómico? La desenvoltura de Guadalupe, el bello carácter de Doña Refugio, la mansedumbre de Don Roque, son pinceladas maestras. El público tuvo oportunidad de admirar la delicadeza con que un actor metió los dedos en un vaso antes de beber en él, y sin duda así lo pide la pieza. Don Jacinto estaba vestido con propiedad, solamente se notó con extrañeza en su traje una banda verde o azul, distintivo entre nosotros no de un capitán de artillería, sino de un general de brigada o división. Sin embargo, plugiera al cielo que la inexactitud no hubiera pasado de los trajes.

La noche estuvo fatal para todos los escritores dramáticos, pues hasta Moratín no salió muy bien librado. ¡Qué libertades se tomaban con él los actores! En cuanto al autor de la desventurada comedia mexicana, permítame que le encargue no pierda de vista lo que se dice en la comedia de Moratín, y además para que reciba por vía de consejo y no censure a los escritores dramáticos con la acrimonia de antaño, el siguiente epigrama de mi agudo paisano Ochoa:

> A ciertos pobres echó
> Carlos trescientas ayudas,
> y ni le ocurrieron dudas
> de si lastimaba o no.
> Mas hoy aturde a la luna
> con lamentos infinitos:

¿Y por qué son tantos gritos?
Porque al fin le echaron una.

Un apasionado del bello sexo mexicano
25 de febrero de 1844

Teatro Principal. Gran baile de disfraces de Piñata. Último de este carnaval. Sábado 2 de marzo de 1844. Los empresarios que se han encargado de disponer esta diversión, deseando complacer al público que por última vez va a gozar del espectáculo encantador de un baile de máscaras, han dispuesto para la noche expresada un baile de Piñata, espectáculo nuevo en esta capital y que está hoy en uso en La Habana, en Madrid y en otras ciudades de Europa. El salón elegantemente adornado y donde la concurrencia brilla con más esplendor, se cuidará del mejor orden, y los bastoneros encargados de dirigir el baile, pondrán mucha atención en que los concurrentes disfruten de él con la mayor comodidad posible. Los precios de entrada serán los siguientes: Palcos primeros y segundos con nueve entradas, 16 pesos. *Idem* terceros con *idem* y palquitos, 8 pesos. *Idem* terceros, 4 pesos. La función comenzará a las nueve en punto.

Teatro de Nuevo México. 1º de marzo de 1844. Para esta noche El Hombre Elástico. Daniel Hamlin, natural de Norteamérica, conocido como El Hombre Elástico, ha llegado a esta capital y contratado el local en que se anuncia, donde pondrá de manifiesto un nutrido número de suertes que sin tener un nombre particular han llamado poderosamente la atención en las capitales de Washington, Filadelfia y Orleans, donde un numeroso concurso le prodigó sus elogios con entusiasmo. Al entrar en esta República ha dado varias funciones en Veracruz, habiendo tenido igual suerte y llamado la atención del numeroso público. Sería inútil entrar en el elogio de las difíciles suertes que ejecutará, por la única soltura conocida de sus miembros y articulaciones. El público lo admirará y quedará completamente satisfecho. La función durará un tiempo proporcionado dividiéndola en dos actos. En el primero se aprovechará la oportunidad de hallarse en esta capital don Antonio Granados, director de baile que fue del Teatro de Nuevo México, y a petición de muchos apasionados suyos se presentará a bailar el hermoso cuarteto de Julio César, acompañado por la señorita Menocal, doña Ruperta Guerra y don Amado Alarcón. En el segundo acto se

270

bailará la Jota Aragonesa de este director, tan aplaudida y ejecutada por los mismos bailarines. Pagas: Entrada general a patio, 1 peso. Palcos con seis entradas, 6 pesos. Galería, 4 reales.

Ascensión aerostática que verificará en la ciudad de Pátzcuaro, del Departamento de Michoacán, el capitán don Benito León Acosta, en uno de los días de la semana de Pascua de Resurrección. La junta formada con el fin de promover algunas diversiones, ha contratado con el señor Acosta una ascensión aerostática, quien ha quedado comprometido a verificarla en el día de dicha semana que le sea señalado, construyendo al efecto un nuevo globo, cuya circunstancia presta mayor seguridad para que sea lograda. Inútil parece recomendar lo grandioso de un espectáculo visto siempre con entusiasmo y más por ser un mexicano el que lo ejecuta. En la plaza que está levantándose al efecto se ha calculado la capacidad de la mayor concurrencia posible, sin omitirse gasto alguno. Si por una desgracia la ascensión se frustrare, quedará reintegrado el público de las cuotas que hubiese exhibido por compras de boletos para palcos, lunetas y demás localidades del edificio. Para amenizar esos días desde el domingo de la Pascua hasta el siguiente con varios objetos de distracción, habrá una corrida de toros lidiándose a muerte por una diestra compañía de toreros. Se jugará tapada de gallos. Se procura con empeño alguna buena compañía dramática que amenice por las noches con piezas teatrales. El agradable temperamento que se disfruta en este país en la estación de calor, la abundancia de víveres y la comodidad que presta para alojamientos, así como la seguridad que prestan las autoridades tanto en el lugar como en los caminos, hacen prometer una alegre y numerosa concurrencia, la que retornará complacida a sus hogares.

Pátzcuaro, 12 de febrero de 1844

Empresa Mexicana del Teatro Principal. Al público: Prevenida ayer la mayoría de los socios de la Empresa Mexicana que los que suscriben han tenido la satisfacción de formar para la conservación y fomento del Teatro Principal, quedó ésta constituida y se procedió al nombramiento de oficios y comisiones que constan en el acta que se extendió. Un sentimiento de nacionalidad nos inspiró el proyecto de formar esta asociación y el éxito ha excedido a nuestras esperanzas, contando hasta hoy con 63 socios, que representan 34 y 3/8 acciones como consta en la lista. Tal ha sido la favorable acogida que ha merecido del público nuestro pensamiento, y de ello plácidamente nos congratulamos. Hasta aquí hemos realizado un deseo, a saber, formar la empresa. Una vez constituida, como ya lo está, preciso es lisonjearnos de que llenará los objetos que nos propusimos y a que se encamina. Éstos no se limitaron sólo a la conservación de un edificio y a la concentración de una compañía de actores norteamericanos, sino que se trata también de formar el Teatro Nacional, o sea nuestra escuela dramática. Con tal idea la empresa se propone alentar los talentos de una juventud llena de vida y que sin más apoyo que los esfuerzos aislados de su propio genio, se dedican entre nosotros de algún tiempo acá a la literatura dramática. La empresa pues se propone remunerar los trabajos que se le dirigen y premiar aquellas obras que más sobresalgan por su mérito. También se propone la empresa abrir cuanto antes una escuela de declamación tan necesaria para que se forme el actor y para los adelantos del arte escénico. Éste es el plan general de la asociación que hemos promovido, sin otro objeto que los que quedan indicados. Si se ha de juzgar sus resultados por el número y calidad de las personas que forman la empresa y por el entusiasmo que se advierte en ellas, preciso será juzgar muy favorablemente.

México, a 10 de marzo de 1844. Manuel Eduardo de Gorostiza y Juan Nepomuceno de Pereda.

Empresa Mexicana de Conservación y Fomento del Teatro Principal. Acta. En la ciudad de México, reunida la mayoría de los socios de esta empresa que abajo firman, procedieron a abrir la sesión con el objeto de nombrar los oficios y encargos de las comisiones y se dio principio para constituir la empresa con el nombramiento de presidente y secretario de esta junta, cuyos cargos recayeron en los señores don Manuel Eduardo y Gorostiza el primero, y el segundo don Antonio Cosmes. Verificados estos nombramientos se declaró constituida la junta. Acto continuo se procedió al nombramiento de tres letrados que se encarguen de redactar la escritura bajo la cual se consignen las obligaciones que contraen los socios de esta empresa, y fueron nombrados para esta comisión los señores licenciado don Juan José Espinosa de los Monteros, don Manuel Zozaya y don Francisco Modesto de Olaguíbel. En seguida se procedió al nombramiento de director de la empresa, y recayó en el señor don Manuel Eduardo de Goroztiza. Se procedió al nombramiento de tesorero y fue designado el señor don Antonio Garay. Acto continuo se procedió a nombrar la junta que ha de representar a la empresa para tratar con la Junta de San Gregorio sobre el arrendamiento del edificio, y fueron nombrados para esta comisión don Antonio María de Eznaurrizar, don Juan N. Pereda y don Juan Salgado. Se acordó también nombrar una comisión consultora de letrados para ocurrir a ella en todo negocio de derecho o contenciosos que puedan presentarse en la empresa, y fueron nombrados los señores licenciados Espinosa de los Monteros, don Manuel Zozaya y el señor Olaguíbel. Se acordó que quede facultada la comisión que ha de tratar con la Junta de San Gregorio, para que representando a esta empresa y en unión con el director de ella, pueda hacer las propuestas y ajustes que considere necesarios con la propia Junta de San Gregorio, para el arrendamiento del edificio formando las escrituras que se requieran. Don José María Revilla y Pedreguera y el señor Pereda hicieron la siguiente proposición que fue aprobada: "Teniendo por objeto la Empresa Mexicana no sólo conservar y asear el Teatro Principal para que no se interrumpan las tareas cómicas, sino también hacer efectivas algunas mejoras que nos proporcionen así una localidad en el mejor estado posible, como la perfección en el estudio de la escuela dramática española, se declara que queda abierta la suscripción para todos los que gusten." También se acordó facultar al director para asociarse con los señores de la Junta que crea necesarios para que los ayuden en la dirección del teatro. Se levantó la sesión y se citó a nueva junta el domingo 17. México, marzo 10 de 1844. Manuel Eduardo de Gorostiza, Juan Barberillo, José Whilheim, Francisco Ocampo, Juan de Dios Salgado, Manuel Gargollo por la señora doña María A. de la Cortina, Juan Nepomuceno Pereda, Antonio Cosmes, Francisco Zamora, Vicente Manero, Manuel Fernández de Córdoba, J. Rafael de Oropesa, José Revilla y Pedreguera, Tranquilino Herrera, Mariano Bustamante y siguen firmas.

Teatro de Santa Anna. Gran concierto de despedida de Maximiliano Bohrer, para el jueves 21 de marzo de 1844. Maximiliano Bohrer, primer violoncello a solo de la capilla de S.M. y agradecido al público mexicano por la buena acogida que le ha dispensado, tiene la honra de anunciar que habiendo dispuesto su salida de esta capital irremisiblemente para el próximo viernes, dará su último concierto de despedida el jueves 21 de marzo, acompañado de la joven mexicana doña Francisca Ávalos, en los términos siguientes. Parte primera. 1º Obertura a toda orquesta. 2º Fantasía y variaciones sobre canciones para violoncello con acompañamiento de piano arregladas por M. Bohrer y ejecutadas por él mismo y su hijo. 3º Cavatina de *Norma*, ejecutada por la señora Ávalos. 4º Adagio religioso y variaciones originales del célebre Paganini sobre *El carnaval de Venecia*, para violoncello y piano, ejecutadas por M. Bohrer y su hijo. Parte segunda. 1º Grande obertura a toda orquesta. 2º Introducción y rondolleto para violoncello y piano compuesto por M. Bohrer y ejecutado por él mismo y don Vicente Blanco. 3º Aria de una ópera de Rossini ejecutada por la señora Ávalos. 4º Gran fantasía *El carnaval de México*, para violoncello y piano, con bailes, canciones, sonecitos mexicanos y españoles como La Soledad, El jaleo de Jerez, La Manola, La zapateada de Cádiz, La jota aragonesa, Tonadilla de la costa, El gato, El palomo, El perico, El aterrado y El café, arreglado en México por M. Bohrer y ejecutado por él mismo y don Vicente Blanco. Precios de entrada: Palcos primeros, segundos y de platea con 8 entradas, 8 pesos. Tercero *idem*, 6 pesos. Entrada a palcos, 1 peso. Patio y galería baja, 1 peso. Galería 3 reales.

Empresa Mexicana del Teatro Principal. Organizada ya la compañía que ha de trabajar en el próximo año cómico en el Teatro Principal y habiéndose hecho en el local cuantas mejoras han sido posibles, la Empresa Mexicana anuncia hoy con satisfacción al público la temporada de Pascua de Resurrección, y habrá funciones todos los días excepto los miércoles y sábados. La empresa ha ajustado no sólo la mayor parte de los artistas que trabajaron el año último en este teatro, sino que también ha contratado otros muchos que ya se habían distinguido en los Departamentos, o por lo menos ofrecen esperanzas por sus elementos de aplicación. Para utilizar pues esta compañía numerosa y para variar lo que sea dable el entretenimiento público, la empresa ha convenido con el señor Ralmau en que éste ponga a su disposición el Teatro de Nuevo México para que en él se dé aquel número de funciones que convenga más a los intereses de ambos. De este modo y dividiéndose la compañía del Principal en dos, trabajará una de ellas en el referido teatro y la otra en el de Nuevo México, alternándose alguna vez para que los concurrentes a los dos coliseos, disfruten de la mayor parte de las funciones nuevas y ayudándose siempre con cuantos recursos tengan.

El Teatro de Nuevo México comenzará sus funciones el próximo domingo de Pascua y ahora se darán función en él todas las noches excepto los martes y viernes. La empresa, que no ha podido hacer en el local del Teatro Principal todas las mejoras que se proponía porque sólo ha tenido hasta ahora once días útiles, continuará en este año los trabajos que sean compatibles con la representación diaria y preparará para la cuaresma del año que viene los que exija un edificio público que se trata de elevar a su mayor posible comodidad y decencia. La empresa ha dispuesto asimismo que se prepare en el mismo Teatro Principal una sala espaciosa donde se den gratis las lecciones de declamación, música y baile. Este conservatorio estará bajo la dirección del que suscribe y a cargo de profesores hábiles. Las lecciones comenzarán el 1º de junio y los alumnos que quieran matricularse pueden hacerlo desde ahora en la dirección de dicho conservatorio. La empresa ha realizado por consiguiente en gran parte lo que se propuso al formarse. Sin rivalidades de especie alguna, sin propósitos de perjudicar a nadie, sin otro fin que el muy noble de contribuir a los adelantamientos del arte en el más antiguo de nuestros teatros. Todo cuanto se haga en lo sucesivo tendrá igual carácter de franqueza y desprendimiento. El público, único juez en la materia, juzgará a su tiempo si ha acertado o no.

Manuel Eduardo de Gorostiza

Compañía que ha de trabajar por ahora en el Teatro Principal. Señoras doña Soledad Cordero, doña Isabel Martínez, doña Joaquina Pautret, doña Cándida García, doña Merced Escobedo. Señores don Juan Salgado, don Miguel Valleto, don Evaristo González, don Higinio Martínez, don Ángel Padilla, don Manuel Mancera, don J.M. Lamadrid, don Amadeo Santa Cruz, don Aniceto Cisneros, don Manuel Maldonado, don Amado Alarcón, don Mariano Osorno. Baile: Don Mariano Osorno, señorita Pautret, Soledad Sevilla, señor Antonio Castañeda y señor Villanueva. Apuntadores: don Nicolás Scoto, don Juan Baeza. Precios de abono en el Teatro Principal por 22 funciones: Palcos primeros y segundos, 42 pesos 4 reales. *Idem* terceros, 34 pesos 4 reales. Lunetas, 6 pesos 4 reales. Galería alta, 2 pesos 4 reales. Palquitos en la cazuela, 16 pesos.

Compañía que ha de trabajar en el Teatro de Nuevo México. Señoras doña Manuela Francesconi, doña Josefa Galindo, doña Ruperta Guerra. Señores don Higinio Castañeda, director; don Joaquín Rivas, don Juan Dalmau, don Francisco Ruiz, don Desiderio Guzmán, don José Morales, don Antonio Granados, don Luis Méndez, señor Salinas, don Antonio Castillo, don Agustín Morales. Baile: doña Ruperta Guerra y don Antonio Granados. Apuntadores: señores Cuenca y Ocampo. Precios de abono: Palcos primeros y segundos, 37 pesos 4 reales. Patio, 5 pesos 4 reales. Galería, 2 pesos 5 reales.

2 de abril de 1844

Teatro de Santa Anna. 7 de abril de 1844. Se representará por primera vez la comedia en tres actos, producción de un mexicano, titulada *Las paredes oyen*, finalizando la función con el precioso baile denominado *La mazurca polonesa*.

Teatro Principal. Comedia nueva en tres actos titulada *Conspirar para no reinar*, finalizando con una escogida pieza de baile. Por la tarde drama en tres actos titulado *Herman o la vuelta del cruzado*.

Teatro de Nuevo México. Comedia nueva en cuatro actos titulada *La escuela de las casadas*, finalizando con las boleras del zapateado desempeñadas por la señora Guerra y el señor Granados. Por la tarde drama en tres actos denominado *La huérfana de Bruselas*.

Crónica. Acabóse la cuaresma, pasaron los santos días de la semana dedicada a recordar la Pasión del Salvador y también, al menos en México, a estrenar sombreros, botas y fracs, y túnicos de gros tornasol, y mantillas blancas, y a beber mucha agua de chía, horchata, limón y tamarindo. Acabóse digo toda festividad religiosa y llegó la Pascua. ¡Viva la Pepa! Los empresarios teatrales prepararon las talegas para guardar el dinero, los actores rejuvenecidos con cuarenta días de holganza se dispusieron a hacer brillar sus talentos y los concurrentes y concurrentas salieron ansiosos de sus casas como un enjambre de abejas a libar las flores teatrales. Toda esta charla quiere decir que el primer día de Pascua, domingo si mal no me acuerdo, se abrieron en la calle de Vergara el teatro conocido como de Santa Anna, el corral de Belchite y el más antiguo y venerable panteón de Santa Paula. El Principal, o sea el de Santa Paula, rejuvenecido de blanco como mujer de moda, con su telón de boca repintado y su entrada reformada algún tanto, nos ofreció una comedia nueva intitulada *Conspirar por no reinar*. Alrededor del aguacola los maullidos de un gatito que tiene su residencia en el patio y se ve de noche molestado por el público, y el peligro de verse manchada la casaca de pintura blanca, no había nada que decir contra Santa Paula, y antes bien elogiar la mejoría del alumbrado y el gusto con que está pintado el cielo y el telón. La orquesta que todos anunciaban como pésima, hizo su deber y sólo los exquisitos filarmónicos murmuraron algo contra ella; pero nosotros que tenemos tanto de filarmónicos como de gordo el famoso Don Quijote, nos pareció bastante buena. Sea dicho esto de paso y como respuesta a los malditos criticastros, envidiosos de la milagrosa resurrección de Santa Paula. En cuanto a la comedia, creemos que es bastante mediana y que el argumento de tan complicado pasa a ser ininteligible. El desempeño nos pareció mediano, aunque esto por varias causas merece indulgencia, y vamos a decir nuestra opinión aun con relación a los actores antiguos, puesto que los consideramos como resucitados.

La señorita Pautret no comprendió que su personaje era una niña inocente y llena de candor, y por eso hizo su papel como muchacha medio mal educada y asaz voluntariosa. Aunque todo el público conoce un defecto de la señorita Pautret, ninguno se lo ha dicho hasta ahora, y en ésta vamos a aventurarnos a decírselo: esos continuos movimientos de cabeza y de cuerpo no son de ninguna manera naturales y propios, especialmente cuando el papel requiere gravedad y mesura. Nada costaría a esta recomendable actriz el ir corrigiendo poco a poco esta falta en que incurre con una lamentable constancia, así como la de afectar algunas veces la pronunciación recargando los acentos en las vocales, como al decir por ejemplo: "Tío mío", en que materialmente se le escucha "Tió mió". El señor Martínez, que es uno de los nuevos actores de la Empresa Mexicana, tampoco dio a su papel la dignidad debida. En la escena no se puede comprender a un rey que ande con las rodillas flojas y el cuerpo desguanzado. Además, es de toda urgencia que reforme su manera de acentuar y que no diga "acercaté", "consideramoslá", así como tampoco que diga "celibe", en vez de "célibe". Otro galán nuevo fue el señor Padilla; tiene buen metal de voz, regular presencia para papeles de galán joven, pero su expresión es algo forzada y necesita mucho más fuego. Sin duda con la dedicación y el estudio adelantará en la difícil carrera que se ha impuesto, quizá no tratando de imitar al joven Antonio Castro, porque es menester no perder de vista que el arte dramático es un arte para el cual se requiere, además del talento y disposiciones naturales, muchos y asiduos trabajos y estudios.

Al día siguiente se representó en el Teatro de Santa Anna la misma comedia de que acabamos de hablar y baste decir que los papeles fueron desempeñados por los señores Mata y Castro y por la señora Cañete, para juzgar favorablemente. Cuando la señora Cañete se presentó en la escena se le prodigaron bastantes aplausos, pero hubo algunos "shhhht". Aquí haremos una moderada reflexión: ¿la señora Cañete es buena actriz? Sí. ¿Se ha reconocido ya su mérito en México? ¿Se le puede juzgar por animosidades personales? Un "shttt" jamás corrige a un actor si tiene defectos; una juiciosa crítica sí se los corregirá.

El martes se representó en el Teatro Principal, *El castillo de San Alberto*, y en el de Santa Anna, *Me voy de Madrid*. Ambas piezas son bastante conocidas. En el primero se distinguió la señora Francesconi

277

y en algunas escenas estuvo tan feliz que arrancó al público aplausos. En el segundo nos aseguran que la señora Cañete desempeñó muy bien el papel de la tendera. Por último, en el Principal se representó *El alma de un artista*, donde intervino doña Isabel Martínez. A una buena presencia reúne alguna expresión y fuego, aunque quisiéramos que su voz no fuera un timbre constantemente igual. Las inflexiones de voz dan a los pensamientos del autor una especie de magia y de armonía y esto es muy natural si se atiende a que en las escenas diarias nunca hablan las gentes en el mismo tono cuando están exaltadas que cuando están en calma, y la voz de un amante que dice requiebros a su querida no es la misma que la de un marido celoso cuando amenaza. El teatro es una imitación de la naturaleza y es menester no perder de vista que mientras más exacto sea más agradará al espectador. Otro personaje se presentó en la escena en dicha comedia y fue la señora doña Cándida García, que dizque es característica. A otros mil defectos le hemos observado la falta de algunos dientes. ¡Allí que no es nada! Una actriz sin dientes es lo mismo que un violín sin cuerdas, que una lámpara sin aceite y otras mil cosas que si no están completas no sirven para lo que son. Por lo demás la comedia estuvo bien desempeñada y la señora Martínez cantó primero bastante bien una aria de la ópera *María de Rudens*, y en seguida el dúo del amor en unión de la señora Ruiz.

En cuanto a Belchite (Nuevo México) parece que ha tenido hasta ahora dos funciones y que la concurrencia no ha pasado de dos docenas de gente. En la calle dicen: "Imposible que se puedan sostener tres teatros." Esto lo decidirá el mayor o menor número de entradas a este triduo.

Yo y Fidel
14 de abril de 1844

Teatro de Santa Anna. Domingo 14 de abril de 1844. *La Rueda de la Fortuna*. Comedia en cuatro actos de don Tomás Rodríguez Rubí.

La celebridad que el señor Rodríguez Rubí conquistó en España con la anterior comedia, la honrosa condecoración con que la reina Isabel premió al autor por esta producción, y el detenimiento con que varios periódicos han hablado de su mérito literario, podría habernos detenido al emprender esta tarea, a no ser porque en esto de novedades estamos escasos, y ya que *La rueda de la fortuna* se anuncia como nueva, nos daremos por sorprendidos con la novedad; vamos andando. Por otra parte, es una novedad que el mismo Pero Grullo la encontraría como la luz, de que lo que se representa por *primera vez*, es lo primero, porque son raros los que cuentan como aquel que dividía su discurso en tres partes diciendo: *lo segundo* ... Así es que en este punto tienen razón en decir que en un teatro que empieza todo ha de ser por *primera vez*, porque hace días que acabó aquella moda de comenzar por lo segundo.

Sin duda alguna, las alusiones políticas en que abunda esta comedia, el estado de la España en sus relaciones diplomáticas y el buen patriota que se distingue manejando la ficción dramática, todo contribuyó, en mi entender, a darle mayor estima que en un país en donde no son tan vivas las afecciones y sólo cuando se descubre identidad en algunos sucesos, la sutil sátira que dirige el autor a sus *tutores* y *aliados* agrada, aunque como es de suponerse, se tuvo que trasplantar el argumento a la época de Fernando VI, y acaso a eso se debe atribuir que los personajes no estén caracterizados como debiera esperarse del señor Rubí.

Por lo que respecta al plan, me parece perfectamente preparado y conducido hasta el fin.

Aunque hasta ahora no adivino
por qué dieron a Zenón
un inútil *pergamino*
de que jamás da razón.

Y no era una pepitoria
de mil créditos de viudas,
érase un timbre de gloria
que debió disipar dudas.

Para eso sólo, para eso
fue aquel raquítco estante.
(Y a propósito, es brillante
para guardar pan y queso.)

La marquesa, ¡oh qué portento!,
amante, astuta, celosa,
y después ... muy generosa
madrina de casamiento.

¿Y el noble *conde del Valle*
era un sandio o era un santo?

Vamos, yo de autor le planto
de patitas en la calle.

¿Y cuándo fue el casamiento
del noble marqués con Clara?
¡Y es cosa que al más jumento
se le conoce en la cara!

Pero si esta comedia se resiente en su plan de los ligerísimos defectos que no sin desconfianza indicamos, su diálogo es muy fácil y tan natural y enérgico que involuntariamente recordábamos la animación y viveza de Moreto y otros maestros del siglo XVI. No podemos prescindir aquí dos pruebas de esta fluidez tan española. Mauricio ha pedido a don Diego la mano de Clara, éste acaba de reclamar a su hija con aspereza en los momentos en que aquel campesino viene con una aleluya a saber de boca de su hija futura la resolución que él presiente que será favorable.

ESCENA IX (acto 1º)

Mauricio. (Ya está sola... si don Diego
vale un Perú por lo listo.
¡Qué pronto arregla las cosas!
Pues señor, va bien, magnífico,
cuando venga mi Zenón
y lo sepa, de cá brinco...)
¿Qué es eso?
Clara. ¡Ah!
Mauricio. ¿Está usté llorando?
Clara. No es nada, señor Mauricio.
Mauricio. Vaya, ¿y esos lagrimones
que ruedan por los carrillos?
Clara. Yo no sé... Tal vez será
que el viento.
Mauricio.   (Malo, malísimo.)
Si no corre un pelo de aire.
(¿A que desprecia a mi chico?)
Vamos, claros, señorita,
don Diego le habrá a usté dicho...
Clara. Sí, señor,
Mauricio.   Voto va, Cristo,
¿conque usté quiere matar
a mi Zenón por lo visto?

280

Clara. ¡Ah!, no, señor, si no es eso.
Mauricio. Pues diga usté entonces.
Clara.   Digo.
  que soy la más desdichada
  del mundo.
Mauricio.   ¡Cómo! ¿Salimos
  con eso ahora? ¡Por vida ...
  que estoy hecho un basilisco!
  ¿Quién aquí le da pesares?
  ¡Quiero saberlo!
Clara.   ¡No!
Mauricio.   ¡Vivo!
  Porque si llego a perder,
  señorita, los estribos,
  he de hacer un escarmiento
  que suene en el paraíso.
Clara. Por Dios, baje usted la voz,
  tal vez mi padre ha oído.
Mauricio. ¡Toma!, ¿y qué? Pues si él supiera, etcétera.

La marquesa, como vería el benigno espectador, era afecta a los párvulos y solía mezclar a sus contestaciones diplomáticas amoríos y devaneos; como el conde del Valle era su protegido, viene Zenón de la
Rioja y lo suplanta; la marquesa le declara este relevo en momentos
en que parece un desquite por la noticia que ha recibido de que el
infraescrito conde se casaba con Clara.

ESCENA VI (acto 2º)

Conde. Si ya estáis preocupada
  y en su favor prevenida,
  fácil será mi caída,
  ¿qué decís?
Marquesa.   No digo nada.
Conde. ¿Nada, marquesa?
Marquesa.   Así es.
Conde. ¿Con qué talento?
Marquesa.   Cabal.
Conde. ¿Y de fortuna?
Marquesa.   Tal cual.
Conde. ¿Cuándo he de verlo?
Marquesa.   Después.
Conde. ¿Vendrá pronto?

281

Marquesa.   ¿Qué sé yo?

Conde. ¿A dónde concurre?

Marquesa.   Aquí.

Conde. ¿Y yo le conozco?

Marquesa.   ¡Oh, sí!

Conde. Decidme su nombre.

Marquesa.   ¡Oh, no!

Conde. ¿Por qué le ocultáis?

Marquesa.   ¿Por qué?

Conde. ¿Teméis que yo . . .

Marquesa.   Nada temo.

Conde. ¿Él os ama?

Marquesa.   Y con extremo.

Conde. ¿Y también vos?

Marquesa.   Yo no sé.

Conde. ¿Qué no lo sabéis?

Marquesa.   Aún no.

Conde. Pues no lo entiendo.

Marquesa.   Yo sí.

Conde. ¿Pero en quién consiste?

Marquesa.   En mí.

Conde. ¿Pero quién me explica?

Marquesa.   Yo.

Conde. ¿Enojada estáis?

Marquesa.   ¡Ja, ja!

Conde. ¿Conmigo tal vez?

Marquesa.   Un poco.

Conde. ¿Serán celos?

Marquesa.   Estáis loco.

Conde ¿Pues qué es ello?

Marquesa.   Ello dirá.

Conde. Me aturdí, me enloquecéis,
 no tenéis, ¡viven los cielos!,
 ni a él amor, ni a mí celos,
 pues entonces, ¿qué tenéis?

Sería necesario copiar la comedia toda si tratásemos de encarecer la brillante cualidad indicada del señor Rubí. La versificación, con muy leves lunares, es rotunda y sonora, se plega a todos los tonos; ya es ingenua y franca, haciendo hablar a Mauricio cuando refiere la extrañeza con que ve al conde del Valle y no se puede explicar lo que pasa a su vista. ¡Con qué verdad exclama el guapo labriego!:

282

Mauricio. Vaya, si el nene alborota.
Clara. (No hay qué esperar, lo estoy viendo.)
Mauricio. Señorita, yo no entiendo
de esta jerga ni una jota.
　　Ha un rato que la dejé
con su señor padre hablando,
vuelvo y la encuentro llorando
y no me dice el porqué.
　　Él antes me dijo a mí
que era un enlace muy bello,
usté conviene con ello,
y llora, ¿pues qué hay aquí?
　　A poco viene ese guapo,
con usté pega la hebra,
y la abraza y la requiebra
y nos pone como un trapo.
　　Es verdad que si no fuera
porque oí que era su primo,
del trancazo que le arrimo
le ablando la calavera.

Ahora oigamos hablar a este mismo intérprete del palurdo Mauricio el lenguaje de la más exquisita ternura. Zenón ha llegado a su apogeo de gloria, se ha casado en secreto (el cura lo sabe) con Clara; ésta se presenta por una intriga del conde del Valle, que, según creemos, *no inventó la pólvora*; la marquesa está en acecho, Zenón muestra extrañeza a la consorte, ésta se queja de su tono frío, y entre otras cosas le recuerda su antiguo amor y los progresos de su fortuna.

Clara. Te alejaste de mi lado
tras de una ilusión perdido,
ciego por el mundo has ido,
por todo has atropellado;
y tu talento aplaudieron,
dijeron que eras profundo,
y los aplausos del mundo
por fin te desvanecieron.
Gustaste honores y gloria,
y la gloria y los honores
mataron nuestros amores
y ocuparon tu memoria.
Y si en tu loca ambición,

si en ese delirio ciego
de amor el ardiente fuego
guardaste en tu corazón,
no fue el que vimos nacer
felices los dos, un día,
fue el amor que te ofrecía
una opulenta mujer . . .

Toda esta escena es admirable y con disgusto la he suspendido, por aquello de *al mal paso darle prisa*. Y este mal paso es sin duda la emisión de mi juicio sobre el servicio y desempeño de esta comedia.

Pero, ¿qué se me da a mí
de la medalla el reverso?
Dore la píldora el verso,
que el ejemplo me dio Rubí.
Monárquico o federal
gobiérnese en lo económico;
pero para el mundo cómico
este sistema es fatal.
¿Qué es haber mil directores
que distribuyan papeles
entre cómicos noveles
dejándose los mejores?
¿Qué es mirar al señor Méndez
cuando nos recita estático
su papel de diplomático
como égloga de Meléndez?
La dirección distribuya
con cautela, con justicia,
que si rabia la malicia
en pueblo canta aleluya.
Así logran sus afanes,
lo demás lo lleva el viento,
y es malísimo un convento
donde hay muchos guardianes.
Así, si hay papel mozo
es del director entonce (*sic*)
aunque antes del año de once
tuviera crecido el bozo.
Rosa Peluffo lució
por lo noble y lo galana,
¡qué discreta cortesana!,
a todos nos agradó.

284

¡Qué dignidad de modales!
¡Qué traje! ¡Qué pedrería!
¡Cuán gallarda aparecía
en los salones reales!

Viene a cuento del vestido,
¡sólo uno en palacio!, ¡en baile!,
¿un solo, como un fraile?
Por Dios que estaba corrido

Y aquel menaje en la corte,
menaje que parecía
de la testamentaría
del marqués de Branciforte.

Eso cúlpese a la empresa,
que mandó al exconsulado
por sillas para el estrado
de una señora marquesa.

¿Por qué os echáis adelante,
Rosa, si vuestra voz vibra?
Si usted se desequilibra
se desbarata el semblante.

Sólo os falta para actriz,
y vaya un rasgo encomiástico,
un cuerpo menos elástico
y más inmóvil cerviz,

Ni espero, ni temo, ¡oh dama!,
haga usted lo que reclamo,
y a fe de Fidel la aclamo
reina en México del drama.

Soy un bárbaro, os atufo,
por vida de Moctezuma;
hasta . . . mojemos la pluma
y quede en paz la Peluffo.

Señor Castro, compasión
por las leyes del Decálogo,
¿por qué repetir un diálogo
con voz de kirie leysón?

Y la marquesa tal fuego,
y usted así, como un sorbete,
¿con tan raro sonsonete,
con tan helado sosiego?

Alerta, que usted es joya
que nuestra escena preludia;
pero acaba el que no estudia
con comedias de tramoya.

285

¿Usted en un desafío
(aquel de Somodevilla),
con la mano en la cuchilla
y, ¡tanto!, ¡tanto!, tan frío?

¿Usted, usted que es avispa,
que cuando quiere alborota,
y que donde pisa brota
si no un laurel una chispa?

Aquel traje tan opaco
que entre la burla y la risa
en un tris lo decomisa
el resguardo de tabaco.

Y aquel sombrerillo al tres
con mustio papel dorado,
sin duda alguna arrancado
a un justicia de entremés.

¡No, por Dios! Que tal borrón
eclipsa nuestra memoria,
sé que tenéis sed de gloria,
y de artista el corazón.

Que lo hizo como la plata,
y atended al consonante,
¿ni qué decir? Adelante,
todos saben que fue Mata.

Franco, bonazo labriego
que iba recto a su camino,
y llamaba luego luego
al pan pan, y al vino vino.

Dejó cumplido el deseo,
y hasta su voz algo bronca
me pareció menos ronca
en el nuevo coliseo.

Y aquel amor paternal,
y aquel rapto de elocuencia,
lleno de íntima vehemencia
tan tierno, tan natural.

Y aquel carácter constante
del honrado y del villano,
¡qué fiel condujo su mano
que dio expresión al semblante!

Buen Mata, tu nombre viva,
y asienta con desparpajo
Fidel, *una boca arriba*
por las que van boca abajo.

Armenta en el desafío,
¡influencia de fatal astro!,
compitió con nuestro Castro
en lo débil y en lo frío.

Pero en lo demás, ¡muy bien!,
con las damas cortesano,
con los amigos, ufano,
a los grandes, con desdén.

Riquísimo terciopelo
vistió en el único traje,
grande, como personaje,
y en su atavío modelo.

¿Y qué diremos de Clara?
Aliento, apreciable actriz,
porque no es muy infeliz
la que tiene vuestra cara.

Y quien viste así y tal porte
sobre la escena acostumbra,
yo no diré que deslumbra,
pero es digna de la corte.

Dad dulzura a vuestro acento,
y elevadlo más, señora,
si el público calla ahora,
así aplaudirá contento.

No digo más, Soledad,
tal vez os adularía,
y a fe que más merecía,
señora, vuestra humildad.

Señor don Diego Fajardo,
enojaos más de prisa,
que si no, provoca a risa
un enojo con retardo.

Gritad, haced que se altere
vuestro rostro, que esté rojo;
no parezca en el enojo
que rezáis el miserere.

Ser de aquí o de allá es lo mismo,
haced que fijen la vista
en vuestros lauros de artista,
no en vuestra fe de bautismo.

Buena es la pronunciación,
es muy buena la presencia,
sólo le falta en conciencia
una cosa: aplicación.

287

La antecámara aristócrata,
sin un mueble, ¡santo cielo!,
sin una alfombra en el suelo,
¡Jesús, qué rey tan demócrata!
    Y digo ... ¿los cortesanos
como unas aves sin nido,
grupo invisible, perdido ...
y sin lavarse las manos?
    El tízar lo dan de balde,
puede sacar del barranco,
para una mano de blanco
cuando falte el albayalde.
    Qué cortesanos ... fatales,
pues que hasta el más entendido
los hubiera confundido
con lacayos obispales.
    ¿Y el baile ...? No hablemos de él,
que ya mi charla importuna,
La rueda de la fortuna
siempre da vueltas. FIDEL.

17 de abril de 1844

Don José de la Puerta. El sábado próximo se calmará la ansiedad con que se espera la primera representación de este célebre artista. Se presentará en la célebre tragedia *Óscar,* donde tantos aplausos ha obtenido cuando la ha representado en Buenos Aires, Montevideo, España y Río de Janeiro, y los periódicos han hecho del actor grandes elogios. No dudamos que el público mexicano quedará igualmente complacido y en México será donde el señor La Puerta acabe de afirmar la fama debida al mérito no común con que ha logrado rivalizar con los actores más famosos de la escena europea. Introducida aquí la declamación mal llamada francesa, extrañarán algunos la del señor La Puerta, que no canta, pero que imita la verdad de la naturaleza hasta donde el talento humano le es dado consentirlo, que es lo que constituye el arte y los buenos actores. Acaso por esa naturalidad, por la facilidad con que sabe interpretar las difíciles pasiones y afectos de que el corazón es susceptible, parezca a algunos exagerado, mas a éstos, que serán muy pocos, preciso será decirles que ni sienten, ni comprenden ni son capaces de conocer la verdad escénica, ni la diferencia que hay de lo sublime a lo ridículo, pues tan ridículo sería que el Óscar se expresase con

288

la fría indiferencia e impasibilidad de un avaro, como que prorrumpiera en arranques de entusiasmo, de odio y de locura, hijos de la pasión más desenfrenada y ardiente que ha podido pintar la pluma del poeta. Sin esta fuerza de colorido, sin esa verdad, si se quiere exagerada, Óscar no sería Óscar, sino una sombra pálida del personaje según lo concibió el autor de tan célebre tragedia. El público ilustrado juzgará y no dudamos que el señor De la Puerta tenga aquí la favorable acogida y los aplausos que han premiado su mérito en otros teatros, y creemos que mucho ganaría la empresa del Principal si ajustase desde ahora a tan célebre artista.

17 de abril de 1844

Teatro de Vergara. Narcóticos poderosos conocía la ciencia médica y registrados están en sus catálogos terapéuticos, desde el opio de no controvertida existencia hasta el magnetismo animal, pero ninguno a fe mía puede ser de mayor eficacia que el que se administró al público de esta capital en la representación del día 19, y llamo representación porque no me ocurre de pronto otro nombre, bien convencido de su impropiedad en el caso que me ocupa, porque si representación es la imagen de la vida real, la pintura de las costumbres, ignoro qué vida y qué costumbres fueron las que trataron de pintar en las dos insulseces mal llamadas comedias que nos regaló el Teatro de Vergara. Parece que la compañía que allí trabaja y que en la temporada pasada lo hacía en Belchite, sintió una especie de remordimiento al recordar todo el sueño que por su culpa habían perdido los concurrentes, ya por lo largo de sus anteriores representaciones, ya por las pesadillas que naturalmente causaban en los espectadores los dramas patibularios y cadavéricos que ponían en la escena, y quiso en una noche indemnizarlos de daños y perjuicios, y saldar en un solo día su larga cuenta de vigilias. Bien sabe Dios que lo consiguió y que ningún deudor ha pagado así sus deudas. ¡Pobre Ethelwood! Te tengo lástima. ¿Quién te mandó existir en el siglo xvi? Si hubieras nacido en este siglo, siglo de luces y de progreso y de química, no hubieras pasado tantos trabajos. Entonces necesitaste para narcotizar a tu bella Catalina que recurrir a Fleming, que emplear con él ruegos y amenazas, después de derramar a manos llenas tesoros, y aun así a la buena de tu querida se le iba ocurrir despertar a la mejor hora, y volvió al fin de tu sueño y te hizo lo que todos sabemos. Si hubieras acertado a nacer hoy, no tendrías

289

más que llevar a tu amable Catalina por el corto precio de la entrada al teatro de la Calle de Vergara el día 19 de abril de 1844, y sin necesidad de alquimistas, ni tesoros, ni frascos, ni carreras, ni sustos, la tendrías dormidita por toda la eternidad.

Un ministro. Digno nombre de la chusca comedita. *De facto*, allí se ve la imagen fiel de algunos ministerios: nadie hace nada, todos hablan; al concluirse todo queda lo mismo que al principio, sin duda para seguir en esto la costumbre aristocrática de los señores ministros, que al salir dejan los negocios en el mismo estado en que los encontraron. El loco al fin de la pieza aún está loco, los cuerdos, si es que hay alguno sin exceptuar al autor, cuerdos, los solteros sin casarse, todos en fin no han hecho más que ir y venir, ni más ni menos que los ministros y sus subalternos. Pidió de limosna Su Excelencia al fin de la pieza algunos aplausos. En eso sí no se parece ese ministro a sus cófrades de todos los países; éstos nunca necesitan cuando dejan de serlo pedir limosna. Diez o doce espectadores por caridad, pues es tan feo no tener esa virtud, accedieron a su petición y en unión de sendos bostezos se oyeron unas cuantas palmas. La compañía hubiera prestado en esos momentos un gran servicio a la ciencia levantando allí mismo desde luego un plano comparativo de la elasticidad y magnitud de las bocas de sus soñolientos espectadores, como lo tenemos de las montañas más elevadas y de los ríos más caudalosos. Si ha tenido tan feliz ocurrencia, le suplicamos no prive por mucho tiempo a la ciencia estadística de un dato tan importante, de un documento tan curioso.

Vino después el baile y en él la empresa mostró que si entiende en esto de conciliar el sueño, no está menos informada en los recursos que deben emplearse para espantarlo. La idea era que el público se durmiera y tal era sin duda el fin que la empresa se proponía, pero quería que fuese a su tiempo y hora. Bien persuadida ella misma de la infabilidad de los medios que con ese objeto empleaba, conoció que si nos los atenuaba por medio de una amalgama feliz y oportuna, o corría el riesgo de que su teatro con todos los concurrentes y actores se convirtiese en un vasto sarcófago de catalépticos. El ruido, el movimiento y la presencia de un cuerpo extraño en el interior de las narices, han sido siempre los medios más generalmente usados para espantar el sueño. A eso vino el baile y llenó religiosamente la misión que se le había confiado. Los que lo ejecutaron cumplieron con unas cuantas graciosas zapateadotas en el aire, semejantes a las del hidalgo manchego en Sierra Morena con lo de moverse y hacer ruido, y el polvo que sus pies levantaban se dirigía como impulsado de una fuerza oculta a posarse mansamente en las narices de la concurrencia y a arrancarle unos cuantos y estruendosos estornudos. A excepción de éstos no oímos al fin del baile ningunos aplausos; acaso el público quería mostrar de esta manera desusada y nueva lo complacido que quedaba; tal vez sólo acostumbra aplaudir cuando se le pide, y las señoritas Pavía no tuvieron la urbanidad de hacerlo.

Casualidades. Mucho nos hemos devanado los sesos para llegar a descubrir la causa que tuvo el autor para bautizar con tal nombre a su candorosa y apacible hijita. Como somos algo afectos a la poesía en el sentido en que hoy se da a esa palabra en todos nuestros periódicos literarios, entendiéndose por ella renglones más o menos largos, más o menos cortos, con sus consonantes respectivos que encajen en su tiempo y lugar, nos echamos a discurrir por el vasto campo de las terminaciones y desinencias finales, y hallamos otros muchos nombres, como calamidades, necedades, bestialidades, que son indudablemente consonantes de casualidades e infinitamente más rotundos y sonoros, y más propios y significativos. Ocurriósenos también, y es la explicación a que más nos inclinamos, que el autor tomó la pluma y dijo: "Voy a escribir una cosa que se llama comedia." Sólo allí puede imprimirse y ponerse en espectáculo tal insulsez, sólo allí puede cometerse ese crimen de lesa comedia sin que el teatro se venga abajo a silbidos. Bienaventurados los mansos porque ellos poseerán la tierra. Los espectadores de *Casualidades* han hecho méritos con tener la pesadumbre de aguantarla para suceder a los romanos en el imperio del mundo.

Se cuenta que un médico enviaba a todos los que padecían de tristeza a ver al célebre gracioso Carlín. He aquí una importante aplicación del teatro en la medicina. Nosotros es difícil que tengamos quien nos cure de la melancolía, pero en cambio no nos dejarán padecer de insomnio. Los otros, los que una fuerte pasión priva del sueño, sobre cuyos párpados pesa la memoria de un gran crimen y el remordimiento, nunca dejan caer ese bálsamo dulce que cura todas las heridas y que consuela todos los dolores; vosotros, vanos y poderosos de la tierra que es creencia común que nunca dormís y envidiáis el profundo letargo de vuestros servidores, vosotros debéis estar sumamente agradecidos a la empresa de Vergara, por la función soporífera que nos acaban de dar y que parece hecha de intento para vosotros.

El Licenciado Tejera
22 de abril de 1844

291

Ascensión aerostática en Michoacán. Hemos tenido la satisfacción de presenciar la que verificó en la ciudad de Pátzcuaro el 15 del presente mes el capitán don Benito León Acosta con una serenidad y un valor que son el más cumplido elogio de este joven recomendable. Una desgracia imprevista había hecho concebir temores de que fuese imposible la ascensión en los días señalados, pues se descuidó gran parte del ácido sulfúrico que se conducía de México y se dejó abandonado por los arrieros el resto de la carga. El señor Acosta no desmayó y después de mil penalidades volvió a México cuando le quedaban poquísimos días y activando con el pago de crecidos fletes la conducción, logró ponerse en aptitudes de subir el citado día 15. El excesivo pundonor y delicadeza de este joven quedaron de manifiesto muy claramente esta vez. No omitió trabajo, esfuerzo ni sacrificio aun a riesgo de su salud y de su vida, por dejar bien puesto su nombre. El éxito coronó sus nobles deseos y nosotros nos congratulamos vivamente con él, pues somos admiradores entusiastas del genio, del valor y de la constancia.

A las ocho de la mañana comenzó la operación necesaria para inflar el globo. El fuerte aire que corría cambiando a cada momento de dirección, entorpecía un tanto la acción del aparato, mas al fin a las tres de la tarde logramos ver el globo suficientemente lleno y atar la barquilla a los cordeles de la red. Introducido en ella el aeronauta y llevado a un extremo de la plaza con su globo, notó que no tenía éste aún la indispensable fuerza ascensional, y desatando la barquilla y comunicando el interior del globo con el tubo principal del aparato, se dio entrada a mayor cantidad de hidrógeno. Una segunda tentativa produjo el mismo resultado que la primera y dio lugar a igual operación, mas después de ésta y de haber descargado la barquilla de una parte del lastre, comenzó el globo a subir con un movimiento igual, lento y majestuoso en medio de los gritos de entusiasmo de millares de individuos que componían la concurrencia. Entre tanto, el aeronauta se despedía con su sombrero mostrando una calma sorprendente y manifestándose ocupado no en el peligro de su persona sino en la impresión que su arrojo estaba produciendo en aquella escogida reunión. Dos globos correos que se habían hecho elevar algunas horas antes habían tomado violentamente la dirección del norte y del noroeste, hasta perderse completamente de vista. Su movimiento rápido hizo temer que el globo principal fuese conducido como lo ha sido otra vez, hasta una larga distancia, mas una rara fortuna hizo que la fuerza del aire cesara casi totalmente minutos antes de la ascensión, de manera que vimos al globo tomar pausadamente el rumbo del NE, elevándose a una altura como de mil varas. Ya se había elevado mucho cuando percibíamos todavía el movimiento de las banderas con que era saludada la plaza. El concurso quedó muy satisfecho y un gran número de mujeres y de hombres siguió al globo cuanto pudo. El excelentísimo señor gobernador y comandante general mandó dos partidas de tropa para que auxiliasen en su descenso al aeronauta y lo acompañasen a la ciudad. Cumplieron su comisión y el descenso se verificó en un llano perteneciente a la hacienda de Chapultepec, que dista tres leguas de Pátzcuaro, sin haber experimentado el señor Acosta otro daño que un ligero golpe en la boca. Conducido en triunfo y llevado a la plaza principal, no pudo en toda la tarde desembarazarse del gentío que por todas partes le rodeaba, felicitándolo y aplaudiéndolo. En la noche fue presentado en el teatro y recibió con despejo y sin vanidad los repetidos aplausos del público. Se leyó allí mismo, en presencia suya, la poesía del C. Gabino Ortiz. Nosotros consagramos también al distinguido aeronauta un homenaje de afecto y de admiración, deseando que proporcione a la patria gloriosos timbres en la carrera que ha emprendido, adelantando con el estudio y la observación el progreso y seguridad de los procedimientos, disminuyendo de este modo los peligros del resultado, pues así podremos admirar con mayor satisfacción un espectáculo que es, sin duda, uno de los más sublimes que ha ofrecido la ciencia a los ojos de la naturaleza.

La Voz de Michoacán
22 de abril de 1844

Al capitán don Benito León Acosta en su séptima ascensión verificada en la ciudad de Pátzcuaro el día 15 de abril de 1844

I

Rompe atrevido la sutil atmósfera
hasta ocultar tu frente entre las nubes,
y a la región do moran los querubes
dirige, Acosta, tu fugaz balón.
Mientras Ledo en la extensión etérea
oyes los tonos de las arpas de oro
con que te aplaude del Olimpo el coro,
tus glorias canto entusiasmado yo.
Mira cuán laten de placer y encanto
todos los pechos que tu genio admiran;

293

estáticos te siguen ... no respiran,
porque temen los aires agitar.

El rostro amable, pudoroso y bello
de la cándida virgen palidece,
al ver tu frágil barca que se mece
al soplo del violento vendaval.

Y ¡Oh Dios!, exclama, tu piadosa **mano**
encadene la furia de los vientos,
y le pide en sus férvidos acentos
que libre te miremos otra vez.

Tu globo en tanto majestuoso sube
a do la tempestad tiene su acento,
y al mirar el cóndor tu atrevimiento
te cede el campo donde sólo él es.

Toda la tierra de tus ojos huye
y un instante perdiste el bajo suelo,
miras ya sólo el anchuroso cielo
y un abismo profundo lo demás.

Cual monarca soberbio del vacío
tremolas en los aires tu bandera,
y juega con tu blonda cabellera
la mansa brisa que surcando vas.

Mas ya de nuevo el viento te arrebata
sin que imprimas siquier tus claras huellas
donde sólo se miran las estrellas
en la callada noche fulgurar.

Detente, nuevo Dédalo, detente;
no insulte al sol tu majestuoso vuelo,
y bajes despeñado al hondo suelo
por quererte a su trono remontar.

Tu genio audaz, ¡oh mexicano ilustre!,
un aliento te inspira generoso,
y al cielo te lanzas vagaroso
en las alas del rápido Aquilón.

Dirige pues al hemisferio opuesto
tu frágil, leve, voladora popa;
con asombro te ve la vieja Europa
y del Anáhuac te proclama honor.

II

Tú que alzando tu rápido vuelo
te elevaste a la etérea región,
y escuchaste los cantos del cielo
y tocaste la frente del sol.

Tú que viste el abismo profundo
do volaba tu globo veloz,
y a tus plantas miraste el mundo
hoy escucha mi trémula voz.

¡Loor eterno tributo a tu nombre,
a tu genio tu heroico valor,
has dejado la esfera del hombre.
es preciso que seas semidiós!

Veo brillando en la aurora divina
que el rey astro en tu frente imprimió,
y hasta el monte encumbrado se inclina
al mirar ascender tu balón.

Al mostrar la mañana en oriente
su benigno, su puro esplendor,
te prepara un camino fulgente
de esmeraldas sembrado y de flor.

Entre copos de cándida nieve
do fulgura la lumbre del sol,
ya tu globo elevado se mueve
en la diáfana etérea región.

Cual la luna que en noche callada
baña el cielo con lívido albor,
y que asoma su frente argentada
e ilumina su vasta extensión.

Y en el lago cubierto de gala
que vio leve cruzar tu balón,
cual se mira en las ondas el ala
si alza el vuelo en la mar el alción.

III

Ya por el aire silencioso y nítido
al aeronauta descender, se ve,
cual fuego leve de meteoro fúlgido
que huella el cielo con ligero pie.

Baja, que todos esperamos ávidos
verte llegar en tu triunfal balón;
oye del pueblo ardientes cánticos
que entusiastas celebran tu valor.

Y mil doncellas cual el lirio cándidas
con su semblante puro, angelical,
tu frente ceñirán augusta y plácida
con lauro inmarcesible e inmortal.

Ven y recibe los sinceros plácemes

que hoy te rinde la patria por mi voz,
pero una patria que de gloria llénase
al ver un hijo que le da esplendor.
    Baja, Acosta inmortal, deja que el júbilo
que llena nuestros pechos de placer,
se desahogue en los vivas con que férvidos
te saludamos al volverte a ver.
    Tú eres el genio que ha admirado México
y el feliz suelo que te vio nacer,
y el mexicano que levanta intrépido
entre las nubes la sublime sien.

Gabino Ortiz
La Voz de Michoacán, 21 de abril de 1844

Crónica del Teatro Principal. Con alguna frecuencia deseábamos hablar de las funciones teatrales por ser el asunto que está más en boga en la capital, pero nuestras ocupaciones nos han hecho retardar de un día para otro esta clase de artículos, y por consiguiente ha pasado la oportunidad de emitir nuestro juicio sobre el mérito de las piezas nuevas en ejecución. No obstante, dedicaremos cuatro renglones a formar una ligera revista de las funciones que más han llamado la atención en el teatro llamado todavía Principal. En días pasados se puso un drama intitulado *El caballo del rey Don Sancho*. Esta composición es a nuestro modo de ver una de las mejores que últimamente ha producido el fecundo ingenio de Zorrilla. Fluida y robusta versificación, caracteres enérgicos y bien trazados, interés y movimiento en la escena, son las cualidades que a primera vista se notan. Además de que la fábula está en cuanto es posible arreglada a las crónicas de la época. No recordamos ahora los defectos en que incurrieron los actores, pero sí nos pareció que los papeles de tal composición son de mucha fuerza y estudio, y que en lo general los actores estuvieron muy distantes del acierto. El papel de Don García, protagonista del drama, fue encarnado por el señor Mancera, el cual aunque cree que se esforzó demasiado, no pudo ni remotamente darle toda la expresión y vigor que requería Zorrilla fue admirable en algunos trozos de su obra, pero el desempeño echó por tierra el trabajo del poeta. Así sucederá siempre que las mejores composiciones se repartan con esa falta de tino que se observa frecuentemente.

Pocos días después se presentó por primera vez el actor don José de la Puerta en la tragedia *Óscar*, y sea dicho de paso, en función extraordinaria, cosa que con justicia no agradó a los abonados. La reputación de que viene precedido el señor De la Puerta por una parte, y la curiosidad por otra, hizo que concurriese mucha gente al patio y que esa especie de soñolencia en que se halla el panteón, se interrumpiese por una noche. El telón se alzó y el nuevo actor fue recibido con aplausos que se repitieron en algunas escenas en que tuvo una verdadera inspiración. Aunque no tenemos ningún punto de comparación para emitir nuestro juicio, nos pareció bueno, clara voz y excelente figura, acción despejada y maneras finas y naturales; éstas son las dotes que resaltan en el señor De la Puerta, si bien sobrecargó mucho algunas escenas y se dejó llevar por el entusiasmo más de lo que hubiera sido necesario. Anteanoche se presentó por segunda vez el señor De la Puerta en el drama titulado *El Tasso.* Imposible es ver esa composición sin recordar la figura melancólica y desgraciada del Tasso, que la historia y la literatura han legado a nuestra admiración rodeada de todo el esplendor de su gloria y de todo el infortunio de su amor. En cuanto al señor De la Puerta, que hizo el papel del Tasso, nos pareció muy bueno. En algunas escenas fue verdaderamente sublime y reveló un talento artístico muy digno de aprecio.

Yo (Manuel Payno)
2 de mayo de 1844

Cantante. La buena acogida que en sus columnas encuentra todo aquello que tenga algo de nacional, me anima a dirigir a ustedes estos mal trazados renglones para vergüenza de los *dilettantis* en particular, y para mengua de los mexicanos en general. Dejando a un lado las ciencias, que no hacen al caso, nada les enseñaré de nuevo diciéndoles que en pocos países se encuentran más atrasadas las artes que en esta hermosa México, pero en cambio en ningún otro hay más protección a las alabanzas y encomios y más susceptibilidad nacional. Por una contradicción que sin duda no será milagrosa, los artistas mexicanos que a fuerza de constancia y estudio han llegado a hacerse acreedores de los aplausos del público, lejos de recibir de sus paisanos la acogida que se merecen no obtienen siquiera una sola mirada, y fastidio causan. Anoche hemos tenido la satisfacción de ver y oír a la señorita Ávalos en el Teatro de Santa Anna. Con gusto y maestría ha cantado esta señorita, cuya voz ha sido cubierta más de una vez por los aplausos de los muy pocos oyentes que se hallan desparramados y perdidos por el teatro. Si la señorita Ávalos tuviera ese método, esa escuela que sólo se puede adquirir con el roce de buenos artistas y bajo la dirección de buenos maestros, poco tendría que envidiar a una de las mejores cantarinas que hasta la fecha hemos oído en México. Sea lo que fuere, como lo que le falta no le quita lo que posee, concluiremos diciendo que la escasez de concurrentes al teatro más bien prueba la injusticia del público que el poco talento de la señorita Ávalos, a quien de paso aconsejaré se vaya a Italia por una carta de naturalización, asegurándole desde ahora que no le faltarán oyentes cuando vuelva.

5 de mayo de 1844

Dos comedias nuevas. El domingo 5 del presente se pusieron en escena dos piezas nuevas. La primera, llamada *¿Quién será su padre?*, es uno de esos preciosos juguetillos dramáticos que se suelen encontrar entre la multitud de composiciones que salen diariamente de la pluma de los escritores franceses. A primera vista se nota un cúmulo de casualidades, lo que hace que la pieza parezca inverosímil, pero su movimiento, la acción, la sal y el chiste que están esparcidas en ella, y el interés que la complicada fábula hace nacer en el espectador disculpa los defectos, y por otra parte debe dejarse alguna libertad a los autores para que apelen a las casualidades, puesto que son bien frecuentes en la vida social. Mucho placer nos causa en que al mismo tiempo de elogiar la pieza, nuestra pluma escriba dos renglones más para tributar los más sinceros elogios a los actores. Esto probará al menos que deseamos ser imparciales, y que si escribimos mal, es por defecto de nuestro talento y no por mala fe. El señor Valleto desempeñó su papel con perfección. El señor Salgado lo hizo como siempre, es decir, bien. La señora Frencesconi estuvo muy feliz y hasta el señor González no se equivocó ni habló tan aprisa como suele cuando olvida su papel.

La otra comedia intitulada *La otra pasión o la novia de palo* no pasa de un sainete sin trama, sin verosimilitud y sin gracia. Es una fortuna para el romanticismo que cuando se trata de parodiarlo, se encuentra una manera que lo realza, lejos de ponerlo en ridículo. Todo el mundo calculará que es imposible que un hombre, por más romántico que sea, se enamore de un busto de palo, y que cuando en lugar de un maniquí, hay una mujer de carne y hueso a quien mira muy de cerca y aun toca las costillas, crea todavía que es de madera. Esto no es ser romántico sino asno, y tales cosas representadas no merecen más que el nombre de sainetes para hacer reír a las niñas y sólo una vez. Esto no es nada y podía pasar muy bien por vía de auxilio para completar la noche tea-

298

tral, pero el tal sainete está lleno de alusiones indecentes que hacen ruborizar a las señoritas. A nuestro juicio la inmoralidad en el teatro es mala, pero las desvergüenzas aún son peores, porque carecen del barniz de poesía y de decencia con que suelen revestirse las escenas de esa clase. El señor Castañeda, que desempeñó el papel de protagonista, salió perfectamente vestido y luce bastante bien.

Yo
8 de mayo de 1844

Teatro Principal: *El Otelo*. Martes 7 de mayo de 1844.

¡Qué ocasión la que pierdo! ¡Qué ocasión tan brillante de ostentarme erudito citando autores a diestro y siniestro con motivo del *Otelo*! ¡Válgate Dios, pero si éstos son artículos de aquellos que exigen el llanto sobre el difunto, de aquellos que más se escriben para atizar la chismografía teatral, que como lecciones o como consejos..! Se levanta la charla cómica en el café; se atufan *gibelinos* y *güelfos*, juzgan con sus afecciones y devaneos, y, ¡ziz!, ¡zaz!, por aquí una reputación se derriba; por allá se improvisa un lauro de gloria; deslízase alevoso, entretanto, un rasgo picaresco, y cunde la broma, y el asunto de teatro reemplaza las grandes cuestiones patrióticas y... ¡viva la charla!

No tengo tiempo para escribir una crítica concienzuda, o mejor dicho, un estudio sobre esta célebre composición del sublime trágico inglés, manifestando las alteraciones con que ha sido imitada, refundida y desfigurada en varias traducciones; no citaré ni la Zaira de Voltaire, ni el juicio de Geofroia sobre Ducis, ni las elocuentes opiniones de Villemain, ni las brillantes traducciones de Alfredo de Vigni, y La-Roche, ni las cuasi parodias de otros autores, ni el prestigio que le comunicó Talma, ni el ridículo que barberos y gente atrabiliaria y fandanguista le ha echado encima, trasportando al morito de Venecia a las salas, y confundiéndolo con los *coloquios unipersonales*, etcétera, y lo demás que antes conocíamos con el desatinado nombre de *Comedia casera*. Vamos, de nada tengo tiempo; estoy de prisa.

Llevaba hasta aquí escrito, cuando una ocupación (la de perder el tiempo) me arrancó de mi ético bufete doble a guisa de carta amorosa, la pedantesca introducción, y fuime a buscar inspiraciones y un sorbete al café de Progreso...

Ya estamos en Madrid y en nuestro barrio.

Es el caso que cómicos y *folletinistas* siempre nos buscamos. ¿Qué

299

quieren ustedes?, la simpatía; ítem más, la ternura; y *otro sí*, la conformidad de opiniones.

—Pase usted por aquí, Fidel.

—Aquí, aquí.

—Un helado.

—¿Qué hay de bueno? ¿Han visto ustedes el *Otelo*?

—Aquel Garay. ¡Oh! ¡Oh! ¡Oh!

—Tenía tiesas las manos.

—En el acto cuarto era sublime.

—Prieto el grande...

—Este La Puerta tiene toques muy felices... mucho...

—Yo mejor diría arrebatos.

—Y yo, delirios.

—A mí me agrada en cuanto se pone a pique de perder el juicio.

—Y a mí, siempre; es profundo conocedor del corazón; inimitable, ¡sublime!

—Ya se ve, en eso de gustos...

—Pido la palabra.

—A un grillo se escucha.

—Usted es de Vergara.

—Usted del Panteón.

—Ustedes son parciales.

—Usted es...

—Orden, orden.

—Vamos, diga usted.

—Yo digo que acaso el carácter de De la Puerta es más flexible para la expresión de pasiones enérgicas, y por decirlo así, salvajes; la entonación vigorosa de su voz, la elocuente vehemencia de su acción, el brusco empuje de algunos de sus movimientos en un carácter áspero y brutal como el de Otelo, lo hacen sorprendente y grande en la escena; de mí sé decir que en aquel delirio atroz del cuarto acto en su escena con Pésaro, cuando se anticipa al júbilo íntimo de vengarse de Loredano, y mira sus entrañas palpitantes, y saborea su bárbara agonía, aquella risa convulsiva, aquellos ojos desencajados, aquellas trémulas y agarrotadas manos, aquel conjunto de locura es el sublime del terror.

—En eso convengo.

—Yo no.

—Yo sí.

—Café, mozo.

—Solo.

300

—Y oiga usted, cuando Otelo dirige su exclamación al cielo, al fin del primer acto, exclamación muy mística y muy bonita, ¿no le pareció muy galante el moro sonriendo a la vez con Edelmira y con Dios?

—Y antes, hombre, cuando en presencia del senado recuerda sus amores Otelo, ¿sería natural su cambio de voz, como remedando la de Edelmira? Del sublime al ridículo ...

—¡Blasfemo, partidario del teatro de Santa Anna!

—¿Y aquellos ataques epilépticos tan afrecuentes?

—Mordaz ... envidioso ...

—Seamos justos. En general el desempeño de los dos últimos actos es sorprendente; los accesos del delirio de Otelo, ciertos y terribles, y ni una mirada, ni un movimiento, ni una aspiración vuelven inconsecuente un papel que ha sido siempre la piedra de toque de los primeros trágicos del mundo.

—En eso todos convenimos, no hay duda.

—Cuando Otelo, no recuerdo en qué acto, deja que se retire Edelmira a las piezas anteriores, es muy buen criado, la lleva hasta la puerta y le hace una caravana como cualquier peluquero francés.

—Eso es mentira.

—Y vea usted, después de la muerte de Edelmira ... desatinado Otelo limpia el puñal, que no había para qué ... y el suyo es un ataque de nervios ...

—Y eso con la estúpida satisfacción ... y la escena última ...

—Eso es defecto de la pieza; las escenas que siguen a la muerte de Edelmira, queriendo ser rápidas, son atropelladas y defectuosas; porque aunque se descubre el pensamiento altamente trágico de profundizar la pena de Otelo, patentizando la inocencia de Edelmira, se multiplican tanto los incidentes, que no queda tiempo de sentir al espectador.

—¿Qué, a usted le parece que para sentir se necesita pasar tarjeta al corazón?

—No, pero ...

—Pero usted es parcial y no sabe lo que se dice.

—¿Y la señorita Sousa?

—Es muy hermosa.

—Así dicen.

—Y con la hermosura es fuerza ser rendido.

—Es cierto; pero aquí nadie nos oye ...

—No, yo no digo ... ya ve usted los periódicos, unos callan, a otros se les acaba el papel, y algo tiene el agua ...

—Yo diré pecho al agua. Su *ceceo* es marcado, zumba en el oído de un modo desagradable.

—Parecía tener un cuerpo extraño en la boca; yo no sé.

—Eso es indecente; diga usted su opinión y el porqué.

—El porqué es algo difícil y esto tal vez depende de su organización.

—Por lo demás, sin algunos raptos de su esposo, que transportados a la voz femenil disvenan...

—Pero usted, señor zoilo, no podrá negar que su presencia es gallardísima, que viste con lujo y que parece una persona de exquisita sensibilidad y comprensión.

—Convenido... tal vez en la comedia de costumbres, en que no se necesitan grandes esfuerzos de voz, etcétera, será digna de nuestro aplauso, y le reservaremos un laurel que ahora sólo puede presentarle la adulación o la mentira.

—¿Y Hermancia?

—¿Quién es Hermancia?

—Aquella de saya y mantilla.

—No caigo...

—¡Hermancia! ¡Ah!

—¡Cómo!, si es hombre.

—No, señor.

—Digo que sí.

—Que no.

—Si la pobre no habla... se presenta, y detrás del telón, el que lleva la etiqueta dice su papel y ella o él accionan.

—¿Si fuera mujer? No viste que aun el bullarengue no lo vestía con aquella destreza femenil.

—¡Pobre caballero! Deje usted el disfraz; hablemos con franqueza y seremos amigos.

—Me sospecho que es un marino catalán con quien tengo mis cuentas de robalo y maracaibo...

—Se nos olvidaban los ilustres y gloriosos senadores.

—¡Por caridad!

—¡Por compasión!

—*Cese vuestro temor y sobresalto.*

—Diremos de Pésaro que lo hizo muy bien, como siempre que quiere ese sobresaliente y cachuzudo actor.

—Algo de chisme pedestre, que me voy.

—¡Oh, ésa es una historia! La *chicana* forense, y las intrigas diplomáticas con el *Caballo jaleado* y... la *Sílfide.*

302

—Pero, ¿y la contrata?

—¿Y la buena fe?

—¿Y el comunicado del *consorte?*

—¡Cuánta pirueta! ¡Alza! ¡Otra cabriola! Leyes de partida... anuncios acá y acullá, y enfermedades de garganta... para entorpecer el tejido... ¡Oh, eso es mucho! ¡Eso es entrar al foro cubierto de gloria! ¡Cuánta miseria! ¿Y el ingenio? ¡En el talón!

—Y usted, Fidel, ¿qué dice de todo esto?

—Yo callo... y callo, porque por boca cerrada...

¿Han leído ustedes a Góngora? Allí hay un versito como una plata para ciertas ocasiones. No viene al caso, pero lo digo:

> Siendo como un algodón
> nos jura que es como un hueso,
> y quiere probarnos eso
> con que es su cuello almidón,
> goma su copete, y son
> sus bigotes alquitira...
>
> ¡MENTIRA!

Fidel
10 de mayo de 1844

Las colegialas de Saint-Cyr, comedia en cinco actos escrita en francés por Alejandro Dumas y vertida por don Antonio de Ojeda. Esta composición, escrita hace poco tiempo por Dumas, dejó gran ruido en el país por la crítica que hizo de ella el célebre folletinista Jules Janin. Parece que hubo acalorados debates entre el autor y el crítico, y que el asunto habría terminado en un desafío a no haber mediado la intervención de unos amigos. En cuanto a nosotros, que jamás podemos ocuparnos de Dumas sin manifestar gran respeto y admiración por su fecundo ingenio, acudimos con verdadero alboroto al teatro y quedamos sumamente complacidos al escuchar una pieza tan llena de gracias y de lances cómicos, y tan interesante hasta su última escena. Este juicio puede acaso no estar exento de preocupación, pues confesamos francamente que la lectura frecuente de las obras del autor de que se trata nos ha hecho concebir por él una profunda simpatía por todo lo que vemos lleva su nombre. Desde que por vez primera vimos el drama titulado *Halifax*, nos sorprendimos de la admirable flexibilidad de este genio que nos había hecho estremecer con *Catalina Howard*, llorar con

Paul Jones y *Gabriela de Belle Isle*, y de improviso se presentaba jovial, risueño y maligno como Beaumarchais. Los escritores del *Tornavoz*, opinaron casi desfavorablemente respecto del *Halifax*. Esto no hace al caso ni rebaja del mérito de los ensayos que en este nuevo número hace Dumas, y por otra parte, en materia de gustos no hay nada escrito.

En el fondo de toda la comedia se encuentra ese profundo conocimiento del corazón humano que caracteriza a todas las obras de Dumas. ¿Qué cosa hay más verosímil que aborrecer a una mujer que sólo se quería para una diversión y a la cual vemos para siempre venida a nosotros? El hombre necesita estímulos y el vizconde, mientras careció de ellos, trató con indiferencia a su esposa, mas desde el punto en que apareció un rival y vio que su mujer tenía virtudes que él no había conocido, se despertó su amor y la adoró. Todo esto sucede diariamente en la vida, así como el sacrificarnos a veces las más caras afecciones por no caer en el ridículo ni ser objeto de la burla. El desempeño en lo general fue bueno: el señor Valleto se esmeró mucho en su papel y logró agradar al público y hacerlo reír. En cuanto al señor Martínez quisiéramos que estudiara un poco más, que procurara abandonar poco a poco esos tonos monótonos que parecen muchas veces un sermón. Concluiremos con unas palabras sobre el baile. Las señoras Pautret, madre e hija, salieron acompañadas por el señor Castañeda a bailar un terceto nuevo, si bien la música nos pareció antiquísima. El traje de las actrices era sumamente elegante y los espectadores entusiasmados más que nunca, prorrumpieron en estrepitosos aplausos. Las actrices daban vuelta, giraban a derecha e izquierda con rapidez, se entusiasmaban, se deshacían en deseos de sobresalir. Vamos, que la cosa estuvo a pedir de boca. Nosotros, como estábamos lejos, no pudimos distinguir ni la agilidad ni la rapidez de los pies, y sí sólo algunos malos pasos en los movimientos y en las andadas de puntillas. En cuanto al señor Castañeda brincando entusiasmado hasta cerca de las bambalinas, dejaba descubrir uns formas bellísimas, mórbidas, académicas, dignas de servir de modelo en una academia de escultura. Persuadidos de esto así nosotros como el público, rogamos al señor Castañeda que en lo sucesivo sea más decente en su modo de vestir y tenga más respeto por la moral pública, y si él no escucha con benignidad nuestro ruego, quizá lo haga el señor juez de teatro. ¿Qué significa un hombre con un estrechísimo calzón ajustado que deja ver sus formas desde los pies hasta la cintura? Esto nos parece una falta que no debe pasarse en silencio y que perjudica más que el más inmoral drama que pueda representarse. Acaso si fuéramos escritoras no pensaríamos así, pero como hombres nos molesta ciertamente ver a uno de nuestro sexo haciendo cabriolas como un satre y sacando a luz formas que debieran estar ocultas ya que no con un pantalón de cussar, al menos con un calzoncillo de curro o un bombacho pantalón de musulmán.

Yo

16 de mayo de 1844

Teatro de Santa Anna. Domingo 12 de mayo de 1844. *El pozo de los enamorados.* Comedia en tres actos arreglada al teatro español por don Ventura de la Vega.

¡Loado sea Dios!, hasta que vimos una comedia realmente graciosa y digna de alabanza. No hay duda, la emulación eleva y engrandece los ánimos; la emulación confunde las cabriolas de Terpsícore con los grandes negocios, y en nuestros teatros por de fuera fomenta querellas, improvisa campeones y desmiente esa nota de indolencia con que tildan los poco avisados a nos los fosfóricos habitantes de los trópicos. ¡Haber criticado *El pozo de los enamorados!* ¡Blasfemia la más chusca, y dramática, y heterogénea de las producciones del teatro moderno! ¡Pobres gentes!

¿Se quiere un rey decidor y libertino, que así confisca una buena moza como la narcotiza para dar un nuevo lauro al trono; que así duerme en un calabozo como ordena una francachela? Allí lo tenéis. ¿Se pide un pajezuelo quisquilloso y saltimbanqui? Helo allí. ¿Se desea una muchacha tan cándida y constante que así ama en esta vida como en la otra? ¡Miradla! ¿Se quiere un infierno a pedir de boca, con sendas copas, mesas opíparas y unos diablillos como unos dijes, de uniforme riguroso?... Pues ni que preguntar. ¡Comedia hermosa! Parto sorprendente del ingenio humano, resonará mi voz en tu alabanza. Vila en un teatro, admiréla en el otro, y debe ensalzarse y repetirse, porque Dios es grande y los críticos unos asnos; y, sobre todo, bienaventurados los mansos.

Ricardo III, aquel a quien llaman el Grande; aquel que colocó como mote en una de las órdenes más célebres de caballería: "¡Maldito sea el que piensa mal!", ése también... ¿eh? Así somos los hombres. ¡Si se pudieran ver por dentro los secretos de los virtuosos!... El teatro es la escuela de las costumbres, verbigracia, en esta comedia se sabe que no en todos los pozos hay riesgo, que los narcóticos en manos de los reyes valen mucho, que los diablos son gente regocijada y graciosa.

Se saben tantas cosas en esta comedia, que más vale recomendarla simplemente a los mexicanos para que no se queden sin verla. Si digo que la emulación es una palanca de progreso. ¡Dejar el Teatro Principal toda la gloria de que en su escena sólo se representase el *Pozo*, eso no! Seguid, seguid, solícitas empresas: todos ganamos, todos gozamos. ¡La cosa marcha! Estamos a dos dedos de Europa ... ¡Honor y gloria!

Volviendo a la comedia, fue un verdadero fenómeno de linda ... Una plaza de Inglaterra ... que nadie hubiera creído que era la calle de la Cadena de México. ¡Lo que es conocer nuestra fibra! ... Esto es, el pundonorcillo nacional, y unos arbolillos recién plantados, propios para el caso, y, sobre todo, la casa del Scherif (*sic*) como debía ser, gótica; si lo gótico lo inventó algún enemigo de los médicos, ¿quién podía romperse una pierna habiendo balcones semejantes? ¡Era un tesoro para los ladrones el orden gótico! ... ¡Invención de usurero, sólo así se hostiliza al prójimo con más impunidad!

¡Qué!, si verdaderamente me extravío; aquél no es un *pozo*, es un mar de bellezas. ¡Oh!, si hubiera uno en México, aunque fuese uno para los dos teatros, y en cambio de una zambullida, pataplum, a los brazos de la querida: esto sería un cataclismo. Representarían contra el pozo los que dan bailes a escote, los que hacen posadas, los coches de providencia, los corredores de amor, las camaristas, los lacayos, los ... medio México. ¡Echarse uno como en estafeta, y tarirá ... tarirá ...

En cuanto a las piezas subterráneas, son magníficas, no hay duda, y sus ajuares como los que había en México el año de 11 ... La mesilla del banquete, de campaña, para hombres solos, y los amigos del rey gente aturdida ... ¡Rey popular! ¡Viva la monarquía! La Giraldina era una alma de Dios; pasó a la otra vida en su concepto muy cómodamente, ¡qué infierno! Era el guardarropa, el estante de traje de *infierno* no debe haber costado muchas jaquecas al autor. El alma en pena se daba golpes de pecho, que entre diablos es fruta desconocida; si hubiera tratado de otra cosa, verbigracia, hablar de asuntos de teatro, de la importancia de ellos en México, y de lo mansos que somos los espectadores, se quedan los diablos con un palmo de nariz. ¡Y cómo se quieren en el infierno los amantes! ... Si se trasladasen allí los malos matrimonios, la acertaban; todo es armonía, y gozo, y ... ¡Buen punto para discutir negocios diplomáticos! Así jamás habría diferencias.

Pero nada, nada como el rey ... es una perla; confisca a la chica, se envuelve en la oscuridad, quédase solo con la narcotizada, y una mujer así entre dos luces, y en el reino de Plutón que hace tanto calor; y el rey se despoja de su atavío, y la escena se prolonga, y el público ríe, y los censores cantan el *Te Deum*, y yo exclamo: *¡Bienaventurados los mansos!*

Imprudente matraca, que de eso estaba graduada la máquina; ¡maldito scherif graduado de criada vieja, o de visita inoportuna!... Interrumpieron una escena divertida, y con eso y el baile ni duda hubiera quedado de todo lo que debe pasar en un infierno bien organizado. Y es una prueba del orden que en aquel infierno reina en que debiéndose presentar el ponche inflamado, no fue así, porque sin duda también hay allí policía, y no se venden licores espirituosos después de las nueve de la noche. Aquel Salisbury es todo un hombre: carga en sus brazos a Giraldina y la saca del infierno como no lo harían todos; lo que prueba, entre otras cosas, el poco peso de la víctima.

El tercer acto es sublime: el rey, una vez en la carrera de las diabluras, hizo nuevas tentativas en contra de Salisbury; el Scherif burlado dice gracias que darían dolor de estómago a un muerto; y la sorpresa de encontrar al supuesto reo y reconocer al rey fue tan tranquila y filosófica, que se conoce que el Scherif era todo un inglés serio y meditabundo como él solo. Abrumado por tanta belleza, con mal de risa por tanto donaire y gracia, no tuve valor para ver el baile, que, *según dicen*, fue de muelleo y ósculos, y todo aquello que, según la ingeniosa expresión de un amigo mío, podía representarse a ciencia y aprobación de la generalidad benigna y de los despreocupados consortes y padres de familia. ¿Qué diremos del desempeño? Todo magnífico, así, sorprendente como la comedia. ¡Loor eterno a la emulación! ¡Viva el progreso!

> Comamos, bebamos,
> pongámonos gordos,
> y si algo dijeren
> hagámonos sordos.

Fidel
17 de mayo de 1844

Teatro de Santa Anna. Gran concierto vocal e instrumental dedicado a beneficio de la Junta de Fomento de Artesanos de México, por los alumnos de la Academia de Música del C. Agustín Caballero. Primera parte: 1º Dará principio a telón alzado con la magnífica obertura a dos orquestas, *Emma de Antiochía.* 2º Coro de *El Pirata*, de Bellini, por los alumnos. 3º Dúo de soprano y contralto, de Rossini, conocido como el de los Árabes, desempeñado por las señoritas alumnas doña Guadalupe Barroeta y doña Antonia Aduna. 4º Variaciones de Berlioz y Osborne, desempeñados por los alumnos López y Agustín Balderas. 5º Aria coreada de contralto de la ópera *El Juramento*, de Mercadante, desempeñado por la señorita doña Antonia Aduna. 6º Gran fantasía de piano con variaciones de Enrique Herz, sobre temas de *Lucía de Lamermoor*, ejecutadas por don Agustín Balderas. 7º Quintero final de la ópera *Semíramis*, por los alumnos. Segunda parte: 1º Gran obertura del maestro Joaquín Beristáin. 2º Dúo de contralto y soprano, de Rossi, ejecutado por las señoritas doña Guadalupe Barroeta y doña Antonia Aduna. 3º Variaciones de clarinete con acompañamiento de toda la orquesta, sobre temas de la ópera *Elíxir de amor*, desempeñadas por el alumno José María Salot, del maestro Cavallini. 4º Variaciones de violín y piano, de Berlioz, ejecutadas por los alumnos don Guillermo Murillo y don Pedro Mellé. 5º Aria final de la ópera *Lucrecia Borgia*, desempeñada por la señorita alumna doña Josefa Miranda. 6º Fantasía de ello, pero se ha hablado algo y escrito mucho sobre la materia y, sin tán don Guadalupe Inclán. 7º Concierto de violín y piano desempeñado por el señor don Simeón Barroeta y el alumno don Agustín Balderas. 8º Aria final de la ópera *Lucía de Lamermoor*, por la señorita Miranda. Pagas: Patio, 1 peso. Plateas, 1 peso. Palcos por entero con ocho entradas, 6 pesos. Galería alta, 4 reales. 18 de mayo de 1844.

El Teatro Principal y el baile. La historia de los hechos ocurridos con motivo de la llegada de la señora Pérez, entre los dos teatros, sería suficiente por sí misma para dar al público una idea del verdadero origen de ello, pero se ha hablado algo y escrito mucho sobre la materia, y sin embargo, nadie ha tocado la defensa de los intereses de un público harto sufrido en los baldones y desprecios que experimenta diariamente de gentes que no tienen otro título para hacerlo que el haber nacido en otro suelo que no es el de México. Anunciada la señora Pérez por los avisos del Teatro Principal muy antes de su arribo a la capital, se fue determinando más y más el día de su primera función en posteriores anuncios. Estos y otros hechos indicaron de la manera más notoria que la señora Pérez y su esposo se presentarían a bailar primeramente en el Principal, y que en él continuarían exclusivamente, al menos durante las primeras catorce funciones de su compromiso. Tal parece haber sido la mente de los artistas y de la empresa, y de consiguiente el consentimiento del público tácitamente. Pero con sorpresa general se vio anunciada en el Teatro de Santa Anna la primera función de la Pérez, dividiéndose por tanto el juicio de los que no sabían el verdadero estado del asunto entre la mala fe de los artistas o la torpeza por parte de la empresa que se anticipó a contratarlos. Los que esperaban sin conocimiento de las providencias intermedias el último resultado, vieron por fin a la Pérez presentarse en el Principal en la misma noche en que lo hizo en el de Santa Anna, sin haberse anunciado función en forma como es de costumbre, sino más bien como una medida jurídica.

Ahora bien: este solo incidente induce a formar el siguiente raciocinio: o la señora Pérez podía absolutamente presentarse en cualquiera de los dos teatros, primeramente sin faltar al público ni a su compromiso, o no podía hacerlo sino en determinado lugar, atropellando por tanto tan sagradas consideraciones, al menos la primera, si no lo es su palabra y su firma. Si lo primero, ¿cuál fue la razón que indujo al juez que conoció en el asunto para obligar a la señora Pérez no sólo a que bailase primero en el Principal, sino que después de satisfecho el público en el de Santa Anna, no lo volviese a verificar allí sino concluidas las catorce funciones de su compromiso? Si lo segundo es cierto, en ese caso parece una debilidad haber consentido que bailase en el otro teatro bajo cualquiera miramiento que haya sido, mucho menos burlando a un público como el que había en el Principal, quien había consentido en ver bailar como se le ofreció, y no sufrir la mofa con que fue obsequiado por esa señora. La providencia de esa noche demuestra a no dudarlo que la empresa del Principal tenía un derecho exclusivo para hacerla bailar en su teatro primeramente, pero se dice que fue una transacción la que medió las diferencias. Prescindiendo de la claridad de la justicia, en cuyo caso no debe haber transacción, creo que habrán sido muchas las ventajas que se han sacado de ella, pero lo cierto es que hasta la fecha los concurrentes al Principal no han visto más que promesas, y que para el de Santa Anna, donde no había título de preferencia, todo fue allanado para que bailase la Pérez. Por último, que espera que no se le ofrezca en vano, porque esto sería abusar demasiado de su paciencia o patentizar que más bien que una transacción, fue una pérdida redonda con su agregado de burleta. Será defecto de nuestra bien sistemada legislación en la que las más veces si no pierde de derecho al menos de hecho, quien tiene justicia. Será defecto en las condiciones del contrato de la Pérez, mas el caso es el referido, aunque esto último parece inverosímil, porque no es creíble que un hombre de los singulares talentos del señor Gorostiza, bastante versado por otra parte en chismes e intrigas de teatros, quedara al descubierto por una necedad. He dicho con su agregado de burleta, ¿porque qué otra cosa puede llamarse el paseo que hizo la señora Pérez antes de la comedia y de un modo tan desusado? ¿Qué título puede dársele a la desfachatez con que insultaba el silencio de un público ilustrado y decente con aquellas monerías de pulquería? Y digo su silencio, porque exceptuando tres o cuatro de las galerías que con segundas miras procedentes del Teatro de Santa Anna, la sisearon y gritaron: "fuera", lo demás del público permaneció de mármol. ¿Creerá la señora Pérez que como al local le llaman el cementerio de Santa Paula, sus concurrentes guardaron la fría espectación de los sepulcros? Pues se equivoca, porque ese silencio nace de que a pesar de un agravio, los mexicanos son hospitalarios y decentes hasta faltarse a sí mismos. Sin embargo, éstos son los hechos de cuya mayor parte no puede culparse solamente a la señora Pérez, porque si la empresa del Teatro de Santa Anna no la hubiese llamado, valida tal vez de la imperfección de su contrata para eludirla, las cosas hubieran quedado en su único estado. Yo convengo en que todos estos registros son propios de los empresarios, pero también es preciso convenir que la rivalidad y la emulación deben ser francas y decentes. En efecto, a una y a otra empresa convendría perfectamente que el otro teatro distinto al suyo sin pérdidas ni perjuicio de tercero, sino por su propia virtud, se cerrase, mas esto no convendría al público bajo ningún aspecto. ¿Cuál sería el resultado si concluyera Santa Paula, o a la inversa? Que el que quedaba abierto establecía por precisión el monopolio, y los actores y el público se dormirían diariamente; aquéllos en su ejercicio, éste en sus asientos. En una palabra, de una distracción útil que es el teatro, volvería a ser un fastidio o un punto de reunión a escote.

El Teatro Principal es el documento de prueba más irrecusable de esta verdad. Dueños y soberanos hace todavía cuatro años de las diversiones teatrales, se habían hecho de tal modo familiares con el público, que del café muchas veces se separaban para salir al instante a la escena. Lo mismo era saberse sus papeles los actores que improvisarlos. El local ni era decente ni aseado, con otros mil defectos. Pero no bien apareció en México la era de la regeneración teatral, la salida al mundo del Teatro de Nuevo México, la cosa varió en su esencia y Santa Paula subió un 200%. Sus actores exceden a su capacidad, sus funciones son escogidas, el local está más decente, el alumbrado propio. En una palabra, aquel teatro de hace cuatro o cinco años comparado con el de hoy, parece un sueño, y muy pesado. De aquí resulta que el público tiene de donde escoger su diversión sin que se pueda decir que esta o la otra elección sea torpe, pues todo es relativo, y lo que a un particular parece muy bueno, para otro es lo peor, y con la emulación, el teatro, como todo, se perfecciona como diversión pública y como escuela de costumbres. En fin, se corta el monopolio porque éste oprime al público y embaraza los progresos en aquello que se versa.

Pudiera citarse como un perjuicio hecho al público la pérdida que ha sufrido de dos de sus mejores actores, porque a la verdad la señora Doubreville y el señor Antonio Castro, no representan ni en uno ni en otro teatro. Si estos actores han sido llamados como útiles a aquella empresa por ser muy bien recibidos del público, ¿por qué no se les ve sino muy de tarde en tarde y no en piezas de su cuerda, en las que con prodigalidad han recibido los aplausos debidos a su mérito? Y si son tan insignificantes en aquella compañía como parece, ¿por qué no se les dejó en donde los intereses de ellos y los del público estaban bien conciliados? Porque era preciso mirar quizá la ruina del Principal, o qué sé yo; pero sí sabría asegurar, por lo que mira al señor Castro, que cuando el hombre es en alguna manera deudor de la gratitud pública, debe hasta cierto punto hacer un sacrificio de su individuo, mucho más cuando en el caso no tenía que hacerlo grande en sus intereses. Si recuerda por otra parte que la escuela y la cuna de su naciente gloria la debe a ese pobre teatro que la elegancia desprecia. Si su ambición era de gloria, como es de suponerse en todo buen artista, sus planes se han frustrado y su amor propio se ha visto abatido aunque injustamente, porque a pesar de la escogida compañía del Teatro de Santa Anna, no sobran muchos caracteres como el suyo. Mas es preciso ser imparcial y por lo mismo, a pesar de lo dicho, respeto la voluntad del señor Castro, como debe hacerse con todos los hombres.

Un imparcial
20 de mayo de 1844

Teatro de Santa Anna. Interesados como el que más en la prosperidad y buen éxito de la empresa, desearíamos que no la desacreditasen sus mismos directores, lo que sucederá infaliblemente si como hasta aquí siguen viendo la cosa a poco más o menos, y entonces se verificaría el malhadado pronóstico de sus enemigos que calculaban muy corta su duración, aunque el bello edificio material subsista para adornar dignamente la capital de la República y para gloria del arquitecto, a quien dieron tan malos ratos sus émulos, a pesar de los cálculos de éstos y acaso de sus votos. No lo haremos de las piezas frías e insignificantes que con nombres de comedias se nos han representado, ni de alguna o algunas en que se ha notado algo o algos de inmoralidad, pues aunque todas ellas son indignas de presentarse ante un público ilustrado y amante de las buenas costumbres, han tenido por lo menos el mérito de la novedad, que no es poco para los que sólo tratan de divertirse. Nada diremos tampoco del pomposo aparato con que se anuncian las mayores fruslerías ni de los pintarrajos del cartel aunque no concuerden con ninguna de las escenas de la representación, como ayer, que se veía pintada una galería o claustro con sus arcos y bóvedas, oscura, donde se veían sendos soldados marchando en orden de batalla, cuya decoración y pasaje nada tenía que ver con la escena de *El tapicero*, que se representó en la tarde, ni con las de *El proscripto*, de la noche, porque ya se sabe que semejantes maniobras no son más que lazos para engañar a los bobos, a quienes así se incita el apetito y largan sus pesetas, aunque rabien al fin de la representación o cuando advierten que han sido burlados no viendo ningún pasaje que tenga analogía con las pinturas del cartel.

Nuestras quejas se reducen por hoy a la fastidiosa repetición de una misma comedia, lo que es intolerable aunque ésta sea buena, porque a más del fastidio de los espectadores, indica esto la pobreza del archivo de la empresa, que para llenar el estrecho círculo de treinta días útiles, ha sido necesario representar tres veces *Honra y provecho*. No somos de la opinión de aquellos que creen que todas las novelas y las comedias sólo deben de leerse y verse una sola vez, porque "algunos hay caballeros y cada quien es hijo de sus obras". Novelas hay y comedias de las que debiera hacerse un estudio formal, y si algunas no debieran ser nunca ni leídas ni vistas, hay muchas a las que se les sacaría mucho fruto después de releerse y de reverse; pero no es el teatro a donde se va a estudiar, ni los cómicos los mejores electores de las piezas que deben estudiarse. Otros son los directores aptos de los estudios y otro el lugar en que puede hacerse con provecho. Es admirable que cuando hoy más que nunca hay proporción de tenerse un buen surtido de comedias, se abra la puerta a la fastidiosa práctica de las repeticiones, que otras veces ha alejado del teatro a muchos de sus aficionados. Ya nosotros, dejando de concurrir esta noche, hemos perdido una función del abono, pero esperamos del buen sentido de los señores empresarios que reflexionando bien sobre sus intereses, darán gusto a los espectadores con la representación de buenas piezas, y no repitiéndolas evitarán el fastidio o la pérdida de

Varios abonados
21 de mayo de 1844

Un viejo actor. Sin embargo de que la empresa mexicana que ha tomado a su cargo el Teatro Principal, en su manifiesto al público expuso que una de sus principales consideraciones que tenía presentes para promover la apertura de dicho coliseo, era la de que los actores que habían servido por muchos años en él no fuesen a mendigar un ajuste a los Departamentos del interior o pereciesen de miseria en esta capital, no debería yo verme reducido hoy a este estado lastimoso si la empresa y actores del Gran Teatro de Santa Anna no me hubiesen tendido una mano protectora concediéndome un destino en aquel hermoso edificio y disponiendo al mismo tiempo que se me diesen a copiar y sacar algunas comedias, con cuyo producto se me ha proporcionado un eficaz auxilio, y yo sería un ingrato a tales beneficios si no publicase este rasgo de generosidad que ha obligado eficazmente mi gratitud.

José María Amador
26 de mayo de 1844

El señor De la Puerta. Estamos informados de que nuestro célebre actor don José de la Puerta, ha fijado el próximo 5 de junio para dar en el Teatro Principal la última representación de las que tenía contratadas con la empresa. Al efecto se dispone a exhibir en esa noche, a beneficio de su señora, un drama nunca representado en esta República ni en España, original del insigne poeta francés Alejandro Dumas y traducido libremente en prosa y verso de diferentes metros por el mismo señor De la Puerta, dividido en cinco actos, con el título de *El árabe cautivo.* Habiendo tenido el gusto de leer esta versión, nos atrevemos a asegurar que será en el concepto nuestro una función de las mejores que se nos han presentado hasta ahora en escena. El original francés, conocido con el título de *Charles VII,* es sin duda una de las obras que más reputación y celebridad han dado a su autor.

1º de junio de 1844

Ascensión aerostática en Querétaro. La ascensión que debiera haberse verificado el jueves 30 de mayo, no tuvo lugar ese día en razón de que la víspera llovió abundantemente, y en aquel mismo día no cesó el agua sino como a las nueve o diez de la mañana, hora no muy a propósito ya para emprender la operación de extraer el gas para el balón, pues estando el tiempo tan húmedo y la atmósfera impregnada de vapores acuosos, no había permitido efectuar la ascensión, y ciertamente que el señor Acosta no querría exponerse a intentar una expedición infructuosa, por lo que se resolvió por la Junta Directiva de la empresa, que presidió el Excmo. señor gobernador, de acuerdo con el aeronauta, de transferirla para el día siguiente.

En efecto, el viernes 31 a las siete de la mañana se comenzaron las operaciones que de antemano estaban dispuestas y se hicieron con toda actividad, precisión y exactitud, y a cosa de las diez ya se consideraba el globo con fuerza ascensional, mas como la reputación del señor Acosta hubiese sufrido algún menoscabo por las hablillas de los pocos que no entendiendo nada de esto decidían a su arbitrio el día anterior, quiso el célebre aeronauta dar un golpe maestro convenciendo de su ciencia y valor a los que con tanta acrimonia se habían expresado contra él, motivo por el que hizo cargar su balón más y más, tal vez desconfiando sin causa de su saber y de su experiencia, o acaso por ganar con más gloria un triunfo sobre el pequeño número de personas que tan gratuitamente habían querido empeñar su recomendable mérito. Así es que a pesar de una segunda tentativa que hizo para ascender, tenía ya el balón toda la potencia necesaria, determinó dársela mucho mayor y dispuso que su globo recibiese otras cargas más de hidrógeno. Terminados sus trabajos químicos en el aparato, a la una y cinco tuvimos la satisfacción de verlo colocada en su débil barquilla y desprenderse rápidamente de la superficie de la tierra, lleno de valor y confianza, elevándose con una velocidad extraordinaria hasta una altura tan inmensa que apenas era ya perceptible el globo. Después de correr por el espacio por cerca de una hora, lo vimos descender a corta distancia de esta ciudad, por el rumbo del poniente, pero la desgracia de haberse reventado el cordel del ancla, el no haber podido llegar oportunamente la gente de a caballo que debiera auxiliarlo y la impetuosidad de una corriente de aire que se presentó en aquel momento, lo hicieron elevarse por segunda vez, luchando su balón con las corrientes de aire que lo conducían por la atmósfera, vagando en diversos rumbos, hasta que aprovechando una ocasión propicia, descendió en una labor de la hacienda de San Vicente, del Departamento de Guanajuato, distante seis o siete leguas de esta ciudad. Su descenso lo verificó sin novedad alguna, mas como en aquel punto no tuvo los prontos auxilios que se necesitan en tales casos, quería contener su globo ya separado de la barquilla y sus fuerzas no eran bastantes para detenerlo, así es que en esta lucha uno de los tantos cordeles de la misma barquilla le enredó un pie derribándolo al suelo y lastimándole éste, aunque ligeramente. Sin peso alguno que detuviera el globo, volvió éste a elevarse a una altura imponderable y como las corrientes estaban en sentido contrario del tiempo en que ascendió, caminó en retroceso desde el punto del descenso, hasta que bajó en la hacienda de La Fuente, a las cinco de la tarde, haciendo una travesía de poniente a oriente de casi veinte leguas.

La incertidumbre en aquellos instantes sobre la suerte del intrépido aeronauta, puso en consternación a los habitantes de esta ciudad, que ya veían con mucho interés la suerte del valiente Acosta. Este estado de ansiedad duró hasta las siete y media de la noche, que recibió el Excmo. señor comandante general un oficio del señor coronel don Rafael María Camargo avisando estar sano y salvo en su hacienda el señor Acosta. Por conducto de S.E. también vino otro pliego para el Excmo. señor gobernador, que en el acto le fue remitido. Luego que corrió la noticia de este suceso, la alegría era tan general que faltaban voces para saludarla. Las autoridades todas, incluso la militar, desplegaron una actividad increíble dictando cada una a la vez las providencias de su resorte para buscar al señor Acosta y facilitarle toda clase de auxilios. El Excmo. señor comandante general había ya prevenido de antemano todas las providencias que estimó convenientes en tales circunstancias, y cuando cerca de las nueve de la noche se presentó en su casa el aeronauta, lo recibió con el mayor regocijo y en compañía de algunos señores de la Junta Directiva lo condujo a la casa de S.E. el gobernador, de donde salió una comitiva lucida, y acompañada de un inmenso concurso del pueblo que lo vitoreaba, y en medio de los armoniosos sonidos de la música marcial, fue llevado al teatro, en donde los aplausos que se hicieron en aquellos momentos de placer, manifestaron las sensaciones que producen en los queretanos la ciencia y el valor de los hombres célebres. Distinciones de todas clases se han prodigado con justicia al señor Acosta, y nosotros, llenos de entusiasmo, lo hemos admirado porque sin embargo de nuestros pequeños conocimientos en este ramo, vemos a un joven digno de la inmortalidad que se ha adquirido, dedicándose sin maestros a la aerostación, tan llena de peligros como lo ha demostrado la experiencia de tantas víctimas sacrificadas por el solo adelanto de la ciencia. ¡Loor eterno a este mexicano que venciendo dificultades ha logrado dar nombre a su patria y colocarse en la categoría de los hombres célebres del mundo civilizado!

Al aeronauta capitán don Benito León Acosta

Voló a los aires Acosta
con susto de tantas bellas,
y con su frente atrevida
riendo tocó las estrellas.
Eolo abismado al mirarle
con impasible denuedo, díjole:
"Joven insigne, toma, mi poder te cedo,
y de hoy más para adelante
tú con mi cetro en la mano
serás el dios de los vientos
y el Blancharte mexicano."

A. del R.
14 de junio de 1844

Teatro de Santa Anna. El Abuelo. Lunes 10 de junio de 1844. Comedia en dos actos y en prosa imitada del francés por don Isidoro Gil.

Después de algunos días en que compitieron las dos empresas de filántropos en ofrecer producciones dramáticas al paciente público, a cuales más despreciables y soporíferas, se anunció en el teatro de Santa Anna *El abuelo*, al que sin escrúpulo de conciencia bautizó el señor Gil con el modesto título de comedia.

Érase un Antonio de padres no conocidos, que huérfano y doliente se acercó a las puertas de Anselmo, niño todavía. Anselmo lo alimentó, lo educó, lo hizo arquitecto, y después, ¡ingrato!, se separó de su lado produciendo con la separación de su capital la ruina de su bienhechor. Antonio, lleno de opulencia, como para ahogar su remordimiento, mostró un odio concentrado a Anselmo, el que urgido por las deudas de su hijo político Ignacio, lanzado de su casa, se encuentra sin saberlo en la casa de su enemigo; implora su auxilio, recibe una repulsa, se le noticia que el hijo está en la cárcel por deudas; fuera de sí insiste entonces en ablandar el berroqueño corazón del arquitecto, y en un delirio mandado hacer, le recuerda su antiguo cariño, y el arquitecto enternecido le nombra su heredero, y sus cuitas cesan, y son todos felices.

Poco más o menos, el anterior es el argumento de la comedia, que estriba, si mal no juzgamos, en una ingratitud o inconsecuencia de Antonio, cosa tan corriente en estos tiempos, que nosotros no le hubiéramos dado los títulos denigrantes con que a cada instante le llaman aquellas gentes timoratas. La unidad de la acción está concentrada en Anselmo, y su carácter lo sostuvo el autor con bastante maestría. Es un viejecito cándido y sensible, afectuoso y consentidor de sus nietos, juega con uno de ellos (Enrique) como si fuese niño y descubre en medio de sus juegos tan ingenua bondad, tanta dulzura, que verdaderamente enternece al espectador en aquellas escenas íntimas de la vida privada en que ese tesoro de inocencia del alma de un viejo se muestra en todo su esplendor. Anselmo, distribuyendo inocentemente el dinero para la salvación de una familia en juguetes y fruslerías; Anselmo lanzado de su casa, volviéndose inundado en llanto a abrazar al nietecito que jugaba festivo; Anselmo llorando trémulo frente al huérfano ingrato, es adorable, es uno de aquellos caracteres excepcionales que nos reconcilian con la humanidad, que les damos el prestigio de nuestros propios recuerdos, y los juzgamos con la ternura de nuestras afecciones infantiles.

Pero todo esto es de poquísimo interés dramático; el autor, callando los motivos del enojo de Anselmo, le quita la importancia a un odio que es el nudo de la comedia. Por lo demás, hay inverosimilitudes impasables. ¿Cómo es creíble que el aturdido de Carlos ignorase que su primo era el malhechor de la familia de su novia? ¿Cómo la novia no sabía el parentesco de Carlos y Antonio, no hablando Carlos de otra cosa? ¿Cómo pudo ignorar Anselmo la casa de Antonio? Y, ¿cómo en la misma mañana para Antonio luce el sol como en primavera, y Anselmo viene gafo de frío por una neblina invernal que ha helado sus huesos? El buen espectador todo lo suple; probablemente con el tiempo se sabrá que Carlos y Luisa se casaron, o quien sabe; el autor era reservado, y eso de adivinar secretos no es para nuestro obtuso entendimiento. Nosotros tenemos el dulce consuelo de suponer que esta comedia no pertenece a la remesa trasatlántica de que hemos oído hablar como reparadora de las soñolientas funciones del mes anterior. Más valiera entonces haber importado una falúa de adormideras; a esta empresa que ni es muy mexicana ni muy filantrópica. Si no, ¿qué sería de los infelices abonados del Santa Anna?

El éxito que tuvo esta comedia fue debido a la habilidad, empeño y talentos de los actores en general. El señor Hermosilla estudió con acierto su papel; su andar, sus maneras, su caída y aun su delirio inverosímil, fueron propios; sus diálogos con el nietecito voluntarioso, perfectos. No hubo cercanía a la *concha*, ni suspensiones inoportunas, hijas de la falta de estudio o de la poca habilidad del apuntador, nada de eso; él sostuvo la pieza y su semblante apacible y risueño en algunas escenas nos hablaba con más elocuencia que sus mismas palabras. Ven ustedes, así se evitan las reconvenciones y los desafíos si los actores belicosos son un contrasentido, un anacronismo, una censura incapaz; pero así cuando el actor es digno, como el señor Hermosilla, de los más sinceros elogios.

El señor Castro, franco, alegre, ingenuo y de excelente corazón; nos parecía ver fuera de la escena a este joven cuando no lo vuelve pedante e insustancial la alabanza aduladora, siendo el encanto de su familia, y el joven estimado justamente por sus grandes talentos dramáticos. Doña Juliana, doña Juliana de casquete, doña Juliana vieja, ni que preguntar, ¡es la vieja sin rival, la única característica que hoy posee el teatro! Sus altercados, su manera de vestir, su seno abultado y sus andadicos sexagenarios, ¡soy un turrón con esta viejecita! Vamos, hoy estoy de vena para decir lindezas; a ver quién me falta, y le planto un piropo que lo dejo con un palmo de nariz. Dígalo el señor Barrera, que de su papelito tan insignificante sacó todo el partido posible, y en la escena en que manifiesta su arrepentimiento y se arroja a los pies de Anselmo, fue muy feliz. Para que caiga en consonante, el señor Ruiz supo caracterizar un escribano; aquel esmirriado frac, aquel sombrero de vicuña semicanteado. A más de cuatro vi ponerse pálidos recordando las notificaciones que bichos semejantes les hacen día a día.

Conque no hay más que pedir, he aquí un artículo de agua de sosa, de temperante; artículo propio del tiempo para refrescar la sangre, y de esos que en un abrir y cerrar de ojos compagino para... ¡Ah, el baile!, ¡el baile!, ¡el baile de las Pavías! No, ¡el baile del teatro! No, si es de las Pavías para el teatro. No, señor, es un baile de solas las Pavías, ¿no ven ustedes que si no bailarían otros y otras, por ejemplo la Menocal? Entonces sería baile de todos, y tratándose de baile no ha de ser más que de las Pavías, para las Pavías, y dirigido por un señor Pavía, hasta que se repita sobre las tablas y fuera de ellas una especie de parodia de la batalla de Pavía. ¡Maldito artículo que siempre fue a salir agridulce!

Fidel
15 de junio de 1844

Teatro de Santa Anna. Gran baile en celebridad de los días del Excmo. señor presidente de la República. En el momento en que escribimos este artículo estamos todavía fascinados por esa especie de magia y de idealismo que se apodera de la imaginación cuando se ven realizadas escenas de grandeza y de animación que sólo se conciben en sueños. La luz del sol no ha podido desvanecer nuestra ilusión y aun vemos el magnífico pórtico del teatro recamado de luces de colores, lleno de espejos y de adornos y exhalando los perfumes de mil flores naturales a cual más delicadas y exquisitas. Y este pórtico imponente y majestuoso como una basílica, brillando en las nieblas de la noche lo mismo que uno de esos palacios de magas y de encantadoras de que nos hablan las nodrizas en los primeros días de nuestra niñez, y toda esta escena animada, llena de encanto y poesía, los brillantes uniformes, de los empleados militares, los leves trajes de gasa y de punto con que estaban vestidas algunas señoras que se deslizaban leves y vaporosas por entre las columnas. La luz de los candelabros y quinqués que se reflejaban en los cristales de la bóveda, las armonías de una música militar, todo, todo arrebataba la imaginación y excitaba el entusiasmo y el placer. Para no divagarnos en estas descripciones generales, intentaremos coordinar nuestras ideas consignando un ligero recuerdo del baile que varios individuos dedicaron al Excmo. señor presidente, y el cual, según opinión general, fue más espléndido que el que hicieron los ingleses por el casamiento de la reina Victoria.

Desde antes de las ocho se iluminó la elegante fachada del teatro y las de las casas contiguas. En el primer peristilo alfombrado hasta las gradas que bajan a la calle, habían distribuidas de uno y otro lado macetas de azucenas, hortensias, dalias y otras. En el segundo peristilo, sobre un pedestal, estaba una estatua del general Santa Anna y en el centro de un balaustrado de madera. De la cúpula de cristales pendía una hermosa lámpara y en las cornisas del corredor y capiteles de las columnas había distribuidas multitud de luces en vasos nácares, verdes, morados y de todos colores. Los naranjos y macetas de flores adornaban también este patio cuyo suelo estaba igualmente cubierto con alfombra. Estos dos peristilos ya vistos desde la calle, ya desde el salón, presentaban un conjunto tan hermoso y sorprendente, que involuntariamente se recordaban las orgías de los palacios venecianos que nos describen los historiadores y romanceros.

El salón no estaba menos adornado que la parte exterior. En la puerta de frente al foro se colocó un tablado con un rico pabellón de terciopelo carmesí y espléndidos sillones de lo mismo, destinados al

319

Excmo. señor presidente y señores ministros. Las gradas y palcos-grillés se cubrieron colocándose en cada intercolumnio un espejo de cuerpo entero. Los palcos primeros, con excepción de los que ocupaba la orquesta, y los segundos, se cubrieron con lindas cortinas transparentes que representaban vistas de Italia y Suiza. En los terceros se colocaron unas lápidas blancas con letras doradas entre pabellones tricolores con los nombres de los Departamentos de la República, y la galería y cazuela se cubrieron igualmente con un gracioso cortinaje. Todas las relucientes columnas de estuco que sostienen a los palcos estaban adornadas con festones de flores artificiales. Además de la gran lámpara del centro había multitud de candiles de cristal y un candelabro con tres luces en cada palco, lo cual hacía lucir los transparentes y producían un delicioso efecto. Alrededor del salón estaban colocados sofaes y dos hileras de sillas de caoba, la mayor parte finísimas.

Poco después de las nueve entraron los señores ministros y algunos generales, sucesivamente se presentaron todos los señores ministros extranjeros vestidos de riguroso uniforme y con todas sus cruces y condecoraciones. La concurrencia fue aumentándose por momentos, de manera que a las once había apenas lugar donde bailar, lo cual se ejecutaba sin interrupción alternándose las cuadrillas, wals y contradanza. A la una según creemos se levantó el telón, pues en el foro estaba la mesa compuesta de 200 cubiertos y vistosamente adornada con flores naturales y donde se encontraban vinos y manjares exquisitos. Las señoras fueron servidas por comisionados elegidos al efecto; esto contribuyó a que estuvieran servidas con el esmero que merecen y que no hubiera el desorden que es frecuente en estos casos. Cuando concluyeron las señoras, el baile siguió más lucido y agradable pues había aminorado algo la concurrencia. A las seis de la mañana concluyó la diversión y a la cual no asistió S.E., según se nos ha informado, por el mal tiempo, pues llovió desde por la tarde hasta el amanecer.

La concurrencia fue lucidísima: el bello sexo de México, cuya hermosura y gracia son indisputables, lució mucho en esta función. No hubo una sola señora que se presentara mal vestida o ridícula; todas con sus pequeños pies, su cintura de abeja flexible y sus esbeltos cuerpos, pusieron en evidencia su buen gusto y gracia para adornarse. Algunas señoritas estaban llenas de perlas y diamantes y brillaban como unos luceros, otras su sola hermosura y la estudiada sencillez de su traje las hacía aparecer llenas de atractivos. Los trajes en general fueron blancos de seda y blonda, y los de color de rosa de sutil y delicado crespón. Los caballeros por lo general se presentaron bien vestidos; el traje más común fue el frac y pantalón negro, pero había lo mismo que en las señoritas una gran variedad en esto, que por cierto no chocaba con la decencia y el buen tono. Mucho orden, mucha educación y finura con las señoras, la más franca jovialidad, esto fue lo que observamos, y hasta ahora no hemos sabido que hubiese el menor motivo de disgusto; esto honra ciertamente a la sociedad mexicana que en todo manifiesta la dulzura y suavidad del carácter nacional. En cuanto a los encargados de tal función, su mejor panegírico es la imperfecta y ligera descripción que dedica a los abonados de *El Siglo XIX*, su antiguo conocido

Yo
16 de junio de 1844

Teatro Principal. Gran función a beneficio de doña Josefa Galindo para el miércoles 19 de junio de 1844. Restablecida un tanto doña Josefa Galindo de las enfermedades que la pusieron en el caso de nulificar su contrato y próxima a dejar esta capital por algún tiempo para procurar su total restablecimiento, la empresa, sin solicitud alguna, ni la menor indicación de esta señora, queriendo sin embargo darla un testimonio del aprecio que hace de su talento artístico, de su excelente carácter y de los servicios que ha prestado a la empresa durante su completa salud, le ha ofrecido para la noche de ese día una función de beneficio, en la que tanto la empresa como todos los actores harán cuanto esté a su alcance para que obtenga el mejor y posible lucimiento. La beneficiada por su parte, al elegir la función entre las muchas que ha tenido presentes, ha creído poder complacer mejor a sus favorecedores con la ejecución del hermoso drama nuevo en este teatro, en tres actos y un cuadro, en verso fluido, primera composición del joven americano José Jacinto Milanés, titulado *El conde Alarcos*, en el que la beneficiada se presentará a ejecutar el papel de Leonor. A continuación se cantará el muy aplaudido dúo de la ópera *Las cárceles de Edimburgo*, por las señoras Ricci y Martínez, dando fin al todo de la función con el hermoso terceto de fantasía que tantos aplausos recibió la única vez que se ejecutó en este teatro, desempeñado por las señoras María y Joaquina Pautret y el señor Antonio Castañeda. Ésta es la función que la beneficiada presenta como la primera muestra de gratitud que dirige, aunque sin títulos aún, al ilustrado público mexicano. Su deseo es agradar; si lo consigue se verá bastante remunerada de los padecimientos que ha sufrido por no haber estado en su mano el haber prestado servicio como hubiera deseado, a un público tan tolerante.

Crónica. La parte del diablo. Comedia en tres actos escrita en francés y traducida por don Juan Peral, representada el 21 de junio en el Teatro de Santa Anna. Siempre ha gustado a la humana generación el mezclar a los acontecimientos ordinarios alguna cosa de fantástico y sobrenatural. En tiempos remotos las creencias de brujas, duendes y apariciones formaban hasta cierto punto una parte de los sentimientos religiosos. Después, sin alterarse las reconocidas verdades del cristianismo, el diablo bajo sus diferentes apellidos, los pecados personificados, y los vestigios y aparecidos figuraron mucho en los misterios, autos sacramentales, comedias y pastorelas. El buen gusto y los adelantos de la civilización reprobaron estos personajes como contrarios a las reglas del buen gusto y de la sana crítica. Pero he aquí que el romanticismo, relegando al desprecio a los héroes griegos y a toda la gran familia de dioses y semidioses, volvió a traer a la novela y al drama legiones enteras de ángeles y serafines, y también de demonios y espíritus infernales. En la moderna escuela hay dos maneras de pintar a esos misteriosos personajes, y son constituyéndolos agentes y motores de las acciones de los hombres, o tomando su nombre únicamente para referir secretos y escenas sociales que en verdad sólo un espíritu malo podría adivinar. *Don Juan de Marana*, de Dumas, y el *Manfredo* de Byron, pertenecen al primer género, y del segundo puede citarse la obra original intitulada *Las memorias del diablo*, de Federico Soulié, que con mucha razón estableció su fama y reputación literaria. Prescindiendo de la desconsoladora moral que envuelve el presentar a la sociedad moderna llena de vicios y sin que se encuentre en esta larga serie de narraciones más que la virtud calumniada y perseguida, y el vicio siempre elevado y triunfante. Sea como fuere, el diablo es ya un personaje de moda y esto basta para que otros autores siguiendo el camino de Soulié, se valgan de este agente, algunas veces magnífico, para entretener al lector o al público.

La parte del diablo es una opereta de Scribe, y ya se sabe que en composiciones de esta clase el argumento siempre está subalternado a la música, y por consecuencia está llena de inexactitud y faltas que el riguroso análisis lo harían impasable. Sin embargo la fábula es divertida y el diálogo vivo, animado y lleno de sales cómicas. Por eso el traductor cuidó de ponerle una advertencia al principio y trasladar felizmente al castellano una pieza que llena cumplidamente uno de los objetos esenciales, que es el de entretener agradablemente al espectador. La señora Cañete desempeñó muy bien el papel de Carlos y cantó con mucha expresión y sentimiento dos veces una canción, cuya música es también muy agradable y sentimental.

Yo

28 de junio de 1844

Teatro de Santa Anna. Viernes 5 de julio de 1844. Vigésima primera función de abono. La empresa, que no pretende otra cosa que complacer al público y que hace cuantos esfuerzos están a su alcance por conseguirlo, sabiendo el deseo que había por ver en este teatro una pieza en que pudiera lucir toda la extensión de su foro, ha arreglado para esta noche la representación del magnífico drama, de grande espectáculo, en cuatro actos, escrito en hermosos versos por don José Zorrilla, y cuyo título es *El molino de Guadalajara.* Nada se ha omitido por parte de la empresa ni de los actores, sin reparar en gasto alguno, para presentar en la escena esta composición con el grandioso aparato que ella requiere. Para el primer acto se han construido todos los accesorios necesarios a fin de representar el interior de un molino. En el segundo una galería que atraviesa el teatro con escalinata y pedestales con escarpias. En el tercero patio o plaza de armas del castillo, con muralla y torre practicable. En el cuarto una magnífica vista de paisaje con exterior de molino y cascadas, y un río de agua movible que ocupa casi el total del escenario. Esta última decoración tan hermosa como sorprendente y que se puede asegurar es de un género nuevo en esta capital, es sin duda lo más difícil que se puede presentar a un maquinista si la ha de ejecutar bien y con propiedad. La empresa no duda sin embargo que don Juan Alerci sostendrá en esta vez la buena reputación que tiene adquirida y dejará satisfechos a los concurrentes.

La dirección está a cargo del señor Mata, quien la ha repartido como sigue: Doña Juana de Villenna, condesa de Trastamara, señora María Cañete. Pedro Carrillo, escudero de su real casa, señor Juan de Mata. Juan Pérez, señor Antonio Castro. Lucas, señor Ruiz. Lucía, señora Uguer. Gil de Marchena, señor Barrera. Teresa García, señora López. Ballestero primero, señor Ubal. *Idem* segundo, señor Castañeda. *Idem* tercero, señor Ojeda. García, señor Contreras. En atención a lo complicado de las decoraciones se suplica al respetable público disimule lo largo de los entreactos, que se cubrirán con piezas escogidas de música. Los grandes gastos que ha habido que erogar para poner en escena

323

el drama anunciado, obliga a la empresa a fijar los precios siguientes, Palcos por entero con ocho entradas, 8 pesos. Patio, 1 peso 2 reales. Galería alta, 3 reales. Los asientos del patio estarán numerados.

Ópera italiana. Hace pocos días regresó a esta capital la compañía de artistas que en el año próximo pasado se reunión con el objeto de viajar por el interior de la República, dando algunas representaciones de ópera. A su llegada a México los filarmónicos manifestaron vivos deseos de escuchar los acentos de Rossini y Bellini en nuestros teatros. Se decía que en el de Santa Anna deberían tener efecto las representaciones. También se aseguraba que por parte del empresario de este teatro, lejos de haber obstáculo, mostró la más caballerosa deferencia. Pero ahora corren rumores de que los directores del Santa Anna se oponen al establecimiento de la ópera dando por motivo que se perderían dos ensayos de comedias, atrasando así sus trabajos la compañía dramática. Los que conocen los teatros por dentro dicen que la objeción de los directores es frívola, porque se podían anticipar los ensayos como se ha hecho en el Teatro Principal cuando ha habido a la vez compañías de ópera, de verso y de baile, sin que se estorbasen en sus respectivas tareas. El público ansioso de la novedad espera el resultado de esas conversaciones que hasta ahora han pasado con cierta reserva, y nosotros desearíamos que personas mejor instruidas aclarasen este asunto, cuyo desenlace esperamos como amigos de las diversiones públicas.

Fidel y Yo
5 de julio de 1844

Teatro de Santa Anna. Función extraordinaria, Miércoles 10 de julio de 1844. Luego que tuvo conocimiento la empresa de este teatro por algunos señores de que se solicitan recursos para los gastos de la fundación de las Hermanas de la Caridad en la República, habló a la compañía para que hiciese una función a beneficio de este útil establecimiento, y todas y cada una de las personas que la componen manifestaron no sólo buena disposición sino empeño en servir. Aunque en la compañía de verso y baile se encontraban suficientes elementos para disponer una función que llamara la atención del público, queriendo dar más realce al espectáculo se solicitó de don Agustín Caballero, director de la Academia de Música establecida en esta ciudad, que se cantasen algunas piezas por las mismas señoritas que con tanto agrado del público las ejecutaron la noche del concierto a beneficio de la

Junta de Fomento de Artesanos, y aunque se presentaron algunos obstáculos, la buena disposición del señor Caballero, y la deferencia de la señorita doña Josefa Miranda, los han allanado, habiendo organizado en consecuencia la función siguiente: Dará principio con una brillante obertura ejecutada, así como las demás piezas de música que se toquen no sólo por la orquesta ordinaria del teatro, sino por otros muchos profesores y señores aficionados que igualmente que la orquesta han querido cooperar generosamente al éxito de una función que tiene objeto tan benéfico. En seguida, y como la pieza más a propósito, se representará el hermoso drama en tres actos, nuevo en este teatro, original del célebre Bouchardy, quizá la mejor composición de este autor; su título *Vicente de Paúl* o *Los expósitos*. La dirección está a cargo del señor Hermosilla y su reparto es el siguiente: El mariscal de San Andrés, Señor Juan de Mata. Vicente de Paúl, señor Hermosilla, Fabio, señor Antonio Castro. Contran, señor Barrera. María, señora María Cañete. Marta, señora Doubreville. Acompañamiento de niños y niñas expósitos. El coro de niños que el argumento pide será ejecutado por alumnos de la Academia del señor Caballero, que se han prestado igualmente a trabajar. Concluido el drama se cantará por la señorita Miranda la cavatina de la *Norma*, acompañada en los coros por los alumnos. En seguida se bailará un terceto serio nuevo cuya música es la del aria de la Minetta de la ópera *La única ladrona*, que será ejecutada por las señoritas Merced, Francisca y don Luis Pavía. Concluirá la función con el aria de *Lucia de Lamermoor* cantada por la señorita Miranda, a quien acompañarán igualmente los alumnos en los coros.

Los señores que han promovido esta función y la empresa, dan las más expresivas gracias a la señorita Miranda, al señor Caballero, a los actores de verso y baile, a los señores aficionados, a los profesores que componen la orquesta del teatro, al maquinista, dependientes y mozos de telón por haberse prestado todos a servir sin retribución alguna. Y finalmente no sería justo concluir el párrafo sin manifestar gratitud al señor don Ignacio Cumplido por haber hecho todas las impresiones a su costa, y al señor Francisco Bardet, que ha servido ofrecer el alumbrado de la misma manera.

Teatro de Santa Anna. Crónica de *Dos muertos y ningún difunto*. Comedia en dos actos arreglada al teatro español. Al leer el título de esta composición se conoce que debe ser uno de tantos juguetillos dramáticos que produce diariamente la imaginación francesa y que a falta de piezas originales y de gran aparato, acogen y trasladan al castellano los literatos españoles. En efecto es así, según habrá juzgado el público en la primera representación de esta comedia, la cual por otra parte tiene la ventaja de hacer lucir a los actores, de cuyo talento depende en gran parte el éxito de esta clase de obras. El argumento no deja de ser frívolo e inverosímil, pero los actores estuvieron de muy buen humor, y el público se rió muchísimo, razón bastante para tratarla con indulgencia, tanto más cuanto que los Corneilles y los Racines no son muy abundantes en nuestros días, y la pobre musa del teatro, llena de lágrimas y de sangre, tiene obligación de solazarse con estos *vaudevilles*, hijos espúreos de la comedia y del drama, que aunque insustanciales y frívolos, divierte bastante a los positivos vivientes del siglo XIX. El señor Antonio Castro acreditó que es aún el mismo joven entusiasta y aplicado con grandes talentos para el teatro. El señor Castro posee admirablemente el sentido de imitación, lo cual le proporciona la facilidad de ejecutar perfectamente los papeles jocosos. *Las tramas de Garulla* y esta comedia son pruebas evidentes de lo que es capaz este apreciable joven a quien de veras nos da placer tributar justos elogios. Siguió después el Wals Aragonés, en el que lució la gracia, soltura y ligereza de la señorita Merced Pavía, y concluyó la función con una pieza titulada *Fernández*, verdaderamente mala, pues no es ni drama, ni comedia, ni sainete, ni *vaudeville*, sino un conjunto de escenas sin gracia y sin interés, que esperamos no se volverá a poner en escena, tanto más cuanto que el público dio muestras evidentes de desaprobación.

Yo,
13 de julio de 1844

Teatro Principal. Gran función a beneficio de la señora Francesconi para el día 24 de julio de 1844. Se pondrá el drama nuevo intitulado *El lobo marino*. La función se distribuirá del modo siguiente: 1º Gran sinfonía por la orquesta del Teatro de Santa Anna, dirigida por el señor Chávez. 2º el drama nuevo en dos actos, *El lobo marino*, traducido del francés por don Isidoro Gil. 3º *La cachucha*, bailada por la niña Emilia Villanueva, hija de la beneficiada. 4º Gran dúo de *Semíramis*, de Arsace y Assur, cantado por la beneficiada y el señor Hermosilla en castellano y con los trajes correspondientes. 5º Pieza nueva en un acto y muy chistosa, intitulada *El ciego*. 6º Tonadilla de *Los majos del rumbo* cantada por la beneficiada y su hija la mencionada niña, ejecutando ésta la parte del bajo. 7º Gran padedú bailado por la señora Pautret (madre) y el señor Castañeda.

Crónica del beneficio de la señora Francesconi. Parece que el arreglo de esta función ocasionó algunas disputas con no sé cuántas personas y corrieron rumores de que el beneficio de esta actriz se emborrascaba por no sé qué motivos. Los lectores quedarán perfectamente enterados con esta explicación e involuntariamente recordarán el versito:

> En la calle de no sé dónde
> se encuentra no sé qué santo.

Pero como en realidad es poco importante ocuparse de los chismes diarios del viejo teatro, que como es viejo es caviloso, y la función al fin se verificó, nos concretamos a hablar aunque sea sucintamente de ella. Comenzó con una comedia en dos actos, *El lobo marino*, título que prometía a los espectadores el ver maravillas, por ejemplo el que el lobo hablase e hiciese algunas acciones generosas, aunque es sabido que los lobos ni hablan, ni representan, ni accionan, sino que sólo muerden, pero ¿quién es capaz de decir lo que los lobos marinos habrán adelantado en Francia? La gracia y hermosura de la niña hija de la beneficiada son demasiado interesantes y mereció los aplausos del público. Se representó luego una pieza titulada *El ciego*, sainete bien gracioso y en el cual lo hicieron muy bien los señores Valleto y Lamadrid. La función terminó a las doce de la noche y la concurrencia fue numerosísima, de lo cual nos alegramos sinceramente pues la señora Francesconi ha sido una actriz de pundonor y de mérito que siempre ha procurado agradar al público, y le suplicamos que no considere nuestra crítica a su persona sino como uno de tantos artículos en que se consignan los defectos de esa multitud de sainetes de que está plagado el teatro francés y por desgracia también el español, pues no hemos de ser nosotros los que amarguemos con un sarcasmo a la actriz que el día de su beneficio hace aun cosas que están fuera de su cuerda por dar al público un testimonio de su agradecimiento y de su deseo de verlo complacido y satisfecho.

Yo,
30 de julio de 1844

Teatro Santa Anna. Ópera italiana. Sábado 3 de agosto de 1844. Función extraordinaria. Algunos individuos que nos encontramos en esta capital y pertenecimos a la compañía de ópera que trabajó hace dos años en el Teatro de los Gallos, nos hemos reunido auxiliados por la señora López para dar en este teatro que ha tenido la bondad de franquearnos la empresa, una o dos funciones. Para la primera hemos arreglado la gran ópera seria en tres actos, *Belisario*.

Crónica del domingo 18 de agosto. En la tarde se repitió por tercera vez el gran baile titulado *Napoleón en Egipto*. Desde la primera noche que lo vimos nos agradó infinito, no sólo a nosotros que tenemos el gusto raro y exquisito, sino a todo el público. El aparato y acompañamiento fue tan numeroso cuanto lo permitía el foro del teatro. Las hermosas vistas pintadas por el hábil artista Gualdi, lo diestro que estaban los comparsas y lo bien ideado y mejor ejecutado de las partes solas, como padedús y tercetos, hicieron que la función fuese lucídisima. Entre las cosas perfectamente ejecutadas fue la escena en que el Bajá y Napoleón descienden al subterráneo, e inmediatamente que se alza el telón aparecen en los primeros escalones de un alto caracol. La ilusión fue completa y aun muchos disputan si son personajes dobles ocultos detrás de aquellos peñascos que están al pie del caracol, o si éste es elástico. El simulacro de la última escena es bellísimo, y ensayado de una manera que sorprende. En cuanto a la ejecución material del baile, todos se empeñaron en lucir, pero debe suponerse que las señoras Pautret, madre e hija, y el señor Castañeda, se distinguieron más que otras veces y arrancaron numerosos aplausos. El terceto del acto último es magnífico y decimos esto porque nos gutó extremadamente, con todo y tenerle antipatía a la ciencia coreográfica.

En medio del gusto que nos causó tan bonita función, notamos que algunos trajes no correspondían al aparato y esplendor que debe tener la escena, y que fue una irrisión que salieran solamente tres solitarios húsares con unos larguísimos *chavracs* que los hacían muy ridículos. Respecto a Napolén, expondremos un escrúpulo que podrá reputarse eminentemente francés. Napoleón es un personaje muy respetable, muy grande y sobre todo muy moderno, y por tanto ni forma ilusión representado en la escena ni hasta ahora ha habido actor ni autor que lo caractericen medianamente. Sentimos pues una especie de escozor al ver parodiado por un farsante al hombre de Santa Elena. No obstante, es necesario confesar que el señor Padilla no pareció del todo ridículo. Napoleón en efecto cuando fue a Egipto era joven, más delgado y tenía el pelo crecido. El actor cuidó también de vestirse con cuanta propiedad le fue posible. El baile concluyó la primera noche sin más novedad que el haberse resbalado el corcel de unos de los valientes húsares, accidente que según entendemos no se ha repetido en las siguientes representaciones. La concurrencia ha sido numerosísima a causa de la novedad.

Yo,
22 de agosto de 1844

Arrendamiento del Gran Teatro de Santa Anna. Debiendo concluir en principios del año entrante el arrendamiento del Teatro de Santa Anna de que soy depositario, por nombradía que se me ha hecho en tres diversos autos ejecutivos en que se ha procedido a su embargo, y deseando que en la próxima temporada se arriende en el mejor precio posible en beneficio de los acreedores, he creído conveniente publicar este aviso para que los que quieran hacer proposiciones para dicho arrendamiento se sirvan dirigírmelas.

José Antonio de Irigoyen

Teatro de Santa Anna. Lunes 16 de septiembre de 1844. Sexta función de abono. Aniversario del memorable 16 de septiembre de 1810. Se pondrá en escena la interesante comedia nueva en tres actos, escrita en prosa y verso a invitación de la empresa para la solemnidad del día de hoy, por dos jóvenes mexicanos. Su título: *Una familia en tiempos de la insurrección.* Los dos directores de la compañía se han puesto de acuerdo y han hecho cuanto ha estado a su alcance a fin de que la ejecución corresponda al mérito de este precioso ensayo dramático. El reparto es el siguiente: Don Pedro, rico español, señor Hermosilla. Don Carlos, teniente, señor Antonio Castro. Don Pablo, capitán, señor Armenta. Teresa, huérfana, señorita María Cañete. Contreras, general insurgente, señor Juan de Mata. Zimbrón, coronel de caballería, señor Barrera. Don Marcos, teniente de *idem*, señor Castañeda. Un criado señor Maldonado. Un sargento, señor Güelvenzo. Un ordenanza, señor Catarino Castro. La acción principia en el año de 1810. El espectáculo terminará con un hermoso terceto serio ejecutado por las señoritas Merced y Francisca Pavía, y don Luis Pavía, y cuya música está tomada de la ópera *La Cenicienta.* Durante el entreacto se tocará a toda orquesta una hermosa obertura nueva compuesta para la celebridad de este día por el joven mexicano don Agustín Balderas. El salón del espectáculo y el exterior del edificio se iluminarán extraordinariamente. Nota: La función dará principio luego que terminen los fuegos. Patio, 1 peso. Galería, 3 reales.

Ascensión. Plaza de Toros de San Pablo. Domingo 29 de septiembre de 1844. Gran ascensión aerostática que dedica un mexicano a los habitantes de esta capital en memoria de los gloriosos días cuyo aniversario se celebra en el presente mes. Deseando el empresario más bien que lucrar procurar a sus paisanos el goce de un espectáculo tan grandioso como lo es el que un hombre se atreva a surcar el aire en un globo que se eleva por medio de un elemento tan peligroso como es el fuego, no ha omitido esfuerzo ni gasto alguno para poder ofrecer con mejoras una diversión digna de los pueblos civilizados. Al efecto el empresario ha hecho construir por el sistema de Montgolfiere, un globo de mayor magnitud que el llamado "Monstruo", en el que tan admirablemente ascendió el señor Bertier en esta misma ciudad. Y para que la ascensión se efectúe con toda precisión, el empresario ha contratado al señor don Bautista Belliard, que a los grandes conocimientos que posee en este ramo, se une un deseo vehemente por agradar a este respetable público. Pagas: Lumbreras de sombra con diez entradas, 7 pesos. Entrada general a *idem*, 6 reales. Lumbreras de sol, 2 pesos 4 reales. Entrada general a *idem*, 2 reales. Las puertas de la Plaza estarán abiertas desde las nueve de la mañana y la ascensión se efectuará de diez y media a once del día. Los boletos se expenderán en el Teatro de Santa Anna y en la Sombrerería Alemana, Portal de Mercaderes número 3, y el día de la función en las casillas respectivas de la Plaza. El Excmo. señor presidente interino se dignará honrar con su asistencia esta función.

Carta de don Francisco Arbeu. Señores editores de *El Siglo XIX.* Su casa, 30 de septiembre de 1844. Muy señores míos: En varios números del acreditado periódico que ustedes tienen a su cargo, se ve repetido un anuncio suscrito por el señor Irigoyen, convocando postores al arrendamiento del Gran Teatro de Santa Anna para el próximo año cómico, sin más título de autorización al efecto que llamarse depositario judicial a consecuencia de tres mandamientos de ejecución que supone librados justamente contra mí, y como he ofrecido ilustrar al respetable público de lo conducente a esas tres ejecuciones y a la depositaría de Irigoyen, paso a verificarlo por medio del presente artículo que espero de la bondad de ustedes se sirvan darle lugar en sus apreciables columnas.

Sin conocimiento de los antecedentes podía tal vez avanzar algo en sus insidiosas miras, con ultraje de la verdad y buena reputación que he sabido conservar y para que así no suceda bastará presentar los hechos tales como son en sí, no dudando que en su vista conocerán luego a luego mis conciudadanos que todo ha sido obra de la superchería. El titulado depositario no es más que un instrumento de don Lorenzo de la Hidalga para dar ensanche a los bastardos sentimientos que ambos han desplegado contra mí, y aunque la investidura con que publica su convocatoria procediera de un principio razonable y honesto, las leyes no le confieren para ello la amplia facultad de disponer de un valioso edificio secuestrado únicamente en la parte que baste a cubrir el poco monto de las cantidades demandadas, y por último, y que coligados los que con De la Hidalga tienen identificados sus intereses, las gestiones u ocursos que han producido esos mandamientos ejecutivos de que tanto se hace alarde, así como la depositaría de Irigoyen, deben considerarse una punible trama para presentarme al público en clase de deudor fallido, desacreditar el Gran Teatro de Santa Anna y proporcionarse al fin las grandes ventajas que le sugiere su codicia.

No habiendo podido conseguirlo don Lorenzo de la Hidalga a virtud de las falsedades que publicó y que victoriosamente combatí por la prensa, se presentó en unión de José Antonio Irigoyen, de don Antonio Mayora y de don Lorenzo Montaña, demandándome ante el señor juez de letras don Agustín Pérez de Lebrija por resto de sus cuentas, la cantidad de 7800 pesos, que pidieron se me compeliera a satisfacer por la vía sumaria. Semejante precisión pugnaba con todo juicio de cuentas y él exigía un traslado llano por el término ordinario; pero dicho señor juez lo corrió por tres días, a lo que me opuse, formando sobre todo ello artículo previo pronunciamiento de justicia. Pendiente su decisión y sin estar tampoco contestada la demanda, se pretendió por Lorenzo de la Hidalga que yo absorbiera posiciones y que se separasen de aquélla dos libranzas que comprendieran valor una de 4000 pesos y la otra de 5000. Uno y otro era injurídico, como contrario lo primero a la Ley 1ª, título 12, partida 3ª que prohíbe puedan hacerse preguntas antes de comenzar el pleito por demanda o por respuesta, y muy perjudicial lo segundo a la integridad de la causa, cuya continencia no podría dividirse después de mi oposición y del traslado que se me hizo saber. Esto es a todas luces incontrovertible, excediendo a la esfera del escándalo que sin que recayese resolución alguna que autorizara a don Lorenzo de la Hidalga para la segregación a que injustamente aspiraba, de hecho la verificó presentándose ante el Tribunal Mercantil por medio de don Pedro Pablo Uturria, a quien fingió haber endosado las dos mencionadas libranzas. En vano contesté en el previo juicio de avenencia que ellas eran parte de la demanda instaurada ante el señor juez de letras don Agustín Pérez de Lebrija, mostrando en el acto las cuentas de Hidalga en que constaban consideradas, así como el desmesurado premio que sobre su valor se me exigía, pues negándose Uturria a cuanto pudiere aclarar la temeridad de su endosante, insistió en que se le expidiera el correspondiente certificado para realizar con él el proyecto inicuamente trazado.

Así lo verificó pidiendo que yo reconociera la firma que se halla al calce de una de las repetidas libranzas, y en seguida hizo lo mismo respecto de la otra, para que aparecieran dos juicios, que era lo que cuadraba a la intención de Hidalga. Sin confesarme deudor de su importe aseguré ser de mi puño y letra la firma que en ella se advierte, por lo que requerido en forma se trabó ejecución en la parte equivalente del Gran Teatro de Santa Anna, nombrando Hidalga por depositario a su socio y paniaguado don José Antonio Irigoyen. Los 9000 pesos de ambas letras formaban parte de los 7800 a que ascendía el alcance demandado ante el señor juez de letras don Agustín Pérez de Lebrija, estando además pendiente la previa y debida declaración sobre el carácter de naturaleza del juicio, y aunque por lo mismo lo excité para que reclamase al Tribunal Mercantil el conocimiento de un negocio que era exclusivo de su competencia, según las constancias de autos que se publicaron hallarse comprendidas las propias libranzas en las cuentas, cuyo alcance se había demandado ante Su Señoría con anterioridad, se negó expresamente a una petición tan justa como legal, cooperando por su parte a que en su juzgado y en el Tribunal Mercantil se me requiriera y molestara por una misma cantidad y demanda. Es quizá la primera vez que se admira el poco celo de un funcionario en defensa de su jurisdicción, y merced a semejante conducta hoy se proclama la legal existencia de dos distintos autos ejecutivos, en que Irigoyen ha sido nombrado depositario.

El público imparcial calificará el éxito que deben tener en derecho y el que puede dar a Irigoyen el oprobioso título de depositario, para anunciar y convocar postores en arrendamiento del Gran Teatro de Santa Anna para el inmediato año cómico. Si lo expuesto es estupendo y aun increíble, el tercer auto ejecutivo de que se hace mérito va a escandalizar aun a los que sólo tengan sentido común, debiendo formar una página de oprobio en la historia de nuestra administración de justicia. Don N. Oviedo, cesionario que se dijo ser no sé de quién cuyo alcance por el importe de maderas demandó desde el principio en unión de Hidalga, Irigoyen y demás, promovió últimamente ante el expresado señor juez Lebrija, absolviera las posiciones que articulaba sobre si yo soy el dueño del Gran Teatro de Santa Anna, y si encomendé su fábrica y erección al arquitecto don Lorenzo Hidalga. Citado al efecto inútilmente objeté no deber comenzar los juicios por prueba, ni hacerse preguntas sino después de comenzado el pleito por demanda o por respuesta, pues a despecho de todo se me compelió a contestar, como lo verifiqué afirmativamente, confesando ambos extremos, por ser públicos y notoriamente ciertos. Antes de decir nada manifesté al señor juez que no conociendo yo a Oviedo, creía se me armaba un lazo. Contestó el señor juez que como había de pasar a mí el expediente, entonces podía contestar todo lo conducente a mi defensa, como lo acreditará don Ramón de la Cueva, actuario del expediente. Practicada tan astuta y fraguada diligencia, pidió Oviedo que Hidalga reconociera la cuenta que presentaba, indicando si había invertido la madera de que procedía en la construcción del teatro, y ya se ve que siendo obra toda de su sugestión y depravadas miras, confesó llanamente uno y otro, no obstante ser público que a la sazón misma de recibir la madera de que se trata, construía en el propio cuadro dos casas de su pertenencia y la que tenía a su cargo del señor don Francisco Pastor.

Esto bastaba a la verdad para no dar fe a su aserto, y lo que indudablemente lo hacía indigno de ella es que tanto Hidalga como yo estamos en pública pugna judicial y polémica, habiendo dado aquél las pruebas más incontestables de su positiva enemistad. Sin embargo el señor juez conceptuó bastante su deposición para apoyar en ella el mandamiento ejecutivo solicitado por Oviedo, y olvidó lo que no ignoran aun los que comienzan el estudio de la jurisprudencia práctica, a saber: que aunque la cuenta o documento simple se compruebe el juicio con los testigos instrumentales que lo sostuvieron por orden o mandato de la parte, no por ello trae aparejada ejecución contra ella, si no es que la reconozca en juicio confesándose deudor... El buen juicio hará conocer desde luego que si esos tres autos ejecutivos de que hace alarde en sus anuncios el herrero Irigoyen no pueden tener el éxito favorable a que aspira don Lorenzo Hidalga, de ninguna manera deben ni han debido autorizar al depositario para convocar postores en arrendamiento del Teatro de Santa Anna. Mi delicadeza y honor me obligan a sincerarme mediante las indicaciones que dejo hechas, y en su vista estoy seguro que mis conciudadanos quedarán satisfechos de la intriga y temeridad de mis contrarios. El Teatro de Santa Anna no necesita de anunciarlo en los periódicos para ser bien arrendado. Varias personas respetables han solicitado tomarlo, pero como ya he dicho antes, hay compromisos contraídos de antemano que tienden a dar al teatro el impulso de que es susceptible y llenar el objeto con que lo hice. Debo ser creído si aseguro que soy capaz de sacrificarme por su engrandecimiento; de esto están convencidos todos los mexicanos y bien pronto lo estarán de la justicia que asiste y reclama el que es de ustedes Atto. y S.S. Q.B.S.M.

Francisco Arbeu
7 de octubre de 1844

Contestación de don Lorenzo de la Hidalga. He leído un comunicado del señor Arbeu motivado particularmente por un anuncio sobre el arrendamiento del Gran Teatro de Santa Anna, suscrito por el depositario judicial don Antonio Irigoyen. El estilo poco decoroso de dicho comunicado patentiza la mala causa que defiende el señor Arbeu, y las gratuitas injurias y ofensas que hace a personas respetables por su buena reputación y por el lugar que ocupan en la sociedad, lo deshonran de una manera lamentable. Por consiguiente no merecía contestación una producción que por sí misma causa el efecto de que el público se ofenda y desprecie a su autor. Sin embargo, por mi parte me tomo la molestia de hacer la aclaración siguiente: Para el señor Arbeu todos los acreedores del teatro y cuantos tengan parte en el reclamo justo de sus haberes son parciales, maliciosos, capaces de toda perversidad. Este crimen jamás lo podrá expiar porque a la honradez de todos los que han trabajado en dicha obra, como es público, se debe a que se haya concluido con tanta economía, y a la rectitud de los jueces el que se hayan estrellado todos los medios empleados para eludir el pago de los artesanos. Todos están bien lejos de merecer las sospechas y epítetos infamantes que prodiga en sus injustas diatribas. Por mi parte tengo tranquila mi conciencia y espero con toda confianza el fallo de la justicia.

¿A título de qué no ha de pagar lo ganado con tantos afanes? ¿Cree el señor Arbeu que nuestros derechos pueden ser destruidos con las injurias con que quiere embrollar nuestra justicia y quedarse con el precio de nuestro trabajo? Mas sobre esto hablará extensamente el depositario y creo que no le hará mucho favor al señor Arbeu la exposición detallada de la conducta que ha seguido para conseguir alargar el pleito, que es la amenaza y la contestación que nos da, asegurando que éste no tendrá término, escondiéndose para no ser notificado y recusando jueces de conocida probidad, único recurso que le puede quedar, sin el menor remordimiento de conciencia pública ni privada. Pero todos esperan que la justicia hará que se compensen estos perjuicios como es debido.

Lorenzo de la Hidalga
12 de octubre de 1844

Teatro de Santa Anna. Miércoles 16 de octubre de 1844. Beneficio de la señora Cañete. *El pilluelo de París*.

Ha llegado ya el tiempo en que los actores, que todo el año han trabajado por un sueldo, tengan un día absolutamente propio de qué disponer en el teatro para que el público con su concurrencia y aplausos les recompense su mérito y fatigas. La señora Cañete, como primera actriz, ha sido la que ha comenzado esta serie de funciones, disponiendo la de antes de anoche, de manera que los espectadores quedasen complacidos. La comedia fue la titulada: *El pilluelo de París, guardia nacional y novio*, en la cual la beneficiada desempeñó con tanta naturalidad como gracia el papel de José. Respecto a la pieza, nos parece infinitamente inferior a la primera parte, sentado por principio que Fígaro en España e Ignacio Rodríguez (Galván) en México, han calculado al *Pilluelo de París* sólo como un buen sainete. Sea lo que fuere, en la primera parte del *Pilluelo* hay más animación, más vida, más verdad en la pintura de esa clase de jóvenes del pueblo, vivarachos, alegres y calaveras de buen corazón, designada en París con el nombre de *gamin*, y, por otra parte, la situación del muchacho, contemplando a su hermana deshonrada, requería ciertos rasgos atrevidos, que en la segunda parte parecen exagerados. La intriga de la pieza de antes de anoche es tan sencilla, que el público no concibe el menor interés, y el lance más comprometido de la comedia, que es cuando la novia de José se encela de él por una carta que le ve guardar en el bolsillo, no pasa de una cosa de muy mediano efecto. El carácter del general, que en la primera parte es áspero, pero noble y honrado, en la segunda es bonazo y casi imbécil. El único personaje que conserva la gracia, es el de Bizot, que fue desempeñado perfectamente por el señor Barrera. La pieza en lo general estuvo bien ejecutada, particularmente por la beneficiada, que sacó cuanto partido fue dable al papel de José; pero el público no aplaudió mucho porque aguardaba una cosa mejor que la primera parte, donde la señora Cañete lo hace admirablemente.

En seguida se bailó un nuevo Jaleo, en el cual lució mucho, por su gracioso vestido y su habilidad, la señorita Merced Pavía. La función

335

terminó con la tonadilla de la *Estera o el majo celoso*. El señor Mata, que hizo el papel de estudiante, estuvo verdaderamente gracioso, y las coplas del Trípili que cantaron fueron tan saladas como oportunas, de suerte que el público aplaudió mucho y las hizo repetir. Si la función no fue absolutamente rumbosa, porque no siempre les es dado a los actores disponer una cosa del gusto de todo el mundo, sí demostró evidentemente, de parte de la señora Cañete, un deseo vehemente y grande de agradar a los concurrentes.

El público, por su parte, ha dado una prueba palpable de lo mucho que estima y admira a la actriz de que se trata, pues ni aun en las grandes solemnidades nacionales ha habido en el teatro tanta y tan escogida concurrencia como antes de anoche. Multitud de individuos, según nos consta, se devolvieron sin haber podido adquirir boleto a causa de la mucha gente. La señora Cañete lo merece todo por cierto y aun es acreedora a veces a aplausos que no se le tributan, porque el público en ese punto vitorea a un actor cuando sale con su traje ridículo y dice una expresión de doble sentido; y permanece silencioso en algunas escenas verdaderamente sublimes y patéticas, quizá por la misma conmoción que le causan. La señora Cañete, desde que llegó a la República a esta fecha, no ha cesado de estudiar y de adelantar positivamente, sin parecerse a otras actrices, que hace veinte años que representan en las tablas y no han variado ni un ápice. Al principio se le creyó sólo útil para los papeles de graciosa y de maja, que en efecto desempeñaba con mucho aplauso; después, las necesidades de la empresa hicieron que la señora Cañete hiciera papeles del género serio, y sus primeros papeles no agradaron tanto, quizá por la preocupación que había de que sólo servía para graciosos. La señora Cañete no se desanimó y siguió adelante hasta que triunfó de esa preocupación, y quién sabe, también, si a fuerza de estudio dominó su genio alegre y andaluz para plegarlo a ese sentimentalismo refinado y a esas pasiones terribles y profundas de algunos dramas modernos. El público todo le ha visto hacer *Los celos*, y no ha podido menos de admirar que a fuerza de talento y de estudio pueda expresar las pasiones con tanta verdad. La *Emilia*, de Navarrete, es una de las comedias en que la Cañete destroza el corazón. Sus facciones desencajadas, su paso vacilante, su voz doliente, su mirada llorosa y su acento lastimero, son absolutamente la naturaleza, la verdad, en una palabra, la representación admirable de la joven inocente y sensible, seducida y burlada por un malvado. Nunca hemos podido hablar del papel de la *Emilia* sin llenarnos de entusiasmo por la actriz que tan perfectamente comprendió al autor. En la comedia representada hace poco titulada: *El testamento o la hija del asesino,* la señora Cañete tiene una escena tan fuerte y se posee tanto de su papel, que casi la hemos visto entrar a su cuarto sin respiración y próxima a desmayarse. Todo esto lo recordamos en el día del beneficio de la actriz, como una muestra de que desde antes su mérito se ha reconocido, y para que sea completo, no han faltado algunos díscolos que han querido establecer etiquetas y rivalidades que afortunadamente no han tenido eco en las gentes juiciosas que van al teatro por instruirse o divertirse y juzgan del mérito de los actores con entera imparcialidad.

Respecto a nosotros, siempre hemos considerado a la actriz de que se trata como poseedora de un verdadero talento dramático, y si una que otra vez no hemos dejado de hacerle una moderada crítica, es porque en la naturaleza humana siempre hay faltas e imperfecciones; pero ahora que se trata de su beneficio, queremos darle, por decirlo así, la gala de manifestarle los vivos deseos de todo el público porque siga trabajando el año entrante, persuadida que sus trabajos se agradecen y su mérito se reconoce. Algunos versos y listones con lemas se tiraron al patio y se nos asegura que se le regaló una medalla que suponemos sería la que vimos que llevaba colgada anoche al cuello. Si la señora Cañete se va a La Habana o a España, creemos llevará en su corazón algún cariño por una tierra donde por lo general se aprecia tanto a los artistas.

Fidel y Yo
18 de octubre de 1844

Crónica. ¡Cuidado con las amigas!, representada el 27 de octubre en el Teatro de Santa Anna, comedia en tres actos de don Manuel Bretón de los Herreros. Cuando se mienta solamente el nombre de este poeta, los labios se entreabren para reír y al instante se figura uno el chiste, la agudeza y la gracia de este fecundo y amable ingenio. Así cuando se anuncia una obra suya en los teatros de México, el público acude sin tardanza, y aun las gentes que están de peor humor van al espectáculo pensando con razón que se divertirán mucho. El título de la comedia de anoche hizo creer a muchos que sería una de las composiciones en que se ríe desde que se alza el telón hasta la última escena, y como no fue así, los aplausos estuvieron mezclados con algunas señales de desaprobación. Esto no quiere decir que la pieza sea mala. Sonoros y fluidos versos como todos los que salen de la pluma de Bretón, una fábula sencilla pero interesante y algunos chistes y gracias esparcidos, aunque con economía, en el diálogo, fueron las cualidades que notamos en la pieza, mas creemos que el principal motivo por el que no gustó mucho, fue porque se echó de menos ese pincel maestro del autor para dibujar caracteres originalísimos e interesantes. Esto puede haber dependido también del modo con que los actores lo han ensayado, mas sea como fuere es imposible encontrar una cosa que remede a un Don Agapito a un Don Rufo, a una Doña Liborita, etcétera. La ejecución no fue mala y el señor Antonio Castro desempeñó muy bien su papel. Unos cuantos aplausos fueron interrumpidos por los ¡schttt! de los cazueleros, lo cual ocasionó que los aplausos se repitieran. ¡El nombre de Bretón en México es un título bastante para la consideración y aprecio del público!

Yo
30 de octubre de 1844

Ascensión. Plaza de Toros de San Pablo. Gran función extraordinaria para la mañana del día 10 de noviembre próximo, dedicada al bello sexo mexicano, compuesta de una ascensión aerostática en el globo "Monstruo" y de toros de once, la que honrará con su presencia el Excmo. señor presidente interino de la República general de división don Valentín Canalizo. La buena aceptación que recibió del ilustrado público de esta capital la última ascensión verificada con el globo "Monstruo" el día 29 de septiembre y las reiteradas solicitudes de varias personas de las que concurrieron a este grandioso espectáculo, han obligado al empresario de él a repetirlo en la mañana del día citado y a manifestar su gratitud, amenizándolo con una corrida de toros de once, diversión que hace mucho tiempo no se presenta, aunque para esto ha sido necesario erogar mayores gastos. Muchas de las personas que solicitaron la repetición del mencionado espectáculo han tomado ya gran número de las lumbreras de sombra, por lo mismo el empresario se lisonjea de que la concurrencia será de lo mejor y más brillante. El orden de esta función será como sigue: 1º A las diez de la mañana se abrirán las puertas de la Plaza. 2º Desde esta hora de la escensión se elevarán varios y vistosos globos correos. 3º Entre doce y media y una se verificará precisamente la ascensión. 4º Tan luego como se haya desprendido el globo de la Plaza, quedará despejada y expedita para la lid de tres escogidos toros, de los que el último será embolado para los aficionados. 5º Desde el principio de toda la función hasta que concluya, una de las mejores músicas militares tocará diversas piezas.

Á pesar de los gastos que se han erogado para coordinar este espectáculo, los precios de entrada son moderados y se han fijado del modo siguiente: Lumbreras con seis entradas de sombra, 6 pesos. Gradas y tendidos, 6 reales. Sol entrada general, dos reales. El empresario deseando proporcionar a las ciudades de los Departamentos que no han visto aún este nuevo método de ascensiones, está dispuesto a recibir las proposiciones que se le hagan con este objeto, pudiendo las personas que lo deseen dirigirse al señor don Juan Bautista Belliar, en México.

Beneficio del señor Armenta. Hay en la vida del artista un instante de placer y de júbilo, en el cual la envidia, los partidos, las murmuraciones y hasta la misma crítica justa e imparcial deben callar y conceder la indulgencia y consideración. Este momento es el de su beneficio; el año lo ha pasado en el estudio y el trabajo, sujeto al sueldo del empresario y obligado a contentar todos los caprichos del público, fatiga mucho más penosa en los teatros de México, donde siendo casi unas mismas las personas que concurren al teatro, es indispensable poner sin repetición piezas nuevas en la escena. La noche pues del beneficio, y próximo a terminar el año cómico, el artista se abandona enteramente al aprecio del público y pide una recompensa, una muestra de reconocimiento por sus afanes de tantos días, por sus vigilias y estudios de tantas noches, en las cuales despojándose de sus dolencias, de sus pasiones, de sus sufrimientos de hombre, hace una completa veneración de sí mismo y en la escena es ya el hombre feroz, ya el héroe magnánimo, ya el mozalbete casquivano, ya el doliente romántico. Reflexionando bien este sacrificio es como se comprende toda la consideración que merece un actor en el día de su festividad. Ésta es en lo general nuestra opinión y en favor de los apreciables actores y actrices del Teatro de Santa Anna, cuya delicadeza y pundonor además del mérito relativo de cada uno, es notorio al público, y así cuando hemos visto que las funciones no han correspondido a las esperanzas de los espectadores, nos ha sido verdaderamente sensible hacer de ellas la más leve crítica, pues deveras quisiéramos que en esas ocasiones nuestra pluma se deslizara para prodigar elogios desde el principio hasta el fin del artículo.

El señor Armenta escogió para su beneficio una pieza de aparato y cuyo cargamento debió justamente llamar la atención. Napoleón es un héroe demasiado conocido en todo el mundo y el más insignificante de sus hechos excita la admiración y el entusiasmo. En cuanto a nosotros, hemos indicado una vez y con motivo de un baile en el Teatro Principal, el disgusto que nos causa el ver representado a un personaje tan conocido y marcado por un actor que por más propiamente que se vista no puede tener semejanza alguna. La pieza que se representó, titulada *Napoleón vencedor en Schoenbrunn*, no puede ser ni más fastidiosa ni más mal ideada. Hay asuntos históricos que manejados hábilmente por un poeta adquieren en el teatro una novedad y un interés que tal vez no tuvieron, tales son por ejemplo las anécdotas y la vida de Don Pedro el cruel, de Enrique VIII, de los Estuardo, etcétera; la poesía y la novela han convertido a estos personajes en unos tipos interesantísimos a lo cual ha contribuido también el paso de los años, pero hay otra clase de hechos históricos tan grandes, tan sublimes, tan increíbles, que la poesía y la novela en lugar de realzarlos los parodian y ridiculizan. A este género pertenecen la vida y los hechos de Napoleón, admirables y llenos de interés cuando se ven en ese lenguaje severo y reflexivo de la historia, y ridículos y casi chocantes cuando se ven reducidos al círculo estrecho del foro de un teatro. Las representaciones teatrales son mejores, dice Rousseau, mientras más se acercan a la naturaleza y a la verdad, de suerte que el espectador llegue a enajenarse tanto que no piense que es una ficción lo que ve, sino la realidad y las escenas de la vida. ¿Cómo pues ha de causar ilusión el ver al señor Mata vestido de Napoleón, cuya fisonomía marcada y cuya figura se reconoce hasta en los pomitos de agua de colonia? ¿Cómo se figura uno en el señor Méndez con su gran paletó blanco, al valiente y fiel conde de Beltrán? ¿Cómo puede uno reconocer en el señor Guelvenzo al mariscal Duroc? Estos inconvenientes en que debían pensar los actores desaparecen cuando el asunto histórico es tan lejano, tan poco conocido y tan variado por el poeta que sea imposible hacer recuerdo alguno que destruya la ilusión, circunstancia sin la cual el teatro fastidia en vez de agradar.

Además de esto que por sí solo bastaría para disgustar al público, la pieza no tiene absolutamente ni interés ni enlace dramático ni verdad histórica. Respecto a la ejecución, quizá por la enfermedad del señor Hermosilla no fue nada buena, pues algunos actores no sabían bien el papel. El señor Mata se vistió con propiedad y dulcificó la voz cuanto le fue posible, pero nos pareció que andaba demasiado aprisa. La revista no fue tan numerosa como el público la aguardaba ni como lo permitía el ancho foro del teatro; una compañía de granaderos y unos cuantos caballos fue todo el gran aparato del drama. La escena en que el joven alemán trata de asesinar a Napoleón, estuvo tan torpemente ejecutada que causó nada menos que el señor Armenta se lastimara una mano, lo cual disgustó al público bastante. Sería de desear que en estos casos no se usaran en la escena armas afiladas o agudas, pues es la cosa más fácil que acontezca una desgracia lamentable.

Yo
4 de noviembre de 1844

Nota necrológica. En la tarde del cuatro del corriente fueron conducidos a la huesa los restos de nuestro amigo y excelente actor don Antonio Hermosilla, que a una brillante carrera artística, reunió las prendas más estimables por su conducta, honradez, urbanidad y delicadeza. Buen padre, buen esposo, excelente amigo, doquiera llevaba el aprecio y los elogios de quienes lo trataron. En toda la Isla de Cuba, y especialmente en La Habana, formarán un duelo verdadero al tener la fatal noticia de su muerte, como ha sucedido en la culta capital de la República Mexicana, quien también apreciaba con extremo. Una agonía dolorosa acabó de revelar el generoso corazón que abrigaba. Allí, en el lecho de la muerte y cuando ya los esfuerzos de la ciencia fueron vanos, sus palabras demostraban todo el ardor, toda la lealtad con que se había consagrado a sus amigos, departiendo con ellos y trayendo a la memoria los recuerdos más sublimes. La religiosa conformidad con que se dispuso a la muerte y la piedad ferviente con que verificó todos los actos del cristianismo, arrancaban nuestras lágrimas. La constancia y solicitud del doctor don Manuel Andrade, que le asistió, mereció el mayor elogio. Su porte ha sido el de un fino y buen amigo que velando a la cabecera de su lecho, disputaba su víctima a la muerte. Éste ha sido el consuelo que ha podido ofrecerle: la esmerada asistencia de sus amigos, la ternura y constancia de su desolada esposa, la solícita actividad de sus apreciables compañeros y la generosa cooperación de los señores empresarios que personalmente han estado noche y día atendiéndole, son una prueba inequívoca del verdadero y leal aprecio que nos debía Antonio.

Un amigo del señor Hermosilla
9 de noviembre de 1844

Teatro de Santa Anna. 20 de noviembre de 1844. Función a beneficio del actor Manuel Barrera. 1º Brillante obertura de la ópera *Semíra-*

mis. 2º Comedia nueva en dos actos titulada *Cansarse de ser feliz o la herencia de un ahogado.* 3º La sorprendente pieza de música ejecutada a telón corrido por la orquesta considerablemente aumentada, *Guillermo Tell.* 4º El gracioso y nuevo terceto del *Cazador,* titulado *Nuevo método de cazar mujeres.* Finalizando la función con la traducción nueva en un acto denominada *He perdido la casaca, mis botas y la mujer.*

Crónica del beneficio del señor Barrera. Muchísima complacencia tuvimos al ver que a pesar de tantas funciones extraordinarias como ha habido, hubo numerosa concurrencia la noche que el señor Barrera fijó para su beneficio. Esto prueba evidentemente que el público premia su mérito y afanes y lo recompensa de la manera más ostensible, esto es, aplaudiendo al actor y asistiendo al salón. Sea enhorabuena; nosotros nos congratulamos de esto, pues si los actores del Teatro de Santa Anna abandonan alguna vez la República, no podrán menos sino llevar en su corazón un grato recuerdo de este pobre país que por más que digan sus parciales enemigos, es hospitalario y bueno. El señor Barrera con mucho tino redactó su anuncio y escogió piezas que si no son de un sobresaliente mérito literario, son jocosas y divertidas. En esto hizo perfectamente, pues el público afectado por las ocurrencias públicas, es natural que hoy más que nunca busque en el teatro un refugio contra el disgusto, lo cual no se consigue con los dramas patibularios de que están bien provistos los repertorios extranjeros y por consecuencia el teatro de México.

Yo
23 de noviembre de 1844

Teatro Principal. Beneficio de la señora doña Isabel Martínez. *La madre y la hija.* Comedia traducida del francés por don Joaquín Patiño.

Difícil es, por cierto, el encargarse detenidamente del mérito o defectos de una pieza dramática, cuando sólo se ve una sola vez su representación y no se tiene a la mano el original para estudiarlo concienzudamente, y deducir también si los actores acertaron o no en el desempeño de sus respectivos papeles. Por esa causa, ha sido doblemente penosa para nosotros la tarea que de mucho tiempo a esta parte nos hemos impuesto de hacer una crítica de las representaciones de los teatros de la capital. En estas circunstancias y temiendo siempre ser injustos o cometer crasos errores, nos hemos inclinado constantemente a la indulgencia, así respecto de los actores como de las obras dramáticas, exceptuando sólo el caso en que el descontento ha sido general y en que los defectos de las comedias han sido palpables y fuera de duda. Esta crítica, pues, como la mayor parte de todas, es hecha de memoria, es decir, apelando sólo a los recuerdos e impresiones que conservamos de la primera noche de la representación y sin tener a la vista el original. Tal ligereza sería inexcusable si se tratara de formar una obra sobre crítica dramática, pero para el folletín de un periódico, parece que es bastante atendiéndose que, una vez perdida la oportunidad en esta clase de escritos, son inútiles. Añadiremos también que en esta vez vamos (mal o bien) con todo rigor a juzgar la pieza de que se trata; y esto por expreso y terminante encargo del traductor, protestándole que no es una polémica la que queremos promover. Este artículo, repetimos, es uno de tantos que, un día después de publicados, ni nosotros, ni el público, se vuelve a acordar de ellos.

Grandes son, en verdad, los desaciertos en que han incurrido los dramaturgos modernos, como los llama don Alberto Lista, e inauditos los horrores y crímenes de que han llenado la escena; pero este mal, esta enfermedad, por decirlo así, ha dado por resultado el fijar una escuela, el crear una especie de comedia, de drama, o como se le quiera llamar, que retratando fielmente las costumbres, verdadero objeto de esta clase de literatura, nos deje alguna impresión favorable, alguna idea de virtud y de moralidad en el corazón.

A este género creemos que pertenece la comedia de *La madre y la hija*, que ha traducido el señor Patiño. El autor tomó para su composición un asunto inmoral si se quiere, pero, por desgracia, bastante común en la vida social. Una esposa, durante la ausencia de su marido, se enamora de un inglés y vive ilícitamente con él más de un año. En este intervalo, el inglés, prendado del candor y las virtudes de la hija, se enamora de ella; los celos de la madre, la desolación y la deshonra de una familia, ésta es la catástrofe que en los dos actos se anuncia al espectador. El esposo llega, la verdad se va a descubrir, y las cosas anuncian el fin más trágico. Sólo el casamiento de la hija con el inglés puede salvar a la familia; y éste es el problema que queda sin resolverse hasta el tercer acto. ¿Se casará la hija con el amante de su mamá? La madre, celosa, traicionada, ¿permitirá que el que ha sido su querido sea el marido de su hija, tan inocente, tan tierna, tan hermosa? Verdaderamente es difícil de imaginar una situación más dramática ni más interesante.

El esposo, prevenido ya por las sospechas que le había infundido Verdeer, que es un hombre perverso y malidicente, duda de la virtud de su mujer y al fin se entera de todo por medio de una carta que la madre escribía al inglés, y que habiéndola dejado caer, la recoge la hija y la enseña al padre, creyendo, por los términos ambiguos de la carta, que se trataba de ella. Aquí hay otra situación bellísima. Este viejo, amante de su familia, honrado, lleno de delicadeza, que se ve engañado vilmente por su mujer, ¿qué hará?, ¿desafiar al inglés y matarlo, o ser víctima?, ¿intentar una separación por medio de un proceso?, ¿castigar a su mujer...? Cualquiera de estos extremos es muy de adoptarse en una situación semejante; pero, ¿y sus hijos?, ¿y el porvenir de Fanny (que es la hija)?, ¿y el escándalo?, ¿y la deshonra y el ridículo? El problema no se resuelve todavía. ¿Se casará la hija con el lord inglés? El simple extracto del argumento da a conocer que el interés aumenta progresivamente, y que, aun en las últimas escenas del quinto acto, el espectador no sabe cómo se desenlazarán todos los incidentes que se han acumulado. El monólogo en que el viejo ofendido expresa estos sentimientos contrarios que lo agitan y los horrorosos martirios que sufre, está lleno de naturalidad y de vehemencia. Es la naturaleza y la verdad la que se ve, y la ilusión en este momento es completa. Esta situación, la mejor de la comedia, en nuestro juicio sería bastante para calificarla de buena. Fanny por fin no se casa, pues al momento de firmarse el contrato, el inglés promueve una disputa sobre intereses; esto, de acuerdo con el padre, que no halla otro camino para salvar a su mujer de la deshonra y a su hija de la desgracia. El inglés, que había sido odioso hasta entonces, aparece magnánimo, sacrificando su honor para lavar, hasta cierto grado, una falta; y el padre es también no menos interesante, acallando su venganza ante la felicidad de su familia y separándose de su mujer de hecho, pero fingiendo ignorarlo todo y conservando su vida para sus hijos.

Averiguado es que la perfección en las obras dramáticas es imposible; así, cuando se trata de hacer una crítica, si no acertada, al menos imparcial, deben pesarse las bellezas y los defectos; si éstos superan, la obra es indudablemente mala; pero si las situaciones dramáticas, si las bellezas de la dicción, si la naturalidad del diálogo, si la sencillez de la trama, hacen olvidar ciertas inverosimilitudes o lunares, entonces la composición puede llamarse buena, en cuanto cabe bondad en las obras que salen de las manos de los hombres. No obstante, ya que hemos con toda sinceridad manifestado nuestra opinión respecto al conjunto de la comedia, indicaremos también lo que nos parece respecto a su contrucción material.

Una de las reglas de que se separan los modernos, es la unidad de acción, y creemos que con muchísima justicia la recomendaban tanto los preceptistas antiguos. Esta regla, en verdad que es indispensable en la tragedia clásica, no lo es tanto en la comedia de costumbres, donde naturalmente tiene que presentarse un suceso doméstico, del cual participan muchos personajes; mas en la pieza de que se trata, está de tal manera repartido el interés, que es imposible calcular cuál de los personajes es, por decirlo así, el principal. ¿Lo es la madre, celosa de la hija y en peligro de perder su honor y su tranquilidad doméstica? ¿Lo es la criatura inocente, que ve destruidas sus ilusiones de amor y engañada su casta credulidad? ¿Lo es el inglés, ligero y criminal en un principio, pero noble, y después víctima de su pundonor? ¿Lo es, en fin, el honrado magistrado que mira, en su edad ya madura, destruida su felicidad y comprometido el honor y el porvenir de su familia?

Otro de los defectos es que el resorte o el *pivot* sobre el que gira el drama, como dicen los franceses, es débil: una carta ambigua y dejada caer casi de intento, da materia al desenlace de toda la fábula. Además, consideramos mal preparado este incidente. Cuando uno escribe una cosa reservada y se halla sorprendido de improviso, el movimiento natural y casi involuntario es ocultar el papel, o esconderlo. La madre que escribe la carta al inglés, y por la cual se descubre su falta, la deja caer en vez de ocultarla. La hija la recoge, y considerando que se trataba de ella, la enseña a su padre. Lo más natural, en el carácter candoroso e inocente de la muchacha, era que la hubiera devuelto a la madre, tanto más cuanto que nada sospechaba de lo que había. Señor, contestarán, entonces hubiera acabado el drama en el tercer acto. No, no somos tan rigoristas, pues lo único que notamos es alguna falta de meditación para hacer más verosímil y natural este incidente. Lo que llamó la atención del público también, fue que Julio, hermano de Fanny, que tenía un gran concepto del inglés, y que nada menos era el más empeñado en que se casara con su hermana, saliera repentinamente diciendo: "Todo lo sé." ¿Cómo lo supo?, ¿Se lo dijo el notario Verdeer? Esto no parece probable, pues el único documento que existía, que era la carta, estaba en poder del marido. También se hizo notar el que la madre de Fanny no volviera a hablar una palabra sobre la carta. ¿Cómo era posible que dejara de acordarse que había perdido un documento tan importante y que podía, como sucedió, comprometerla tan gravemente?

Respecto de los caracteres, diremos lo que nos parece. El inglés no es sino un *francés* en los cuatro primeros actos y hasta el quinto no se echa de ver uno de esos rasgos peculiares de los britanos; falta también a este personaje alguna más acción y movimiento. La situación en que él autor lo pone, requiere más bien uno de esos parisienses calaveras que no todo un lord. El notario Verdeer es un tipo demasiado acabado: malicioso, mordaz, amigo de que los demás sufrieran la misma desgracia que él (se la pegó su mujer, como se dice vulgarmente); sirve en todo el curso del drama para despertar las sospechas del marido y mortificar sus sarcasmos a todos. Duresnel, que es el marido, y Fanny, su hija, son también excelentes personajes. El viejo, honrado, amable y tierno con su familia es la felicidad, y prudente y heroico en la desgracia, haciendo lucir en todo su esplendor la virtud de la *fortaleza*; y la hija, crédula, amorosa, inocente, como son todas las mujeres en los primeros días de su vida. En cuanto a madama Duresnel, que es la madre de Fanny, es un carácter que le falta sensibilidad, moralidad y que sin ser absolutamente depravada, es incapaz ni de una acción grande y heroica, ni de tener todo el disimulo que las mujeres ya criminales poseen en el más alto grado.

Julio es un muchacho juicioso, sí, y bueno; pero que hace un desairado papel entrando y saliendo siempre en busca de lord Talmour para instigarlo a que se case con su hermana. Girod, el arrendatario, nos parece un personaje absolutamente inútil, si no es para divertir al público con el gracioso episodio de sus celos, y si no, dígamos, ¿para qué sirve?, ¿no marcharía sin él la pieza de la misma manera, sentado el principio de que el único resorte es la carta que deja caer madama Duresnel?

Si se nos dice que el señalar todos estos defectos es una manía de *rechercher*, contestaremos lo que asentamos al principio, que es por expresa recomendación del traductor. A propósito, el lenguaje nos parece hermoso, fluido y castizo y sólo notamos en boca de Julio: "Buen día, mi querida Baupré." Aunque es más propio esto, el uso ha autorizado que se diga "buenos días". Girod dice también, según recordamos: "Hoy estoy muy razonable." Esto ciertamente es como *la carabina de Ambrosio* atendiendo al mérito que positivamente tiene la traducción. En cuanto al desempeño, fue bueno por parte del señor Salgado y de las señoras Francesconi y Martínez. El señor Rivas estuvo muy distante de caracterizar su curioso e interesante papel, que, según pensamos, fue casi ideado por el traductor. La pieza muy aplaudida, y concurrió más público del que era de esperarse.

Fidel y Yo
28 de noviembre de 1844

346

Teatro Principal. No habiendo podido la compañía mexicana concluir la presente temporada de representaciones por las grandes pérdidas que ha sufrido, a pesar de los esfuerzos y desprendimiento generoso de los señores socios, ha tenido que dejarme el teatro como fiador que soy por la renta del edificio, y aunque no ignoro la entidad del compromiso que continúe abierto, he creído de mi deber procurarlo en consideración a los recomendables individuos de la compañía cómica, que habrían de quedar por lo pronto sin destino, y por la que me creo obligada a guardar a los señores socios que han hecho sacrificios para mantener las representaciones con fines verdaderamente laudables. Mas para que el teatro siga abierto he debido contar con la colaboración de los señores abonados y la de la compañía cómica, pues de otra suerte no haría otra cosa que tomar sobre mí todas las pérdidas que ha estado haciendo la empresa mexicana. Los actores y las actrices, reconociendo la lealtad con que en esto procedo, y el servicio que presto a mis propias expensas, no pudiendo hacer bajas en sus sueldos, se han comprometido a trabajar con doble empeño, haciéndolo aun prescindiendo de su rango y desempeñando el papel que se guarda en los teatros no estarían obligados a recibir. Con esta ayuda y con la baja que habrá en los gastos por la reducción de la compañía, podrán seguir las representaciones si los señores abonados quisieren continuar conservando sus localidades. Para saberlo, los mismos señores se servirán avisar esta noche a los cobradores de sus respectivos departamentos si siguen con su abono en el presente mes. De esto dependerá que la de esta noche se considere como primera función de abono, en el cual se darán los beneficios de los señores Salgado y Valleto. J. Rafael de Oropesa.

Actrices: Soledad Cordero, María Francesconi, Isabel Martínez, Ruperta Guerra. Actores: Juan Salgado, Miguel Valleto, Bruno Martínez, Manuel Rivas, Evaristo González, Ángel Padilla, Manuel Mancera, Amador Santa Cruz, José Merced Morales, Aniceto Cisneros. Apuntadores: Francisco Cuenca, Nicolás Escoto, Luis Castro.

28 de noviembre de 1844

Estado de la capital. El día de ayer, a pesar de la moderación con que el pueblo mexicano se condujo en defensa del orden constitucional, conducta que le hace tanto honor y que es tan conforme a su templado carácter, no se pudieron librar de la indignación pública el pie del general Santa Anna que se encontraba en el Panteón de Santa Paula y la estatua de yeso del mismo general situada en el Teatro de Vergara. Hoy está ya descendida a virtud de las reclamaciones del pueblo la de bronce erigida en la Plaza del Volador, picado el busto que se hallaba sobre uno de los balcones de la Sociedad de la Bella Unión y borrado su nombre en el frontispicio del nuevo teatro. Tales venganzas toma el pueblo más moderado del sempiterno enemigo de sus libertades.

7 de diciembre de 1844

Teatro de Vergara. Hoy 9 de diciembre de 1844. Comedia en tres actos titulada: *El entrometido en las máscaras,* y una pieza de baile.

Teatro Principal. Comedia en un acto, A *pícaro, pícaro y medio,* finalizando con la comedia en un acto *Partir a tiempo.*

Gran Teatro Nacional. DON JUAN TENORIO. Drama religioso fantástico en dos partes y en verso por don José Zorrilla. Después de Martínez de la Rosa, Saavedra, Gallego y otros padres de la buen literatura española han abandonado por cansancio o por consagrarse a la política este género de trabajo, han llegado otros jóvenes a continuar esa tarea de mucha importancia por cierto para todas las naciones, pero mucho más para la española que ha tenido tantos y tan esclarecidos ingenios dramáticos y a la cual se acusa hoy de ser una imitadora del drama francés. En efecto, la fuerza irresistible de esa nación pensadora, activa, atrevida en todas sus concepciones, no ha podido menos de influir en todo el mundo, y así en España como en México, todo lo que se hace en materia de literatura tiene cierto reflejo, cierta semejanza a lo francés. Y no puede ser de otro modo: el francés es un idioma si bien pobre, algunas veces poético y expresivo, al cual han dado hoy los escritores modernos un giro elegante y caballeroso como lo tuvo el español cuando lo escribía Cervantes. El francés es hoy en el mundo lo que fue en otros tiempos el latín, es decir, el lenguaje universal. Si bien esta lengua ha hecho una invasión rápida en la mayor parte del mundo, ¿no es consecuencia precisa que las ideas también hayan germinado?

No obstante, España siempre grande, siempre fecunda, siempre orgullosa en su literatura y en su pensamiento, no ha querido sujetarse absolutamente a la influencia francesa. Ha ido a los sepulcros de Tirso y Calderón a pedir inspiraciones y consejos; ha invocado la sombra de

Lope y de Moreto, ha rogado, pues, a todos los grandes dramáticos que duermen en los fríos mármoles, que no permitan que esa grandiosa escuela dramática, que no ha tenido rival sobre la tierra, se extinga y se pierda enteramente. Así Bretón de los Herreros, ligero, gracioso, maligno, salió a la escena para ridiculizar todos los defectos domésticos, para castigar con la burla todas las fatuidades y las extravagancias de la sociedad moderna. ¿Quién pues ha de negar la verdad de los caracteres? ¿Quién puede dudar que pertenecen a la sociedad española? Así Bretón en el dialecto, en el giro de los dramas, en la expresión marcada de los personajes, es en todo español, y aquí nos hemos convencido de ello muchas veces encontrando los originales de sus personajes en nuestra sociedad. Después *Agustín príncipe en Serdán, justicia de Aragón,* dio una muestra de que aún podía vivir el antiguo drama. Después Rodríguez Rubí, Navarrete, García Gutiérrez y otros autores abandonaron completamente la escuela francesa y recurrieron a esas fuentes siempre puras, siempre inagotables donde bebieron Racine y Corneille.

Mas entre los que notablemente se han distinguido en esta lucha para conservar la libertad, la nacionalidad y la independencia de la literatura española, ha sido José Zorrilla. En sus poesías líricas hay sin duda mucho de Víctor Hugo y Lamartine, mas en sus obras dramáticas sólo se encuentra a Calderón y a Lope. En los principios de su carrera literaria el furioso espíritu del romanticismo le hizo adoptar ideas enteramente francesas, mas después la reflexión, el estudio y la experiencia le hicieron volver sobre sus pasos, y principalmente en el fondo, en el pensamiento grande y radical de sus dramas, las ideas son españolas. Yo para mí no tengo por un delito literario el imitar a Lamartine y a Víctor Hugo: son dos admirables poetas líricos; hablan de Dios, de la religión, de la naturaleza, de los misterios del alma y de las penas del corazón. Estas mismas cuerdas con más o menos vigor vibran en el corazón de todos los hombres, y así la poesía lírica, la poesía del sentimiento, es universal, cosmopolita, como la luz y el aire, para todos los hombres. En cuanto a la poesía dramática, la poesía social, la poesía de las costumbres, es diferente; cada nación, cada provincia tiene diversos usos y es necesario ser fiel pintor en el teatro; la exactitud vale en esos casos más que la elegancia y las galas. Mas volvamos a Zorrilla. ¡Cuánto estudio, cuánta meditación, cuanto tiempo de soledad y de aislamiento habrá necesitado el poeta para acabar esos cuadros fieles, terribles y verídicos de los tiempos antiguos que nos presenta en la primera y segunda parte de *El zapatero y el rey*! Es el mismo don Pedro el Cruel, el rico hombre, la misma figura imponente y severa que han dibujado los poetas antiguos con tanta maestría, con tanto misterio. Ya Zorrilla en *Cada cual con su razón* y en otras composiciones, tenía acreditado su gusto español por el drama, mas la obra que ha colmado su merecida reputación, la obra maestra en su género, es la comedia que el público ha visto en las noches del sábado y el domingo.

Don Juan Tenorio pertenece a ese género de creaciones como el *Fausto,* como *Hamlet,* como *Los ladrones,* como *Don Álvaro,* creaciones llenas de idealidad donde va distribuido de una manera asombrosa lo terrible, lo patético, al lado de lo sentimental y de lo tierno. En esas creaciones donde domina la figura infernal de un réprobo, siempre se encuentra un ángel, desgraciado en la tierra, pero que puro y radiante vuela a los cielos. ¿Quién olvida a Margarita, desesperada en un calabozo; a Ofelia coronada de flores; a Leonor haciendo penitencia en un ermita? La Doña Inés de Don Juan Tenorio compite en pureza, en atractivo, en poesía, con esas divinas creaciones de Goethe, de Shakespeare y de Saavedra. No es la generación presente la que debe juzgar al señor Zorrilla. Alguna vez el *Don Juan Tenorio,* drama que parece hecho para ejercitar la habilidad de un maquinista, será citada como un modelo, como una obra admirable del entendimiento humano. Nos sentimos hidalgos españoles cuando se despojaban de las creencias religiosas, cuando se decidían a seguir el camino de la corrupción y del escándalo, y era lo más singular que pudiera imaginarse. Valientes hasta la temeridad, enamorados, disipadores, ansiosos por llevar al cabo las más peligrosas y descabelladas aventuras, asombraban a todos los países donde habitaban porque todo esto la hacían sin perder cierto barniz de decencia y caballerosidad. Cuando sus propios descarríos los conducían hasta el último extremo de inmoralidad, eran ya verdaderamente criminales y perversos, pero, cosa rara, aun en medio de esto conservaban el valor, prenda que bastaba para no detestarlos. Dos tipos de esta clase presenta Zorrilla y son Don Luis Mejía y Don Juan Tenorio, que se encuentran en una taberna de Sevilla rodeados de varios amigos y en medio de una ruidosa orgía del carnaval. Los licores, el tabernero napolitano, los antifaces de que están cubiertos, en una palabra todos son accesorios indispensables para realzar el cuadro donde ha de dominar la figura terrible e imponente de Don Juan Tenorio.

Nuestros lectores conocerán en breve qué clase de personajes son éstos: apostaron a ver cuál de los dos haría en un año más hazañas y más maldades. Imposible es hacer una pintura más fiel y más acabada de dos matones del siglo xv, siendo de notar que, como ya hemos dicho, interesan al espectador a pesar de su inmoralidad y descaro. Lucha terrible deberá esperarse de dos adversarios tan temibles. No satisfechos el uno del otro en la simple narración de sus hazañas, apelan a sus papeles donde constan en debido orden y reparación las muertes en desafío y las honras burladas. Don Juan no sólo apela justificar con testigos las suyas, sino que objetándola Don Luis que falta en la lista una novicia que esté para profesar, Don Juan se compromete a seducirla y aun a quitarle a su adversario en el término de seis días a su prometida esposa Doña Ana de Pantoja. Este rasgo eleva a Don Juan a una altura muy superior a Don Luis, como puede calcularse. Don Juan desde este punto es el centro de acción del drama.

Acto segundo: Destreza. Los dos calaveras, valiéndose de sus criados se han mandado prender y también ambos escapan de la prisión y acuden como es de suponer a la puerta de la casa de Doña Ana de Pantoja. Don Juan ha ganado a fuerza de oro a la criada y tiene ya seguridad de suplantar a Don Luis. El diálogo que a propósito de este intento tiene con la criada Lucía, es una muestra de facilidad y hermosura de versificación. Entre tanto, una vieja se ha encargado de seducir a Doña Inés, novicia en el convento de las Calatravas e hija del Comendador. Don Juan le ha mandado regalar un breviario y dentro de él una carta amorosa. Al notar la maestría con que Zorrilla describe los artificios de Brígida para sorprender la inocencia de Doña Inés, es imposible dejar de acordarse de La Celestina, de la tragicomedia de Calixto y Melibea, tipo magnífico de vieja seductora. Don Juan por su parte, entusiasmado por la pintura que Brígida le hace de la muchacha, comienza a experimentar un amor indefinible y desconocido.

Acto tercero: Profanación. Hasta aquí el espectador no ha visto más que a personajes odiosos, ha experimentado una especie de dolorosa sensación al oír todas las maquinaciones y perfidias de dos hombres depravados y principalmente de Don Juan, irritándose ciertamente de hallar confirmada su diaria y constante observación social de que la fortuna protege indistintamente a seres que traspasan todas las barreras y que odian todas las consideraciones humanas. Mas en este acto se presenta repentinamente el contraste: Doña Inés es el ángel, Don Juan es el demonio. Doña Inés es el tipo de la inocencia, del candor, de la virtud en todo su esplendor y tal como la creó Dios, así como Don Juan es la personificación del vicio, de la maldad, del escándalo, tal como lo creó Satanás. Esta creación de Doña Inés, tan bella y tan sencilla, al lado de Don Juan tan pervertido, es la creación de la comedia tal como la entendían los antiguos: grande, magnífica, sensible, material por decirlo así, como pasa en el mundo en que el espíritu lucha constantemente en la carne. La agitación, los martirios, los movimientos desconocidos de un corazón de paloma que por primera vez siente el amor, están perfectamente pintados cuando Doña Inés lee la carta que Don Juan le ha enviado entre las hojas del libro. Era menester un idioma como el español y un poeta como Zorrilla para hacer tan sonoros y musicales versos. Doña Inés, como es natural, queda seducida con tanta ternura y tanta expresión, Hay tanta naturalidad, tanta expresión en las palabras de la inocente Doña Inés, que sólo puede compararse al pasaje del drama de Shakespeare, *La Tempestad*, en que Miranda por vez primera ve en la isla otros hombres que no eran su padre y el monstruo Calibán, exclama: "¡Oh!, ¿y éstos son los hombres? ¡Qué bellos, qué hermosos son!" Don Juan Tenorio entra al convento al toque de ánimas, según lo pactado con Brígida. Doña Inés no puede resistir ni a su vista ni a sus palabras y se desmaya. Entonces Don Juan se la roba y Brígida los sigue. El Comendador, que tenía sospechas, llega al convento en busca de su hija, mas no la encuentra y furioso sale en persecución de Tenorio...

Don Juan Tenorio no es una creación original de Zorrilla. El maestro Tirso de Molina en *El Burlador de Sevilla*, fue el primero que escribió este gran tipo. Después Zamora tomó el asunto e hizo en verso una comedia titulada *El convidado de piedra*. Agradó tanto esta creación que corrió toda la Europa. Molière hizo una comedia titulada: *Le festin de pierre*, mas los espectadores de ese tiempo, poco acostumbrados a los dramas en prosa no la recibieron bien hasta que Corneille la puso en verso. Tanto los españoles como los italianos y franceses han caracterizado a Don Juan Tenorio de la misma manera que Zorrilla, es decir, llevando su audacia hasta el último extremo, mas ninguno concibió la manera nueva de concluir la comedia purificando a Don Juan por medio del amor de una mujer. En *Le festin de pierre*, de Molière, Don Juan muere junto a la estatua del Comendador, consumido por un rayo y tragado por la tierra, y el terror en verdad es completo a no ser por Sganarelle (gracioso como era fuerza que tuvieran todas las comedias antiguas) que mirando arder a Don Juan exclama que se ha muerto sin pagarle sus salarios. Increíble es que un talento como el de Molière pusiera una chuscada tan inoportuna, pero aun suprimiendo esto para no dejar en el ánimo del espectador más que impresiones de terror, el final de Zorrilla es muy superior porque desarrolla completamente la idea tan nueva y tan seductora de la purificación de los crímenes por el amor. Tal es en compendio el drama de *Don Juan Tenorio*.

Si se nos pregunta que si tiene defectos, diremos que sí, pero que es una de las composiciones donde humanamente no pueden tener cabida las reglas de Aristóteles y Boileau. Si por esto se dice que la obra es mala, paciencia; cada cual tiene su idea. La nuestra es que a pesar de no tener reglas, el *Manfredo* y el *Fausto* y la *Genoveva de Brabante*, nos agradan infinito, lo mismo que el *Don Juan Tenorio*.

Ya que hemos hablado de lo sustancial en la pieza, diremos algo de su representación por vez primera en esta capital. En la primera parte se distinguió la señora María Cañete. Su magnífico talento cómico que tan bien sabe desempeñar a la maja andaluza como a la niña mimada y recoleta, caracterizó perfectamente a Doña Inés, sencilla, crédula y al mismo tiempo apasionada y ardiente. Comprendió, en nuestro juicio, la idea del poeta. Al señor Antonio Castro le faltó más despejo, más aire de matón y de calavera. Las hazañas mismas de Don Luis Mejía indican que no era un miserable encogido y de maneras poco expeditas. El señor Juan de Mata, que ha sabido crear otros papeles difíciles, absolutamente no se acomodó a éste. Podía señalar todo lo que falta para ser Don Juan Tenorio como lo concibió Zorrilla, mas lo creemos inútil porque el mismo recomendable actor, a pesar de su buena fe y docilidad, no podría remediar ciertos defectos. Los demás actores desempeñaron bien sus papeles. Quienes merecen mil y mil elogios son los señores Alerci y Candil; el primero maquinista y el segundo pintor. La vista del panteón iluminado por la luna es lo más importante, lo más magnífico que puede idearse. Las demás mutaciones se hicieron también con destreza y hay algunas muy bellas. Se nos asegura que ha sido montada mejor en México esta pieza que en los teatros de Madrid. Por nuestra parte creemos que será difícil llevar la perfección y el lujo a más alto grado.

Yo
16 de diciembre de 1844

1845

Gran Teatro Nacional. 11 de enero de 1845, por la noche función extraordinaria cuyos productos están destinados a los Hospitales de Sangre establecidos para curar a los heridos de esta ciudad y la de Puebla en la presente lucha. Orden de la función: 1º Grande obertura a toda orquesta, de la ópera *Zanetta.* 2º Comedia en un acto, *Una boda improvisada.* 3º Variaciones de flauta con acompañamiento de piano ejecutadas por don Antonio Aduna. 4º Comedia en un acto, *Por no escribirle las señas.* 5º Variaciones de violín conocidas por *Un souvenir de Bellini,* tocadas por don Cruz Balcázar con acompañamiento de orquesta. 6º Boleras a cuatro obligadas a trompa y ejecutadas por la familia Pavía.

Gran Teatro Nacional. 22 de enero de 1845. En la noche función extraordinaria a favor de Rosendo Laimon. Orden de la función: 1º Grande obertura nueva a toda orquesta de la ópera *Le Duc,* de Olone. 2º Se representará el drama en cinco actos y dividido en seis cuadros, titulado *Mally o la Independencia de Santo Domingo en 1791.* 3º Boleras nuevas ejecutadas por la familia Pavía, tituladas *El Trovador.* 4º Para concluir la función se ha dispuesto la chistosa tonadilla, que tanto agradara en el Teatro de Nuevo México, titulada: *Las cuatro provincias españolas,* en la que el señor Barrera desempeñará el papel de un empresario que desea formar compañía, el señor Mata un fingido bufo italiano en cuyo idioma cantará unas cavatinas y unas boleras, y la señora Cañete el de una actriz que para prueba cantará lo más selecto de las muy aplaudidas cuatro provincias, ejecutando los caracteres de montañés, viscaíno, gallego y andaluz. En cada uno de ellos y en dialecto y género peculiar, cantará varias canciones, entre las que se distinguen un Zorzico, una ensaladilla en vascuence y un polo sevillano. Terminará la función con las siempre aplaudidas coplas del *Trípili.*

Nota necrológica. Con profundo sentimiento participamos a nuestros lectores la dolorosa pérdida que la literatura y la patria acaban de sufrir. Don Fernando Calderón ha muerto en las primeras horas del 18 de enero de 1845. El nombre del ilustre poeta zacatecano es demasiado conocido para que hagamos su elogio. No existe ya el patriota puro y consciente, el idólatra amigo de la libertad que encontró siempre en su alma las dulces armonías con que elevaba los ardientes y elevados sentimientos que dominaban su corazón: el amor a la patria, el odio a la tiranía. La lira de Calderón se ha roto sin que la envileciera la adulación ni la bajeza. La vida del ciudadano ha concluido sin mancha. Su vida tan corta como fue bastó para su gloria. Su nombre es un timbre nacional, su muerte una pérdida irreparable para la literatura, para la patria, para Zacatecas, para sus amigos, para su inconsolable esposa y para sus tiernos niños a quienes no deja sino la pura gloria de su nombre.

28 de enero de 1845

EN LA MUERTE DE MI HERMANO

FERNANDO CALDERÓN

¡Fernando!, alza la losa de tu tumba,
ven a escuchar mi voz, mi voz doliente;
tiembla con mis sollozos el ambiente,
llora con mi quebranto el corazón.
Allí estás, allí estás, despojo inerte
que guardó el mar del náufrago navío;
arena inútil de agotado río,
ceniza frágil del que fue mi amor.

¿También eras mortal, Fernando amado?
¿También era tu vida transitoria?
Hijo querido de la ardiente gloria,
¿por qué en la nada reclinar la sien?
¿Qué, cuando fiel a la eternidad cantabas
audaz pulsando la sonora lira,
no quemaba tus labios la mentira?
¿No te brindaba el desengaño hiel?

¿Qué al comprimir tu mano temeraria,
débil mortal, el corazón inquieto

358

no sintió desigual ese esqueleto
que estoy viendo en silencio disolver?
¿Nunca viste de lo alto de la vida
despreciando el halago de la suerte,
ese lóbrego abismo de la muerte
donde bajaste, hermano, a perecer?

¿Y por qué, si lo viste, amar la gloria?
¿Qué vale de los siglos en el río
una gota de lluvia o de rocío
que indiferente envolverá el raudal?
Era tu corazón de tierno niño,
en tu alma se pintaba tu talento
cual se refleja inmenso el firmamento
en el dormido lago de cristal.

¡Y así morir! ¡Y el polvo consumido
que en tu tumba al gemir alza mi aliento,
le responde a la duda y al tormento
que calcinando el corazón está!
¡Oh sueño de ambición! ¿Qué te responde
ese sepulcro en que se pierde el eco?
¿Dónde percibes en el cráneo hueco
la huella del espíritu inmortal?

Hermano de mi amor, hermano mío,
el brazo descarnado alza del suelo,
y si un momento me señala el cielo,
hermano de mi amor, no lloraré.
Porque me escuchas, Fernando amado,
porque entusiasta al contemplar la esfera
palpitando de gozo "allá me espera
mi hermano", al universo le diré.

Bello es entonces admirar la tumba,
resquicio en que otro mundo se divisa,
cuna humilde mecida por la brisa
de otra región magnífica, inmortal.
Muro derruido al que el gusano frágil
crisálida se adhiere y con contento
sus alas de oro al alto firmamento
le conducen con júbilo triunfal.

Yo, mortal infeliz, lloro contigo,
recuerdo amado de mi tierna infancia,
flor que el aura llenó de la fragancia,

que extasiado de júbilo aspiré.
Yo por inspiración te amé entusiasta,
el destino en tu faz me sonreía,
al calor de tu gloria renacía
mi mustia juventud de llanto y hiel.

Fuiste abrigo del huérfano infelice,
tú fuiste, hermano, en mi áspero sendero
el oasis y la fuente del viajero
cuando me hirió del infortunio el sol.
Yo me vi en el desierto, el pie desnudo
sangraba al tacto de la ardiente arena,
el alma estaba huérfana en su pena,
vivía el corazón para el dolor.

Fernando, así me viste, solo, errante,
y me das noble la sincera mano,
ven a mi corazón, eres mi hermano,
me dijiste radiante de bondad.
Era esa mano descarnada y yerta...
y yo sin un amigo, yo sin padre,
con tu llanto y el llanto de mi madre
el cáliz refresqué de mi orfandad.

Yo miré tu amistad y vi tu gloria,
te coronó mil veces de ventura,
tus grandes concepciones con ternura
mi patria, hermano mío, recibió.
El velo de la escena se descorre,
allí estabas, el pueblo te aclamaba;
yo riendo mis manos levantaba
inundado en mis lágrimas de amor.

¡Sol muerto!, eres el mismo que algún día
ceñido de diadema refulgente
mostraste erguida la sublime frente
circundada de terno resplandor.
¿Eres tú el que las auras de mi patria
poblabas de dulcísimos acentos?
¿A dónde están los mágicos concentos
de tu lira, rendido trovador?

Encendió el genio Dios sobre tu frente
y puso entre tus labios la armonía,
el ángel de la dulce poesía
su laúd en tus manos colocó.

Volaste, ave canora, a otras regiones,
de esta región de sinsabor y duelo,
tristes te vimos emprender el vuelo
en los rayos perdiéndote del sol.

Di, poeta, ¿tu mente no soñaba
en ese cielo espléndido y divino,
al dormir fatigado peregrino,
en la tierra tuvo sueños de inmortal?
Si un celaje a lo lejos se perdía,
tras la alta cima del excelso monte,
¿no soñaba tu mente otro horizonte
más allá de la playa mundanal?

Di, poeta, ¿al mirar el firmamento
una voz interior no te decía:
ése es el muro de la patria mía,
la patria de mi espíritu es allí?
¿Y es ésa la verdad, o es un delirio?
¿El alma es espuma que en los mares vaga,
y que no deja rastro, y se divaga,
y de la nada al borde va a morir?

O de esencia inmortal, de Dios centella
cruza por las regiones de la vida,
y refulgente siempre y encendida
junto al trono de Dios torna a brillar.
Fernando, quita al corazón su duda,
por este llanto que me arranca el duelo,
¡ay!, cuántas veces le pregunto al cielo,
¿no hay nada de la tumba más allá?

Y a mis plantas se arrastra la hoja seca
que ayer sobre la rama se mecía;
esa flor, de perfume con el día,
sobre su tallo lánguido expiró.
Y en todas partes destrucción horrible
la mano palpa y nuestra mente alcanza,
¡feliz quien ve en la ruina la esperanza
junto a la tumba señalando a Dios!

¿Es todo una ilusión, Fernando mío?
Yo vi una vez los cielos enlutados
de negra tempestad con los nublados
difundiendo tinieblas y terror.
Y una lóbrega nube rasga el viento

y resbala la luz... y miré ufano
resplandeciendo en el confín lejano
sobre los montes el sereno sol.

Sol de inmortalidad, ¿así no brillas
entre la niebla del oscuro mundo?
¿No se te ve con júbilo profundo
más allá de la tierra relucir?
Imagen de la angélica esperanza,
vida de mi existencia, encanto mío,
en este valle de dolor sombrío,
venme, inmortalidad, a sonreír.

Fernando de mi amor, ¿por qué moriste?
¿No miras a la esposa idolatrada
en su llanto bañar tu mano helada
y llevarla a su tierno corazón?
Llora sobre tu losa tu amor puro,
la que en tu labio con ardor bebía
el beso del esposo y la armonía
de tus cantos de amante trovador.

Esa tu sangre helada era su sangre;
el alma que te animaba era su vida...
¿A dónde irás, oh tórtola perdida
y viuda en la terrible tempestad?
Hijos de su pasión, cándidos niños,
lo creéis durmiendo en apacible sueño,
¡Ay, que vuestro semblante está risueño!
¡La inocencia sonríe a la orfandad!

¿Es posible, Señor, Dios de mis padres,
que me arrebates prenda tan querida,
que dejes solo el árbol de mi vida
en medio de recuerdos de dolor?
¿Es posible que tornes a mi frente
lápida de un sepulcro de memorias,
yertos despojos de perdidas glorias
que encantaron mi ardiente corazón?

Como aves pasajeras emigraron
los míos a otra patria más querida,
doliente me dejaron en la vida
condenado a mi llanto y soledad.
Mustia flor vejetando entre la ruina,
yerba rastrera que en las tumbas crece,

362

que ni en la brisa plácida se mece,
ni la hiere inclemente el huracán.

Tú, vate de inefable melodía,
tú, que de tu cerebro omnipotente
un mundo prodigaste refulgente
de ternura, de gloria, de ilusión.
Tú, que eres inmortal, que descendiendo
a la honda tumba, la celeste fama,
el lampo vivo de su eterna llama,
en tu sepulcro mismo reflejó.

Tú acepta mi plegaria de ternura,
nace del corazón, va con mi llanto,
lo purifica intenso mi quebranto,
lo inmortaliza, hermano, mi dolor.
La luz lastima mis hinchados ojos
cuando se cierran de la muerte al sueño;
te invocaré al dormirme, tú, halagüeño,
llévame a despertar junto a mi Dios.

Guillermo Prieto
19 de abril de 1845

Gran Diorama. Calle de la Palma número 9. Nuevas vistas. Queda abierto nuevamente este hermoso espectáculo que con tanto aplauso fue exhibido ante este ilustrado público con la vista de cuatro nuevos cuadros que por su mérito e interés no desmerecen en nada a los anteriormente expuestos, advirtiendo que sólo quedarán a la expectación pública hasta principios del próximo marzo, debiendo partir para tierra dentro. Primer cuadro: Catedral de Córdoba en España. 2º Plaza real de Sevilla y procesión del Corpus con efecto de luna y luces de noche. 3º La ciudad de Nápoles y el Vesubio en que se manifiesta de noche este famoso volcán en erupción. 4º Basílica de San Pedro en Roma; este cuadro, que representa con la mayor realidad el templo más grandioso de la cristiandad, ostenta una magnificencia sin igual. Al llegar la noche alúmbranse todos sus altares y llenándose sus naves de un numeroso pueblo, la ilusión es tal que se cree el espectador transportado a su recinto. ¿Quién pues no querrá ver la reina, la madre de todos los templos católicos, a tan poca costa, sin tener que emprender el viaje a Roma? 5º A petición de varias personas se ha añadido la vista del Valle del Goldo que tanto agradó en su primera exposición. En los intermedios de los cuadros se tocarán piezas escogidas en un hermoso piano colocado en la misma sala. Habrá función todos los días a las ocho de la noche. Entrada, 4 reales, y los niños la mitad. Nota: El hermoso piano que se toca en los intermedios está de venta; es de forma de cola y de madera de palo de rosa, de la acreditada fábrica Collard y Collard, de Londres, de seis y media octavas, con plancha de metal, tres barras de lo mismo y de tres cuerdas.

20 de febrero de 1845

Teatro Principal. Como este edificio está completamente reformado y construido en su interior en una forma nueva, debo anunciar a los señores que antes de ahora poseían palco y a los que en el antiguo teatro los tenían, para que si quieren localidad se sirvan manifestármelo hasta el día 1º del próximo mes de marzo, ocurriendo al número 2 de los bajos de Porta Coeli, advirtiendo que quedan las siguientes localidades: Palcos de platea, grillés primeros y segundos, patio y diversas galerías. Este aviso he creído deber darlo con anticipación al prospecto, porque siendo ya muchos los compromisos, debo hacer las concesiones teniendo presentes los anteriores pedidos, y porque deseo tener la debida consideración a los señores que estuvieron últimamente abonados en el Teatro Principal. J. Rafael de Oropesa.

Gran Teatro Nacional. Domingo 24 de marzo de 1845. Por la noche se representará la comedia en cuatro actos nueva en este teatro, original de don Agustín Príncipe titulada *Periquito entre ellos*. Terminando la función con unas preciosas Boleras nuevas a seis ejecutadas por las señoritas Joaquina Pautret, Francisca Pavía y Ramona Cabrera, y los señores Francisco Pavía, Antonio Castañeda y don Luis Pavía. Por la tarde se pondrá la segunda parte del *Don Juan Tenorio*.

Teatro Principal. Se representará la comedia nueva en tres actos titulada *Influencias de una suegra y solaces de un marido*. En seguida el hábil profesor don Eusebio Delgado ejecutará en el violín acompañado de piano por el señor Balderas, el *trémolo de Beriot*, finalizando la función con el *Zapateado de Cádiz*, interpretado por don Francisco Piattoli y doña Marieta Boze.

Reinauguración del Teatro Principal la noche del día 23 de marzo de 1845. Hay ciertas preocupaciones entre los hombres que destituidas de toda razonable solidez, adquieren sin embargo una extensa popularidad que a veces logra propagarse y establecerse tomando toda la apariencia de la verdad más demostrada. Si examinamos el origen de estos errores sociales encontraremos no ser otra que la tendencia que el común de las gentes tiene por admitir sin consultar su propio juicio, en dictamen de aquellas a quienes juzga superiores en la materia que cuestiona. Esta corta reflexión se la ha sugerido al autor de este artículo el ejemplo que acaba de ver con respecto al teatro de la calle del Coliseo, recinto venerable cuyos carcomidos muros revelan cien y cien épocas ya aciagas, ya venturosas, pues que esta mezcla no puede faltar en los acontecimientos humanos.

No se canse usted, decía no hace mucho, un *quidam* que ha adquirido grande reputación en todas partes sin más fundamento que ese prestigio gratuito por el que muchos pueden pasar por hombres de importancia, el Teatro Principal no será más de lo que es. Aunque la mona se vista de seda...

Y como si hubiese dicho la mayor agudeza del mundo, todos los que estaban pendientes de sus labios, prorrumpieron en una carcajada. Adviértase que esto pasó en el Café del Progreso, por lo que tuvo un ciento por ciento de valor, y si hubiese sido en el modesto de los Bajos de San Agustín, por ejemplo, o en algún puesto de chía, a fe que no hubiera salido de su recinto, aunque el mismo Platón hubiera hablado, si es que Platón resucitase y viniese a estas tierras del Anáhuac a tomar café o a darse un refrescón de tripas. Porque no hay duda de que hay sitios privilegiados en los que sin más trabajo que concurrir a ellos se adquiere fama y gloria póstuma; tal es la lógica y buen sentido con que generalmente proceden estos niños caprichosos y malcriados que se llaman hombres en este teatro todo farsa y apariencias que se llama mundo. Pero dejo las digresiones y pasemos al asunto principal que me he propuesto.

Ello es que se había hecho tan común la creencia de que el Teatro Principal no podía quedar bueno, aunque sufriese más reformas que las que está sufriendo la constitución de España, y ya se creía perdido el dinero que para ello se interviniese, pero he aquí que un hábil arquitecto extranjero trazó sus triángulos, círculos y paralelas, evocó recuerdos, pulsó dificultades y dijo: Os engañáis; el Teatro Principal por viejo y achacoso que lo veáis, yo me comprometo a convertirlo en un apuesto y elegante mozalbete que no lo conozca la madre que lo parió. Pero lo peor para muchos fue que este lenguaje lo dictaba el conocimiento íntimo de poder ponerlo en práctica. Era el argumento del sabio contra la inepcia del charlatán; era en fin el talento confundiendo a la ignorancia, la que nunca prevalecerá sobre él sino momentáneamente. Refórmese pues el teatro, se dijo, y el teatro fue reformado en un lapso de dos meses.

El 23 del corriente por la noche se dio a luz esta maravilla de mecánica celeridad, esta prueba más de los portentosos resultados de la división del trabajo, tan justamente encarecida por los modernos economistas. A ti, hábil, entendido y activísimo Griffon, a ti te pertenece el lauro y a ti se te debe adjudicar el merecido premio. En efecto, al entrar los numerosos espectadores en el salón, exclamaban admirados: ¡Qué hermoso está! ¡Si parece otro! Y el mismo *quidam* del Café del Progreso, no pudo menos de decir: "Pues vea usted, ¿quién lo iba a decir? ¡Vamos, cosas de los extranjeros!" La variación en el local ha sido completa y exquisito el gusto con que está decorado; todo en verdad arreglado al presupuesto de gastos, y si bien no ostenta la profusión de dorados que el de su vecino el de la calle de Vergara, no le sienta mal la imitación por lo perfectamente ejecutada. "La noble sencillez sólo es sublime", ha dicho el poeta español Martínez de la Rosa, y cuando el oro cuesta mucha plata es una noble razón para economizarlo. Más de cuatro estarán ya convencidos de esta verdad, y ya que del mencionado teatro he hecho mención, paréceme que el que redactó el prospecto anduvo un tanto hiperbólico diciendo que no sólo es el más hermoso de toda la América, lo que no niego ni concedo por falta de datos, sino del mundo entero, lo que no vacilo en desmentir rotundamente, pues ¿no tuvo presente el prospectista (palabra que acabo de inventar) al de San Carlos en Lisboa, al de Scala en Milán, al Teatro Real en París, y a otros muchos que yo no he visto y creo que el prospectista tampoco? Me he detenido en hacer esta rectificación porque soy enemigo de las inexactitudes.

Un pequeño lunar noté, y es que varios bancos de luneta estaban más largos de lo que convenía, de modo que obstruían completamente una de las calles destinadas al tránsito, pero este defecto se corrigió inmediatamente. La función de estreno elegida por la empresa fue una comedia en tres actos traducida libremente del francés por D. J. C. titulada: *Influencias de una suegra y solaces de un marido*, en la que mi rudo ingenio halló mucho de frío, débil y forzado, y a tiro de ballesta se conoce que el autor es de los innumerables que proveen la escena francesa y que no pasan sino de muy medianos. En cuanto a la traducción, me pareció bastante esmerada, bien que esto de trasladar la escena de un país a otro, requiere más tino del que a primera vista parece. No basta en mi concepto substituir el nombre París por el de Madrid, ni el de Burdeos por el de Cádiz, pues esto no serviría más que para crear disonancia, si los personajes no se hacen verdaderamente españoles tanto en lenguaje como en modo de proceder, para lo que es absolutamente indispensable el conocer las costumbres. Todos los actores a porfía se esmeraron en el buen desempeño de sus papeles y los trajes de las señoras Peluffo, Cordero y Francesconi eran a la verdad hermosísimos y de grande lucimiento.

Cleofas Landro Pérez Zambullo
1º de abril de 1845

Ascensión. Estando ya de vuelta en esta capital y tratando de manifestar a mis amigos el estado a que me redujo el desgraciado éxito de mi ascensión en Morelia, me veo precisado a hacer una corta relación de ello para satisfacer el deseo que han mostrado únicamente por efecto de su bondad. El día 11 de noviembre de 1844 a las ocho y media de la mañana se comenzó la operación de inflar el globo, lo cual se verificaba trabajosamente o por algún retardo a causa de que el mucho viento hacía que se perdiera bastante cantidad de gas. Después de algún tiempo desapareció la esperanza de que se tranquilizara la atmósfera y violenté la operación, de modo que a la una y media estaba lleno el balón hasta las tres cuartas partes de su capacidad. A esa hora y después de haber introducido en la canastilla los auxilios precisos para mi viaje, convine con los Excmos. señores gobernador y comandante general y el señor prefecto, que se prestaron gustosos a honrarme soltándome a la voz de convenio que lo hicieran en el lugar que calculé más propio para impedir el choque del globo contra la cornisa de la Plaza, que tiene de altura 16 varas poco más o menos. Mas en el tiempo que dilataron en llevarme al lugar elegido, perdió el globo por las diversas formas que el aire le hacía tomar tal cantidad de hidrógeno, que no hubo ninguna fuerza ascensional y esta circunstancia me obligó a adherir el balón a la manga de comunicación y a elaborar nueva cantidad de hidrógeno para reponer el perdido, consiguiéndolo con grande dificultad, porque el gas contenido se veía impelido por la fuerza del viento a buscar una salida, que era precisamente por la que el aparato se nutría de nuevo gas. Éste las más veces no tenía la fuerza bastante para vencer una columna mayor, y de consiguiente retrocedía de la manga a las campanas, por donde se perdía.

En esto eran ya las dos y media de la tarde, y resuelto a ascender, me coloqué en el lugar conveniente, del que se desprendió el globo, mas al instante fue arrebatado por la furiosa corriente del aire hasta hacer que chocara en el extremo opuesto de la Plaza, de manera que el globo quedó sobre la azotea, mientras la canastilla que había entra-

367

do al palco correspondiente, me facilitó asirme de una columna. Pronto fui arrebatado de ella y quedé en la posición más crítica y peligrosa, es decir, ya con todo mi cuerpo fuera de la canastilla. Naturalmente me afiancé entonces del aro que sujeta los cordeles de la red, con el fin de soltarlo tan luego como sintiera deslizarme por la azotea. En efecto así lo hice cuando advertí estaban mis pies enredados con un cordel perteneciente a la ancla y del que hubiera quedado pendiente por mucho tiempo si al acabar mi paso por la azotea no me hubiera asido fuertemente a su borde exterior, con la única esperanza de que deshaciéndose los cordeles, pudiera quedar algún tiempo en esa posición y salvarme, pero fue inútil todo mi esfuerzo porque instantáneamente sucedió el esquicio de esa parte y la rotura del cordel. De consiguiente la caída fue inevitable, verificándose a las doce y tres cuartos, tocando el suelo con el borde externo del pie derecho originándose la ruptura de la articulación hacia su parte externa, hasta originar la salida de las extremidades articulares de los huesos de la pierna y el pie. La inflamación consiguiente fue la causa de que las partes que se habían separado no pudieran unirse sin hacer antes la dilatación de las partes blandas accesorias para conseguir su colocación.

Esta operación principalísima la hizo graciosamente y con mucha destreza el señor don Bruno Eguea Martínez, profesor examinado y recibido por el Real Colegio de San Carlos, que sin embargo de no ejercer la facultad, en obsequio de las circunstancias se presentó a socorrer el caso, negándose a aceptar la amputación que en el acto propusieron los señores facultativos Suthe, González Ureña y otros que no recuerdo, sin apelar antes a los recursos del arte y sin advertir que la falta de ese miembro quitado sin necesidad, destruiría mis esperanzas y la mitad de mi vida. Entregado en las manos de estos señores, bien hubieran podido mutilar la pierna si el dicho señor Martínez no hubiera intentado la reposición que ejecutó y cuyos resultados no pueden desmentir su pronóstico. Como dije al principio, el golpe causó al mismo tiempo la luxación de la mano del mismo lado, la que también redujo el mismo señor un momento después, siendo esto suficiente para que después de algunos días tuviera el uso expedito de ella. En este estado me condujeron a la casa de los señores don Joaquín Saviñón y don Antonio Rendón, de cuyos señores y familias recibí muchos auxilios y un distinguido aprecio, en la que se verificó una junta a las seis de la tarde, resultando de ella encargados de mi curación los señores facultativos don Juan Macouzet y don Agustín Córdoba, logrando, a merced de medicinas muy activas, impedir la inflamación que en ese momento hubiera sido peligrosa. A los cuarenta días precisamente se despide el señor Macouzet por una carta en la que me acompaña un método curativo y manifiesta que con la presencia del señor Córdoba sería bastante, y me intuye con ambas firmas un recibo de seiscientos pesos que satisfice, dándole las debidas gracias y el justo sentimiento de que se retirara antes de estar completamente curado.

Benito León Acosta
9 de abril de 1845

Gran Teatro Nacional. 8 de junio de 1845. La comedia nueva en cinco actos, su título: *La calumnia*. Por la tarde la comedia en un acto titulada *Las mujeres nunca dicen a punto fijo su edad* o *La fe de bautismo*. En seguida el magnífico baile *Napoleón en Egipto*.

Teatro Principal. La comedia nueva en un acto titulada *Aviso a las coquetas*. A continuación la graciosa pieza en un acto nominada *Tres compañeros de cuarto*. Por la tarde el grandioso drama en cinco actos titulado *El Tasso*.

Teatro de Nuevo México. Sábado 28 de junio de 1845 y domingo 29 a las cuatro de la tarde. Gran función del Circo Angloamericano y el Hombre Elástico. La junta de manejo de la Compañía de Equitación que está ahora exhibiendo en el Teatro de Nuevo México, tiene el honor de participar al generoso público mexicano que en adición a las hazañas sin paralelo del ecuestre señor Eduardo Kelly y de las extraordinarias manifestaciones de elasticidad de cuerpo del señor Hamlin, cuyos hechos de esta clase son la maravilla del mundo, se exhibirá un arrogante león africano real. Este noble animal fue importado derecho de la África a Londres, y fue exhibido por cuatro años consecutivos, y en este tiempo fue puesto en dos ocasiones a la atención de S.M. y S.A.R. el príncipe Alberto, causando la admiración de estos personajes reales, quienes tributaron sus aplausos a los dueños por haberles proporcionado el gusto de ver un ejemplar de los magníficos de las obras de la creación. Este rey de los bosques se exhibirá en una jaula bien asegurada de fierro y de tal manera asegurada que todo concurrente tendrá una plena vista de él sin incomodarse, y se le dará de comer al tiempo de la exhibición para que se enseñe ventajosamente su tamaño, arrogancia y ferocidad. La exhibición comenzará el sábado a las ocho de la noche y se repetirá el domingo a las cuatro de la tarde.

Función en homenaje a don Fernando Calderón. La empresa del Teatro Nacional dispuso para anoche una lucida función en honor de nuestro distinguido y malogrado poeta don Fernando Calderón. Se representó el más popular de todos sus dramas, *El torneo,* y entre el primero y segundo acto se presentó sobre el foro, en medio de una magnífica decoración, el busto del poeta. Los actores Mata, Castro, Barrera y la señora Cañete recitaron composiciones poéticas alusivas a aquel objeto y formadas por los señores don Juan Navarro, licenciado don Alejandro Arango, don Ramón Arcaraz y don Guillermo Prieto. En seguida el busto del poeta fue colocado en el peristilo del mismo teatro. El edificio estuvo perfectamente adornado e iluminado, y la numerosa y escogida concurrencia que asistió a pesar del mal temporal, mostró por medio de los más vivos aplausos su entusiasmo por la gloria del ilustre poeta mexicano.

12 de julio de 1845

Ópera. Anoche comenzó sus tareas la nueva compañía italiana con una concurrencia inmensa por lo que los palcos ofrecían una vista admirable. Representaban la ópera *Los Puritanos* en la cual la señorita doña Eufrasia Borghese hacía el papel de Elvira. Al presentarse esta joven cantatriz fue acogida del modo más lisonjero; dotada de una presencia que agrada, su acción es animosa y natural, y su gracia dramática realza aún más su persona. Flexible y de mucha extensión su voz tiene una melodía pura cuyas notas se suceden con claridad y precisión. Su método es moderno, su gusto exquisito y todo en fin revela en ella una alumna de los grandes maestros italianos. Debe ser preciosa en *La Sonámbula* y la *Lucía*, papeles que parecen haberse creado para su persona y para su voz. Cuando este ruiseñor viandante haya reproducido ante los *dilettanti* mexicanos las amenísimas inspiraciones de Bellini en ambas composiciones, podrán juzgar mejor del mérito de esa profesora. En primer lugar porque se habrá ejecutado en una escala más vasta y luego porque el oído habrá tenido lugar de acostumbrarse a las modulaciones de esta voz que acaba de herirlo por primera vez y cuyo compás no puede ser todavía apreciado con certeza, pues así como una buena música no puede comprenderse y apreciarse sino después de haberla oído muchas veces, así es preciso que el oído se vaya acostumbrando a una voz docilitada con arte, para poder conocer todas sus dotes y bellezas. Cuando la Cesari se estrenó en México, en la *Semíramis*, su mérito, aunque notable, no fue apreciado en su justo valor, y sucedió lo propio cuando se oyó a la Castelán por

370

vez primera en las tablas mexicanas. Con todo, la señorita Borghese alcanzó mayor dicha, pues su estreno fue acogido con no pocos palmoteos y este incentivo lisonjero será para ella el indicio cierto de los tiempos que la esperan en el porvenir.

La señorita Borghese fue muy bien acompañada por el nuevo tenor cuyo canto es fácil y agradable, y por Tomassi, cuyo bajo lleno y sonoro conocemos ya. Los coros fueron también regulares. A pesar de todo, el conjunto tal vez habrá carecido de calor.

10 de agosto de 1845

Estreno de la compañía de ópera. Los numerosos *dilettanti* que conocemos, mucho más atrevidos que nosotros en sus juicios irrevocables, desde la primera representación dada el miércoles por la compañía italiana, clasificaron el talento de cada artista y le designaron a cada uno el lugar que debe ocupar en la opinión pública. La nueva compañía está juzgada. Es una lástima que de esta crítica hecha precipitadamente, resulten enormes diferencias entre nuestros apasionados. En efecto, unos, que son los optimistas, los más numerosos ensalzan a la compañía como excelente. La señorita Borghese y los señores Perozzi, Tomassi y Candi son, según ellos, artistas de primer orden; no se podía esperar cosa mejor y nos prometemos por cuatro meses enteros, añaden los mismos, inefables placeres. Esta opinión ha sido la de la inmensa mayoría y participamos de ella completamente, al menos cuanto es posible formar un juicio la primera vez que se oye a cantores, cuya emoción inseparable de un estreno en un foro imponente, debía paralizar los más impresionantes efectos.

Otros, que son los pesimistas, los eternos opositores por ignorancia, por pasión o por natural ruindad, todo lo encuentran detestable según costumbre. Ellos habrían mirado con desprecio a la Castellan, silbado a la Bozetti y visto con fastidio todos los actores de la antigua compañía. Los nuevos artistas verán con desprecio las enemistades de tan pequeño partido.

16 de agosto de 1845

Historia del Teatro Principal. Al hablar de la historia de ese edificio, parece conveniente hacer mérito de algún antecedente relativo al Hospital al que perteneció. En tal supuesto, es de saberse que el V. Bernardino Álvarez, después de haber servido diez años a los enfermos en el Hospital del Marqués del Valle (de la Purísima Concepción que más generalmente se ha llamado de Jesús Nazareno) se esforzó en fundar en 1566 una casa de restablecimiento de convalecientes, la que abrió primeramente en la calle de la Zelada, hoy de San Bernardo, en un solar que donaron Miguel Dueñas y su esposa Isabel Ojeda, y se extendía de los confines del que después fue monasterio de aquel santo hasta lo que hoy es Porta Coeli, proporcionando más amplitud y ventajas otro terreno que lindaba con la antigua iglesia de San Hipólito, vendió el primero a Dionisio Citola, y en el nuevo fabricó algunas viviendas y otras amplísimas enfermerías todas bajas. Primeramente por sí y después auxiliado por varios eclesiásticos seculares que formaron la Congregación de los Hermanos de la Caridad, comenzó a recoger toda clase de enfermos, principalmente convalecientes, y también a los demente o locos. Habilitó en seguida recuas hasta de cien cabalgaduras para que trajesen de Veracruz a la multitud de enfermos que se encontraban sin auxilios en aquella plaza al arribo de las flotas. Después extendió el mismo beneficio al puerto de Acapulco, no solamente para recoger a sus vecinos, sino también a los muchísimos que llegaban enfermos de Filipinas. Así fue progresando esta asociación de caridad que tuvo principio en 1569, se erigió en hermandad en 1585, después en Congregación en 1604 y por último en 1700 se erigió en religión que llegó a atender a las enfermerías de su filiación en el trienio de 1727, 28 y 29, a 10 025 enfermos de ambos sexos. Su fundador el V. Álvarez murió en el referido Hospital el 12 de agosto de 1584.

Los grandes méritos de esa religión y su infatigable celo en el servicio de la humanidad, hicieron que el rey pusiese a cargo de religiosos de ella en 22 de abril de 1721, el famoso Hospital de Indios, llamado generalmente Hospital Real de Naturales, de fundación muy antigua en la Nueva España y en el que existían en 1730 veinte religiosos para la atención de sus enfermos, según documento que tengo a la vista, y en el que pidieron al rey se les entregase también la iglesia y todo el calmo espiritual, quitándose el capellán clérigo por inconvenientes que otra vez había representado a su superior. El claustro principal y patio de ese Hospital de Naturales eran el Coliseo de México, hasta que en 20 de enero de 1722, estando ya a cargo de los religiosos, lo destruyó un voraz incendio que acabó con el guardarropa y se extendió a las casas vecinas, habiéndose representado la tarde en que comenzó el fuego la tragedia *Ruina e incendio de Jerusalén* o *Desagravios de Cristo*, la cual dice Cabrera que se representó a lo vivo en castigo de la profanación de aquellos lugares convertidos por largo tiempo en coliseo.

El día 20, en cuya madrugada se notó el incendio comenzado la noche anterior, debía representarse en la noche, según Fuente en su *Diario Sagrado y Profano*, la comedia o tragedia *Aquí fue Troya*.

Parece claro que los mismos religiosos hipólitos se entendían en aquel Hospital Real con lo relativo al arrendamiento de bancas y aposentos del coliseo, pues en la representación de que he hablado dicen al rey que ya le habían hecho presente ser muy ajeno de su estado "atender los corrales de las comedias, alquilar los aposentos, mezclarse con comediantes y con personas que iban a representar o a ver las comedias, lo cual debía ser del mayordomo del hospital". Con ocasión de ese incendio se trató de fabricar separadamente el coliseo y se procedió también a reedificar el hospital, para lo que ministró el rey los 10,000 pesos que expresa la cédula. El nuevo coliseo y que hoy se llama Teatro Principal, se concluyó en 1753, según un apunte antiguo que dice lo siguiente: "Diciembre 25 de 1753. La tarde del 25 se estrenó el nuevo coliseo que se ha fabricado en la calle del Colegio de Niñas, frente de la casa Irolo, en las casas que fueron de don Juan de Villavicencio. Corre de oriente a poniente y su hechura es a modo de una herradura. Está hecho de mampostería con 41 cuartos techados de vigas de arquería, con sus balcones de fierro volado de media vara de alto. Tiene tres altos sin el de la cazuela. La principal frontera del teatro tiene en su medio las armas reales y lo restante de varias pinturas de fábulas. Las demás fronteras de azul y blanco, el techo de tablazón forrado por dentro de cotense dado de blanco con diversas pinturas, y por fuera de plomada con sus corrientes, siendo su fábrica como de zaquizamí. Su principal puerta cae al occidente con un portal y tres arcos, teniendo otra puerta inmediata por donde se entra a todos los cuartos. Corrió esta fábrica por cuenta del mayordomo del Hospital Real don José de Cárdenas, quien echó el resto en lo pulido y exquisito. Asistieron SS.EE. y un numeroso concurso a la primera comedia que fue la de *Mejor está que estaba*."

J. Rodríguez de San Miguel
11 de septiembre de 1845

Gran Teatro Nacional. En este hermoso edificio situado en la calle de Vergara, una de las principales y en el centro de esta capital, se ha establecido una sociedad con el lujo y decencia digno de ella y con todo lo necesario para la comodidad del público. En ella se encuentra un hotel muy espacioso y con más de cuarenta cuartos perfectamente amueblados, correspondiendo a la hermosura y comodidad del local el servicio y atención que se prestará a las personas que habiten allí, para lo cual no se ha omitido medio ni gasto alguno. Al efecto se ha puesto la fonda por don Tomás Laurent, quien sin embargo del crédito que desde hace años disfruta en esta capital, ofrece a los huéspedes del hotel y al público en general, servirlo con todo esmero y a los precios más equitativos. Asimismo hay en la sociedad dos hermosos salones elegantemente adornados y con seis mesas de billar de pizarra construidas en Londres, que se asegura al público son las mejores que existen en esta capital, sin que por esto sean mayores los precios que se acostumbran en las demás sociedades. Además existe otro salón muy hermoso y adornado con el mismo lujo para el juego de tresillo y demás carteados, en donde también se encuentran los criados necesarios para servir a los concurrentes. Los reglamentos de cada ramo estarán fijados en su local respectivo para gobierno del público.

19 de septiembre de 1845

Teatro Nacional. 27 de septiembre de 1845. Por la noche se ha arreglado la función siguiente: 1º Grande obertura de *Los diamantes de la corona*. 2º Himno Nacional compuesto por el profesor mexicano don Ignacio Ocadiz y cantado por la señorita Zepeda y Cosío, y los señores Perozzi, Tomassi y Candy, y coristas de ambos sexos. 3º La hermosa obertura *La Sinfonía*. 4º La preciosa comedia en dos actos titulada *El pilluelo de París*. 5º La grandiosa obertura *El guerrillero*, que se tocará entre el primero y segundo acto de la pieza. 6º La brillante obertura *Los pozos de amor*. 7º Terceto serio bailado por las señoritas Merced y Francisca Pavía y don Luis Pavía, cuya música está tomada del aria de la ópera *La gazza ladra*.

Teatro Principal. 27 de septiembre de 1845. Se ha dispuesto la función siguiente: Después de una hermosa obertura se cantará un Himno Patriótico, composición de don Antonio Gómez. A continuación se pondrá en escena la interesante comedia nueva en tres actos titulada *Amor de hija*, finalizando la función con las boleras nuevas, *Las fraguas de Vulcano*, por las señoras Goce y Moctezuma, y los señores Piattoli y Villanueva.

Carta de autor. No cumpliré con el deber que me impone la gratitud si no diera públicamente las gracias a las actrices y a los actores del Teatro Principal que tomaron parte en la ejecución de mi drama intitulado: *Triunfo de la lealtad y la inocencia*, y muy especialmente a la señora Peluffo por el grande interés con que lo desempeñaron deseosos de su buen éxito. También las doy muy rendidas a las personas que asistieron a su representación por la benevolencia con que la acogió, quienes como yo deben disimular las leves faltas que hayan podido cometerse involuntariamente, considerando que no se le pudo dar más de dos ensayos, y eso con precipitación, ora por falta de tiempo, ora por lo recargado que han estado de estudio estos últimos días los referidos artistas, cuyos esfuerzos por complacer a su auditorio así como los de los demás individuos que forman la compañía del teatro, los hacen cada día más acreedores al aprecio del público.

Francisco Gavito
5 de octubre de 1845

Ópera. La de *El Pirata* se desgració extremadamente por la falta que se notó de la banda militar. Si tal caso sucede con la bella de la *Norma*, en tal caso de que la oigamos, para que el desempeño sea bueno, como no duda el público, la pieza, es cierto, sufre un demérito que descontenta a todo el que tenga una idea exacta de esta hermosa composición del célebre finado Bellini, y así es de creer que no haya tal falta. Un número pequeño de personas que no pueden concurrir al teatro por las noches, desean y suplican a la empresa que en la tarde del próximo día festivo disponga que se ejecute la grande ópera de *Lucía de Lamermoor*.

Uno de tantos
20 de octubre de 1845

Ópera italiana. Dos meses ha que la pasmosa compañía de ópera principió sus tareas artísticas en el Teatro Nacional, y en estos dos meses con dos primadonas y seis óperas, tres de Bellini y tres de Donizetti, oídas ya y repetidas hasta la saciedad muy antes de ahora, han dado los señores empresarios al indulgente y benigno público abonado, dieciocho espectáculos líricos que apenas componen dieciséis representaciones de ópera y tres cuartos, todas muy bien ensayadas y mejor dirigidas, propia y magníficamente decoradas, con elegancia y primor vestidas, brillantemente ejecutadas y deliciosamente traducidas. Y hemos dicho dieciséis representaciones y tres cuartas, porque la novena y última función del primer mes de abono, no fue más que media ópera, es decir, un acto solo, aunque dividido en dos partes, corregido e ilustrado con variaciones a la francesa en la cavatina, y porque la décima, o sea la primera función del segundo mes de abono, ha sido un concierto vocal e instrumental obligado a oberturas que escasamente puede reputarse como una cuarta parte de una función, a pesar de que concluyó con el canon de un terceto de una ópera bufa, cuya melodía fue una mera risa más bien que música. Parecía una pesada burla a los espectadores, con la cual sin embargo nos reímos a carcajadas, porque nosotros que somos amables, tenemos la maldita tentación de reírnos hasta de las cosas que nos ridiculizan y ponen en evidencia nuestra proverbial y ovejuna tolerancia, sobre todo si las tales cosas están de moda o tienen la novedad, que es lo que más nos encanta y enajena.

Por esta ligera reseña que acabamos de hacer de las fiestas líricas que en dos meses hemos visto en el Gran Teatro, resulta que la empresa nos es deudora de una ópera, sin contar por supuesto con lo que se suprime en *Los Puritanos*, sin duda por superfluo, ni de lo que se le quita a la *Lucía* por impropio, ni de lo que se le cercena al *Elíxir* por estrafalario, ni de lo que se omite en *La Sonámbula* por inútil, ni de lo que se escatima en *El Pirata* por insípido, desabrido y de mal gusto, pues que si de todo esto hubiésemos de hacer caudal, claro es que aun calculando con la mayor equidad posible, nos deberían los empresarios lo menos tres representaciones de ópera que nosotros le perdonamos de muy buena gana por los "inefables placeres" que nos han proporcionado. Algunos *dilettanti* opinan que la amable *primadonna* y el interesante tenor de esta compañía no sólo no cantan las óperas, sino que las restan tomando lentamente los tiempos, confundiendo los andantes con los alegros, e incurriendo siempre en una insoportable monotonía. También hay quien asegura que nuestra *primadonna* apenas puede pasar por dama de *vaudeville* y que no tiene ni fuerza ni voz para cantar óperas, especialmente si ha de cantarlas como las escribieron sus autores, esto es, sin quitarles nada de como se canta en el inteligente y culto mundo filarmónico. Pero ésta es una suposición gratuita que no merece ni considerarse como una festiva paradoja, y aun cuando así fuese, ése sería su gran mérito: cantar sin tener voz. Entre nosotros que vemos todos los días vistas ciegos, oidores sordos, diputados mudos, correos paralíticos, etcétera, eso nada tendría de fenomenal, pero no es así; la *primadonna* absoluta puede muy bien cantar todas las óperas como ha cantado *Los Puritanos* y la *Lucía*, como canta la *Sonámbula* y el *Pirata*, es decir, del mismo modo que aquel predicador asimilaba el nombre de su padre San Francisco con el de J. C. (no se entienda por Jesucristo al traductor de las comedias del Teatro Principal), quitándole y poniéndole letras, lo que no deja de ser una novedad de mucho mérito para nosotros que hasta ahora nunca habíamos oído cantar óperas así... por ese orden. Pero no se le puede negar a la *donna* absoluta que sus notas graves y medidas son robustas y sonoras, limpias y puras, aun cuando se le oigan muy pocas veces o se perciban de una manera desagradable, porque esto depende de lo poco acústico que es el teatro que sus sonidos agudos son dulces, brillantes y muy afinados, aunque parezca que desafina siempre que se esfuerza o emprende alguna dificultad superior a sus facultades de gaznate o de cabeza; que sus trinos, sus escalas semitonadas y todas sus agilidades son hechas con suma precisión y delicadeza, aunque en realidad no haya en ellos ni claridad ni limpieza ni facilidad, y que finalmente su expresión y sus sentimientos en los papeles del género fuerte y patético, son admirables, y que si nos hacen impresión y no lloramos, es porque además de ser algo insensibles, la orquesta no nos deja percibir las más veces tantas bellezas, a pesar de que frecuentemente la acompaña *troppo piano*.

En cuanto al tenor, nosotros debemos decir en obsequio de la verdad que para cantar en una octava de voz poco más o menos, hace primores, y si bien es cierto que se esfuerza un poco para tomar un *sol*, y desentona graciosamente al tomar un *la*, esas pequeñas imperfecciones se compensan con usura por el modo con que dulcifica los sonidos elevados, por el modo con que da fuerza a los graves y por la manera varia con que matiza unos y otros, ayudado del acento de su voz y del que le ministra la *parola*, así que jamás se le observa monótono y en cada ópera es una cosa distinta, sobre todo en los trajes, cuyas medias tintas producen en el oído un efecto maravilloso. El juicio que tenemos formado de las dos principales partes de la actual compañía de ópera, nos induce a creer que si continúa dando óperas de primera magnitud como las que hasta aquí nos han dado, deberán en breve adquirirse una opinión colosal, muy superior a la granjeada en *Sonámbula* y *Pirata*. No será extraño que vuele de tal manera que el día menos pensado lleguen algunos comisionados de Meyerbeer, de esos que corren por montes y valles, a llevarnos a la *donna* y al tenor para que vayan a cantar a la Academia de Música el *Profeta* y la *Africana*. Dios nos tenga de su mano y nos libre del fanatismo político y filarmónico que tanto cuerpo va tomando entre nosotros, y de todo charlatanismo. Amén.

El Pobrete
23 de octubre de 1845

Una carta de mi tío. Muchos días ha que dio usted en la manía de que yo escribiera algunos artículos sobre los espectáculos, y particularmente sobre las óperas, porque usted cree que unas cuantas zumbas frías o calientes podrían ser de algún modo provechosas para algunos; y yo, que opino todo lo contrario, pienso que hoy en México ni sobre los espectáculos ni sobre otras muchas materias, ni yo ni nadie debe escribir una sola letra, porque estoy convencido que ya los impresos van cayendo en desuso como muchas de nuestras leyes, y que no hay peor sordo que el que no quiere oír. Los artículos sobre los espectáculos, señor mío, así como sobre otras mil cosas de pública utilidad, no deben tener por objeto el reírse o hacer reír a los demás a costa de este o del otro pobre diablo, sino el noble y laudable fin de instruir e ilustrar a la multiud siempre pensadora, llamada sin duda por antífrasis "el respetable", sempiterno juguete del charlatanismo y de cuanto huele a pampanaje. Para realizar tan interesante mira y obtener el resultado que usted y algunos otros pocos apetecen, que es el que progresen las artes y se destierren los abusos, hijos de la indolencia y la ignorancia, sería preciso atacar errores, censurar defectos, combatir desaciertos, hacer frente a preocupaciones y vicios, protestar contra la moda, sublevarse contra las innovaciones nocivas al buen gusto, pronunciarse contra los métodos bárbaros, y en una palabra arrancar la máscara al falso mérito sea cual fuere el rostro que aquella encubriera. Mas para poner en obra tan vasto plan, se hacía indispensable llevarse de encuentro a los señores empresarios y pegar con los pobres artistas, lo cual sería una profanación escandalosa que daría pábulo a los fanáticos para que gritasen hasta desgañitarse contra el sacrílego que se atreva a abogar por el buen sentido y honor de las artes, cuyo adelanto e interés deben ser el móvil del escritor imparcial y desinteresado que desea de buena fe la propagación de las luces. Y ya usted ve que todo esto no es un grano de anís, y que semejante tarea, a más de ser ardua y dura, vendría también a ser infructuosa y peliaguda en una época en que por quítame allá esas pajas, se pone a un triste articulista como hoja de perejil.

Por otra parte, las críticas de cualquier naturaleza que sean se estrellan siempre contra el torrente de un ciego entusiasmo, que es nuestra pasión favorita, que todo lo arrastra y empuja y para el que no basta ningún dique ni compuerta. Es cierto que a la larga las tales críticas suelen producir saludables efectos y que la verdad y el buen gusto van ganando terreno, pero entre tanto el miserable escritorzuelo que no quiere autorizar con su silencio los desatinos que pone en boga la tiranía exclusiva de un partido dominante, se encuentra cuando menos lo piensa empeñado en una desigual e imponente lucha contra los aduladores, los lisonjeros y los necios, personajes todos agudos y tolerantes que no permiten ni que los demás discurran, cuando ellos por su saber, por su fina crítica, por su imparcialidad y buen juicio, apenas les está concedida la facultad de opinar, que es a cuanto puede aspirar la muchedumbre cuando se trata de las artes, que no entiende ni conoce, pero que por desgracia están sometidas a su jurisdicción.

Usted sabe que para las pasiones que no filosofan, las críticas, por más sanas y justas que sean, no son el mejor de los antídotos. En el día, no lo dude usted, el espíritu de partido y el fanatismo avasallan los espectáculos, y cuanto se diga de éstos, como no sea en su alabanza, no podrá traerle al escritor más que riñas y disputas, odios y pendencias. Cosa admirable: hoy que todo conspira contra nosotros dentro y fuera de la República, nos ocupamos con más calor de las frivolidades teatrales que de las desgracias que por todas partes nos acosan y de los males que sufrimos. Nuestro Teatro Nacional, su suerte futura y su problemática organización para el año entrante, bulle con más fuerza en los cerebros de la juventud, esperanza de la patria, que la invasión de Texas, que la irrupción de los indios bárbaros en Durango y Zacatecas, que las revueltas de Tabasco y Sonora y que todo cuanto puede haber de sagrado y de interés vital para ella. Y lo peor es que hasta los viejos han participado del común contagio y acaso por la debilidad misma de los años, han dado muchos en la locura de los jóvenes, y los ve usted frenéticos aplaudir en el teatro y sostener con vigor y llenos de electricidad el partido que defienden. ¡Lo que son las pasiones y lo que somos nosotros! Todos los días vemos insultar de un modo rústico y grosero, y con los epítetos más toscos y denigrativos, al jefe del Estado y a sus ministros sin que una sola pluma venga en su auxilio, ni una voz se alce no para apoyar sus actos si no son buenos, pero sí para defender su dignidad con energía, siquiera por el decoro de la nación misma.

Pero si se tratase de las que se llaman artistas, sin que yo sepa por qué se les da ese nombre, si esas artistas fuesen cantantes, y cantantes mexicanas sobre todo, se puede asegurar que el anatema de los furiosos caería sobre la cabeza del escritor y que los periódicos todos vomitarían contra él epigramas y sarcasmos a millares, aun cuando usase un lenguaje comedido y no insolente y tabernario como el que acostumbran algunos periodistas que no se respetan a sí mismos. Por aquí inferirá usted que el entusiasmo circula. Convencido, pues, de estas verdades que no tienen por cierto nada de nuevo, supongo que ya no insistirá usted en su proyecto quimérico de que escriba yo artículos ni teatrales ni antiteatrales. ¿Y qué adelantaríamos con escribirlos? ¿Darían por eso los empresarios mejores piezas? ¿Dejarían los intérpretes de Scribe, Melesville, etcétera, de traducir en gabacho? ¿Sabría juzgar mejor el público el mérito de un drama? ¿Veríamos abolida la soez rutina y aplaudir a garrotazos? ¿Los censores prohibirían tanta composición inmoral y obscena como vemos en el tablado? ¿Aprenderían los empresarios a calificar las comedias para no regalarnos con tantos mamarrachos insípidos y desabridos? ¿Serían ciertas bailarinas más honestas en sus contorsiones y actitudes? ¿Adquirirían ellas la gracia, la nobleza y la blandura de los movimientos, la expresión pantomímica y el desarrollo armonioso de las diversas partes del cuerpo cual se requiere para bailar con gusto y elegancia lo que se baila en nuestros teatros? ¿El público sería más circunspecto y menos pródigo en sus aplausos, que sólo deben ser la recompensa del verdadero mérito? ¿Se acostumbrarían los espectadores vocingleros a sisear o aplaudir no por antojo o capricho, sino al que lo mereciera? ¿Los espectáculos comenzarían a la hora de costumbre y serían menos cansados los entreactos, que hay noches en que son más largos que la pieza que se representa? ¿Haría observar la policía el reglamento en todas sus partes? ¿Las graciosas dejarían de transformarse en damas románticas y plañideras, y las matronas en jovencitas púdicas e inocentes? ¿Renunciarían los barbones de gesto adusto y ronco acento a los papeles de pisaverdes y petimetres almibarados? ¿Las comedias, y especialmente las óperas, se vestirían y decorarían con más propiedad y verosimilitud? ¿Llegaría a entender el público que la ópera es un espectáculo de puro lujo inventado exclusivamente para el goce de los sentidos y que por consiguiente se necesita en él de un grande, propio y magnífico aparato? ¿Presentarían los empresarios en cuatro meses alguna ópera moderna y nueva a un pueblo siempre ávido de novedades? Juzgo que no, amigo mío. Pues no se canse usted, aunque ya lo supongo bastante sofocado con tanta pregunta: con escribir artículos no se curarían tales llagas, sino todo lo contrario; puede que se esmerasen más en perpetuarlas como se esmeran en arrojar palomas, coplillas, pichoncitos, flores y coronas, que si bien nosotros somos muy dóciles, a veces la más leve contradicción nos irrita sobremanera.

Y así quiere usted que yo escriba artículos sobre la materia. No tiene duda que esto fuera el colmo de la necedad. Con ponerle a esta actriz o a aquel actor sus vicios de manifiesto, ¿qué conseguiríamos? Nada. Los actores antiguos, aun cuando se le revelen todas sus faltas, no haya miedo que las corrijan; habituados al incienso y a la lisonja, no ven en los críticos más que a unos mordaces ignorantes a quienes ellos bautizan con el nombre de "animales" cuando les hacen mucho favor. Los actores noveles siguen sus huellas y entusiastas ciegos de los vicios triunfantes de sus modelos que ellos ven bellezas, no piensan más que en imitarlos o remedarlos sin otro examen ni estudio.

Si de lo dramático pasa usted a lo lírico tropezará con los mismos inconvenientes: dígale usted por ejemplo a una cantante práctica y experimentada que desafina a cada paso, que desfigura y desnaturaliza todos los temas de una ópera, que suple la expresión y el sentimiento con falsas agilidades, que en su juego de teatro no hay ni naturalidad ni verdad, que todo allí es coquetería, que las sacerdotisas las convierte en *grisettas*, y que ni las actitudes forzadas, ni los gestos estudiados, ni los gritos, ni las muecas, ni el uso de la escena pueden ocupar nunca el sitio de la sensibilidad que es indispensable para los caracteres tiernos y patéticos, y la oirá usted poner en el cielo sus gritos calificándolo de bárbaro y blasfemo, y sin embargo no habría nada más fácil de probar. Ahora aconseje usted a una cantante bisoña, persuádala de que para cantar óperas, y óperas de fuerza, no basta tener una octava y media de notas limpias y puras, que se necesita además poseer una voz extensa y ágil, energía en el sentimiento, mucha sensibilidad, fiereza imponente en la pantomima, vehemencia en el sentimiento y una alma eléctrica que es el foco de la expresión teatral, que no reside por cierto ni en la garganta ni en los pulmones, como creen muchos avisados; adviértale usted que para expresar los celos, el despecho, la cólera, el furor concentrado y todas las fuertes pasiones que hay generalmente en las protagonistas de las óperas, no basta cantar las notas, que es preciso sentirlas, afinarlas y apoderarse de ellas con maestría, dulcificando los sonidos elevados y dando fuerza a los graves y a los medios, ya sea con ayuda del propio acento de la voz, ya por aquel que le pide prestado a las palabras, que es el modo de quejar sin que lastime el oído y la música penetre hasta el alma y la inunde de placer sin que el menor sacudimiento venga a turbar o distraerla irritando los nervios. Amoneste así a una joven cantante que en vez de consejos útiles recibe malos versos, y en lugar de elogios sinceros le tributan estudiadas mentiras, y verá lo que le contesta: un gesto de desaprobación a lo sumo.

No, amigo mío, de los teatros no se sabe escribir más que las novedades del día, como la prodigiosa aparición de las tres *Normas*, la escena cómica de los besos, que después del relato de la catástrofe de Adalgisa con Polión, pega como a un Santo Cristo un par de pistolas, pero el público estaba contento y la cosa marchaba como marchan todas las nuestras, a pedir de boca. Veo que pronto tendremos más "nuevas novedades", es decir, muchas en una; a saber: *El Barbero de Sevilla* para beneficio, pero apuntalada, alzada, ripiada y sacada de quicio la parte de la amable Rosina, y el Don Bartolo en poder del señor Barrera, que nada nos dejará que desear. Dios ponga tiento en su garganta.

Adiós, amigo don Abundio, y no me hable más de teatros hasta la nueva temporada, si es que quiere gozar en lo sucesivo de la amistad del tío de su sobrino

J. P.
4 de noviembre de 1845

Gran Teatro Nacional. Beneficio de la señorita Eufrasia Borghese, *prima donna* absoluta de la compañía italiana, que se verificará el martes 2 de diciembre de 1845. Llena de gratitud por las distinguidas pruebas de benevolencia que el generoso público mexicano se ha dignado dispensarme y deseosa de complacere por todos los medios que estén a mi alcance, a fin de conseguirlo he apresurado para esta noche la deseada ópera cómica en dos actos del maestro Rossini, *El Barbero de Sevilla*, en la cual el acreditado artista don Ramón Barrera tiene la complacencia de prestarse como un favor particular a desempeñar el papel de Don Bartolo. Los otros papeles serán desempeñados a saber: el de Fígaro por el señor Tomassi; el del Conde Almaviva por el señor Perozzi; el de Don Basilio por el señor Candy; el de Bertha por la señora López; el de Fiorello por el señor Zanini; el de Rosina por la señorita Borghese, quien cantará en la escena de la lección de música el brillante rondó francés de la ópera *Le billete de loterie*, música del renombrado maestro Nicoló. Para hacer más amena y variada la función, la señorita doña María de Jesús Zepeda y Cossío se ha ofrecido bondadosamente a cantar en el intermedio de la ópera la cavatina del maestro Mercadante en la ópera *La donna Caritea*. Igualmente don Hipólito Larsonneur ha tenido la dignación de prestarse a concurrir a mi beneficio para ejecutar en el violín las célebres variaciones de *El carnaval de Venecia*. Después se ejecutarán sin interrupción las piezas que siguen de la ópera francesa compuesta expresamente en la ocasión de mi primera salida en el Real Teatro de la Ópera Cómica de París, por el célebre maestro Donizetti, *La hija del regimiento*; a saber: 1º La gran obertura por toda la orquesta. 2º El coro de soldados

Rataplán, Rataplán, por los señores coristas en trajes militares. 3º **La** escena y el brillante dúo por la señorita Borghese con traje de vivandera y por el señor Perozzi vestido de sargento. Si con la función que ofrezco acierto a complacer al bondadoso público de esta hermosa capital, quedarán satisfechos los deseos de la que siempre conservará grabado en su corazón el grato recuerdo de los mexicanos. Eufrasia Borghese. El salón de espectáculos se iluminará extraordinariamente. Pagas: Palcos por entero con ocho entradas, 8 pesos. Patio, 1 peso 4 reales. Galería alta, 4 reales. Los boletos se expenderán hasta el día de la función en la morada de la señorita Borghese, hotel del mismo teatro, cuarto número 16, hasta las 3 del día de la función.

Gran Teatro Nacional. Función extraordinaria que ha de verificarse el jueves 9 de diciembre de 1845 a beneficio de la que suscribe. *La Sonámbula*, ópera del maestro Bellini. En la octava escena de la segunda parte del primer acto, cantaré la romanza de *La Parisina*, acompañándeme yo misma al piano. Segundo entreacto: la señorita Borghese, que se ha ofrecido generosamente empleando en mi obsequio sus reconocidos talentos, cantará una tirolesa francesa. En seguida cantaré yo misma una bella plegaria enteramente nueva compuesta por el acreditado profesor don Vicente Blanco intitulada A *un calavera*. El mismo profesor se presta galantemente a acompañarme al piano. Segundo entreacto: una canción de despedida. La pérdida de mis bienes en la que yo no tuve parte alguna me condujo necesariamente a una condición bien desgraciada; esto es notorio en México. En tales circunstancias, los señores de la empresa de este teatro, primero por la mediación de algunas personas de mi familia y después por sí mismos, se sirvieron hacerme proposiciones para que me resolviese a pertenecer a la compañía de ópera italiana en clase de *prima donna*. No se me pudo ocultar cuán difícil era el desempeño de un cargo tan superior a mis débiles fuerzas, no teniendo más escuela dramática ni más condiciones favorables que las pocas que podía reunir una persona aficionada al canto. Sin embargo, la persuasión de aquellos buenos amigos, la de los señores de la empresa, y más que todo la confianza que me inspiraba un público ilustrado y benévolo que en su mayor parte sabía mis tristes circunstancias, me resolvieron a servirlo, esperándolo todo de su indulgencia. ¡Cuál sería mi sorpresa, cuál mi emoción al ver el modo tan extraordinariamente halagüeño con que me recibió cuando inicié en el teatro y que ha continuado acogiendo en la continuación de mis trabajos. Esto apenas puede sentirse pues que no hay expresiones bastantes para explicarlo. Como una pequeña muestra de mi profunda gratitud, he ansiado vivamente por presentar en esta función de mi beneficio, una ópera nueva y digna de tan ilustre mecenas, más que ya a pesar de mis esfuerzos y empeño no lo he podido lograr por diversas e insuperables dificultades, espero que acepte tan benigno como hasta aquí lo único que puedo ofrecerle con mi eterno reconocimiento. María de Jesús Zepeda y Cossío.

Crónica de ópera. Vamos a escribir algo festivo y variado. Hablemos un rato de nuestro recomendable e interesante Don Hipólito, tipo de la cortesanía periodística y honra y prez de la moderna literatura francesa en México. Figúrome que ya entiende usted que le hablo de M. *Le Courrier Française.* Este caballero con aquella finura que le es propia y con aquella chispa que todos le conocemos, en el número 729 de su estimable e instructivo periódico, al anunciar el beneficio de Mlle. Borghese en un largo preámbulo que precede al anuncio y en el que por poco pide limosna para la *sous dite mlle.*, dice acerca de la importante persona, entre otras cosas, "Mlle. Borghese ha tomado su puesto en este país, puesto el más honorífico y el más merecido, por más que le pese a cierto gacetillero turbulento, el señor J.P., sabio crítico en todos géneros que ha querido y quiere todavía ponerse aquí como el heredero de la erudición enciclopédica del fraile Geofroy; ese J.P. renovado de los griegos y cuya indiscreta mordacidad no obtiene otro resultado que asegurar el triunfo de los artistas que quiere denigrar; ese J.P. en fin, a quien no se puede responder sin riesgo de insultar al buen gusto, a la razón y a la decencia pública." ¿Qué tal? ¡Y qué bien pone la pluma el pícaro! ¿Y ahora qué dirá usted de esto? ¿Habla de mí o del sacristán de la parroquia? Conque ya sabe usted que Mlle. Borghese ocupa en este país el puesto más honorífico, y aunque el ser una cantante menos que mediana no es un gran título de nobleza, con todo si se atiende a la gracia con que despedaza las óperas, si tomamos en consideración lo que las sube y las baja, lo que les añade y suprime, lo que desafina y lo que grita, podríamos concluir que en su género es una notabilidad como hasta ahora no habíamos visto aquí otra.

Y si no, dígame usted, ¿quién ha cantado como ella *Los Puritanos?* ¿Quién como ella ha transformado la contadina italiana del *Elíxir* en coqueta francesa? ¿Quién ha expresado con más verdad y sentimiento el delirio de *Lucía?* ¿A quién puede compararse en *El Pirata?* ¿Quién ha hecho sentir con más vehemencia los acentos tiernos y patéticos de *La Sonámbula?* ¿Quién ha visto una Rosina más graciosa, vivaracha y pispireta que ella? ¿A quién se ha oído un Orsino como el que canta en la *Lucrecia?* ¿Qué otra *prima donna* dio jamás en cuatro meses seis óperas viejas, y se hizo litografiar con más gracia e imprimir su biografía con más oportunidad? ¿Cuándo se ha conocido otra que dé más carreras en la escena ni que haya hecho más genuflexiones al público? ¿A qué dama se ha visto meterse entre bastidores después del dúo con Fígaro, debiéndose quedar en escena y no salir en espera de que la aplaudiesen? ¿Quién ha puesto nunca más resortes en movimiento para ser celebrada? ¿Quién ha tenido la habilidad de cantar sin tener voz? Ninguna. Entonces es preciso confesar que Don Hipólito ha hecho bien en colocarla en el puesto más honorífico, aunque yo reviente de despecho. Es verdad que *El Pirata* murió, que *La Sonámbula* desagradó, que la *Norma* apestó y que las otras óperas vivieron a duras penas, pero también es cierto que según Don Hipólito basta que yo denigre a los actores para que aseguren su triunfo.

Si fuera cierto que mi mordacidad indiscreta basta para asegurar el triunfo de los artistas que critico, no sería menos innegable que los mal condimentados encomios de Don Hipólito, sobran para poner en evidencia lo poco o nada que valen. Prueba de ello son estas dulces y sabrosas réplicas que siempre tienen algún peso en la balanza del buen juicio, pues en México no todos son badulaques. La empresa sin embargo de tanto charlatanismo, sin las entradas que le proporcionó el estreno y la novedad de la joven Zepeda y Cossío, habría perdido su dinero, pues aun con ese aliciente que le acarreó seis enormes entradas y a precios subidos, apenas habrá aventajado unos dos mil pesos, y gracias que sólo duró la fiesta cuatro meses, que si dura seis, ni con seis mil pesos reparaba su pérdida a pesar de lo poco que costaba toda la compañía, o llamémosla más bien patrulla. Es decir de otro modo, que con el sólo mérito de Mlle. Borghese hubiera perdido su dinero y ni al término de los cuatro meses habría llegado. Tal fue el entusiasmo que produjo Mlle. Borghese. Parece increíble que se hable con tanto descaro teniendo a la vista las pruebas en contrario. Pero ya se ve, a mí no se me puede responder sin insultar al buen gusto, pero se me puede ofender y calumniar sin insultar a la razón y a la decencia pública. He aquí a los hombres que vienen de la culta Francia a ilustrar con sus producciones a los bárbaros del Nuevo Mundo. Lo que no puede Don Hipólito, y no es la primera vez que le sucede conmigo, es destruir los hechos que cito, y comprometido en ciertos casos a decir algo, se presenta ufano en la anchurosa llanura de las groserías y personalidades que en su vocabulario son razones concluyentes. Dígale usted que separe las personas de las cosas, que haga abstracción del escritor y hable de sus escritos como yo lo hago, y verá usted entonces lo que vale Don Hipólito. Bien que ya lo hemos visto en todo cuanto escribe...

Ahora concluiré con noticiarle que el beneficio de la seductora Eufrasia Borghese ha sido el más pobre de aplausos y el más rico de pesetas como entrada que hayamos visto por acá, merced sin duda a que se ha inventado una nueva moda de invitar a los concurrentes, y es el llevarles en persona la papeleta de convite acompañada de la tarjeta que fija el número de la localidad, y con una demostración tan significativa, ¿el agasajado que ha de hacer con una dama? Ser amable. Hasta aquí santo y bueno, pero como en este mundo hay muchos cómodos como el de *El Amigo Íntimo*, a quien gusta más el recibir que el dar, después del beneficio ha resultado según se explican por allí los pacientes, que la beneficiada ha querido levantarse con el santo y la limosna, es decir, que rehúsa pagar a los miserables que la han servido en el mismo beneficio, aquello que la costumbre tiene aquí establecido en semejantes casos, de manera que esto ha dado lugar a riñas y disputas que han llegado hasta el público, y por eso yo lo menciono, porque los rasgos generosos deben ser conocidos. Dicen también que al copista de música que estuvo doce días arreglando papeles y haciendo de la ópera el pastucho que vimos, no sólo se le contaron las hojas que había escrito sino también las líneas que había dejado en blanco, para sumar luego los pliegos que debían pagársele, los cuales unidos a dos papeles que en la obra representó el copista, importaban según la beneficiada doce y medio pesos, que le dovo'vió el agraciado con una epístola patética. Ya ve usted cómo son estos rasgos de desprendimiento y de filantropía. Y no será extraño que mañana escriba alguno en un artículo acerca de su generosidad, así como lo escribieron acerca de su juventud.

A propósito de su juventud, tengo a la vista *El Correo* de los Estados Unidos, del 18 de septiembre, en el que hay un parrafito muy curioso que estoy tentado de traducirle a usted porque revela el ridículo en que nos ponemos cuando prestamos admiración a ciertas cosas que no lo merecen y le damos la importancia que no tienen sólo por el espíritu de novelería. Oiga usted cómo dice: "Hemos recibido de México en vez de un boletín de guerra, un boletín de teatro. Esto es todavía una garantía de paz, de la cual nos habíamos olvidado hacer mención en otra parte. Si es preciso creer a nuestros colegas mexicanos (¿y por qué no los creeríamos?) Mlle. Borghese había obtenido en México los más gloriosos triunfos ya como mujer, ya como artista; se elevaban a una misma esfera su belleza y su talento, y porque un periodista de poca gracia se atrevió a cometer un error acerca de la edad de la cantatriz, del cual se ha excusado atribuyéndolo a un error tipográfico, resultó de esto una polémica que ha sido para Mlle. Borghese una verdadera Fuente de Juvencio."

Ya ve usted cómo se nos burla y cómo se nos ridiculiza. ¿Se quiere más clara la idea que envuelven estos pocos renglones? No creo que necesite de comentarios para que comprendamos que nos dicen que en México ni han visto mujeres hermosas ni han oído cantantes. Mentira. Uno y otro es falso, pero los escritores ignorantes y lisonjeros, con sus frívolas y mentirosas producciones, dan lugar a que así lo piensen, o al menos lo escriban, aquellos escritores extranjeros que andan buscando roer nuestros zancajos. Yo también soy ciudadano de México y tengo derecho para explicarme así. Adiós, don Abundio, y Él libre a usted de las garras de los periodistas que en vez de ilustrar al público sólo se proponen corromperlo con paradojas y vanas declamaciones, cosa que no hará nunca su amigo

J. Patiño
11 de diciembre de 1845

Gran Teatro Nacional. 19 de diciembre de 1845. Función extraordinaria a beneficio del primer actor y director Manuel Fabre. El drama nuevo en tres actos, *Cómo se venga un texano.* La graciosa pieza en un acto *Matamuertos y el cruel.*

1846

Gran Teatro Nacional. Prospecto. Complacer al público proporcionándole buenos espectáculos y con la mayor comodidad posible, son los medios de atraer la concurrencia y de utilizar en esta clase de negocios. Éstas son las convicciones de la empresa, éstos son sus principios y a ellos ha sujetado los cálculos y operaciones, aunque el teatro, como todos los negocios, tiene su límite, no proponiéndose la empresa hacer grandes ganancias, sino adquirir una módica retribución de sus trabajos y del fuerte capital que expone, no se ha detenido en el gasto al tratar de reunir una brillante compañía dramática, la que ofrece al público para la próxima temporada que comenzará el día 12 del presente mes, y está compuesta de la mayor parte de los actores que componían la que trabajó el año anterior y aumentada con las acreditadas actrices doña Carmen Corcuera en clase de dama; doña Antonia Suárez en la de característica y matrona, y el actor don Evaristo González como barba. Como el primer deseo de la empresa ha sido el de presentar en esta temporada una compañía superior a cuantas ha poseído hasta hoy México, envió desde junio del año anterior un comisionado inteligente a España, provisto de los fondos necesarios para contratar actores, entre ellos un galán de primer orden y una buena dama joven, y según las noticias que ha tenido la empresa, ha desempeñado cumplidamente su misión, ajustando a uno de los primeros actores del teatro español y a una joven de mérito que deberán estar en esta ciudad en el presente abril o a más tardar en mayo, no pudiendo la empresa asegurar aún si vienen otros actores en unión suya.

Para la próxima temporada así como para las anteriores, invitó esta empresa por medio de un amigo a la señorita Soledad Cordero a fin de que se contratase como primera actriz, y ha tenido el sentimiento de no ver cumplidos sus deseos. El ramo de baile está compuesto de la familia Pavía y aún se hallan pendientes algunos otros ajustes. Los demás ramos accesorios se han mejorado considerablemente, cuidando de que todo corresponda a que sea digno del primer teatro de la nación. A pesar de los grandes gastos que han sido necesarios para organizar los diversos ramos, y de que su costo es superior al de la anterior temporada, los precios serán los siguientes: por cada mes cómico de 22 funciones: Palcos de platea primeros y segundos, 55 pesos. *Idem* terceros, 45 pesos. Balcones, 9 pesos 4 reales. Lunetas, 9 pesos. Galería alta, 3 pesos 4 reales. Los abonos deberán pagarse adelantados en la contaduría del teatro. Las pérdidas que ha sufrido la empresa en las temporadas anteriores, y particularmente en la última por el atraso en el pago de los abonos, la pone en la obligación de suplicar a los señores que quieran abonarse para la próxima temporada, que presenten su boleto a los respectivos cobradores en la primera función de cada mes de abono, esperando que como generalmente cumplen con esta condición, no llevarán a mal que la empresa exija su verificativo. México, 1º de abril de 1846.

Señores redactores de El Republicano. Por una falta involuntaria de redacción se anunció en el prospecto de teatro sólo en clase de *dama* a la señora doña Carmen Corcuera, en vez de hacerlo como primera actriz, según artículo expreso de su contrato. En consecuencia, la empresa al deshacer esta equivocación debe manifestar al público que dicha señora está en idéntica categoría que la señora doña María Cañete, con quien alternará indistintamente en los papeles correspondientes a la clase referida de primeras damas. Sirva esta aclaración para obviar toda duda en lo sucesivo e ínterin la empresa publica las listas de costumbres en casos semejantes. La empresa.

El Republicano
6 de abril de 1846

Teatros. Ha comenzado sus trabajos la compañía del Nacional, y merced a los esfuerzos de la empresa no se ha abierto el Principal, que hacía al otro mucha sombra y fue ocasión de la pérdida que se dice sufrió aquélla en la última temporada. Hoy se dice que el dueño del mencionado Teatro Nacional trata de comprar el Principal y destruirlo para levantar un hotel y asegurar así por lo pronto la prosperidad del aristocrático salón. Tal idea sugerida por la codicia, sería en perjuicio público y por tanto excitamos al gobierno a que se oponga, aun cuando se vea en el caso de erogar algún gasto de indemnización con el fin de no infringir las bases orgánicas. El uso que debe hacerse de la propiedad de aquellos edificios que de alguna manera pertenezcan al público, nunca debe ser el de destruirlos y el gobierno nunca deberá tolerarlo.

El Republicano
13 de abril de 1846

El Bravo. Siendo el deseo de varios abonados y concurrentes al Teatro Nacional que se represente pronto *El Bravo*, refundido ahora poco por un joven aficionado que aunque no es mexicano de nacimiento, se encuentra desde hace tanto tiempo en el seno de la República, que lo consideramos compatriota nuestro, y el cual se ha decidido a desempeñar el papel del protagonista, nos vemos en el caso de dar publicidad a estas líneas pues ha llegado a nuestros oídos que se le han presentado muchos obstáculos por parte de la empresa en la ejecución del fin que hemos indicado y que deseamos vivamente tenga efecto. Por consiguiente suplicamos a los señores empresarios no pongan obstáculo a los deseos de los señores abonados y concurrentes al teatro.

El Republicano
29 de abril de 1846

La señora Cañete. Es imposible leer los artículos de *El Espectador* que tratan de representaciones teatrales sin quedar admirados del mal disfrazado encono con que la señora Cañete se ve hecha blanco de una crítica mordaz e injusta. Ella es y será siempre aplaudida y bien recibida del público mexicano, aunque le pese a *El Espectador*. Desde luego no podemos menos de creer que el señor redactor del nombrado periódico, muy lejos de esmerarse en corregir las faltas que por acaso cometiera un actor o una actriz, y aconsejarles, su único fin, su empeño incesante es el de denigrar a la nombrada actriz. ¿De dónde dimana este deseo tan vehemente? Nosotros no comprendemos por qué dicho señor redactor se empeña con tal ahínco en criticar cada palabra, cada acción, cada movimiento de una actriz que goza cual ninguna de la buena acogida de una inmensa mayoría del público. Muy lejos estamos de querer eclipsar la reputación de la señora Peluffo; ella merece los elogios que se le prodigaron. Lo que queremos es demostrar la injusticia con que se trató a su compañera la señora Cañete. Ambas son actrices de mucho mérito y ambas no necesitan de los elogios de un periodista, pues el público, único juez, a ambas dispensa iguales muestras de favor. ¿Por qué pues ese empeño de *El Espectador* en alabar a la una y denigrar a la otra? ¿Es por ventura por resentimientos personales? ¿Es por vengarse de un agravio? Sería por cierto una venganza bien mezquina; la venganza digna de un alma baja, desconociendo las leyes de la decencia en tal grado que deja a su pluma dar libre curso al necio encono que la domina, estampando frases que demuestran sólo su crasa ignorancia. Viva la señora Cañete en la confianza que aunque unos cuantos enemigos de ella tengan a bien publicar simplezas, el público mexicano más sensato que aquéllos, sabrá distinguir un justo criterio del innoble y degradante deseo de denigrar a una persona que por su posición no puede rechazar tan injusto ataque a su mérito reconocido, pero lo repetimos: el público sabrá recompensarla de esos momentáneos disgustos con la buena acogida que siempre le ha dispensado. Guillermo Rode.

El Republicano
16 de junio de 1846

Teatro Nacional. Gran función extraordinaria a beneficio de los heridos y de las viudas y huérfanos de los mexicanos que murieron en las orillas del Río Bravo en las acciones de los días 8 y 9 de mayo próximo pasado. Miércoles 17 de junio de 1846. El Excmo. Ayuntamiento de esta capital se sirvió conferirnos el distinguido honor de nombrarnos para que formáramos una junta que colectase auxilios para los heridos y para las viudas y huérfanos de los mexicanos que han muerto a las orillas del Bravo defendiendo la integridad del territorio nacional. Esa amable comisión nos ha sido grata no sólo por estar en armonía con nuestros sentimientos, sino porque jamás deja de corresponder el público mexicano con su bondad y con sus afecciones sinceras a excitaciones como éstas, en que la humanidad doliente se presenta con títulos gloriosos reclamando la gratitud y la piedad. Cuando los valientes del ejército han derramado su sangre por darnos patria, justo es que enjuguemos las lágrimas de sus familias. La desgracia, libre de las sombras de las guerras domésticas, debe contar con simpatías universales. Humildes son nuestros recursos, pobre nuestra capacidad para crear nuevos, pero confiamos en que la generosidad de nuestros paisanos hará desaparecer nuestra insuficiencia y que nosotras sólo seremos un medio para que México despliegue las virtudes que sus mismos adversarios le confiesan.

Por estas razones omitimos todo encarecimiento del objeto de nuestra invitación, y únicamente nos resta decir algo sobre la función teatral elegida como arbitrio para el logro de nuestro caritativo y patriótico encargo. Con satisfacción exponemos que al dirigirnos a la empresa con los fines indicados, vimos empeñada una caballerosa y espontánea competencia por servirnos. Los empresarios franquearon el local gratuitamente y todo lo que de ellos dependía al instante nos fue acordado. Los actores y actrices no sólo con complacencia sino con empeño se brindaron; la orquesta hizo lo mismo y una sucesión de bondades nos confirmó en la buena opinión que nos merecían los individuos del Teatro Nacional. Faltaríamos a un deber si no hiciéramos especial mención de la señorita doña María de Jesús Zepeda y Cossío, quien se prestó a contribuir con su notable y aplaudida habilidad como una deferencia que honra no menos su urbanidad que su corazón. Terminaremos manifestando nuestro reconocimiento a las personas mencionadas que sin recompensa de ningún género nos han ayudado a cumplir con una comisión que sin auxilio no hubiéramos podido llevar adelante. Una parte de nuestras tareas ha tenido buen resultado; al público toca coronarlas con la felicidad del éxito. Josefa Cortés de Paredes. Manuela Rangel de Flores. Pilar Tovar de Andrade. Ana Noriega de O'Gormann. Loreto Vivanco de Morán. Rosario Almanza de Echeverría. Concepción Pavón de Montúfar. Nina Fagoaga de Escandón.

Orden de la Función: 1º Grande obertura de la ópera *La parte del diablo.* 2º La graciosa comedia en un acto, *Un enlace aristocrático;* desempeñada por la señora Cañete, niña Pilar Pavía y señorita Carmen Tapia, y los señores Barrera, Castro y Capilla. 3º Grande obertura de la ópera *La sinfonía.* 4º Aria coreada de la ópera *Beatrice di Tenda,* que cantará la señorita María de Jesús Zepeda y Cossío con acompañamiento de orquesta. 5º Precioso padedú de medio carácter ejecutado por Merced y Luis Pavía. 6º Hermosa pieza concertada de *Ismalia,* tocada a toda orquesta. 7º La comedia en un acto *La ponchada,* desempeñada por las señoras Peluffo y Uguer, y los señores Mata, Fabre, Barrera, Castro, Ruiz, Méndez, Capilla, Douval, Guelvenzo, Perea, Catarino Castro, Salinas, Galindo, Ojeda y Juárez. 8º En la misma pieza y cuando el argumento lo exija se bailará la Furlanga de la Jota, por las señoras María Gozze y Francisca Pavía, Escobedo y Sevilla, señores Piattoli, Castañeda, Galindo y Juárez.

Teatro Nacional. Hemos leído el artículo que con el título de "Crónica Teatral" se encuentra inserto en el número 43 de *El Espectador*, y aunque no tenemos costumbre de contestar esta clase de escritos, el que nos ocupa contiene especies que no creemos debe esta empresa dejar que pasen en silencio, tanto más cuanto que no teme que las cosas se pongan en claro. Prescindimos del objeto que haya guiado al autor del artículo para repetir y corroborar los rumores que dice corren en el público sobre el mal estado de esta empresa. Esa manera de desacreditar sin responsabilidad, de todo puede tener menos de noble y caballeresco, y nos limitaremos a dar algunas explicaciones que es posible aumenten los temores que tienen en ascuas a nuestro autor, y que sin ser las que le sirvan de pretexto, tal vez envuelvan algo de más personal y directo. Convenimos en que esta empresa se halla bastante apurada y como los motivos de su conflicto nada tienen de deshonroso, no teme exponerlas ante el público. Es el primero el estado de la cosa pública, que ha disminuido considerablemente los productos de la negociación; el segundo es el haber ajustado algunos actores que bajo informes exagerados relativos a su mérito, se escrituraron con grandes sueldos y que no llenando el objeto para el que la empresa los contratara, se hacen pagar. El tercero el gran recargo de actores con que se halla esta empresa porque su comisionado en España contra expresas instrucciones, le han mandado partes que no le encargó y sabía estaban duplicados; la empresa puede reclamar esos ajustes, pero se ha propuesto guardar consideración a personas que sin culpa suya se encuentran privadas de recursos a mil leguas de su país. El cuarto los grandes gastos que en este mes ha tenido, pues en él ha debido pagar los viajes y parte de las anticipaciones de los actores últimamente venidos, la conducción de equipajes y la situación de dinero en La Habana y Veracruz con este objeto, porque el comisionado en España a pesar de tener fondos suficientes, lo ha librado todo contra la empresa. Y el quinto y último, el retardo en el pago de los abonos, pues si bien la mayor parte de los señores abonados han cumplido su compromiso pagando adelantado, la empresa sufre un rezago a fin de mes que la perjudica mucho y que en el presente es considerable.

Éstas son las razones porque se han pagado con algún atraso las dos últimas quincenas a los actores, debiendo confesar la empresa en elogio suyo, que la mayoría se ha manejado con prudencia, que no le han hecho reclamo alguno sino que por el contrario le han manifestado disposición para hacer sacrificios en su obsequio. Triste es, sin embargo, la situación de la empresa, pues aunque haya sido sorprendida en el ajuste de algunos actores que además de grandes sueldos le han causado gastos considerables e inútiles, debe sufrir, callar y pagar, mientras que si les falta en lo más mínimo a sus contratas, ponen el grito en el cielo y claman contra el engaño.

En cuanto a la señora Luna, se presentará tan luego llegue su equipaje. La empresa espera que esta joven actriz la indemnice en parte de los sacrificios que se le han impuesto. La señora Luna ni debe temer intrigas de bastidores que no existen sino en la cabeza del articulista y que siempre se estrellarían contra el verdadero mérito, ni pensar que se la oscurezca, porque la empresa no hace sacrificios para traer actores y pagarles inútilmente, y porque el público reclama la presencia de los artistas que tienen la suerte de agradarlo y no los relega al olvido.

La empresa del Teatro Nacional
El Republicano
1º de julio de 1846

Nueva diversión. Calle del Coliseo Viejo número 20. 10 de julio de 1846. Agustín Mutie, natural de Italia, tiene el honor de participar al público que ha llegado a esta ciudad con una comparsa de perros domesticados a los cuales a fuerza de tiempo y gasto, ha enseñado graciosos y vistos bailes, marchas y otras habilidades. Estos admirables animales han excitado la mayor curiosidad en varias ciudades de Europa. Para distinguir su particular mérito, cada perro tendrá su nombre. He aquí algunas de las notables habilidades que ejecutarán: Primera parte: Gran galopada y marcha, por Carolina. Nueva tirolesa por Madama Petafia y Mr. Sanfasón. Gracioso baile por Jim Crow. Después de lo cual se introducirá un ejército ruso que hará varias evoluciones militares concluyendo con un baile fantástico por todo el cuerpo. Segunda parte: La polka con todas sus variedades por M. Prunelle. Varios aires en la guitarra excitarán la risa y la aprobación del público por M. Arlequín. M. Trilerie hilará lino o algodón y hará con él hilo fino, con gran diversión de los espectadores. Agustín Mutie se lisonjea que merecerá la protección del público, deseando que la diversión sea de su agrado. Pagas: Cada persona, 2 reales. Niños la mitad. Las diversiones serán a las 10, a las 12, a las 2, a las 4, a las 6, a las 8 y la última a las 10 y media de la noche.

La señora doña Isabel Luna. Anoche se ha presentado en el Teatro Nacional esta joven actriz, discípula del Liceo de Madrid. Para juzgar de su mérito no tenemos más datos que la siguiente poesía que cuando salió de España para la República, escribió en su álbum el célebre don Manuel Bretón de los Herreros. Simplemente damos a conocer a los lectores esta bella composición, sin meternos en impugnar los errores políticos e injuriosos para México que se deslizaron al ilustre poeta.

¿Posible es que no te abruma,
divina Isabel, la suma
pesadumbre que nos das?
¿Conque esto es hecho? ¿Te vas
al país de Moctezuma?

¿Sabes lo que es emigrar?
¿Vas huyendo de algún suegro
que así te vas a arrojar
a los peligros del mar
y a los del vómito negro?

Con tu viaje me confundo,
cosas tienen las mujeres
que al talento más profundo
desconcierta. No te mueres
y te vas al otro mundo.

Fuerte afán de navegar.
¿Tan mal te encuentras aquí?
Mas ya caigo: por allí
presumes que te has de hallar
las minas del Potosí.

¡Por vida de Belcebú!
Que si echamos bien la cuenta,
Isabel, ¿no vales tú
diez veces más y cincuenta
que el Potosí y el Perú?

Si en América la huella
pones de tus lindos pies,
como Dios te hizo tan bella
dejarás más fama en ella
que Pizarro y que Cortés.

Pero si anhelas conquistas
no hay por qué el mar atravieses,
ni los guerreros arneses
nueva belona te vistas
de Pizarros y Corteses.

Sin que así nos abandones
rindiendo aquí corazones

de andaluces o navarros,
eclipsarás los blasones
de Corteses y Pizarros.

Y allá te vas, alma mía,
cuando la discordia impía
diezma el feraz territorio
que fue magnífico emporio
de la hispana monarquía.

Cuando con tan poco juicio
y tanta crueldad nos dejas,
Isabel, ¿qué beneficio
esperas de un edificio
que se ha quedado sin *tejas*?

Tanto va y a tus oídos
cuando aquella playa abordes,
lo dirán hondos gemidos
de los estados-discordes
a los estados-unidos.

Triste gente mexicana
a quien todos arman redes,
ayer rezaste a *Santa Ana*,
hoy das contra las *paredes*,
¿qué piensas hacer mañana?

El angloindiano te engaña,
el anglo de acá te vende,
¡oh!, arrójate sin saña
en los brazos de la España
que amorosa te los tiende.

De ella procede tu origen
y las leyes que te rigen,
y el Dios tierno a quien adoras,
y la voz con que le imploras
en los males que te afligen.

No era un gobierno verdugo
el de España para ti,
aunque el día en que te plugo
sacudir su blando yugo
te lo imaginaste así.

Bien que entonces la cizaña
te la pintó tan exigua,
si hoy excesiva te daña
quizá tuvo Nueva España
más libertad que la antigua.

Mas ya no en torpe coyunda

reinando Isabel segunda,
ni en duro y llorado feudo,
sino en la amistad y el deudo
nuestro bien mutuo se funda.

¡Ah!, cuando en bárbaro encono
la fraterna paz se trueca,
para el mísero colono,
español o tlaxcalteca,
no hay más amparo que el trono.

Franco, liberal y justo,
se entiende elevado, augusto,
pues hoy reinas y reyes
no gobiernan a su gusto,
sino a gusto de las leyes.

Sí, amiga, en México un trono
fuera... mas según arguyo,
habrá quién dude en mi tono
si es el álbum que emborrono
el de México o el tuyo.

En fin, te vas de Madrid
y a México, ¡suerte avara!
cual sin el olmo la vid
quedarán sin ver tu cara
los pobres hijos del Cid.

A bien que aquella ciudad
que nos deja en la orfandad
no quedará sin castigo,
que Dios la envía contigo
la mayor calamidad.

Allá como en Guayaquil,
sólo pudiera la paz
después de trastornos mil
curar la úlcera tenaz
de la discordia civil.

Y aumentando tus despojos,
los mexicanos, ¡oh perla!,
probarán puestos de hinojos
que no hay paz ni puede haberla
en donde alumbran tus ojos.

El Republicano
11 de julio de 1846

Escuela dramática. Prospecto. Carecía México de una escuela dramática y aunque por todas partes se encuentran diversiones privadas de jóvenes amantes del teatro, nadie hasta ahora ha formado un establecimiento instructivo. Los que suscribimos, convencidos de que el teatro es uno de los principales ramos de la ilustración, hemos fundado una escuela en la que muchos jóvenes entusiastas adquieran un arte encantador y puedan algún día dar gloria a México. Multitud de dificultades encontrábamos a cada paso, pero guiados por el entusiasmo que nos anima, y sostenidos por el estímulo de varias personas que nos han ofrecido su protección y sus luces, no hemos vacilado ya para llevar al cabo nuestra empresa. El estudio de idiomas, particularmente el nuestro, y la historia, son los primeros ramos que procuraremos cursar. La compañía de jóvenes que hemos reunido se encuentra sin duda con todos los elementos necesarios para dar algún día grandes artistas, entre los que contamos desde luego en un lugar distinguido a las señoritas doña Josefa y doña Remedios Amador, el apreciable joven don José María Villanueva, que además de su mérito artístico reúne grandes talentos, docilidad y aplicación, y los dedicados jóvenes don José Tudela, don Manuel Cossío, don Manuel Gaviño y don Benito Cuevas. Hay otras señoritas y otros varios jóvenes que deben recomendarse por sus buenas disposiciones. La compañía de orquesta llega al número de doce individuos, jóvenes también y entusiastas por el adelanto de México. Nuestro teatro se ha abierto ya en el Callejón de Betlemitas, en el edificio de la Escuela Lancasteriana, en el que daremos por ahora algunas representaciones los días festivos por la tarde. El progreso de nuestra patria, la ilustración y la gloria son nuestro único objeto. El público calculará los tamaños del proyecto y las dificultades de la empresa si cree que hemos procurado al menos un medio de civilización, nos damos por satisfechos. Francisco Granados Maldonado, Joaquín Pérez, Ignacio Huidrobo, José María de la Peña, Vicente López Araiza, Félix López, Manuel Ortiz Pérez.

El Republicano
12 de julio de 1846

Ocurrencia desagradable. En la noche del miércoles de la presente semana, ha habido una ocurrencia bastante desagradable en el Teatro Nacional. Es el caso que el licenciado Rebollar, síndico del Ayuntamiento, hizo salir del foro al autor de *Indulgencia para todos*, don Manuel Eduardo de Gorostiza, persona por todos conocida y por mil títulos respetable. Esto en nuestro concepto fue una ligereza del síndi-

401

co, quien ni ejerce jurisdicción ni tiene ninguna intervención en los teatros, ligereza tanto más censurable cuanto a que se representaba en aquella noche una comedia del mismo autor.

El Monitor Republicano
11 de julio de 1846

Los amantes de Teruel. Primera salida de la dama joven doña Isabel de Luna. Fuertemente excitada se hallaba la curiosidad de los mexicanos respecto de la joven actriz que se ha presentado la noche del viernes 10 y que ha sido objeto de animada conversación en todos los corrillos aun antes de salir al teatro. El haberse esparcido la voz de que era la mejor adquisición por su talento y su figura que podía haber hecho la empresa, traída del Liceo de Madrid, sus relaciones con las primeras notabilidades literarias y artísticas de la corte de España que le proporcionaban, según se decía, otras no menos importantes en México, eran causas bastantes a excitar la curiosidad e interés que aun la sola novedad mueve siempre. Mas hay que añadir a esto una circunstancia, motivo principal a nuestro juicio del empeño que por donde quiera se notaba de conocer a la señora Luna: entre los versos que al partir de Madrid escribieron en su álbum algunos de los más notables poetas, se encuentran unos de don Manuel Bretón de los Herreros en que se hacen algunas alusiones al estado político de México y en ellos algunos han creído ver un insulto, y los más cuerdos les han dado el valor debido a una composición de particular a particular y no escrita con la intención de que se imprimiera, a lo menos en el país a que se refiere. Esto es lo que ha hecho que la señora Luna inspire un interés general y se hallan buscado los mencionados versos de que ya se han multiplicado al infinito las copias y que son ya tan públicos como si todos los periódicos los hubiesen reproducido.

Esta publicidad nos autoriza a hablar incidentalmente de ellos, ya que tan íntima conexión tienen con el objeto de este artículo. Las quintillas del señor Bretón son como suyas, agudas en sus conceptos y fluidas y musicales en el lenguaje, y nosotros, mexicanos y republicanos como el que más, no hemos encontrado en ellas nada por cierto que exalte la bilis y que haga poner el grito en el cielo como algunos quieren. Hay una cosa en la que no estamos de acuerdo, sin embargo, pero que tampoco nos enoja: lo de los brazos de España. ¡Pues cierto que buena tabla de salvación es ella! Este delirio del señor Bretón

402

es para él muy patriótico, pero no pasa de delirio. ¿No sabrá el señor don Manuel que "ese tono augusto donde reyes y reinas no gobiernan a su gusto sino a gusto de las leyes", es planta que aún no se aclimata en España? ¿O le parece que Cristina y Espartero y Narváez, han gobernado en España muy a gusto de las leyes? Se necesita ser muy olvidadizo para no recordar que si la hija se tropieza, la madre ha tropezado también y no ha mucho. Por lo demás, si España nos ama, la amamos igualmente nosotros, que al fin de ella venimos; la amamos como el hijo emancipado a su padre: ya son dos familias.

Muy lejos nos ha llevado el álbum de la señora Luna. Volvamos a ella y hablaremos tan sólo de la ejecución del drama, por ser éste harto conocido en México. Aunque una primera representación no puede ser bastante para formar cabal juicio de una artista, diremos sin embargo que la nueva actriz nos ha parecido realmente bien; su figura es hermosa para la escena, su voz aunque no muy dulce nos pareció sonora y agradable, y creímos notar inteligencia y sentimiento en muchas ocasiones. Sin embargo, fuese la primera salida que intimida siempre, fuese el poco tiempo que se nos dice lleva de ejercicio la señora Luna, ello es que la encontramos con alguna monotonía en el decir que impide que salga el verso limpio y sonoro, y sobre todo falta de movimiento en la escena. Por tímida que se suponga como en efecto debe ser la protagonista de este drama, preciso es conocer que una mujer agitada por una pasión violenta, y tan extraordinaria y tan rara como la suya, con obstáculos invencibles hallados frecuentemente al paso y que debían herir muy dolorosamente su corazón, preciso es conocer, decimos, que una mujer como ésa debe revelar en su exterior el combate de las pasiones que experimenta su alma, sus movimientos han de estar de acuerdo con su angustia interior. Por lo demás, si en la señora Luna no hemos encontrado una actriz consumada, muy grandes disposiciones nos parece que tiene para llegar a serlo. Estudie a la naturaleza, déjese guiar por su corazón y su talento y será una actriz de primer orden; pero nada de teorías y de sistemas; procure comprender su papel y una vez comprendido hable, pero hable sin acordarse más que del carácter que representa. La señora Luna es a nuestro entender un diamante poco pulido todavía, pero ya revela un gran brillo. El público estuvo con ella generalmente justo y en momentos la aplaudió con entusiasmo.

El Republicano
12 de julio de 1846

Contestación a don Manuel Bretón de los Herreros

A la señora doña Isabel Luna

Te dejó España con llanto,
pero, divina Isabel,
haz que cese tu quebranto,
porque aquí tendrá tu encanto
una adoración más fiel.

Mi patria es de libertad,
rompió el cetro de los reyes,
pero llena de bondad
la primera de sus leyes
es rendirse a la beldad.

Que los buenos mexicanos
reservan a la hermosura
su sumisión, su ternura,
y odian sólo a los tiranos
qué amenazan su ventura.

Ven al mundo de Colón
aunque te llore Bretón;
hazle grata tu memoria,
que si dejas tu nación,
la dejaste por la gloria.

¿De dinero hablarte a ti?
¿De si hay o no Potosí?
¡Vive Dios que no es galante
tratarte a lo comerciante
de algarroba o pontiví.

Vales mucho más que el oro;
te vemos como un tesoro,
como un tesoro de amor.
De tu sexo honra y decoro,
de las beldades la flor.

Si en vez de tropas hispanas
jovencitas gaditanas
hubiera traído Cortés,
nos conquistan tus hermanas
en mucho menos de un mes.

Si hoy en lugar de monarca
el jefe de *El Tiempo* abarca
medio millón de españolas,
no lo dudes, nos embarca
del borbonismo en las olas.

Yo tu conquista perdono;
ya te ha dado más de un trono
en México un corazón,
donde reinas sin encono,
donde te aman con pasión.

¿Y cómo permanecías,
bella Isabel, en Madrid?
¿Son los godos de estos días
de turbulencias impías,
los nobles hijos del Cid?

¿Son cuando con mil trabajos
se quedan sin Países Bajos,
se quedan sin Portugal,
y dan mandobles y tajos
por la cuestión conyugal?

Cuando pierden de un revés
las conquistas de Cortés,
cuando tiemblan por La Habana,
cuando no saben cuánto es
lo que perderán mañana.

Ayer los mandó Espartero
y Narváez le sucede;
hoy Isturiz es primero,
hoy el pueblo nada puede,
mañana domina el clero.

En el congreso *Pezuelas*
torna la Cámara escuela,
y hay algazara y babel;
no más te detengas, vuela
de España, bella Isabel.

¡Pobre España, estás así,
tanto, tan mal como aquí!
¡Así quieres sostenernos!

¡Por vida de los infiernos!
¿Y quién te sostiene a ti?

Españoles, como hermanos,
aquí tenéis nuestras manos,
pero no mentéis al rey,
no; para los mexicanos
el solo cetro es la ley.

Tenéis francos corazones
que aman a las dos naciones,
que ven en ella su cuna;
haya mutuas afecciones,
pero dominar, ninguna.

Bretón en su patriotismo
te ha citado el catecismo,
y lo ha citado de más,
que muy claro en el mismo
se previene: *No hurtarás.*

No con pérfidos favores,
cubran el trono de flores,
que en España hay una historia
y en México hay un Dolores
lleno de escarmiento y gloria.

Por más que el mal nos aflija,
deja que Dios nos corrija
sin el monárquico ensayo;
que la Trinidad no es hija
de Tubal ni de Pelayo.

Que ponga Isabel segunda
de blanca seda coyunda
al noble pueblo español;
nuestro bien mayor se funda
en mirar libres el sol.

Déjese la nación goda
de traer aquí la moda
de su trono: ¡qué insolencia!
México su sangre toda
dará por su Independencia.

¿Qué le hiciste al buen Bretón
que al encarecer tu fama
de actriz y de hermosa dama
tornó su elogio en proclama
que injuria a nuestra nación?

¿Cómo no encontró ridículo
poner en verso un artículo
del periódico real,
con injurias y adminículo
que producen siempre el mal?

Tus encantos hechiceros
aquí aplaudimos sinceros,
aunque ellos no tienen suma,
que también son caballeros
los hijos de Moctezuma.

Nunca al mexicano humilla
de un tirano la cuchilla,
ni la ciega voluntad,
pero dobla la rodilla
respetuoso a la beldad.

Don Simplicio (periódico)
13 de julio de 1846

Baile. En la noche del lunes 20 del corriente al presentarse la señorita doña Merced Pavía a bailar con su hermano las preciosas Boleras de la *Lucrecia*, se oyeron algunos silbidos o pitazos que salían de la galería, y el público en general para contrariar la injusticia aplaudió a la señorita Pavía con tanto entusiasmo como siempre la ha sabido aplaudir cuando ha bailado el Jaleo de Jerez, el Zapateado de Cádiz y el Paso Styrien, y aunque alguna persona aislada ha querido interpretar que los aplausos en esa noche fueron irónicos o de burla, es porque seguramente no oyó las voces de ¡fuera, léperos!, ¡fuera, borrachos! y ¡fuera, peseteros!, que se dirigieron a los muy pocos pagados que silbaron. Terminado el baile, el público pidió que se repitiera y las señoras permanecieron durante la representación de las Boleras en sus puestos, sin manifestar repugnancia ni escandalizarse, pues conocen muy bien hace tres años que la señorita Merced Pavía baila con toda la soltura, gracia y elegancia propias de su edad y de su buena y moderna escuela.

El Republicano
23 de julio de 1846

En el álbum de doña Isabel J. Luna

*Advierte que es desati
siendo de vidrio el teja
tomar piedras en la ma
para tirar al veci*

¿Posible es que no te abruma,
divina Isabel, la suma
de placeres que nos das?
Esto es un hecho: no te vas
del país de Moctezuma.

Sabes ya que es emigrar,
y así, ni huyendo de un suegro
te volverás a arrojar
a los peligros del mar
ni a los del vómito negro.

Con tu viaje me confundo;
cosas tenéis las mujeres
que al talento más profundo
aturden; aún no te mueres
y vienes del otro mundo.

Fuerte afán de navegar
que gloria corona aquí,
mas un poeta de allí
no supo otra cosa hallar
que plata del Potosí.

¡Y lléveme Belcebú
si disminuye la afrenta
la operación en que tú
sales valiendo cincuenta
más que el Potosí y Perú!

En América la huella
puesta de tus lindos pies,
como que eres dulce y bella,
tendrá otra fama en ella
que Pizarro y que Cortés.

Lejos tú de sus conquistas
aunque la mar atravieses,

no es por guerreros arneses
de cual belona te vistas
de Pizarros y Corteses.

Nunca pues nos abandones
rindiendo aquí corazones
de bellos dandys o charros;
olvídate de blasones
de Corteses y Pizarros.

Déjate ver, alma mía,
cuando la discordia impía
diezma nuestro territorio,
ya que la trajo a este emporio
la española monarquía.

Y pues que con tanto juicio
tu ruinosa patria dejas,
Isabel, gran beneficio
esperas de un edificio
firme, techado y sin *tejas*.

Pronto a españoles oídos
en playa a que nunca abordes
acaso irán los gemidos
que los estados-discordes
hagan dar a los unidos.

¡Infelice gente hispana!
Advierte tus propias redes,
ve a Espartero, no a Santa Anna;
a Narváez, no a Paredes...
¿Quién te diezmará mañana?

Patria, si este anglo te engaña
y si aquel anglo te vende,
¿te irás a arrojar sin saña
en los brazos de la España
si capciosa te los tiende?

De ella procede tu origen
y las leyes que te rigen,
no el Dios trino a quien adoras,
sí la voz con que le imploras
en los males que te afligen.

Mas fue un gobierno verdugo
el de España para ti,
y siempre hasta que te plugo
sacudir su infando yugo
lo experimentaste así.

Entonces no la cizaña,
la verdad la pintó exigua,
y si excesiva no daña,
nunca tuvo Nueva España
más libertad que la antigua.

Aunque no en torpe coyunda
reinando Isabel segunda,
ni en duro y dorado feudo,
sino en la amistad y el deudo
nuestro bien mutuo se funda.

Pero si en bárbaro encono
la fraterna paz se trueca,
para el que fue y no es colono,
español o tlaxcalteca,
no hay peor remedio que el trono.

Franco, liberal y justo,
por antífrasis augusto,
en donde reinas y reyes
más gobiernan a su gusto
que no a gusto de las leyes.

Sí, amiga, en México un trono
nunca, mas según arguyo,
habrá quien dude en mi tono,
si es el álbum que emborrono
de España, México o tuyo.

Si la luz viste en Madrid,
no en México, suerte avara,
como el olmo sin la vid
están hoy sin ver tu cara
los pobres hijos del Cid.

Es cierto, aquella ciudad
que dejaste en la orfandad
padece el mayor castigo:

quería enviarnos contigo
la mayor calamidad.

    Acá como en Guayaquil
esperamos con la paz,
después de trastornos mil
curar la úlcera tenaz
de la discordia civil.
    Y aumentando tus despojos,

los mexicanos, ¡oh perla!,
probarán puestos de hinojos
que no hay discordia, ni haberla
puede a causa de tus ojos.

Un mexicano
El Republicano
24 de julio de 1846

Teatro. El Gran Teatro Nacional se ha vuelto a llamar De Santa Anna por un letrero que hemos visto en su portada. También se trata, según sabemos, de restablecer en la Plaza del Mercado la estatua de este general. La experiencia debiera haber convencido a todos de que esta clase de honores son positivamente perjudiciales a las personas a quienes se consagran.

El Republicano
9 de agosto de 1846

Respuesta a algunas de las quintillas que el señor Bretón de los Herreros escribió en el álbum de la actriz doña Isabel Luna.

    Pues que provocas la lid,
¡oh Bretón, viven los cielos!,
para un hijo del Cid
habrá más de un adalid
en la patria de Morelos.

    De todas nuestras maldades
haces festivo una suma,
pero por Dios no te enfades
si cual la tuya mi pluma
escribe algunas verdades.

411

Ni muestres furor insano
si acá entre nos atribuyo
a aquel pueblo castellano
todo lo este cual suyo.
Basta exordio: ahora al grano.

Deliciosa, encantadora
cual siempre, pero habladora,
hoy tu musa hace de crítica,
de galante aduladora
y aun de ambiciosa política.

Sea así, pero si atiende
a medir con una vara
al pueblo español de allende
y al pueblo español de aquende,
¿qué podrá echar a éste en cara?

¿Qué nos roba la malicia
un rico Estado? Muy bien;
pero armados de justicia
a la española avaricia
un día arrancamos cien.

¿Que perturbando la paz
y extinguiendo la alegría,
con mano fuerte y tenaz
diezma la discordia impía
nuestro terreno feraz?

Pero es que allá entre vos
ella aún no se deja ver,
cuando le debéis a Dios
no un año solo ni dos,
sino mil y mil de ser.

Al derramar aquí el susto
la discordia, el mando augusto
sigue tal vez de las leyes,
pero allá siempre el vil gusto
obedece de los reyes.

¿Que rezamos a Santa Anna?
Mas en él al vencedor
vimos de la raza hispana.

Fue un tirano y nuestro honor
castigó su ambición vana.

¿Y vosotros qué habéis hecho
a vuestros reyes altivos
cuando en su infernal despecho
os desgarraban el pecho
o al fuego os mandaban vivos?

Un monstruo que las arenas
o el agua del Nilo oprime,
de sangre henchidas las venas
sobre su víctima gime
y ya no le causa penas.

Y porque a México miras
en poder de mexicanos,
tú te afliges y suspiras
y a que otra vez vuelva aspiras
a sus antiguos tiranos.

Guarda para una manola
esa tu grande clemencia,
nada de gente española
quiere la nación que sola
se dio a sí la Independencia.

A México España dio
en su idioma un gran tesoro,
mas no le hizo gracia, no,
que en recompensa llevó
montones de plata y oro.

La sagrada religión
del vencedor del abismo
os debe nuestra nación,
pero también el borrón
de su ciego fanatismo.

Si vocinglera la fama
entre nosotros proclama
que el partido baladí
de serviles crece aquí,
no la creáis: nos infama.

Que todo buen mexicano
sólo concede tal nombre
al noble republicano,
que el libre acero en la mano
hasta el fin sabe ser hombre.

Así, no excitéis recelos
entre nosotros de un trono,
pues si no, ¡viven los cielos!
que sólo hallaréis encono
en los nietos de Morelos.

E. B.
El Republicano
10 de agosto de 1846

Teatro Nacional. Martes 14 de septiembre de 1846. Función destinada a solemnizar la restauración de la Carta de 1824 y la entrada del
excelentísimo señor general de división, benemérito de la patria, don
Antonio López de Santa Anna. Comedia en cuatro actos de M. Alejandro Dumas, *La hija del regente,* arreglada al teatro español por los
señores Gil y Navarrete. He aquí poco más o menos la substancia
del cartel que anunciaba la función del martes, y ya ven nuestros
lectores si era halagador el tal anuncio y si nos prometía un placer
extraordinario. Una comedia del autor de *Gabriela de Belle-Isle* y del
tiempo de la minoría de su majestad Luis XV, cuando la célebre
regencia daba tan divertidos días a la Francia. Cierto que no era de
perderse y mucho menos en una noche en que destinada la función
a un par de sucesos tan faustos, era de esperar que el teatro estuviese
lleno hasta no poder echar un alfiler, y que la concurrencia, esplén-
didamente ataviada, presentase un cuadro encantador, visto a la luz
de la brillante iluminación que se prometió en los anuncios. Desgraciadamente estas esperanzas se parecieron a las que tantas veces se han
formado de la felicidad de la República, y ni la comedia fue buena,
ni la concurrencia numerosa, ni la iluminación brillante. En cuanto a
las dos últimas cosas, y perdónesenos que comencemos por la cola
pero es el uso, fácil nos parece averiguar su causa, que de ninguna
manera creemos sea desafecto a los sucesos que se celebraban, porque
las opiniones de los concurrentes al teatro son conocidas y más lo son
aún las de la empresa. Mas como había funciones patrióticas gratis
en la Universidad y otros puntos, con sus respectivas alocuciones, y
como los mexicanos no tienen la facultad de bilocarse, no es extraño

que el teatro haya estado poco concurrido si la gente rebosaba en otra parte. La iluminación cierto es que estuvo menguada y menos brillante en esta función destinada a la Carta Federal que lo ha estado en el beneficio de cualquier actriz, pero esto debe atribuirse a la suspensión de pagos, al arreglo desaprobado de la deuda inglesa, a la guerra con el norte y qué sé yo qué más, razones todas absolutamente perentorias.

El desempeño de la mala comedia de Dumas estuvo así así. De cuando en cuando vacilaba Mata porque la memoria es frágil, y en cuanto a la propiedad de los trajes, sin meternos a muy prolijos advertiremos a las señoras Cañete y compañeras que el cabello dividido en medio y peinado en bucles sin polvo, podía pasar muy bien en una tertulia de estos días, pero es un anacronismo en los años del Señor de 1720.

El Republicano
20 de septiembre de 1846

Teatro Nacional. Ejercicios gimnásticos por la Compañía Turín. Poco aficionados por naturaleza a equilibrios y maromas y teniendo quizá erróneamente una muy alta idea de los nobles destinos del teatro para quererlo profanado con funciones en que como la presente se hace ostentación de descomunales fuerzas y se halaga la vista con curiosas suertes, sin decir nada a la inteligencia que va al teatro como al lugar más oportuno a buscar alimento y nutrición, prevenidos estábamos de antemano contra los señores Turín y compañía, y determinamos no asistir a sus funciones como *de facto* no asistimos a la primera. Ésta causó una profunda impresión en los que la presenciaron y las alabanzas prodigadas a la compañía francesa, excitaron al fin nuestra curiosidad persuadiéndonos que no era una cosa común lo que Turín y compañeros habían hecho y prometían hacer. Concurrimos por fin la noche del martes último al Teatro Nacional y encontramos que la fama, lo que pocas veces sucede, había quedado inferior a la realidad. Los tres socios, Turín, Armand y Deverloy, hicieron una multitud innumerable de suertes y equilibrios, que son sin duda la más evidente prueba del inmenso poder de la naturaleza humana cuando la auxilian eficazmente el auxilio y el arte.

El Republicano
27 de septiembre de 1846

Teatro Nacional. Para nadie es ya un misterio la muy deplorable situación en que últimamente se han encontrado los fondos de la empresa de este teatro, a consecuencia principalmente de la multitud de actores inútiles con que ha querido cargarse y que han venido directamente de España o que ya trabajaban en el Principal. Los enormes gastos que ocasionaban y que no podía cubrir el abono ordinario, forzoso era condujesen a la empresa y a los actores al punto a donde han llegado, al de una total disolución. La señora doña Isabel de Luna, llegada recientemente de España, y que seguramente se había prometido mil ventajas a su venida, ha sufrido un cruel desengaño y se encuentra obligada, por la especie de bancarrota de la empresa, a hacer toda suerte de sacrificios para volver a una patria que abandonó en mala hora. Próxima ya su partida dispuso como un recurso para ella una función de beneficio que se verificó la noche del lunes con el drama *Catalina II*, función que poco concurrida no debe haber producido a la beneficiada toda la utilidad que hubiéramos querido.

Catalina II es un drama con pretensiones de histórico y aún no sabemos si tal epíteto le dio su autor, mas a nuestro juicio no lo merece pues entendemos que no puede aplicarse con justicia sino a los dramas cuya base constituya un hecho histórico, aun cuando como debe ser para la hermosura artística, se adorne con incidentes fingidos por la fantasía del autor. La ejecución nos pareció bastante regular si se exceptúan algunas faltas de memoria de la señora Luna y de algunos de sus compañeros, y en cuanto a la propiedad de los trajes quedamos igualmente agradados con el de la beneficiada.

El Republicano
31 de octubre de 1846

Teatro Óptico. Calle del Coliseo Viejo número 17. 10 de noviembre de 1846. Habiendo pasado la estación de las aguas por cuya causa se vieron suspendidas las funciones, se verificará la noche de mañana la siguiente: Cosmorama y Diorama. Primera exhibición: Vista del frontispicio de la Catedral. 2º Interior de *idem*. 3º Plaza de la Constitución por los fuegos de artificio iluminada. 4º Interior de San Francisco. 5º Luneta principal de la Alameda. Para concluir, se presentarán unos niños a desempeñar una pieza patriótica en un acto titulada *La mexicana*. Pagas: Entrada general, 2 reales. Niños hasta la edad de 10 años, 1 real.

Teatro Principal. Domingo 15 de noviembre de 1846. Función por la compañía de *vaudeville*. 1º *La Marsellaise*, a toda orquesta. 2º *La*

Tirelire, cuadro *vaudeville* en un acto. 3º *Le pardon,* romanza. 4º Ejercicios gimnásticos por M. Turin. 5º *Le Tyrol,* romanza. 6º Ejercicios nuevos por dicho M. Turín. 7º *Les saltimbanquis,* comedia en tres actos. 8º *La cachucha,* baile.

Espectáculos públicos. Ayer en la tarde se presentó en la Plaza de Toros a hacer ejercicios de fuerza y destreza M. Turín, bastante conocido ya en México por el prodigioso vigor de sus músculos. Se anunció por el cartel que detendría un caballo con el brazo en posición vertical. Se preparó en efecto, apoyó el codo del brazo derecho en un banco e hizo pasar la cuerda por la parte inferior de la mano levantada en alto. El caballo, que no era débil, hizo muchos esfuerzos espoleado por el jinete, y el hombre no se movió. Había ya cumplido, mas la concurrencia comenzó a exigir con la tenacidad de costumbre que se repitiese el acto con un caballo que se le presentó grande y fuerte. El juez, que era el señor regidor don Miguel Buenrostro, no se prestó a salvar a Turín de las exigencias y amenazas de la multitud, y éste se vio obligado a complacerla. Después de haber resistido algunos empujes del caballo, se dobló el brazo de aquél arrollándosele la piel hasta llegar a la mano, donde se detuvo todavía la cuerda por el poco tiempo que le fue posible. No obstante haberse desmayado a los pocos minutos a consecuencia de sus extraordinarios esfuerzos y del lastimoso estado en que le quedó el brazo, fue llamado a luchar con un mexicano que lo desafió y cuya lucha se anunció también por el cartel. Nuestro menguado compatriota no midió sus fuerzas y las de su adversario, pues con la mayor facilidad fue derribado por éste. Dos veces se inició la lucha y dos veces quedó vencedor el artista francés. Algunos espectadores del ínfimo pueblo, bastante ignorantes para considerar como nacional esta contienda, empezaron a dar voces para provocar contra Turín un tumulto, pero la guardia se formó y no hubo desorden alguno. Notamos que el señor Buenrostro no se movía y fueron necesarias fuertes excitativas de algunos particulares para que dejase su asiento y bajase a cuidar el orden.

El Republicano
16 de noviembre de 1846

Teatro Nacional. 26 de noviembre de 1846. Función a beneficio del primer actor y director don Manuel Fabre. El drama nuevo en cinco actos *El rey monje,* original de don Antonio García Gutiérrez, el cual ha sido puesto en escena en México por el autor.

Beneficio del señor Fabre. Anoche hemos concurrido a esta función del Teatro Nacional y como habíamos recomendado el drama que se representó, nos vemos hoy en la precisión de decir que habíamos sido mal informados, pues aquél ni por el desarrollo de su plan ni por su moralidad, nos parece ser la mejor producción del señor García Gutiérrez. El público, excesivamente bondadoso, llamó al foro al recomendable autor, pero éste no estaba en el teatro.

El Republicano
26 de noviembre de 1846

Teatro Nacional. Gran concierto. Las señoras que suscriben y componen la junta que a invitación del Batallón Victoria se ha encargado de atender los hospitales de sangre, proyectaron un gran concierto vocal e instrumental desempeñado por habilidades de personas distinguidas. Las señoras y señores a quienes dirigieron su amistosa y confidencial invitación, convinieron desde luego con gusto y satisfacción, todos animados vivamente por el espíritu de piedad y beneficiencia. La junta no sólo no receló del buen resultado de su empresa al excitar los suaves y dulces sentimientos de filantropía y moralidad, sino que enteramente confió en la apreciable condescendencia y en el loable empeño con que cada uno se esmeraría en su cooperación a tan sublime objeto. Las señoras y señores se interesaron por él cual corresponde a las ideas eminentes de humanidad de que están poseídos y que siempre les hará honor como se lo han granjeado siempre en todos los pueblos de la tierra cuantos han ejecutado con decisión y franqueza las obras de esa virtud de fraternidad social. Se han dedicado en consecuencia con los esfuerzos que inspira la verdadera caridad a los trabajos que exige el proyecto y desde luego se presentará al público la función de piezas escogidas en la noche del 26 del presente diciembre en el Gran Teatro Nacional, que se adornará e iluminará cual corresponde a la grandeza del objeto, a los respetos debidos a los concurrentes y a la consideración que se merecen las recomendables personas que van a desempeñar el concierto con sus respectivas habilidades filarmónicas.

Los diestros profesores que formarán la escogida orquesta, se han prestado, con deferencia digna de todo elogio, a servir gratuitamente. Se han prestado igualmente a todo lo necesario cuantos tienen ingerencia en el teatro y han sido excitados para prestar algún servicio. Pagas: Palcos primeros y segundos, 20 pesos. *Idem* terceros, 16 pesos.

Lunetas y balcones 3 pesos. Galería alta, 1 peso. Josefa Cardeño de Salas, Paula Rivas de Gómez de la Cortina, Dolores Rubio de Rubio, Antonia González de Agüero, Loreto Vivanco de Morán, Antonia Villamil de Valdivieso, Cruz Noriega de Drusina, Manuela Rangel de Flores, Rosario Almanza de Echeverría, Juana Castillo de Gorostiza, Ana Bringas de Fuentes Pérez, Margarita Parra de Gargoyo, Ana Noriega O'Gormann, Ignacia Rodríguez de Elizalde.

Noticia desagradable. En el concierto de hace unos días el adorno del salón fue sencillo y elegante y la iluminación bastante buena aunque no se calculó con mucha exactitud la duración del espectáculo y a su fin habían expirado muchas luces y la concurrencia, de la que formaban parte multitud de guardias nacionales de uniforme, presentaba un aspecto brillante por el buen gusto que reinaba generalmente en los trajes y adornos de las señoras y el decoro con que supieron presentarse la mayor parte de los hombres. Algunos, sin embargo, cuya educación no parece de lo más esmerada, se empeñaron en fumar a porfía sin ningún miramiento a la concurrencia, en especial a las señoras. Además, tuvimos otros dos motivos de sensible disgusto. El primero y principal, la cuestión promovida sobre uno de los palcos entre una familia distinguida y algunos señores del Ayuntamiento. Las señoras de la junta probaron hasta la evidencia que habiendo el Excmo. Ayuntamiento cedido con anterioridad el palco en cuestión, no tenía ningún derecho a reclamarlo, mas a pesar de eso la familia fue desalojada y algunos capitulares la reemplazaron. Supuesta la actitud de los hechos, fácil es juzgar de parte de quiénes estuvo la razón. El segundo motivo de disgusto provino de ver que a pesar de haberse vendido a precio alto los billetes de luneta, en una función que no debía respirar sino decoro y buen tono, se molestaba incesantemente a los espectadores con el ruido que ocasionaban los criados que llevaban cojines para expenderlos como en noche común impidiendo además la vista en muchos puntos e incomodando con su frecuente paso. De ninguna manera hacemos a las señoras de la junta el agravio de suponer que se hizo todo granjería con su ausencia, pero si la empresa hubiera adquirido siquiera para esa noche un poco de decencia, habría ahorrado a las señoras el peligro de que alguno las creyera, ya que no partícipes porque eso es imposible, a lo menos bastante descuidadas para permitir que en una función como la del 26 se diera tal prueba de miserable avaricia. Nosotros que tenemos la satisfacción de conocerlas, sabemos bien que esto no puede haber dependido sino de un olvido

bien disculpable en el cúmulo de atenciones que las rodeaban y que
tenían por otra parte como base el desinterés harto probado de la
empresa.

El Republicano
31 de diciembre de 1846

1848

Teatro Nacional. 6 de febrero de 1848. Función a beneficio de don Antonio Méndez. 1º La comedia en un acto titulada *Una noche de fiesta nacional en México.* 2º El nuevo *Jaleo de Jerez.* 3º Pieza en un acto *Los yankies en Monterrey.*

El Teatro Principal por la tarde. La casualidad, que decide tan a menudo de la suerte y de las acciones de los hombres, y más de una vez ha decidido de las mías, hizo que algunas tardes ha se le ocurriera a un amigo mío asistir a una representación al Principal, y lo que es más curioso todavía, llevarme consigo. Ni él ni yo frecuentamos el teatro por la tarde, así que recibí desde luego con extrañeza su proposición a la que hice algunos reparos que exageraba el mal humor de que entonces cabalmente adolecía. Ellos no valieron nada sin embargo y fui arrastrado sin remedio a ver la segunda parte de *El zapatero y el rey,* de Zorrilla. Entré al teatro con fastidio y al salir encontré que mi mal humor había desaparecido en gran parte, que había tenido algunos momentos de placer y que lo que había presenciado durante la tarde había hecho nacer en mí algunas reflexiones. El que concurra únicamente al teatro por la noche, o aun cuando lo haga también algunas veces por la tarde, y no haya observado un poco lo que pasa a su alrededor, creerá sin duda que no hay diferencia entre esas diversas representaciones en un mismo teatro y por unos mismos actores, pero se engañará mucho en verdad, pues en más de un punto discrepan y más de un motivo presentan a la curiosidad del observador. Una representación teatral por la tarde y otra por la noche son dos cosas mucho más distintas por cierto de lo que a primera vista parece.

Comenzando por el aspecto material de la sala, nadie piensa encontrar por la tarde las casacas negras, los chalecos y guantes blancos que dan a la concurrencia de por la noche ese aire uniforme y severo; nada de aquellas maneras afectadamente aristocráticas, nada de aquella monotonía de caras que nunca cambian, que vimos ayer, y hoy, y que veremos también mañana; nada de eso. Los concurrentes de la tarde presentan un todo tan heterogéneo y tan variado en sus trajes, en sus maneras, en sus sentimientos relativamente a la diversión a que asisten, que son muy dignos de particular y detenida atención, y su examen no puede menos de producir al que lo hace un suave y risueño placer. Vista la concurrencia en masa, no presenta el negruzco y luctuoso color que dan los trajes de los hombres a la concurrencia nocturna; por el contrario, domina en ellos el color claro producido por innumerables chaquetas de lienzo y por una gran cantidad de sombreros blancos. Algunos fracs, bastantes levitas, muchas capas y barraganes y uno que otro vergonzante jorongo forman los trajes masculinos. En el otro sexo los tápalos encarnados y amarillos con grandes ramajes y florones, así como en los vestidos y los indispensables mitenes de colores, forman la principal parte del atavío. Éste es el carácter distintivo. No decimos por eso que no existan algunas excepciones.

En las maneras, cuánta más franqueza y libertad y cuán lejos están de la mortificante seriedad y compostura que se advierte por las noches. En ellas nadie se mueve sino con cierta pausa, nadie se ríe estrepitosamente cuando viene al caso por temor de parecer de mal tono. Los sentimientos se subordinan al qué dirán y más de una joven elegante contiene con esfuerzo una lágrima que quiere escapársele en un pasaje tierno, por temor de parecer ridícula y *romántica*; vuelve la cara y con afectada indiferencia habla del coche que estrenó la señora D..., o de la ruptura de tal matrimonio ocasionada por el joven capitán D... que perseguía a la esposa. Todo es lo mismo, la sensibilidad debía ocultarse porque la sensibilidad es moda vieja. Todo lo contrario sucede por la tarde: no es la sociedad allí lo que domina, sino el individuo; pocas son las atenciones que una parte del público tributa a la otra; cada cual se divierte, llora, se ríe para sí solo o para su familia o su compañero, sin cuidarse y sin dársele un bledo de lo que los demás hicieren. Por otra parte, gente que no concurre por hábito, que no ha escuchado repetidas veces la misma pieza, no puede tener cansancio ni ver con indiferencia: su sensibilidad no está gastada; toma una parte activa en la representación y juzga de ella si no con más juicio sin duda con más buena fe. Los actores deben trabajar por la tarde y muchos trabajan con más confianza y con más placer, porque el público vespertino no podrá tener bastante instrucción (esto no quiere decir que tenga mucha la mayoría de por la noche), pero sí es un hecho incuestionable que tiene un arrogante corazón. El público de por la tarde va al teatro por gozar y durante la representación se traslada en espíritu al lugar de la escena y goza y sufre con los personajes. El público de por la noche concurre por costumbre, profesa la indiferencia más completa, no atiende, charla, enamora, se fastidia y se duerme tal vez, pero se fastidia *comm'il faut*.

¿Ven ustedes en aquel palco a un señor de más de cincuenta años, de voluminoso vientre, ojos vivos y pequeña nariz roma y algún tanto enrojecida en su punta, frente espaciosa y algo escaso de cabello, con levita color de pasa algo raída, de imperceptibles botones y ancho y elevado cuello que debe llevar estrecha y cordial amistad con el ala del sombrero? Pues ése es don Dimas el procurador; vean ustedes qué empeñoso explica a su consorte, señora de no menor volumen, el hecho histórico sobre el que la pieza se funda y los motivos que tiene el traidor para obrar así. Ella le replica y él contesta, y todo este diálogo que es un verdadero recitativo a *mezza voce* y del que el público se entera, termina con la frase de "¡Atiende, niña; si no pones cuidado!" ¿Quiénes son aquellos que con las chaquetas blancas y las caras rollizas y coloradas, meten tanto ruido con sendos garrotes y quieren que la pieza siga o que la música toque, y aplauden rabiosamente un epigrama contra los franceses o un rasgo de lealtad castellana a los marciales acentos de *La Ponchada* o los bulliciosos de la Jota? ¿Quiénes han de ser? Los seis mancebos que pidió a España el comerciante don Isidro para su tienda y que le acaban de llegar de las provincias vascongadas; les permite ir por la tarde del domingo al teatro y ellos no quieren que se pierda el tiempo. Y más allá un padre de familia se aparece con cinco o seis chiquillos que abren tamaños ojos y se asustan al ver los puñales y las teas, pero que vuelven de sus temores comiendo tortillas de cuajada. Y más lejos algunos estudiantes que golpean las bancas y quieren que la representación se apresure porque da la oración y el vice del colegio les riñe. Y en otra parte un ranchero comprando dulces a su compañera de zapato azul cielo y puntas rojas en las enaguas, y rebozo de seda tejido con oro. Y luego...

Pero imposible sería que yo describiese todos aquellos tipos, que yo pintase todas las sensaciones que produce la concurrencia de un teatro por la tarde. En la que yo fui del número de los espectadores, y comí y aplaudí con ellos, se representó, como al principio dije, un drama de Zorrilla, *El zapatero y el rey*. Más de un año hacía que las circunstancias políticas me habían impedido asistir a una comedia y ver actores en otro tiempo aplaudidos, por lo que vi con gusto a Viñolas. El actor

425

que desempeñó al capitán Blas Pérez, y que según entiendo se llama Armario, aunque pretendiendo imitar a Mata en cosas que no debiera, comprendió su parte y la ejecutó con naturalidad y con brío. El público, animado por el irresistible sentimiento de la patria porque todos querían ver allí la suya, movido por la entonación y el fuego del actor, aplaudió justamente. Hubo propiedad y aun riqueza en los trajes y decoraciones, y ningún actor además de los mencionados se hizo notable sino Antonio Castro, cuyo progreso decrecente es asombroso, y el joven don Isidoro Máiquez. No sabemos si la suerte le dio ese nombre o él al dedicarse al teatro se aplicó un nuevo bautismo. Si lo segundo, cometió un error que revela además inmenso orgullo. Si lo primero, debería quitárselo; su ilustre homónimo ha dado ya tanto brillo a ese nombre, lo ha consagrado ya de tal manera con su talento, que es una verdadera profanación llevarlo aunque sea propio. Lo sería si lo llevase Romea, Pineda o Viñolas; en el joven que representó el papel de Rodríguez, es una verdadera irrisión. Después del Talma español, del primer actor del Teatro del Príncipe, nadie debe llamarse Isidoro Máiquez.

Querubín (Mariano Esteva y Ulíbarri)
13 de junio de 1848

Teatro Principal. 22 de junio de 1848. En la noche función en celebridad del feliz término de la guerra. Dedicada al Supremo Gobierno y a la Guardia Nacional de México. Dará principio con un hermoso Himno a la Paz y en seguida se representará el hermoso drama titulado *La hija del regente.* Por la tarde, *El héroe por fuerza.*

Teatro Nacional. Prospecto. Al anunciar la instalación de una compañía dramática en el primer teatro de esta capital, los empresarios estiman conveniente dirigirse al respetable público de ella para indicarle cuáles han sido los motivos de su formación y cuáles las desfavorables circunstancias con que han tenido y tendrán probablemente que luchar por largo tiempo. A repetidas instancias de muchísimos aficionados a esta clase de espectáculos, las insinuaciones tanto de los propietarios del teatro como de los dueños de sus localidades, los esfuerzos de los mismos artistas y por último el deseo de llenar un vacío que se experimentaba en esta sociedad, decidieron a los empresarios a asociarse para proporcionar al público una diversión que si en ningún tiempo ha sido lucrativa para sus promovedores, menos habrá de serlo en la actualidad por el cúmulo de contrarias circunstancias que los menos avisados pueden prever. Así pues, ninguna idea de especulación ha movido a los interesados en esta empresa, y sus miras se limitan y se limitarán siempre a establecer una perfecta igualdad entre los gastos y los productos del negocio.

Contratados todos los actores de más mérito que había en la capital para formar la compañía y contándose con abundancia de decoraciones y demás útiles necesarios al servicio de la representación, podrán ponerse en escena con sobrada propiedad, y muchas veces con lujo, las mejores obras dramáticas de los autores antiguos y modernos, y si la protección del público secunda los afanes de los empresarios, se irán planteando gradualmente aquellas mejoras proporcionales al incremento de los productos, de una manera que éstos se inviertan exclusivamente en las atenciones de la empresa. Ya se dejará entender por esta condición, que no estará ella obligada a ajustar nuevos actores a quienes el público apoye con sus sufragios, pues que tal obligación no le permitiría introducir aquellas innovaciones que le sugiera su deseo de agradar, único móvil de sus actos. Los empresarios cuentan, pues, con la indulgencia y con la protección pública para conservar por ahora, y mientras no varíen las difíciles circunstancias presentes, un espectáculo digno de esta capital, y se reservan para más adelante el placer de anunciar el resultado que obtengan sus activas diligencias en el exterior para mejorar la compañía. Como el principal fin de los empresarios sea la de procurar la distracción más amena, se ocupan preferentemente en proporcionar una buena compañía de ópera, y al efecto han escrito a las que con más facilidad y prontitud podrían trasladarse a esta capital por su propia cuenta. Si esto no se logra y es preciso traer una por cuenta de la propia empresa, únicamente podrá verificarlo auxiliada por una suscripción entre los aficionados a este género de espectáculos, siendo ella la primera a contribuir con la parte que le corresponda. Al efecto publicará oportunamente el éxito de sus gestiones.

La actual compañía será compuesta de los artistas siguientes: Verso: Actrices: Rosa Peluffo, Manuela Francesconi, Soledad Jiménez, María de los Ángeles García y Estrella, Emilia Villanueva y Francesconi, Ignacia Cabrera, Crescencia López, Dorotea López, Micaela Cabrera, Ramona Cabrera, Carmen Cabrera, Ángela Guzmán, Soledad Sevilla. Actores: Pedro Viñolas, director y primer actor; Miguel Valleto, *idem*; Javier Armenta, *idem*; Antonio Castro, Manuel Armario, Ángel Castañeda, Ignacio Servín, Donato Estrella, Amador Santa Cruz, Ignacio Capilla, Isidoro Máiquez, Antonio Granados, Trinidad Galindo, Luz

Galindo, Manuel Maldonado. Autor: don Evaristo González. Apuntadores: Juan Campuzano, Ignacio Ocampo, José María Jiménez. Baile: Jesús Moctezuma, Ramona Cabrera, Dorotea López, Micaela Cabrera, Soledad Sevilla, Carmen Cabrera. Señores: Tomás Villanueva, Isidoro Máiquez, Antonio Granados, Trinidad Galindo, Luz Galindo. La orquesta compuesta de los mejores profesores bajo la dirección de don José María Chávez. La parte de maquinaria y pintura será desempeñada por los señores Candil.

A pesar de los crecidos desembolsos a que se ha comprometido la empresa para cubrir las asignaciones a los individuos de la compañía, y en especial el subido arrendamiento de los teatros que se ha visto precisada a contratar, como no lleva ninguna mira de especulación ni de aumentar los antiguos precios de abono de las localidades, tiene la satisfacción de haberlos reducido para mientras dure la temporada presente, los que a continuación se expresan, con la advertencia de que en los balcones sólo se dejarán dos órdenes de asientos que únicamente podrán aumentarse a tres en las tardes y en algunas noches de extraordinaria concurrencia, y arreglado el mes de abono de 22 funciones, serán los precios: Palcos primeros, segundos y plateas, 50 pesos. Palcos tercero, 40 pesos. Lunetas, 8 pesos. Balcones, 8 pesos 4 reales. Galería alta, 3 pesos 2 reales. Las funciones por ahora se suspenderán sólo en los miércoles y sábados de cada semana, sin que esto impida a la empresa poder hacer alguna variación de días cuando por aprovechar una festividad o por algún otro motivo le sea preciso hacerlo. Las representaciones comenzarán el 16 del presente mes de julio de 1848.

Por la empresa
F. Pavía

Gran Teatro Nacional. Apertura. Por fin después de tanto tiempo de luto la escena mexicana volvió a abrirse y otra vez hemos visto lo que casi ya no esperábamos: la animación y la vida de otros tiempos. Otra vez las bellas mexicanas se han presentado a regocijar nuestros corazones y otra vez los elegantes flechan a los palcos sus anteojos desde las lunetas, y otra vez las miradas y los cuchicheos con el amigo, y los aplausos, y la voz de los actores, y los acentos de la música, y hasta la iluminación, han venido a herir otra vez nuestros sentidos y a despertarnos de una especie de sueño letárgico. ¡Bien lo merecíamos ya, por vida mía! Si más duramos en aquel lamentable estado, gran peligro corríamos de convertirnos en momias de pura tristeza y angustia. Hemos vuelto a la vida y damos por nuestra resurrección gracias a la empresa. Ésta nos ha obsequiado con algunas novedades, entre ellas dos damas jóvenes, o mejor dicho tres, y un actor de mérito, don Miguel Valleto, que si no puede llamarse completamente nuevo, lo es en este teatro a lo menos, y el placer con que el público de México lo escucha es también siempre nuevo.

La noche del 16, aunque lluviosa, no impidió que concurriese bastante gente al teatro, aunque en caso contrario se habría llenado indudablemente. El público ansiaba por el espectáculo y una comedia nueva del fecundísimo Bretón, era nuevo motivo para que se excitasen los deseos. La apertura y el nombre del autor de la comedia atrajeron regular concurrencia. *Un enemigo oculto* es una comedia escrita con ligereza y gallardía características del autor. Se le descubre siempre por lo armonioso y fluido de la versificación, pero en esta comedia más que en otras se echa de menos toda trama, todo carácter. Después de esta comedia nada se ha representado de notable que no sea el ya conocido drama de Alejandro Dumas, *Margarita de Borgoña*, que ha sido para muchos en México la piedra de escándalo, y por innumerables ha sido censurado y aun condenado sin haberlo visto ni leído, y por no pocos que han asistido a su representación sin haberlo siquiera comprendido, y hasta ha servido de pretexto para condenar sin excepción al género literario al que se dice pertenece. Diremos algunas palabras sobre esto y sobre el influjo que la representación de este drama pueda tener en la moral pública. La literatura, señaladamente la dramática, es la fiel representación, el verdadero eco del tiempo a que pertenece, la expresión de los sentimientos y de las necesidades de la época. En la presente la sociedad europea, como la mexicana, pero en mayor escala aquélla, está corrompida y próxima a desmoronarse; está falta de creencias que las revoluciones le han arrancado, y falta de fe en política, es también descreída en la transacciones de la vida doméstica. Los gobiernos y los partidos engañan, los hombres faltan en sus contratos privados, las mujeres mienten en sus palabras de amor y en sus suspiros. ¿Qué le queda al hombre para creer? Consecuencia de los sacudimientos públicos y de las perfidias privadas, es no sólo la falta de fe sino también la escasez de sentimientos dulces y tranquilos. Nuestros padres alcanzaron tiempos pacíficos, tiempos de lealtad y buena fe; nada más natural que esos sentimientos fuesen iguales y calmados, nada más natural que hallasen placer por ejemplo con la pintura de la vida del campo, con cuadros risueños y alegres como sus corazones. Nosotros desgraciadamente hemos nacido en medio de calamidades, nos hemos arrullado al ruido de los cañones y hemos ido creciendo en medio de sangre y de destrucción. Siempre han visto nuestros ojos escenas de horror, nuestros oídos han escuchado siempre palabras de amenaza o de mofa, el alma ha sentido siempre los efectos de la mala fe y la traición. Educados en esta escuela, ¿qué podemos ser?, ¿qué podemos sentir?, ¿qué podemos esperar? Todo sentimiento calmado debe ser para nuestros corazones insuficiente y frío, y necesitamos para sentir algo sacudimientos fuertes, sentimientos alambicados si se quiere, pero duros como al febril que ha perdido la sensibilidad se le aplican cáusticos.

Culpa es esto de las revoluciones, de las circunstancias, de la sociedad misma. Sus costumbres han creado esta literatura, de ningún modo ha formado ella las costumbres. La trama estrechamente anudada, las sacudidas violentas de las más sensibles fibras del corazón, los inesperados recursos dramáticos que se advierten en *La Torre de Nesle o Margarita de Borgoña*, son una concesión a nuestras necesidades. El autor no es culpable en darnos lo que queremos, lo que necesitamos, lo que él también, miembro de esta sociedad, quiere y necesita. Los dramas románticos, se dice, son inmorales porque presentan crímenes a la vista del espectador. Margarita, parricida y adúltera, dramáticamente es inmoral y su inmoralidad proviene del género. La respuesta es obvia: el mero hecho de presentar crímenes en la escena no es inmoral, y si lo es, de esta inmoralidad no se ha salvado el teatro clásico. La pieza más vigorosamente clásica, el *Edipo*, nos presenta una muestra: incesto, parricidio, son las bases de la tragedia. ¿Quién hasta ahora lo ha llamado inmoral? El destino, la fatalidad conducía a Edipo de crimen en crimen como a Don Álvaro el sino. ¿Por qué éste ha de ser inmoral y la fatalidad no? ¿Por qué condenar a Saavedra y a Dumas, y no a Sófocles? Podría decirse que el castigo de los dioses a Edipo comprende toda la moralidad de la tragedia, y el que Dios por medio de la justicia humana da a Buridán y a Margarita en *La Torre de Nesle*, ¿no se cuenta por nada?

Condenar al drama romántico y salvar la tragedia clásica en idénticas circunstancias, sólo puede ser obra de la parcialidad o de la ignorancia. El influjo del teatro en las costumbres, aunque parezca paradoja, es una quimera. No concurre el público a las representaciones sino para divertirse o para sentir, y las más veces ni para lo uno ni para lo otro, sino para conversar. No creemos que el teatro haya corregido un solo vicio ni producido un solo crimen. Las impresiones que deja son efímeras como la duración de las representaciones. Muchos creen, sin embargo, que el teatro es una escuela, y los más sin examinarlo lo creen porque los pasados lo creyeron. Esto envuelve sin embargo cuestiones demasiado prolijas y ajenas de este lugar.

El drama que ha ocasionado estas reflexiones es harto conocido y nada diremos de él sino que le fue añadida la última y más importante escena que la traducción española tenía suprimida. La ejecución fue regular, aunque manifestaron poquísimo cuidado los actores, en especial la señora Peluffo y el señor Viñolas, en la pronunciación de los nombres franceses. Harto común es este idioma para que pueda perdonarse tal falta. Hubo lujo en algunos trajes y se manifestó deseos de complacer al público. Éste, como casi todas las noches, estuvo demasiado severo y frío.

Querubín
17 de julio de 1848

Teatro de Nuevo México. Domingo 30 de julio de 1848 por la tarde. Función dedicada a los batallones de guardia nacional Victoria, Mina, Hidalgo, Independencia y Bravos. El drama en tres actos intitulado *Si olvidamos los partidos México será inmortal.* En seguida se cantará el aria de *El Barbero de Sevilla,* "La calumnia".

Teatros. El domingo en la noche se representó en el Nacional el drama de Alejandro Dumas titulado *Margarita de Borgoña o La Torre de Nesle.* Esta pieza había sido prohibida por los censores y a fe que no sin justicia, porque en ella hay parricidio, adulterio, incesto y otras lindezas de este jaez. Ignoramos si el drama mereció la aprobación de alguno de los censores actuales o si la empresa lo hizo representar a pesar de estar prohibido, en cuyo caso ha cometido una grave falta. No es menor la que se ha cometido burlándose al público al anunciársele que no se le iba a dar la traducción mutilada que se había puesto en escena otra vez, sino una muy fiel y arreglada al original en que sólo se habían hecho algunas "ligeras" supresiones. Lejos de ser esto cierto, se quitaron cuadros enteros, se variaron las escenas y se cambiaron algunos incidentes. Para tomarse estas libertades indebidas, ¿se tuvo tanto empeño en suspender el útil Reglamento de 1846 y la Junta Inspectora de Teatros?

25 de julio de 1848

Respuesta de un censor. El autor del pequeño artículo intitulado "Teatros", muy ofendido por la suspensión del "útil Reglamento de

1846" y más aún por la Junta Inspectora de Teatros, ataca despiadadamente a los señores censores, a la empresa y hasta al mismo Dumas. Yo, uno de los primeros, quiero defender a todos mis compañeros de desgracia. Primeramente la empresa, ignorando que los juicios de los autores tenían autoridad de cosa juzgada, como parece que opina el articulista, sujetó de nuevo a la censura el drama causa del escándalo, y aquélla, es decir, "los dos censores", opinaron que podía permitirse la representación de la pieza añadiendo la última escena y haciendo alguna que otra ligera supresión, como la maldición de Gualterio a Margarita. Para este trabajo se tuvo presente y sirvió de base la traducción española que se había representado en México y que tenía suprimida la última escena. Si esa traducción tiene algunas diferencias del original, supongo que no creería el articulista obligación de la empresa ni mucho menos de los censores, restituirla a su original exactitud; esto equivaldría a hacer una nueva traducción. La empresa cumplió con su deber sujetando el drama a la censura y ésta ha creído cumplir con el suyo haciendo representar lo que el autor escribió y salva la moralidad del drama.

El mero hecho de que en él se representen crímenes no es inmoral, porque esos crímenes se castigan al fin por la justicia humana, con la orden de prisión ejecutada por Savoisy, y por la divina con la angustia de una madre que sacrifica a sus hijos sin conocerlos. Además el articulista, creyendo aumentar el interés de su párrafo en que sin otra mira bastarda se propone defender la causa de la moralidad, principia por calumniar a Dumas, dice que hay incesto. ¿Sabe el autor de ese artículo lo que es incesto? Como lo supongo, no le copio el artículo respectivo del Diccionario de la Lengua, pero quisiera que me dijera dentro de qué grado eran parientes Buridan y Margarita, porque si lo eran en uno de los prohibidos, inconcusamente hubo incesto. El parentesco, sin embargo, no consta, y las fes de bautismo nos harían mucho al caso. Si la supresión de cuadros enteros, la variación de escenas y el cambio de incidentes son como el incesto, ya se ve qué bien informado estaba el crítico; pero aun esto supuesto, la empresa en su anuncio no prometió una traducción muy fiel y arreglada al original, y por consiguiente no faltó a su compromiso. Si hubo huecos notables en el drama la culpa es del traductor español, el cual estamos seguros no pensó en influir en la suspensión del "útil" Reglamento y de la Junta, para aprovecharse de su falta tomándose las descomunales libertades que el articulista le imputa. En cuanto al empeño por la suspensión del Reglamento y de la Junta, la empresa lo creyó de su interés y los censores creen ser harto conocidos para que se sospeche que lo tomaron para la suspensión de un Reglamento que apenas conocen y nada les importaba, y de una Junta en la que contaban con algunos amigos. Tal vez sería, pensará el autor del artículo, por desempeñar una plaza tan pingüe. Estas líneas servirán para que oídas ambas partes, forme su juicio el público.

Uno de los actuales censores
30 de julio de 1848

Censura. El artículo anterior, suscrito por uno de los actuales censores, no debe dejar pasar sin contestación. Le daremos la que nos parece oportuna ciñéndonos a la defensa del párrafo que publicamos el día 25 de julio. El señor censor no leyó sin duda nuestro artículo cuando nos supone la opinión de que los juicios de los autores tenían autoridad de cosa juzgada; lo que nosotros expresamos fue que si la empresa del Teatro Nacional se había atrevido a poner en escena un drama prohibido había cometido una grave falta; si no fue así, sino que la pasó nuevamente a algún censor, entonces la falta, siempre grave, es de éste y no de aquélla. Al hablar del drama dijimos que era inmoral, lo que estamos prontos a sostener. Para comprobarlo alegamos que había adulterio, parricidio, incesto y otras lindezas de este jaez. El respetable censor nos acusa nada menos que de calumniadores de Dumas precisamente por eso del incesto, y nos pregunta si sabemos lo que esta palabra quiere decir. Sí, señor defensor generoso de ausentes y presentes, tenemos la necia presunción de saber lo que significa. En cuanto al grado de parentesco que había entre Buridan y Margarita, le contestaremos que está usted equivocando los frenos, que al hablar del incesto no nos referíamos a las relaciones ilícitas que existían entre estos dos personajes, sino a lo que pasó entre Margarita y Felipe Daulnay en la noche de orgía que tuvieron en la Torre de Nesle. Nos permitirá usted a nuestra vez, señor censor, que le preguntemos si sabe qué parentesco había entre Felipe y Margarita.

Sostuvimos también que se habían suprimido cuadros enteros y varias escenas y cambiado algunos incidentes. El señor censor, que no ha leído el drama, como él mismo lo indica, aunque su artículo pone en claro que está demás su indicación, sospecha que no es exacto nuestro aserto. Para que se convenza que no hablamos de memoria sino con fundamento, será bueno que sepa que se suprimieron todo el cuadro quinto en que se verifica la aprehensión de Marigny y de

Buridan, la primera escena del acto segundo y varias del cuarto, como por ejemplo en la que aparece el rey. En cuanto a incidentes, nos contentaremos con citar uno solo: que en el original se dice que fueron tres los galanes que pasaron la noche en la Torre de Nesle con Margarita y sus dos hermanas Juana y Blanca, y en la traducción se reducen a dos, Buridan y Felipe. Esto es de poquísima importancia pero prueba que nada hemos dicho que no sea exactamente cierto. Por lo que toca a si la empresa engañó o no al público, los lectores juzgarán: en el cartel en que se anunció el drama se pusieron estas terminantes palabras: "Este drama ha sido representado en México siguiendo una mutilada traducción. La empresa, respetando las ideas del público y conforme a la mente del autor, ha reparado la traducción llenando los huecos según el original que se ha tenido a la vista y haciendo alguna que otra ligera supresión que demandaba el decoro de nuestro público." Ahora bien: ¿se repara una traducción mutilada con otra que lo es también? ¿Se llenan los huecos quitando cuadros enteros? Suprimir éstos, rebajar escenas, cambiar incidentes, ¿son "ligeras" supresiones? Convenimos en todo punto con el censor en que la empresa logró la suspensión del Reglamento de 1846 que insistimos en llamar útil porque no cuadraba a sus intereses; así sucedía en efecto porque da preferencia a los del público y los actores. Por lo demás, lejos de que nosotros creamos que es pingüe la plaza de censor, estamos persuadidos de que es bastante molesta e incómoda, sobre todo cuando a más de cumplir con las obligaciones que impone, hay que ocuparse de las necedades de los periodistas. Por último, suplicamos al señor censor actual que siempre que hable de una pieza teatral, se tome el trabajo de leerla. Con lo expuesto tiene bastante el público para decidir de parte de quién está la razón.

30 de julio de 1848

Teatro Nacional. Función extraordinaria a beneficio de la señora Massini de Sirletti. Mucho tiempo hacía que el elegante Teatro Nacional no miraba dentro de su recinto una tan numerosa y escogida concurrencia como la que asistió la noche del último miércoles a la función de la señora Massini. Lunetas, balcones, plateas, palcos de todos los pisos, galería, todo rebosaba de gente y de gente elegante en su mayor parte. Tanto tiempo se ha pasado desde que no vemos lleno este teatro, y menos de la manera que lo estuvo esa noche, que nos pareció un verdadero milagro, una cosa de encantamiento que los

434

mexicanos, y más aún las mexicanas, hicieran un esfuerzo y se decidieran a animar con su hermosa presencia y elegante atavío unas, y con su aplauso otras, a la señora Massini, benemérita de la escena mexicana en que ha cogido hace algunos años frondosos laureles. Un recuerdo de compasiva gratitud obró sin duda en favor de la cantante que expira, y el teatro se colmó. Presentó la señora Massini una función de tantas y tan heterogéneas partes que excitó la crítica de algunos que hubieran querido una función exclusivamente musical. Sin que nosotros intentemos probar que hay conexión entre los poderosos esfuerzos de un atleta como Turín, y los melifluos y armoniosos trinos de una soprano como la señorita Barrueta, diremos sí en abono de la señora Massini, que su intención fue combinar un espectáculo que en lo posible agradase a todos, y si no satisfizo hasta las menores exigencias, cosa por cierto imposible, logró contentar a la mayor parte. Al salir no oímos una sola palabra de disgusto.

Comenzó el espectáculo con una comedia, *Los amigos del día*, que es un verdadero sainete, un pensamiento filosófico de que una experta pluma pudo sacar un gran partido puesto en caricatura y por consiguiente no verosímil. Después de ella se presentó la señora Massini a cantar una aria de *I Capuletti*, de Bellini, que ejecutó con aplauso. Al salir fue saludada por sus antiguos amigos. Desde que el público no la escucha ha perdido mucho de su voz en términos que en los palcos segundos y más aún en los terceros, así como en el extremo de la luneta, casi no se la oía. Sin embargo, se entreveía la inteligencia de la cantante por el arreglo con que ejecutó su parte, y en cuanto a la ejecución mímica cantó con traje análogo y acompañamiento de escena, por lo que nada dejó que desear, porque manifestó como siempre conocimiento del teatro, y en sus modales despejados y caballerosos con naturalidad, se echaba de ver su no descuidada educación y dominio del puesto. Los bien conocidos Turín y Deveroy hicieron varios y hermosos ejercicios cada uno en su género. Ambos fueron aplaudidos, señaladamente el primero al doblar la barra de hierro en el brazo, ejercicio de prodigiosa fuerza que tan bien ejecuta Turín con admiración y pena de los espectadores. La señorita Moctezuma bailó una Cracoviana con su gracia de siempre, y por último los señores Aduna y Bianciardi, y la señorita Barrueta, llenaron agradabilísimamente la otra parte de la noche.

Querubín
6 de agosto de 1848

Teatro Nacional. Gran concierto vocal e instrumental por la señorita Zepeda y Cossío y el señor Ibáñez. La noche del último miércoles ha sido sin la menor duda en la que después de mucho tiempo se ha visto el Teatro Nacional sin exageración de ninguna especie, rebosar de gente. El miércoles anterior lo vio la señora Massini en su beneficio bien lleno, pero en la función de la señorita Zepeda faltaba local y mucha gente se quedó sin poder obtener boletos, para conseguir los cuales había un verdadero alboroto. La señorita Zepeda, que tan aplaudida ha sido siempre, y un profesor de la nombradía del señor Ibáñez, no podían menos que atraer así al público mexicano a una función dispuesta por ellos y en su beneficio. Las tres líneas de palcos cubiertas de señoras elegantemente vestidas y ostentando las más juventud y hermosura. Muchas otras en las plateas y balcones y aun en la luneta, perfumando el ambiente con sus olores y mareando a los débiles de nervios con el ruido de los abanicos. El patio lleno de fraques negros y chalecos y guantes blancos. En las puertas grupos de gentes que no habían logrado asiento y que estaba de pie. En los tránsitos de la luneta, sillas, y este inmenso gentío silencioso y atento al compás de la música, marcado por el arco del violín del director, y sólo dando señales de vida en los intervalos de pieza a pieza por el ruido sordo y confuso de los abanicos, de las toses y de las conversaciones a *mezza voce.* Era aquello un espectáculo digno de verse tanto más cuanto que largo tiempo hacía que no gozábamos de él.

La elección de las piezas que se cantaron y tocaron fue a nuestro entender atinada, aunque no fueron tan aplaudidas como merecían y esperábamos. En la parte del canto, Verdi, el compositor de moda en Europa, hizo el gasto con sus óperas *Attila, I due foscari* y *Hernani.* Si no nos engañamos, la última de esas óperas es la más conocida en México y de ella se cantó la introducción por las señoritas Zepeda y Mosqueira, y los señores Flores e Ibáñez, con coros. Esta pieza hermosísima fue de las mejor recibidas. La aria de la cantante del maestro Sanelli, compositor que bien conoce México, fue muy bien cantada por la señorita Zepeda, y tanto esta pieza como el dúo de *Attila,* cantado por la señorita Mosqueira y el señor Flores, parece que nada dejaron que desear pues fueron sin duda de lo más aplaudido. El público salió satisfecho de estos dos cantantes, y en especial de la señorita Mosqueira cuya voz, si no tan robusta y extensa como la de su compañera la señorita Zepeda, es sin duda mucho más flexible. Muchos creen, y nosotros entre ellos, que esta señorita, bastante joven según parece, se distinguirá con estudio y aplicación. El señor Caballero, que dirigía la orquesta, parece feliz con sus discípulas; la señorita Mosqueira, como la señorita Barrueta, están educadas en su academia. Le damos los parabienes por la opinión que ha formado el público de esas dos jóvenes que le deben su educación artística. Solamente nos causó extrañeza en la función del miércoles la poca animación del público que estamos advirtiendo desde el principio de la temporada. Es verdaderamente sorprendente que aplauda un poco y suponemos que habitualmente taciturno eso querrá decir "ahora estoy contento". De los señores Ibáñez y Bianchiardi, pianista el primero, apenas hay que decir que manifestaron la habilidad de siempre.

Lástima que no podamos elogiar al señor Ibáñez igualmente como profesor en las leyes de la cortesía. No creemos que hubiera una sola persona que no advirtiera con disgusto que la señorita Mosqueira se presentó al comenzar la función a cantar un aria conducida por un corista. Hemos oído dar una siniestra interpretación a este suceso, pero no creemos nosotros de ninguna manera que el señor Ibáñez tuviera motivo para ofender a la señorita Mosqueira. Si lo pretendió, él fue el humillado en el concepto del público, pero más bien suponemos en su obsequio que sería un olvido.

Querubín
19 de agosto de 1848

En la muerte de la señorita Antonia Aduna

> "Nació a una vida
> que jamás se acaba"

Duerme en paz, sencilla niña: nada interrumpirá tu reposo. Sola tú en medio de la inmensidad del templo, no oirás ya los gritos de placer que lanza el mundo y que en pasados días halagaban tu corazón. Ya no herirá tus oídos la grata palabra de la lisonja ni el sincero aplauso que arrancaba tu dulcísimo canto. Tus oídos están cerrados para siempre y las armonías de tu voz han acabado. Duerme en paz, niña sencilla y amable, y no interrumpa tu apacible sueño el lamento de dolor, único patrimonio de los mortales.

¡Qué contraste presenta el silencio sepulcral que hoy te rodea, con el placentero bullicio del festín que tú animabas en mejores días! Paréceme que te veo siendo la reina del canto en el lujoso salón iluminado por cien luces; sonaba la orquesta, gemía la flauta, todos escuchaban, y en medio de la conmoción general alzabas la divina voz, la modulabas, ya la hacías dulce y lánguida llena de melancólica expresión, ya la esforzabas con vigor, y las vibraciones de tu garganta herían

437

el corazón de los que te escuchaban, pues conmovías, y cuando tu canto cesaba mil aplausos sinceros y entusiasmados resonaban en el salón. Y tú, joven sencilla, eras la diosa que arrancaba aquellos gritos de placer; tú lo formabas y reinabas absoluta como la reina del festín.

Todo acabó ya. Cuando en la primavera de tu edad hacías las delicias de tu familia y los encantos de la sociedad, la muerte vino a apagar de un soplo la antorcha de tu existencia. Tierna flor que al entreabrirse cayó doblada por la tempestad. Brillaste un día y tu brillo se apagó dentro de la tumba. ¿Más por qué, joven amable, al comenzar tu radiante carrera, dejaste un mundo que te adoraba y te idolatraba? ¿Acaso los aplausos que arrancabas y los placeres que por doquier te seguían eran espinas para tu corazón? ¿Quisiste abandonar las ilusiones perecederas de un día o deseabas trocar las armonías débiles del mundo por las que forman los ángeles en la mansión de eterna paz? Joven sencilla y amable, el velo blanco que cubría tu cuerpo ya inánime, revelaba tu inocencia virginal, y en alas de esa inocencia has volado a la región de la luz a ser una joya de la diadema del Señor, y si bien no percibes el placer del mundo, eres aún más feliz al lado de los querubines. Duerme en paz, niña amable, mientras tu alma goza de una vida que jamás se acaba.

Ramón de la Sierra
28 de agosto de 1848

Teatro Nacional. El gabán del rey, comedia en cuatro actos y en verso de don Gregorio Romero y Larrañaga y don Eduardo Asquerino. Uno de los más notables y quizá el más hermoso de los hechos del reinado de don Enrique el Doliente, ha servido de argumento a los autores para hacer este drama que ha sido representado con bastante aplauso en el Teatro Nacional, y los autores han sabido seguir casi paso a paso la historia sin desviarse por eso del interés dramático. La ejecución estuvo digna de alabanza particularmente en lo tocante a la señora Peluffo y a los señores Viñolas y Armenta, pero no podemos hacer hoy elogios al director de escena; ésta estuvo servida no sólo pobre sino mezquinamente. La capilla en que oraba el arzobispo casi tocaba en lo ridículo. El señor Servín debió haber salido con un traje más rico para caracterizar más al prelado que representaba, pues la sotana con que se vistió mejor cuadraba a un humilde pastor de la iglesia de los primeros tiempos que al fastuoso don Pedro Tenorio.

Querubín
4 de septiembre de 1848

Teatro Nacional. El 16 de septiembre o La justicia de Dios. El título que ponemos al frente de este artículo y que lo es de un drama representado este último domingo en el Teatro Nacional, excitó desde luego la curiosidad vivamente, creyendo algunos encontrar en él un recuerdo de las cosas de nuestra patria y tomando el 16 de septiembre del drama, original francés, por el 16 de septiembre de 1810. Temerosos estaban por demás los que esto creían de cómo desempeñaría el autor un asunto sobremanera difícil y peligroso de tratarse. Pintar hechos que casi todos los concurrentes al teatro vieron, dibujar caracteres conocidos por una gran parte, sacar a luz ciertos rasgos, patrimonio exclusivo de la historia y que aun sirven de embarazo a la contemporánea, apenas puede concebirse que un ingenio, siquiera mediano, saque a las tablas sin gran riesgo. A las primeras palabras del drama se desvanecieron los temores: nadie pensó ya en Dolores ni en el cura Hidalgo, y los recuerdos de la insurrección y de la Independencia mexicana, hicieron lugar a hechos que pasaban en Francia y que en vez de afectar a una nación, tocaban sólo a una familia. Somos de la opinión que *La justicia de Dios* debe verse y el público opinó lo mismo al aplaudirla.

Querubín
18 de septiembre de 1848

Teatro Nacional. Sábado 16 de septiembre de 1848. Función extraordinaria. Ópera italiana. *Lucrecia Borgia,* del maestro Donizetti. Tenemos hoy el placer de dedicar un artículo a la función con que la empresa del Teatro Nacional imaginó solemnizar el grito de Dolores, y realmente que la idea no careció de osadía. Poner en escena en tan corto tiempo una ópera de los tamaños de *Lucrecia,* con la escasez que hay de cantantes y cuando aún están vivos y vibrando, por decirlo así, en los oídos los recuerdos de la Castellan, es idea atrevida, pero que afortunadamente para la empresa pudo realizarse, y la inmensa y lucida concurrencia que honró el teatro en esa noche, oyó con placer las armonías de Donizetti en bocas no muy indignas de interpretarlo. Ya conocía el público a los cantantes, aunque no en ópera, y si bien satisfechos de ellos en más modestas empresas, temía que ahora hubiesen acometido una muy superior a sus fuerzas. Por tanto, al comenzar la función no reinaba en los espectadores la más completa confianza. A medida que la representación adelantaba, el temor de los espectadores desaparecía y al fin se vio que las disposiciones de los jóvenes cantantes habían superado en parte, sino vencidos del todo, los obstáculos.

Al principio manifestaban la poca seguridad del que se halla en un puesto al que está desacostumbrado. El embarazo de la acción perjudicaba un tanto la parte musical, pero más adelantado el espectáculo, el encogimiento fue menor y hubo más naturalidad. Creemos dignos de elogio en la parte mímica a los señores Flores y Solares, señaladamente el primero que se presenta por primera vez en la escena. En cuanto a la parte musical entendemos que se hizo cuanto podía hacerse, y algunos trozos particularmente salieron muy bien ejecutados, pudiendo servir de ejemplo el dúo de bajo y tiple del acto primero. La señorita Mosqueira con su voz dulce y que tan bien sabe modular, cantó bien por lo general su parte. En cuanto a la señorita Massini creemos que hizo esfuerzos poderosos que le arrancaron algunos aplausos. No estuvo el público por cierto muy pródigo de ellos, aunque al fin fueron algo más repetidos e hicieron levantar el telón y aparecer a la señorita Mosqueira. Los trajes estuvieron propios y hermosos, pero el servicio de la escena no fue correspondiente a la verdad del argumento ni hacía mucho honor a la atención y cuidado de la empresa, que otras veces se ha portado con esplendor. El magnífico festín del final no mereció desgraciadamente tal epíteto y no se veía en él brillar la argentería, ni circular profusamente los manjares y el vino, ni el movimiento de los convidados, ni el adorno del salón y la mesa, nada hacía sospechar que se trataba de una fiesta espléndida en un palacio italiano de los Borgia. Los convidados de ambos sexos, no muy numerosos, estaban tristes y cabizbajos como presintiendo su fin, y hasta las luces demasiado escasas también, daban un aire demasiado modesto a una función que debiera haber parecido rica y verdaderamente magnífica.

Querubín
19 de septiembre de 1848

Gran Teatro Nacional. 20 de septiembre de 1848. Función extraordinaria dispuesta por la Junta Patriótica en beneficio de las viudas y huérfanos que perecieron en nuestra Guerra de Independencia. 1º Gran obertura del inmortal Beristáin. 2º Comedia nueva en un acto titulada *Dos hijas casaderas.* 3º Aria de la ópera *Attila* del maestro Verdi cantada por la señorita Mosqueira. 4º Graciosa pieza cómica en un acto titulada *Don Bernardino en el ensayo.* 5º Dúo de la misma ópera cantado por la señorita Mosqueira y el señor Flores. 6º Cuarteto de medio carácter extraído de algunas óperas.

La señora Cañete. Esta actriz, que tan bien recibida fue de los mexicanos y a la que mil veces prodigaron aplausos merecidos y contra la que hoy existe una fuerte prevención por la conducta que observó con los norteamericanos, debe volver pronto a la República y presentarse en las tablas, según lo anuncia su esposo don Rosendo Laimon.

23 de septiembre de 1848

Norma. Asistimos anoche al Teatro Nacional donde se debía ejecutar la *Norma*. Se cantó en efecto el primer acto y el público prodigó repetidos aplausos a las señoritas Cossío y Mosqueira. Ambas fueron coronadas y se repartieron unos versos escritos en elogio de la primera. Después de un largo entreacto de más de una hora, el público comenzó a demostrar su impaciencia para que siguiera la ópera. Se alzó el telón y un actor se presentó a decir que no podía continuarse porque la señorita Cossío se había enfermado repentinamente y los facultativos que acababan de verla aseguraban que no estaba en estado de seguir cantando. Al oír esta noticia, la mayor parte de la concurrencia, aunque disgustada por no haber disfrutado más que de la mitad de la función, tomó por buen partido retirarse, pero el resto de la gente no se conformó y armó en pocos momentos una gresca estrepitosa que duró cerca de media hora. El asunto tomaba un serio aspecto: los gritos, el ruido, la batahola, aumentaban por momentos; parte de los más alborotadores se dirigían al foro cuando volvió a levantarse el telón y se anunció que la señorita Mosqueira, a pesar de que no sabía muy bien el papel de *Norma*, se prestaba gustosa a desempeñarlo para complacer al público. Esta noticia fue recibida con ruidosos aplausos.

Siguió en efecto la ópera, suprimiéndose el dúo entre Norma y Adalgisa. La señorita Mosqueira cantó muy bien su papel, cosa tanto más notable cuanto que lo hacía sin estudio ni ensayos. Al terminar la función el público volvió a aplaudirla con empeño y la hizo salir a las tablas.

28 de septiembre de 1848

Teatro. Para la noche del domingo 22 se había anunciado la primera representación de *El eco del torrente*, drama nuevo y en verso del

441

conocido poeta español don José Zorrilla. El público esperaba ver una composición selecta, según los grandes elogios que de ella se hacían, asegurándose que era la primera de las obras de su autor y lo mejor que había venido en la presente temporada. La casualidad de no haberse podido representar esa noche por enfermedad de la señora Francesconi, había hecho que circularan esas favorables noticias, excitando la curiosidad pública, así que a pesar de que las entradas de las comedias nuevas están siendo muy productivas, el día 29 estaba completamente llena la sala. Por desgracia *El eco del torrente* no correspondió, como suele suceder tan a menudo en este pícaro mundo, a las esperanzas que había hecho concebir, a lo que contribuyó también muy directamente la idea ventajosa que se habían formado de esa pieza, porque es bien sabido que siempre que se espera una cosa muy escogida, en no siéndolo, parece menos buena de lo que es en realidad. Sin embargo, nosotros hemos procurado juzgar el drama con toda imparcialidad y creemos que no sólo no es el primero de Zorrilla, sino que dista mucho de varios de los suyos. *Don Juan Tenorio, El zapatero y el rey* y otros, son infinitamente superiores a *El eco del torrente* en argumento y versificación. Una y otra no pasan de regulares en la última pieza, con excepción de pocas escenas en que el verso es fluido, sonoro y expresivo. Dos son los principales defectos que encontramos a ese drama: uno, la poca verosimilitud que tiene; otro, la larga duración de casi todas las escenas; cuando éstas se prolongan demasiado decae el interés naturalmente y es forzoso que la acción no camine sino que se arrastre; entonces nada vale que el diálogo sea animado ni que los versos sean muy hermosos. Por lo pronto agradan las escenas, pero acaban por cansar.

En cuanto a la ejecución de la pieza merece especial mención el señor Armenta, quien se esforzó cuanto pudo en el desempeño del fuerte papel que representaba y que por su misma tirantez produce poco efecto. La señora Peluffo ejecutó el suyo con su habilidad de costumbre luciendo también el señor Viñolas. Recomendamos a la empresa que tenga mayor empeño en servir al público, del que ha manifestado hasta aquí. Ya que ha tenido la fortuna de hacer en los pocos meses que lleva de abierto el teatro, una ganancia que sin exageración se puede llamar exorbitante, y eso cuando la actual compañía es empeñosa, pero no selecta ni completa; ya que hay fundadas esperanzas de que continúe lucrando considerablemente, está en la estrecha obligación de poner en escena buenas piezas, tanto por sus propios inteses como por obsequiar al público que la favorece, pero lejos de que haya observado tal conducta, en los meses de abono que han transcurrido no ha dado una sola comedia nueva que merezca el título de buena; una que otra ha sido regular y las demás detestables. Para que el público esté bien servido en esta parte, lo que debe practicarse es hacer que vengan con toda oportunidad las últimas composiciones del teatro español y del francés; escoger del primero las piezas que sean dignas del honor de la representación, y para las segundas tener un traductor inteligente que cuide no sólo de pasarlas a la escena mexicana sin incurrir en los notables vicios en que abundan regularmente las traducciones que se nos dan, sino que a la vez se ocupe de elegir las composiciones admisibles entre tantísimas malas como se presentan en los teatros de París. De esta manera quedaría el nuestro montado bajo un pie muy distinto del que hoy se encuentra, poco favorable en verdad para los espectadores. La empresa ha mandado a un agente fuera de la República para que ajusten algunos actores que completen el ramo de verso, y parejas de baile francesas y andaluzas. Con esas mejoras y las que hemos indicado, la escena estaría bien servida. Sería de desearse también que se formase una compañía de ópera; esto sería muy fácil puesto que no se necesita gran cosa para completarla, teniendo ya aquí cantatrices de mérito y bien recibidas del público. Falta de fondos no hay en la empresa ni debe arredrarse por los crecidos gastos que tenga que hacer, pues es seguro que las funciones que diera la indemnizarían superabundantemente.

Los Gemelos
3 de noviembre de 1848

Revista teatral. Contra lo que nos habíamos prometido, tomamos hoy la pluma para dirigir nuevas quejas a los empresarios del Teatro Nacional por la malísima elección de las piezas con que han estado abusando de la paciencia del público. El viernes por la noche dieron la primera parte de *Los misterios de París.* La comedia que lleva ese título no sólo está muy lejos de ser buena, sino que no puede serlo supuesto el plan que se propuso su autor y fue la de poner en escena casi toda la novela del mismo nombre del célebre Eugenio Sué. Querer presentar en el teatro una serie de episodios inconexos necesariamente entre sí, en cada uno de los cuales salen nuevos personajes, ocurren nuevos incidentes, entra nuevo argumento, es confundir dos cosas de muy distinta naturaleza: la comedia y la novela. La primera tiene límites más estrechos que no puede salvar como lo hace aquélla; de lo

443

contrario es preciso que la intriga sea débil, que el interés decaiga, que la unidad de acción no exista. ¿Qué diríamos de un autor que en una tragedia aglomerase los sucesos de todo un reinado o los acontecimientos de toda una época? La imaginación rica de Sué ha derramado bastante interés en su novela *Los misterios de París* para que puedan sacarse de esta obra varias comedias bastante buenas, escogiendo algunos episodios y desarrollándolos con talento y habilidad. Pero esa confusión, esa mezcla, no pueden producir buen efecto. Si se representa una comedia de esa especie sacándola de una obra desconocida, se conocería desde luego los defectos de que adoleciera, comenzando por la dificultad de entenderla. La de *Los misterios de París* ha tenido la fortuna de que está tomada de una novela sumamente popular, de lo que resulta que al no presentar a la vista del público sino escenas conocidas, ha desaparecido el obstáculo que acabamos de mencionar. Sin duda por esta circunstancia y por el natural deseo de asistir a una comedia cuyo solo nombre llama la atención, hemos visto que el teatro esté aún muy concurrido cuando dan esa función, sobre todo si es por la tarde. Así es que en esta parte concedemos la razón a la empresa, que mejor que piezas intrínsecamente buenas, debe poner en escena las que más agraden al público, como que de esa suerte obtiene mayores utilidades. Por eso hace también santamente en dar comedias de magia, las que es seguro que obtengan varias representaciones sin que disminuyan las entradas.

Pero no podemos decir otro tanto cuando da piezas notoriamente malas y que el público no puede soportar. Así ha sucedido con la representada el domingo por la noche, que dio lugar a una zambra y alboroto que tocaron por fin en escándalo. La comedia que se ejecutó fue una en cinco actos de Scribe intitulada *Mentira y verdad*. La reputación de que justamente goza su autor, hacía esperar una cosa buena pero no era sino bastante mala la tal comedia. El público quedó algo disgustado desde el primer acto; sin embargo disimuló su descontento y comenzó el segundo. Como a la mitad de éste el ruido de algunos bastones rebeldes anunció la cercanía de la tempestad. La representación continuaba lánguida y desfallecida, y aunque los síntomas de descontento se hacían más y más inequívocos en cada escena, acabó el acto sin que estallara abiertamente. El tercero caminó con peor suerte: desde que se levantó el telón creció el ruido en términos que ya no se oía lo que decían los actores. Entonces se entabló una reñida pugna entre los descontentos y los que más pacíficos querían dejar que terminase la comedia. El salón de espectáculos se convierte en un

444

campo de Agramante: el incesante ruido de los bastones y de los pitos, a las voces de "¡telón!, ¡telón!", se contesta con los de "¡afuera!, ¡afuera!", de los amigos del orden. "¡Al que no le gusta que se vaya!", exclama uno de ellos desaforadamente. "¡Pero que nos devuelvan nuestro dinero!", observa uno de los que hacían el simple papel de espectadores de esta nueva comedia. "¡No queremos irnos!", decían los cócoras, y el bullicio continúa, y la algazara se hace general, y el tercer acto concluye sin que nadie pudiera dar razón de lo que en él había pasado. Ya desde entonces era evidente que la comedia, como casi todos nuestros gobiernos, acabaría tristemente su carrera a la mitad de su existencia a impulsos del ímpetu revolucionario. En efecto, en cuanto comienza el cuarto acto llega a hacerse insoportable el ruido que hacen los alborotadores, cuyo ruido crecía por momentos, bien fuera porque arrastraba el convencimiento a los demás, o bien por las ventajas que siempre presenta pertenecer al partido de oposición. El estruendo aumenta y el público furibundo grita por todos los ángulos: "¡Basta ya!, ¡caiga el telón!" Los actores, aunque con la mortificación que debe suponerse, habían hecho frente al chubasco por más de una hora y permanecido allí firmes, impertérritos, en el campo del honor; pero no había ya modo de que continuase la comedia, porque amostazada por el poco caso que se hacía de sus repetidas indirectas e insinuaciones, "de nuevo la gente brama... ¡qué confusión, qué estrépito!.. otra torre de Babel". Por fin la señora Peluffo se decide a no seguir representando: calla y no hace caso del apuntador. Después de un momento de suspensión, el telón desciende majestuosamente entre ruidosos aplausos. La familia del empresario se apura, temerosa sin duda de algún desaguisado. El juez de teatros se refugia prudentemente en el cuarto contiguo al palco municipal. El público queda esperando en lo que parará el alboroto.

Tal fue la triste y desgraciada suerte de la comedia a que nos referimos, y que bien manejado el asunto se hubiera podido hacer una bonita composición. Aunque la suspensión de la comedia se verificó como a las diez y media de la noche, el público no quiso darse por satisfecho y retirarse humildemente a su casa, sino que por vía de suplemento, indemnización o como quiera llamársele, se empeñó en que le habían de dar una pieza de baile, pero la empresa y el juez de teatros, que por lo visto son poco amigos de indemnizaciones y suplementos, no hicieron caso del incesante clamoreo de los espectadores. La parte del público que armaba el alboroto se mostró sobremanera testaruda, mas sus esfuerzos se estrellaban en esa fuerza de inercia, cualidad favorita de los mexicanos, con la que hacemos una resistencia incalculable a toda clase de empresas. Así pasó cerca de una hora; ya las más familias se habían retirado, muy pocas señoras quedaban en los palcos en expectativa del desenlace, y aun de los mismos hombres había abandonado el campo la mayor parte. Los alborotadores, sin embargo, estaban decididos a no dar su brazo a torcer, y continuaban gritando: "¡Baile, baile!" Cuando se dieron cuenta que los músicos se iban y comenzaban a apagarse las luces, perdieron toda esperanza de quedar complacidos. Entonces sólo pensaron en desahogar su cólera; algunos de los más inquietos cogieron los cojines de varios asientos y los aventaron por lo alto; los demás imitaron su ejemplo y al punto volaron cojines en todas direcciones. Los concurrentes de la galería alta a su vez tiraron los suyos al patio, no sin lesión de algunas personas desprevenidas que no evitaron a tiempo el golpe.

Ocurrióle de pronto a un cócora el pensamiento de dirigir aquellos proyectiles contra la inofensiva lámpara. Propúsolo a los alborotadores de arriba, quienes poniéndolo en práctica con aplauso, comenzaron el ataque logrando acertar dos o tres cojinazos a aquélla. Entonces a semejanza de ciertos guerreros que buscan dónde esconderse cuando los amenazan los peligros de una batalla, comenzó a subir la susodicha lámpara apresuradamente hasta ponerse a cubierto de las asechanzas de sus gratuitos enemigos. Pero animados los de la galería alta con el calor del combate, no se conformaron ya con tirar sólo los cojines, sino que se echaron sobre los taburetes, sobre las sillas, sobre cuanto encontraron a mano, y todo lo arrojaron al patio, ocasionando un destrozo poco grato a la bolsa de los empresarios. Así se continuó todavía por algún rato. Al fin, agotadas las municiones y cansados los combatientes, cesaron los estragos y se retiró la gente de aquel campo de carnicería. Tales fueron los acontecimientos que hemos referido con verdad y exactitud, contra la costumbre de los que escriben la historia, pero después de la revelación del cronista, entendemos que no vendrán mal las reflexiones del filósofo.

Que el público se excedió en lo que hizo es cosa que no admite duda, ni tenía derecho a exigir lo que no se le había ofrecido en el cartel ni lo autorizaba la poca complacencia con que se le trató, para dar un escándalo ni para destrozar muebles ajenos, pero nada de esto disculpa al juez de teatro ni al empresario, cuya conducta es ciertamente digna de censura. En lances como el que nos referimos tienen que emplearse medidas de rigor o de suavidad. De las primeras no podía hacerse uso, porque la gente alborotadora era en gran número, y el rigor es imposible cuando los culpables son muchos. Si los perturbadores del orden hubieran sido tres o cuatro, a éstos se les hubieran debido aplicar las penas correccionales del caso, pero contaban con tantos cómplices que el único recurso que quedaba era el de darles gusto. Por lo mismo que el baile no estaba anunciado, era más oportuno darlo, como que hubiera sido un rasgo de galantería y política de parte de la empresa, y de prudencia de parte del juez, conceder una cosa a que el público no tenía derecho. Entendemos que por Reglamento deben asistir dos bailarinas todas las noches al teatro para lo que se ofrezca. Si así fuere, nada tendría de particular que se hubiesen satisfecho los deseos de los espectadores, y aun cuando estuviésemos equivocados y no hubiese habido el domingo una sola bailarina en el foro, ni aun así tendría disculpa la empresa, pues entonces pudo muy bien hacer que Capilla, que suele ser en tales ocasiones comisionado *ad hoc*, o cualquier otro actor, saliese a decir por ejemplo: "Respetable público: la empresa desea vivamente complacerle y lo haría con sumo gusto si le fuere posible, pero tiene el sentimiento de que no está aquí ninguna bailarina, por lo que se suplica que no se insista en la petición." Un discursito por este estilo habría bastado para aplacar el desorden y todo habría terminado en paz, que más que la fuerza vale la habilidad; pero no se quiso ceder en un ápice y esa veracidad fue la principal causa de los desórdenes de aquella noche.

En los días siguientes han corrido voces de que los empresarios estaban muy disgustados y querían cerrar el teatro. Tal determinación sería una locura cuando el remedio que debe ponerse es demasiado sencillo. El resultado de todo ha sido que en la noche del martes se pusieran en las entradas a los departamentos del teatro, unos avisos en que se copian varias de las disposiciones vigentes sobre el orden y compostura que deben guardar los espectadores, recordándoles que no se puede pedir lo que no está anunciado en el cartel, ni repartirse manuscritos o impresos sin el conocimiento del juez, y que en materia de policía no se disfruta fuero y conminándolos con pena de multa o prisión en que incurren los contraventores. Todo eso está muy bueno y no nos oponemos a que se castigue a los que falten al decoro y a la buena educación, ¿pero cree la empresa que ha salvado así la dificultad? Se engaña si lo piensa: el disgusto del público continuará, y si no puede manifestarlo de otro modo lo hará del más significativo para los intereses de aquélla, es decir, dejando de concurrir al teatro, que se sostiene con su protección. Lo que todo lo concilia, lo que redunda en provecho de todos, lo que conviene hacer, es buscar el modo de tener siempre contentos a los espectadores, para lo cual el primer cuidado de la empresa consiste en la buena elección de las piezas que se representan.

Los Gemelos
9 de noviembre de 1848

Contra la censura. Hemos leído al entrar al teatro un Reglamento que publicó el señor juez don Leandro Pinal. No entraremos ahora en fijar algunas cuestiones sobre la sustancia de sus artículos; expresaremos únicamente el deseo de que autoridades de más elevado origen se ocupen de esta materia que es importante, difícil y que debe tratarse con cordura. Se necesita un reglamento que reprima los desórdenes a la vez que se goce de una libertad racional. Se puede y se debe aplaudir o reprobar en el teatro, pero es necesario que se expresen muy bien los medios de aplauso y de censura. Por ahora nos limitamos a decir dos palabras sobre la pésima redacción del Reglamento. Negamos al Congreso de la Unión, al presidente de la República, la facultad de publicar las leyes en otro idioma que no sea el castellano. En consecuencia mucho menos lo toleraríamos en el señor juez de teatros. El Reglamento dice "manoscritos" en lugar de manuscritos; "ingurias" por injurias, y "prejuicios" por perjuicios. Francamente lo diremos, nos pareció por la redacción, lo repetimos, un Reglamento del alcalde de Popotla o de Talimaya. Se formaban grupos para leerlo y criticarlo. Sentimos que en la capital de la República, donde no faltan escuelas, se escriba de esa manera cuando se dirigen algunas autoridades al público. No podemos persuadirnos que sea por ignorancia, así que parece es de atribuirse a la poca consideración que al público se tributa, pero sea por uno u otro motivo, las faltas no son menos reprensibles.

8 de noviembre de 1848

Contestación del señor Pinal. El deseo de que no se repitieran los desórdenes que por una fatalidad ocurrieron la noche del domingo, me apresuró a que se recordasen al público las prevenciones vigentes mandadas observar por el Gobierno del Distrito, según se dijo en el pliego que para su publicación puse en manos de la empresa, la que se encargó de él fijándolo en los lugares convenientes. Así es que los defectos de ortografía a que se refiere el artículo publicado ayer, no son sino equívocos causados quizá por la violencia con que se copiaron los dos ejemplares, pues en el original no existen. Respecto al origen de la autoridad que dispuso su recuerdo, diré que no puede ser más elevado, pues es el mismo que tiene el Congreso, el Excmo. Ayuntamiento, etcétera, es decir, un nombramiento popular que yo no busqué ni menos deseaba, porque al que sabe lo que le molesta, nunca le es agradable. En el caso, mis deseos han sido nobles y de utilidad pública, pues conozco cuánto merece la parte escogida de la población que concurre al teatro.

L. Pinal
9 de noviembre de 1848

Gran Teatro Nacional. Lunes 20 de noviembre de 1848. Función extraordinaria a beneficio del primer actor y director de escena don Francisco Javier Armenta, dedicada al público mexicano. 1º Gran sinfonía. 2º Comedia nueva en dos actos, su título: *El célebre bandido Mariano Mariani.* 3º La graciosa tonadilla denominada *El sacristán y la viuda,* cantada por la señora García y el señor Estrella. 4º Graciosa comedia en un acto traducida expresamente para la señora Peluffo, titulada *Un escándalo en el teatro.* 5º Padedú denominado *El piloto y la pescadora.* 6º El juguete cómico nuevo en un acto titulado *23 y 24 de febrero en París por las barricadas,* que concluirá con La Marsellesa cantada por el señor Zanini y su cuerpo de coristas.

Revista teatral. Sería una falta no hablar de las composiciones satíricas que con el nombre de ensaladillas han circulado profusamente en el público. Aunque las que hemos visto no carecen de cierta gracia y donaire, no vacilamos en reprobar su uso como impropio de gente de buena educación. Las alusiones que se hacen a las familias que concurren al teatro suelen ser saladas e ingeniosas, pero como se refieren en su mayor parte a la vida privada y ésta debe estar siempre a cubierto de la maledicencia pública, es sin duda un medio reprobado el de sacar a plaza las flaquezas o debilidades de personas conocidas para presentarlas bajo un punto de vista ridículo y difamatorio. Con motivo de una de las susodichas ensaladillas, sucedió que uno de los ofendidos, equivocando la persona del autor la tomó con un individuo que no se había metido en nada y hubo su zambra de bofetones, suceso que comprueba una verdad tan vieja como repetida, o sea que en el mundo casi siempre pagan justos por pecadores.

Los dos Gemelos
10 de diciembre de 1848

449

Revista teatral. Entre las comedias ya vistas que se han ejecutado nuevamente, merecen especial mención las tres tituladas: *¡Qué barahúnda!, Un ramillete, una carta y varias equivocaciones* y *Catalina Howard.* La primera es sin disputa una de las más agradables del teatro francés. Su bonito argumento, las sales cómicas de que está salpicado, y más que nada la animación de las escenas y las gracias de sus diálogos, le aseguran una favorable acogida ante el público siempre que se represente. La traducción es obra del apreciable e instruido joven mexicano don Carlos Hipólito Serán, quien supo arreglarla perfectamente a nuestro teatro a pesar de las graves dificultades que tuvo que vencer. Ojalá todas las traducciones que se nos den se parecieran a ésta.

Los dos Gemelos
25 de diciembre de 1848

Teatro. "Siempre que la empresa del Nacional anuncia en papel de tamaño doble una función, se le debe tener miedo", decía un concurrente la otra noche. "Pues en verdad —respondió otro— que también son pésimas las funciones cuando las anuncian en un miserable cuarto de papel." Nosotros creemos que los que hablaban así, tienen sobradísima justicia. Con excepción de algunas piezas cuyo mérito es reconocido, la empresa ha tenido la maravillosa atingencia de obsequiar a sus numerosos abonados con las peores comedias y dramas del repertorio antiguo, y las funciones nuevas que ha dispuesto, excepto las comedias de magia, son tan malas que los actores han perdido su trabajo. No podemos, sin embargo, decir otro tanto de la divertidísima función de la Noche Buena: los empresarios estaban de vena de gorja, quizá por el nacimiento del Niño Dios. Se pusieron a pensar... pensaron... pensaron... y teniendo siempre por norte la consecuencia y la práctica, discurrieron una cosa magnífica que variara el orden común y regular, que hiciera reventar de risa al espectador, que diera honor y prez al teatro, a los actores y a la empresa. Pues señores, inventaron que para variar el orden común y regular, era preciso poner en escena dos antiquísimos y desvergonzados sainetes, que han sido representados en todas las maromas, en todas las plazas de gallos, en todas las ferias de pueblos. ¡Oh talento! ¡Oh conocimiento del corazón humano y del respetable y generoso público de la capital! Pues señores, no paró la invención en eso, sino que los actores se convirtieron en mujeres y las actrices en hombres. ¡Qué divertido! ¡Qué lindo ver salir al señor Viñolas lleno de barbas haciendo el papel de niña! ¡Qué hermoso oír la coqueta voz del señor Armario y qué cómico ver a la señorita López vestida como muñeco de trapo y dando descompasados chillidos! En cuanto a la señora Peluffo, se disfraza tanto que es imposible reconocer debajo de la levita a la apreciable actriz. *El Jaleo de Jerez* por el señor Máiquez vestido de Chucha, coronó la obra. Nada de gracia, nada de gallardía en los movimientos, por supuesto, sino muy al contrario unos licenciosos y descompasados saltos y piruetas que maldita la gracia que tenían. No es una niña la empresa, como quien dice, para que se le den consejos, pero nosotros usando del privilegio que la libertad en que dichosamente vivimos nos concede, diremos que esa clase de farsas son muy impropias del local hermoso y decente del Teatro Nacional y del público. Pero, en fin, cada quien hace de su capa un sayo, y la empresa dirá muy bien cuando diga que su dinero le cuesta el arrendamiento, y que si don José Joaquín Rossas no le chista, menos tienen que meterse en lo que no les importa los bribones escritorzuelos que no pasan entre los amigos más que por unos charlatanes. En cuanto a los actores, sí nos atrevemos a aconsejarles tengan más conciencia, más dignidad de su mérito y de su carrera. La profesión del teatro es noble, difícil y hermosa. ¿Por qué el señor Viñolas y la señora Peluffo y la apreciabilísima López la han de degradar hasta el punto de ponerse al nivel de los payasos de las maromas? Respecto de los señores Valleto y Armenta era visible su mortificación y la repugnancia con que concurrían a esa peregrina invención. Pero el público aplaudió. ¿Y qué importa eso? ¿No aplaude el público a un pobre imbécil que baila la tranca con los pies? ¿No se encanta con un monito que salta al compás de un cilindro? La empresa, que comenzó con tan buenos auspicios, va por una pendiente rápida; el abono ha bajado, en el público se murmura la mala elección de las piezas. La caída no tarda si aleccionados con los terribles ejemplos de desastre y ruina que han presentado otras empresas, no vuelven sobre sus pasos; la duración pierde a los gobiernos y a las empresas.

El telonero
27 de diciembre de 1848

451

1849

Don Juan Tenorio. El conocido drama del poeta español Zorrilla ha vuelto a ejecutarse, y aunque sus versos son hermosos y excelentes las decoraciones con que se ha puesto en escena, han sido ya tantas las veces que se ha repetido, que no esperábamos ver una numerosa concurrencia las dos noches que se han representado la primera y segunda parte de esta pieza dramática, pero lo cierto del caso es que la empresa ha tenido aún en esas funciones una entrada pingüe y que *Don Juan Tenorio* disfruta todavía del aura popular. Este suceso de tan poca importancia en sí mismo, nos ha dado harto en qué pensar a nosotros, pobres necios que hemos dado en la manía de quererlo filosofar todo. Graves y profundas reflexiones han agobiado nuestro espíritu al considerar la injusticia de la fama, la versatilidad de la suerte y la flaqueza de la opinión. Hemos agregado esta nueva prueba a las que teníamos recopiladas en nuestro librito de memorias de que el mérito vale bien poco cuando lo acompaña la adversidad. Hemos conocido cuán profundo es aquel refrán que dice: "Cría fama y échate a dormir", y a impulsos de nuestro sentimiento hemos escrito este párrafo un tanto sentido y plañidero. Improvísase de general un militarcillo que no sabe ni leer; fragua dos o tres asonadas, se hace de nombre y después por más barbaridades que cometa, por más que ponga en evidencia su nulidad de todas maneras, nadie lo quitará ya del pedestal en que lo ha colocado la fortuna y seguirá figurando contra viento y marea. Gana concepto de inteligente un abogado presuntuoso e intrigante, y son tantos los litigantes que lo ocupan, que su casa no se vacía; echa a perder los pleitos, compromete los intereses de sus clientes, incurre en mil errores, pero sigue sin embargo encargado de grandes negocios y hace cada año ganancias exorbitantes en su profesión. Llega un médico adocenado, va a sus primeras visitas en un carruaje de lujo tirado por dos hermosos frisones, y apenas hay una persona enferma en una familia cuando se apresuran a llamarlo para que lo asista; suele suceder que el afamado facultativo haga

455

más estragos que el cólera morbo, pero eso no debe cuidarlos porque su reputación, aunque usurpada, difícilmente ha de disminuir. A este tenor pudieran ponerse otros mil ejemplos análogos de gente de poco o ningún mérito que se eleva sobre lo que tiene de real y positivo.

Volviendo a nuestro asunto, las comedias, que no son menos que los generales, abogados, médicos, etcétera, caminan también con viento próspero o adverso según la fortuna que les depara las circunstancias. Así hemos visto aplaudidas con entusiasmo las de un mérito sobresaliente, y otras verdaderamente malas, o a lo sumo regulares, de suerte que para juzgar de su bondad sería muy mal indicante el número de sus representaciones, pues éstas lo único que prueban es que han agradado al público, y el público (dicho sea sin mengua de su respetabilidad) suele tener un gusto detestable. *La vuelta del Cruzado* y *El torneo*, hermosas comedias, aunque no sin defectos, de nuestro insigne poeta Calderón; *El campanero de San Pablo*, casi todas las de magia, y últimamente *Don Juan Tenorio*, han disfrutado de una popularidad que debieran envidiar todos nuestros gobiernos. Y mientras la gente se ha agolpado en las puertas de los teatros para no quedarse sin lugar en la novena o décima representación de alguna paparrucha, la concurrencia ha sido muy escasa cuando se ha dado por segunda o tercera vez *El hombre de mundo*, *La cadena* o *Gabriela de Belle Isle*.

Sería una injusticia quejarse de la ejecución de *Don Juan Tenorio*. Los actores hicieron los mayores esfuerzos por desempeñar con acierto sus papeles, pero las comparaciones que se hacen con los que estrenaron en México ese drama, son desfavorables a los actores y se extraña sobre todo al fogoso Mata y a la dulce Cañete.

5 de enero de 1849

Teatro. Los abonados esperaban con mucha ansia que para indemnizarlos de los sainetes de la Noche Buena, el Año Nuevo y el día de Pascua, se les dieran algunas escogidas funciones aunque fueran en el orden común y regular, pero esa esperanza quedó desvanecida, si bien es necesario confesar que la pieza del domingo es bastante agradable e interesante. Aplicado el escalpelo de la crítica a la comedia titulada *El rey y el aventurero*, y que en el teatro inglés se conoce con el nombre de *Don César de Bazán*, resultarían multitud de escenas inverosímiles, pero no siendo nosotros de aquellas gentes de paladar tan exquisito que no pueden pasar más que *El Café* y *El sí de las niñas*, nos parece muy bien escogida y además perfectamente desempeñada por todos los actores, exceptuándose el señor Armario que por esa noche fue un rey

456

de burlas propiamente; su acción no era noble, ni majestuosa, ni expedita, parecía cortado y confuso a cada paso, y tenía la forzosa necesidad de hablar despacio para escuchar al apuntador, despojando por supuesto en algunas escenas a su papel de la energía, viveza y fogosidad que los lances exigían. Hace mucho tiempo que lamentamos el trabajo tan asiduo y tan ímprobo que tienen los actores. ¿Por qué y a quiénes se les ocurre desenterrar unos dramas tan monstruosos, tan largos, tan desnudos de todo interés y belleza? ¿Son los empresarios o son los directores? Quién sabe; sería menester indagar los secretos de bastidores para hablar con tino en este punto. El hecho es que durante la temporada hemos visto en escena muchas piezas o nuevas o no hechas hace mucho tiempo, que es lo mismo, y en las cuales han tenido los actores que emprender largas horas de estudio y trabajo para los ensayos, y todo para que no tenga siquiera la vida de una noche y el público dé en algunas ocasiones pruebas patentes de su desagrado.

Noches pasadas subió una enorme rata al palco de las señoritas Obregón, después pasó con mucha calma y salero al contiguo, pero apenas entró cuando fue atacada vigorosamente por el señor Worral. Anoche esa misma rata, o al menos alguna parienta suya, repitió su paseo por el lado opuesto; sin tener la bondad de entrar al palco del señor Doyle, pasó a los inmediatos. Las señoritas que estaban en ellos se asustaron como era natural y se levantaron de sus asientos. Este hecho sencillo produjo que algunos silbaran; acción muy impropia y que no debe tolerarse en un teatro donde concurre tanta persona de educación. Si los actores son dignos de respeto y toda la gente sensata reprueba los silbidos, mucho más desagradable es que se falte a la consideración y miramiento debido a las señoritas que concurren y que se ven turbadas por un incidente desagradable. Esperamos que esos silbadores y calaveras de nuevo cuño se corrijan, o el juez los corrija en caso contrario, pues repitiéndose estos lances, ninguna persona querrá llevar a su familia a un local donde no se guarde la circunspección debida.

Los teloneros
6 de enero de 1849

Teatro. Hemos notado que la empresa tiene un pobrísimo aparato, y cuando se representa una obra del siglo XVIII, nos ponen muebles del siglo XIX, y no es extraño que en piezas de esa época se vean muebles góticos. La razón sencilla es que no hay más que cuatro o cinco telones para el diario, dos espejos y unas cuantas sillas de tule y algunos sofaes

457

del tiempo colonial. Enhorabuena, pero de esta razón se deduce otra, y es que en esta parte está el Teatro Nacional tan mal servido como lo pudiera estar el último de provincia. Esperamos que al menos se disminuyan los anacronismos tanto como sea posible.

Los teloneros
10 de enero de 1849

Teatro de Nuevo México. Sábado 13 de enero de 1849. Primera función de suertes y ejercicios de magia que da el señor Rossi. Primera parte: Las tazas mágicas. Una transformación visible. El tesoro eléctrico. La carta encantada. El guisado de la maja benéfica. La cajita sorprendente. Segunda parte: El señor Rossi ejecutará varias y graciosas escenas de ventriloquismo. Tercera parte: El señor Rossi ejecutará diversos juegos extraordinarios de destreza de manos. Presentará además un perrito mexicano educado por él a ejecutar diversos juguetillos. Terminará el espectáculo con el admirable juego de La botella mitológica o sea una fábrica de licores.

Beneficio del señor Viñolas. Anuncióse con gran pompa y el aparato de costumbre la representación de *El héroe de la Grecia,* y aunque nosotros teníamos nuestros datos para no juzgar muy favorablemente del mérito de esta composición, no quisimos aventurar juicio alguno, no sólo porque siempre desconfiamos de nuestras escasas luces, sino porque ese drama había merecido los anticipados elogios de un inteligente periódico que, como Dios, no puede engañarse ni engañarnos; pero la representación de *El héroe de la Grecia* nos desengañó de que no habíamos errado nuestros cálculos y acabó de confirmarnos en la idea de que la empresa del teatro, los directores de escena, los beneficiados y cuantos tienen algo que ver en la elección de las piezas que se ponen en la escena, están empeñados en fastidiar al público y quedarse sin abonados. Quisiéramos sinceramente que al ejercer esta vez nuestra crítica, nos fuera lícito usar de la mayor indulgencia, pero por una parte ya llueve sobre mojado y por otra tememos que en los pocos días que faltan para que se cierre el teatro, nos repitan cuatro o cinco veces *El héroe de la Grecia,* y que siga su autor escribiendo otras composiciones de ese mismo género. Advertiremos de paso que si al tal autor se le ha llamado "un joven mexicano", será porque México es su patria adoptiva, pero él no ha nacido en la República, sino que es de origen extranjero.

458

La versificación no tiene nada de notable; en algunas escenas se conoce que el autor andaba escaso de consonantes, y por salir del paso hace concertar a Teodoro con Socorro, a muchos con agudos, pero ya se ve, éstas son pequeñeces que no vale la pena que se fijen en ellas la atención, pues no hay que pelearse por consonante más o menos. La ejecución correspondió a lo malo del drama; el señor Armenta estuvo frío, lo mismo la señora García; el señor Castro tocó al extremo de la exageración; el beneficiado escogió un papel tan corto que poco tuvo que trabajar, y la señora Espinosa nos confirmó en la idea que hemos formado de su mérito, agregándose que en esa noche no se le entendía lo que hablaba. A juzgar por lo que hemos dicho, cualquiera que no hubiera asistido a la función de que nos hemos ocupado, creería que habría habido su borrasca; pues no, señor, nada de eso: acabado el drama comenzó el ruido de las manos y bastones, ruido que los más llamaban aplausos, aunque otros les daban menos cristiana interpretación, y que aumentó progresivamente hasta que el autor salió a las tablas acompañado del señor Viñolas. ¿Cómo interpretar esta conducta del público? ¿Como una prueba de mal gusto? ¿Como un rasgo de benévola indulgencia? ¿Como una obra del espíritu de corporación por haberse dedicado el beneficio a la guardia nacional a que el autor pertenece? Nosotros no resolveremos el caso por la sencilla razón de que no sabemos cómo hacerlo con exactitud y verdad. La función en obsequio del señor Viñolas habría estado desde todo punto detestable, a no ser por el aria de *Casta diva* que cantó la señorita Mosqueira.

Los Gemelos
18 de enero de 1849

Beneficio del señor Valleto. Grande era el alborozo con que la noche del 17 del actual se dirigió al teatro la numerosa concurrencia que asistió al beneficio del primer actor y director de escena don Miguel Valleto. El modo verdaderamente diestro con que se aunció la función como variada e interesante, hizo concebir esperanzas que no se realizaron, de manera que hoy en adelante debemos desconfiar de lo anuncios de los cómicos tanto como de los programas de nuestros gobiernos, de las proclamas de nuestros generales y de los "imparciales" artículos de fondo de nuestros periodistas. El drama en un acto titulado *La capa roja*, que fue lo primero que se representó, no es enteramente malo pero tampoco excita con fuerza el interés del público, ni es fácil en nuestro concepto que pueda hacerlo ninguna composición de su clase reducida a tan estrechos límites. Para piezas en un acto deben reservarse aquellas composiciones ligeras y chistosas en que más bien que el interés se trata de excitar la risa del espectador. La comedia *Las camaristas de la reina* es uno de esos *vaudevilles* pueriles y sin interés, pero en los que hay no obstante algunas escenas animadas y cómicas que los salvan de los silbidos. El público rió y cuando los actores decían una de esas frasecillas picarescas y verdes que harían ruborizar a la inocencia, si ésta no fuera *avis* rara, como el fénix, los espectadores aplaudían, se animaban y quedaban muy complacidos. Vayan ustedes después de esto a censurar esas pequeñas libertades y con justicia se les extenderá entonces la patente de necios. ¿Cuál es el principal objeto de las empresas y el fin de los autores dramáticos? Captarse la benevolencia del público, recibir sus aplausos, excitar su risa, y si lo logra con dicharachos graciosos aunque picantes y lúbricos, por más que se ofenda la moral y las buenas costumbres, decimos que hacen muy bien los autores en escribirlas, los traductores en copiarlas y los censores en darles franco y hospitalario pase.

Pero a pesar de la risa benévola y de los aplausos no muy generales por cierto, al acabarse la comedia de *Los camaristas*, la concurrencia estaba ya un poco disgustada y aun los menos malhumorados comenzaban a esparcir las voces subversivas de que habían esperado cosa mejor. Aguardaban no obstante que el resto de la función, y sobre todo la comedia de magia, bocado muy del gusto de nuestro público, los indemnizase satisfactoriamente del chasco que se habían llevado. Llegó por fin la hora anhelada de la comedia de magia; el nombre de su autor, el conocido don Ventura de la Vega, y el interés de los amores de Orfeo y Eurídice, suceso que los poetas antiguos han sabido pintar con tanta belleza, anunciaban una bonita composición. Interesante de por sí es el argumento de los tiernos amores de Orfeo; su lira es un instrumento irresistible que lo saca con bien de todas sus empresas; a sus melodiosos acentos las piedras se animan, las fieras se domestican, el inflexible Carón cede por la primera vez en su vida, el Cancerbero se adormece y el severo Plutón permite la salida de Eurídice de los infiernos. Con tan favorables antecedentes y el partido que puede sacar un autor inteligente de una comedia de magia, no es de extrañarse que se esperara una comedia agradable y de lucimiento, pero lejos de que así fuera, la comedia de Orfeo y Eurídice es insustancial, sin chiste, pesada, sin gracia e insoportable. Creemos que un principiante en el arte sin talento ni estudios, difícilmente podría haber hecho cosa peor. La magia toda se reduce a la transformación del Aqueronte y a la entrada del infierno en el templo de la diosa Venus. La decoración que lo representa nada tiene de sobresaliente, de manera que si costó lo que se dice, se ha gastado el dinero sin fruto. Por no dejar, un mozo del teatro equivocó el campanillazo de prevención con el de ejecución, y si los demás no andan tan listos ni siquiera se hubiera podido levantar la vista, que quedó siempre desarreglada y no en muy buen estado.

Los Gemelos
24 de enero de 1849

Beneficio de la señora Peluffo. La noche del 24 del corriente presentaba nuestro magnífico Teatro Nacional un hermoso espectáculo. El salón estaba enteramente lleno de gente, la parte más escogida del bello sexo mexicano lucía en los palcos y lunetas su hermosura y sus galas, haciendo palpitar más de un corazón de los amartelados donceles que desde sus asientos flechaban el anteojo a las señoras de sus pensamientos. La elegancia, el lujo de las personas *a la moda* de ambos sexos, daban claro testimonio de que no sólo la beneficiada, sino también modistas, sastres, comerciantes y peluqueros habían tenido pingües ganancias con motivo de la función, a pesar de que no faltaban guantes blancos, fraques de punto bajo y vestidos de seda que tenían una historia desastrosa y lamentable. Comenzó la función con la comedia en un acto titulado *Un ente singular,* que si no es de primer orden no es tampoco mala, y por su interés, su título y sales, casi satisface cuanto puede exigírsele a un autor de una pieza en un acto. El desempeño fue bastante bueno, sobresaliendo el joven Antonio Castro, quien estuvo felicísimo como siempre que desempeña papeles de su cuerda. La beneficiada recibió del público los aplausos a que es tan acreedora, pero acaso extrañaría la animación, los obsequios y las coronas que nunca habían faltado en los beneficios de los años anteriores y que se han suprimido de todo punto en los de éste.

Concluida la pieza de baile en que lució bastante la señorita López, se ejecutaron los dos últimos actos de *Los Puritanos,* preciosa ópera de Bellini en que sobresalen los grandes talentos y la ternura inagotable de ese autor. Cantó la parte de Elvira la señorita doña María de Jesús Zepeda y Cossío. Su voz armoniosa, dulce expresión, su penetrante acento conmovieron a los espectadores, quienes le prodigaron numerosos aplausos. Es lástima que esta excelente cantatriz por la falta de

461

juego de garganta y por hallarse algo constipada, no luciera en lo demás tanto como en esa parte.

Los Gemelos
27 de enero de 1849

Gran Teatro Nacional. 31 de enero de 1849. Beneficio de la señora Francesconi. Los convites impresos que repartió la beneficiada al anunciar la función revelaban al público uno de esos disturbios que ocurren con frecuencia de bastidores adentro. Al hacerse el reparto de los papeles de *El conde de Montecristo*, el actor a quien se había señalado por el director el protagonista, se negó a desempeñarlo alegando por excusa que tenía mucho estudio. La señora Francesconi publicó esta negativa indicando de una manera bastante clara que la consideraba como un pretexto de que se echaba mano para no trabajar en su beneficio, y como el tiempo no consentía ya un nuevo arreglo de papeles, la beneficiada echó por el atajo y se encargó del papel de Edmundo Dantés. La noche de la función hubo en el teatro una concurrencia muy numerosa, llevada por el deseo de ver en escena una de las novelas que han metido más ruido de Alejandro Dumas, que es hoy, y no sin justicia por cierto, uno de los autores de moda. La reducción a drama de *El conde de Montecristo* debía adolecer de los defectos que en nuestra opinión han de resultar siempre de intentar contener en los estrechos límites de una pieza de teatro todos los sucesos de una larga novela. La unidad de acción se pierde completamente con este sistema; el interés se reparte entre un número inmenso de personajes; el drama se convierte en un compendio, en un extracto, en un índice de la comedia de que se saca, y más bien que una composición homogénea y debidamente enlazada, se forma un conjunto de episodios indigestos, inconexos entre sí y que sólo parece que pertenecen a un mismo todo porque algunos de los personajes trabajan en varios de ellos. En tal virtud, para nosotros es indudable que cualquiera composición dramática en que se observe este plan defectuoso, ha de ser mala por necesidad. La experiencia lo ha comprobado así en las piezas de este género que se han representado, tales como *Los misterios de París* y *El judío errante*, sin que haya sido parte a salvarlas el profundo interés que en los espectadores habían excitado en la novela los mismos sucesos que se reproducen en el drama. Las ligeras indicaciones que hemos hecho bastan para que cualquiera se convenza que el arreglo de *El conde de Montecristo* para nuestro teatro, no podía ser satisfactorio supuesto el plan que se siguió; pero la tal composición, a más de los defectos de todas las de su clase, tiene otros propios que bien se hubieran podido evitar. Los cuatro primeros actos casi se arrastran; el drama sigue paso a paso a la novela, formando un acto de cada uno de los capítulos de aquélla, y aun así el interés decae notablemente. En el quinto acto se da un brinco de bastantes páginas; el autor del drama tiene la peregrina idea de reducir a un acto los sucesos ocurridos en catorce años, y para ponerlos en conocimiento del público forja una escena soporífera que dura más de media hora. Por interesante que hubiera sido el relato, por bien desempeñada que hubiera estado esa escena, dificultamos que el público la hubiera visto con gusto, mas por no dejar, a su desmesurada extensión se agregó que el señor Armario desempeñaba un anciano moribundo, por lo que tenía que ahuecar y enronquecer su voz, de suyo apagada y disonante. Resultaba de allí que sólo entendían lo que decía los espectadores que ocupaban las primeras bancas; los que estaban más lejos de allí sólo percibían un rumor, un eco monótono y fastidioso que acabó por dar al traste con su paciencia.

El disgusto crecía gradualmente; siseos y golpes con los bastones anunciaban una borrasca, de suerte que si el bueno del Abate Faría no tiene la atingencia de morirse tan a tiempo, es muy probable que el drama habría sido el que hubiera pasado a mejor vida. "Pero señor, decía uno de los concurrentes, ¿a quién se le ocurre hacer un acto tan largo, reduciéndolo casi casi a una sola escena?" "¿Y qué remedio?, contestó otro; ¿te parece cosa tan sencilla eso de referir todo lo pasado en catorce años?" En el séptimo acto Edmundo Dantés es ya el Conde de Montecristo, y después de informarse con Caderojo de lo que ha pasado en el mundo mientras los muros del castillo de If lo separaban de él, salva de una ruina inminente a su antiguo bienhechor, el honrado y generoso Borrel, "y aquí acaba la primera parte, perdonad sus muchos yerros". Como la primera parte de la pieza dramática corta los sucesos dejándolos incompletos, no es difícil que el autor acometa la empresa de escribir otras tres o cuatro partes más que puede aún sacar cómodamente de la obra de Dumas. Si tal hiciere le pronosticamos desde ahora un mal resultado.

La ejecución de la pieza fue mala, con bien pocas excepciones. El señor Viñolas trabajó con acierto, pero sin sobresalir. La beneficiada se sabía perfectamente su papel, se esforzaba por desempeñarlo a satisfacción de los espectadores y si no sobresalió fue porque era imposible en la representación de un personaje al que no cuadraba ni su voz, ni su estatura, ni sus ademanes. No fue culpa suya en verdad haberse visto obligada a hacerlo y bastante bien salió de su posición. El único que verdaderamente lució cuantas veces salió a escena fue el señor Castro, principalmente al fingirse borracho. Es notable el empeño con que de algún tiempo a esta parte procura este actor complacer al público. La función, que terminó con una pieza de baile por el señor Villanueva y su hija, a más de mala fue tan larga que la concurrencia entró en enero y salió en febrero, como dijo graciosamente uno de los espectadores.

Los Gemelos
4 de febrero de 1849

Gran Teatro Nacional. Martes 6 de febrero de 1849. Función extraordinaria a beneficio del actor don Manuel Armario, dedicada al comercio de esta capital. Se dará principio al espectáculo con la representación del hermoso drama nuevo en tres actos, traducido por un mexicano y que lleva por título: *Fatal pasión o Nuestra Señora de los Ángeles,* el cual está dividido en siete cuadros como siguen: 1º La llegada. 2º El matrimonio. 3º El baile. 4º El magnetismo. 5º El divorcio. 6º Desafío. 7º *Nuestra Señora de los Ángeles.* La función concluirá con el gracioso juguete burlesco titulado: *Las contorsiones o el minué de los payasos.*

Beneficio del señor Armario. Fatal pasión o Nuestra Señora de los Ángeles. Esta composición es sin disputa una de las mejores que se han dado en la presente temporada. Su argumento, interesante y animado, agradó al público, cuyos sentimientos de compasión supo excitar el autor vivamente, representando a un hombre dominado por la pasión verdaderamente fatal que le inspira la hija de la mujer con quien está enlazado. Con algún conocimiento del arte y felices disposiciones intelectuales, era fácil sacar gran partido de una situación tan interesante, y el autor de *Nuestra Señora de los Ángeles* supo hacerlo con bastante acierto. Son de muy buen efecto las escenas en que el desventurado amante lucha entre el cumplimiento de su deber y el amor que le provoca la inocente joven, la que sin saberlo alimenta y enciende aquel sentimiento peligroso, prodigando al marido de su madre las atenciones y cuidados que creía le eran debidas por tal título. La situación de la pobre esposa que ha perdido el amor de su consorte, es también muy interesante, y más cuando después de saber que otra mujer posee el corazón de aquél, acaba por descubrir que su hija, su misma hija es, aunque sin saberlo, su preferida rival. Cuando en una de las escenas

464

más hermosas del drama, la joven en un momento de expansión y de confianza, le declara que le ha ocultado sus sentimientos, que le ha callado un secreto, que ama a un hombre, cuando todo parece anunciar que ese hombre es el marido infiel, la agonía de la pobre madre conmueve el corazón y el júbilo que de pronto se apodera de su alma al revelarle su hija que a quien prefiere es al joven Mauricio, da tal interés a la escena que ésta toca a lo sublime. El desafío entre los amantes está igualmente bien ideado. Mauricio respeta al esposo de la madre de su amada, se resiste a un duelo que impedirá su casamiento cualquiera que sea el resultado, soporta con resignación ultrajes y humillaciones sin contestarlas, hasta que recibe uno de aquellos insultos que un militar pundonoroso y valiente no puede dejar impunes. Federico, arrastrado por una pasión que no podía saciar sin cometer los crímenes más detestables, había pensado ya buscar en el suicidio el término de su infeliz existencia, y así se lo escribe a un amigo de confianza, pero poco antes de ejecutar tal designio se le presenta el joven que va a casarse con la que adora. Su furor entonces no conoce límites: aquel joven es precisamente el hijo del hombre que ocasionó la muerte de su padre, aquel joven es precisamente el preferido de su querida Luisa, y esta revelación le hace conocer un nuevo martirio: el de los celos. Entonces ciego de cólera vilipendia a Mauricio, lo ultraja, lo obliga por fin a que consienta en batirse con él. El desenlace es a nuestro entender de mucho mérito: el desafío se hubiese verificado, la joven Luisa acaso habría sido víctima de la pasión de Federico, si el tiro de una pistola que se dispara por casualidad no hubiese puesto fin a la existencia de éste. La acusación de asesinato que comienza a tomar cuerpo es desmentida satisfactoriamente por la carta de Federico, en que había anunciado sus proyectos de suicidio. Se ve, pues, que el desenlace es completamente inesperado y esto solo es la mejor recomendación que puede hacerse en su elogio.

La bondad del drama que tenemos gusto en reconocer y confesar, se desluce un poco con algunos defectos que encierra, y que un autor tan inteligente como el que lo compuso fácilmente hubiera podido evitar. Hay personajes enteramente episódicos y escenas de todo punto inútiles. La traducción nos pareció correcta y fácil, cualidades que no se encuentran en todas. El joven que la hizo debe continuar esos trabajos literarios que son desde ahora de utilidad y que servirán para prepararlo al desempeño de otros de mayor importancia. En la ejecución del drama sobresalieron el señor Viñolas y las señoras Peluffo y García. También el señor Armario lució bastante en el papel insignificante que tomó. Se va haciendo ya de moda que los beneficiados escojan los de muy poca importancia, de suerte que apenas aparecen en la escena. Tal costumbre es bien reprensible: cabalmente en una función de beneficio es en la que un actor debe esforzarse más por complacer al público que los favorece con su presencia. Si en todas ocasiones es un deber de aquél trabajar con empeño y procurar hacerlo bien, en una noche de obsequio es cuando más está en el caso de cumplir con esa obligación. Esperamos que en los pocos beneficios que faltan no se seguirá ese pésimo ejemplo, pues al paso que vamos nada tendría de extraño que no saliese el beneficiado y que fuese asistir desde un palco o una luneta a su función de obsequio.

9 de febrero de 1849

Teatro Principal. Sábado 10 de febrero de 1849. Gran lucha de hombres extraordinarios dada por M. Charles, rey de los luchadores, y los señores que se han suscrito para combatirlo. Después de una obertura lucharán contra M. Charles los individuos siguientes: Simón Vázquez, mexicano. J. Lauce, francés. F. Lauce, *idem.* C. M., *idem.* J. Mills, Jamaica. D. Harvey, americano. W. Hunt, *idem.* Patrick Clark, *idem.* N. Catrugh, *idem.* Obtendrá quinientos pesos el que venza a M. Charles. Tres jueces imparciales decidirán sobre las luchas. El señor Charles cuenta con que M. Turín acudirá a medir con él sus fuerzas.

M. Charles. En la función dada anoche en el Teatro Principal, venció este célebre luchador a todos los que se presentaron a medir con él sus fuerzas. Es probable que el miércoles se verifique el desafío entre M. Charles y M. Turín.

11 de febrero de 1849

Gran Teatro Nacional. Baile de máscara para la noche del domingo 18 de febrero y otro para la noche del martes 20. Los bailes comenzarán a las nueve de la noche y concluirán a las cinco de la mañana. La orquesta dirigida por el señor José María Chávez, tocará los walses, cuadrillas, contradanzas de costumbre y la polka. Los señores don Tomás Villanueva y don Isidoro Máiquez dirigirán los bailes. La empresa ha hecho cuanto le ha sido posible para dejar complacidas a todas las personas concurrentes, a cuyo fin ha dispuesto una sala donde se encontrarán toda clase de refrescos, licores, etcétera; un cuarto que

466

servirá de depósito de capas y sombreros y un departamento en que se darán caretas y disfraces de alquiler, y guantes de venta, todo nuevo para señoras y caballeros. Habrá gabinete para señoras con personas destinadas a su servicio. La empresa no ha obtenido licencia para dar bailes de máscara después del martes de carnaval, por lo que sólo dará los dos que anuncia ahora.

El rey de los luchadores. Acabamos de recibir de M. Charles la siguiente carta: Muy señores míos: Cuando me presenté en el teatro por primera vez, M. Turín fue a provocarme con una apuesta de mayor cantidad que la que yo había propuesto, y creí que debía contar con su palabra de que nuestra lucha se verificaría el miércoles 14, pero como no he visto cartel ni anuncio que confirmase su dicho, le suplico se sirva fijar el día y el lugar en que deba verificarse. De lo contrario entenderé que todo ha sido una fanfarronada de su parte. A. Charles.

12 de febrero de 1849

Gran Teatro Nacional. Jueves 15 de febrero de 1849, función extraordinaria a beneficio de doña María de los Ángeles García. Más que el anuncio de una función y el encomio de las piezas elegidas para mi beneficio, debiera ahora hacer un voto de gracias a las personas que con su protección, con sus aplausos y con sus elogios, han contribuido con tanta eficacia a mis adelantos, si algunos he tenido. Lo poco que soy lo debo a los señores abonados y a la empresa que tan generosamente me han protegido. Justo es pues que lo poco que puedo lo consagre a personas a quienes soy deudora de tanto. Recibirán mi ofrenda no como un objeto de valía sino como la muestra de reconocimiento y gratitud. El programa de la función es el siguiente: 1º Una brillante obertura. 2º Se representará la comedia nueva intitulada *Rebeca o La boda al borde de la tumba.* 3º La señorita Moctezuma y R. Cabrera, y los señores Villanueva y Máiquez, ejecutarán el magnífico *Cuarteto Tártaro.* 4º La graciosa tonadilla de *El sacristán y la viuda,* por la beneficiada y el señor Estrella. 5º La señorita Mosqueira se presentará a cantar una hermosa aria, y en seguida acompañándose al piano cantará la graciosa canción mexicana denominada *El butaquito.* 6º La comedia en un acto intitulada *El amante prestado,* en la que la beneficiada se presentará a cantar la canción andaluza *El chairo.* Entre las personas que me han brindado su protección, a quien más debo, aunque mi gratitud se extiende a todas, es a doña Rosa Peluffo, que por su talento y cuidados debo el aprecio de mis favorecedores que sin sus consejos tal vez no hubiera podido adquirir, y aprovecho esta ocasión para manifestarle mi eterno agradecimiento.

A *la joven actriz mexicana doña Dorotea López*
 en la noche de su beneficio

Rica inspiración, ansiando en gloria
la hermosa frente coronar un día,
lanzaste una mirada
alrededor de ti; buscaste ansiosa
un digno campo a tu ambición; el genio
comprendió esa mirada poderosa
de inspiración y de entusiasmo llena,
y con sonrisa grata y cariñosa,
tocó tu frente y te mostró la escena.

"Sí, aquí es, dijiste, aquí es donde me llama
la sed de gloria en que abrasar me siento;
aquí donde la Fama, con voz omnipotente
repetirá mi nombre entre clamores
que arranque mi talento;
aquí donde entre aromas y entre flores
me embriagará la gloria con su aliento."

Dijiste, y en la escena,
con paso incierto, con modesta frente,
radiante y ruborosa la mirada,
apareciste bella y seductora,
como entre leves nieblas circundada
aparece la aurora...
El público extasiado
te contempló un momento;
mas apenas tu acento
resonó en sus oídos dulcemente,
apenas la sonrisa seductora
apareció en tus labios; en tus ojos
apenas la mirada, ora tierna y sencilla,
ya desdeñosa o bien enamorada,
pintó tus emociones,
cuando entre mil aplausos repetido
tu nombre resonó, tú lo escuchaste;
tu corazón de artista entusiasmado
latió de gloria y esperanza henchido,

y creíste escuchar la voz del genio
que te decía al oído:
"Sigue, joven actriz; ya que las alas
desplegó tu talento,
ya que de artista las soberbias galas
deseas ufana, y conquistar un nombre
ansía tu corazón, sigue en tu anhelo,
prosigue la carrera comenzada,
levántate del suelo,
extiende tu mirada
por el vasto horizonte a que no alcanza
del miserable vulgo la pupila;
allí tu porvenir y tu esperanza,
allí está tu riqueza; allí tu alma
se embriagará de gloria,
cuando al lado del nombre del gran Talma
el tuyo grabe la severa historia."

Desde entonces, ¡oh joven!,
en la carrera escénica lanzada,
a cada paso un triunfo, a cada triunfo
tu alma apasionada
otra vida, otro ser, un nuevo encanto,
al porvenir conquista.
Ya te siga la vista
en los dorados giros
de la danza ligera y voluptuosa,
y el ánimo embriagado,
el aroma dulcísimo percibe,
que brota de tu pecho enamorado;
ya en la escena te muestres,
y en tu frente la huella
se mire del dolor, o bien airada
retrate tu mirada
la justa indignación que tu alma siente;
ora tus ojos el placer respiren
o voluptuosos giren
dardos lanzando al corazón cuitado;
de todos modos bella, encantadora,
graciosa y seductora,
dominas en la escena,
y arranca tu talento
aplausos mil que ensordeciendo el viento,
de tu nombre le llenen.

Sigue, joven actriz, sigue en tu anhelo,
alguna vez a nuestro patrio suelo
lustre y honor darás; tal vez un día
las puertas de la gloria
en nuestra patria se abrirán al genio,
que triste y abatido
apenas ha intentado levantarse,
ha muerto en el desprecio y el olvido.
Yo también, como tú, siento en el pecho
la inspiración sagrada;
también a mi alma agita
la ansia de gloria que tu pecho inflama,
y al buscar digno objeto a mis cantares,
sentí palidecer la sacra llama
que mi pecho alimenta;
porque en vez de virtudes y heroísmo,
sólo encontré baldón, sólo hallé afrenta,
infamia y egoísmo.

Ruda y pobre la lira
que hoy puse en tu loor, nunca ha brotado
cantos de adulación y de mentira,
que jamás he trocado
el magnífico don de la alabanza
por mezquina esperanza;
jamás el alma mía
a otra inspiración se ha conmovido
que de la patria al lúgubre gemido
que lanzara en sus horas de agonía,
o a la voz de los pocos que sufrieron
de la común infamia libertarse
y en noble lid murieron.
A la virtud, al genio y al talento,
tan sólo he consagrado mis loores;
tan sólo en su alabanza,
poseído de dolor o de esperanza,
he derramado lágrimas o flores.

Por eso a tu virtud, a tu talento,
a tu gracia en la escena,
hoy consagro mi acento.
Sigue, joven actriz, prosigue en ella;
allí es donde te llama
la sed de gloria que en el alma sientes;

allí donde la fama
con voz omnipotente,
repetirá tu nombre entre clamores
que arranque tu talento;
allí donde entre aromas y entre flores
te embriagará la gloria con su aliento.

J. M. L.
16 de febrero de 1849

Carta del señor Turín. Señores redactores: Suplico a ustedes tengan la bondad de insertar en su diario la contestación que dirijo al señor Charles sobre el último párrafo que me dedica. Señor Charles: No ha sido mi culpa, querido señor, de que la lucha no se haya efectuado aún, pues estando a ver al señor Lasquetti para que me cediese el teatro por una noche, me contestó que pasando el Carnaval lo haría y que si no lo había dado antes era porque usted no había cumplido con mucha exactitud su convenio; conque ya se verá qué distante estoy yo de tener la culpa cuando el empresario dice esto. A pesar de todo, como siempre estoy a sus órdenes donde quiera; espero que después del Carnaval nos veremos, pues ya sólo depende del señor Lasquetti el arreglar la noche que debe tener lugar nuestra lucha. José Turín.

17 de febrero de 1849

Beneficio del señor Castro. La actual temporada ha sido una de las más favorables para las empresas de teatro, para lo que sin duda ha contribuido como una de las causas principales el deseo que tenía ya el público de buscar recreos y diversiones con qué solazar el ánimo de las fuertes impresiones de dolor producidos por los sucesos tan infaustos y deplorables de la guerra extranjera. Como quiera que sea, el hecho es que la actual empresa, aunque con elementos menos favorables que muchas de las pasadas, ha hecho ganancias de consideración. Siendo así que aquéllas o han perdido o han tenido un lucro de bien poca importancia. Las funciones de beneficio han estado todas espléndidas y magníficas. La del señor Castro debe contarse como una de las mejores tanto por las muestras de aprecio que recibió el beneficiado, como por la lucida concurrencia que hubo en ella. Al presentarse Castro en la escena el público lo saludó con ruidosos aplausos. Por un hilo que desde la galería alta descendía, bajó un muñeco colgado de un globo y con una corona en la mano, alusión ingeniosa del viaje aéreo del célebre don Simplicio Bobadilla Majaderano y Cabeza de Buey, que es uno de los personajes mejor representados por Castro. La señora Peluffo, con una amabilidad llena de ternura, descolgó la corona para colocarla en las sienes del beneficiado y le dio un estrecho abrazo; los aplausos entre tanto no cesaban; muy largo rato continuaron sin interrupción ni siseos, de manera que podemos asegurar que han sido los más prolongados que ha habido en todas las funciones de la presente temporada.

El caballero de San Jorge es una de las buenas composiciones de Dumas. El tercer acto es sobre todo en extremo interesante y tierno; el espectador se siente conmovido con la diestra pintura de las diferentes pasiones, todas vehementes, que animan a los personajes. Su desempeño estuvo bueno: el señor Castro tuvo el buen tino de escoger un papel de su cuerda, de muchacho atrabancado y petulante, con lo que lució como era de esperarse. El señor Chávez tocó en el violín unas variaciones que aunque menos buenas que las que había tocado en otro beneficio noches antes, agradaron al público, que las aplaudió. El señor Castro puede tener la satisfacción de que el modo con que trabajó esa noche agradó al público y lo confirmó en la idea de que no saliéndose de su verdadera cuerda y estudiando con empeño sus papeles es un actor de mérito no común.

Los Gemelos
22 de febrero de 1849

Ópera. La empresa del Teatro Nacional ha obtenido ya licencia para dar funciones de ópera los jueves y domingos de cada semana. Se ha contratado a las señoritas Cossío, Mosqueira, Barrueta y López, y a los señores Moreno, Solares, Flores, Leonardi y Zanini. Mañana en la noche comenzarán las funciones ejecutándose la ópera de Donizetti, *Lucía de la Lamermoor*.

24 de febrero de 1849

Revolución teatral. Los señores Mosso han traspasado la empresa a los que la tenían, dándoles, según se nos asegura, quince mil pesos en calidad de "guante", satisfaciendo cinco mil pesos al señor Pavía que está en París y ampliando los poderes de éste para pasar por todo lo que contrate en aquella capital, con tal de que sea de primera clase. Entre tanto, han llegado a Veracruz los señores Barrera, Mata, la señora Cañete y otros actores compañeros de los que existen aquí. Creemos que no será posible la competencia porque una sola persona tiene ahora los tres teatros, pero a pesar de este monopolio la república de bastidores está conmovida y creemos que como último resultado en esta revuelta ganará el público.

24 de marzo de 1849

Otro desafío. M. Casimir, denominado "El invencible de la palestra de Nimes", ha sabido que M. Charles, "El rey de los luchadores", ha desafiado en esta capital a M. Turín para una lucha que debe verificarse el miércoles 11 del corriente en el Teatro Principal, y en tal virtud advierte al rey de los luchadores que se presentará en aquella función y que es el primero en desafiarlo deseoso de establecer su reputación en esta capital, y en consecuencia suplica a M. Charles se digne anunciarlo así en el cartel para el miércoles próximo. M. Casimir.

7 de abril de 1849

Teatro Nacional. Miércoles 11 de abril de 1849. Gran lucha de hombres extraordinarios. Admirable desafío. Programa de la función: 1º Se ejecutará brillante obertura a toda orquesta. 2º Se presentarán a luchar M. Charles, "El rey de los luchadores", contra M. Turín, "primer Alcides francés". Será recompensado con dos mil pesos y obtendrá además el producto de la función, el vencedor en esta lucha. 3º Luchará M. Charles con M. Casimir, llamado "El invencible de la palestra de Nimes". 4º Lucha de aficionados entre M. León Reybac, de Toulousse, y un americano. Doscientos pesos serán el premio de esta lucha. 5º Si se presentare el atleta americano Mr. Hunt, luchará con él M. Charles. En dado caso que éste hubiera sido vencido o estuviese muy fatigado, se diferirá la lucha. Cinco jueces imparciales decidirán sobre las luchas.

Teatro Nacional. Como todo pasa y se acaba en esta vida, pasó y acabó el tiempo santo. Siguió el alegre sábado de gloria y el domingo de Pascua los antiguos concurrentes al teatro nos volvimos a ver las caras de rosa. Los suscriptores a periódicos, los abonados al teatro, los concurrentes a las sombrías alacenas del Portal y los afectos a gozar de la frescura del clima y de la belleza de la luna en las cadenas, son poco más o menos los mismos todos los años y forman, se puede decir, una familia. Cambia el gobierno, acaba la revolución o la guerra extranjera, la tranquilidad se restablece y entonces vemos que como las aves dispersas por la tempestad se van reuniendo en un árbol común, así se juntan las personas que los acontecimientos habían desunido. Las mismas muchachas hermosas de ojos negros y blanca tez, los mismos elegantes con su delicado fuete en la mano, los mismos ancianos con su gran capa redonda, las mismas matronas gruesas y sanguíneas asomando sus caras desde las sublimes alturas de la cazuela. Cuando un concurrente al teatro muere, el duelo es general. "Aquí se sentaba", dicen algunos. "Gracias a Dios que se llevó a tan insigne platicón", dicen otros. "¡Pobre diablo!", exclaman los de más allá. No te extrañes, lector querido, éste es el duelo que por lo general hace el mundo de aquellos a quienes Dios se lleva a su santo reino.

Mas volvamos desde el punto a que nos había remontado nuestra fantasía: al local del Teatro Nacional. Los empresarios han cambiado y tiempo es de reformas y de presupuestos. El nuevo patrono de las musas cómicas dicta sus leyes, arregla sus sueldos y establece sus contribuciones. Hay sus descontentos, hay sus disgustillos, pero el tiempo urge y como quien hace las reformas no es un congreso sino un autócrata, lleva a efecto sus disposiciones y pone desde luego en vigor sus reglamentos. Valleto y Chucha, tratados como cesantes por la comisión de aranceles, se quedan fuera del cuadro; dizque después hacen valer sus derechos preexistentes y el empresario se ablanda y la cosa puede componerse. En sustancia, resulta de tanto batiboleo, de tanto tráfago, de tanto pretendiente como entra y sale de la casa del nuevo empresario, un gran anuncio que parece redactado por un barcelonés; muchos dibujos en la parte tipográfica, y ni Cañete, ni Mata ni muchas otras notabilidades que anda buscando Pavía por la culta Europa, ni siquiera baile. Y en compensación de tanta "mejora", un peso más de abono para los míseros de las lunetas y cinco pesos a los de los palcos; ésta es la única mejora positiva del teatro. No dudamos que el empresario cumpla por su propio interés con lo que ha ofrecido, pero la equidad exigía que el aumento de mejoras fuese, como dicen los muchachos, "dando y dando". La primera función naturalmente fue nueva: *El hombre feliz*, de don Tomás Rodríguez Rubí; versificación fluida y armoniosa, pensamientos aunque comunes, expresados con novedad; no puede decirse lo mismo del argumento, que es de los más comunes y trillados. Después de esta comedia siguió la "modernísima" de *La*

474

vieja y los dos calaveras, antenoche *Pablo el Marino* y anoche *Un tercero en discordia,* piezas que aunque de mérito, las saben de memoria
los pobres abonados. Sin embargo, continúa diciéndose que se están
preparando grandes cosas. Esperemos confiados en la bondad del nuevo
empresario. Entre tanto, Dios salve a los abonados y a toda la cristiandad.

El autor
12 de abril de 1849

El excomulgado. Drama en tres actos y en verso por don José Zorrilla. Difícil es seguir paso a paso en un corto artículo todas las escenas
de un drama moderno, y decimos de un drama moderno porque en la
mayor parte de las tragedias antiguas se encuentra un pensamiento
dominante desde su principio hasta el fin, y la acción sencilla y fácil
no está interrumpida por la multitud de acontecimientos que hoy
tienen que aglomerar los autores para saciar la curiosidad del público.
La versificación es fluida, armoniosa; versificación de Zorrilla y con
esto se dice todo. En cuanto a la exactitud histórica juzgamos que se
acerca mucho a ella, aunque nos parece mal trazado el carácter del
rey. En cuanto al desempeño, fue bastante bueno; la señora García
adelanta cada vez más, y la señora Peluffo obtiene un triunfo siempre
que desempeña un papel como el de Doña Teresa. El carácter de
Don Jaime según lo pinta Zorrilla de arrebatado e impetuoso, es demasiado fuerte para Armenta, pero debemos decir que se esforzó cuanto
le fue dable desempeñando con acierto la escena del delirio después de
fulminada la excomunión.

El autor
17 de abril de 1849

Revista teatral. Al abrirse este año la temporada teatral el público
acudió al teatro alucinado con las lisonjeras esperanzas que se le hicieron
concebir de que iba a estar mejor servido con el cambio de empresa;
las promesas de que se formaría una compañía excelente por lo numerosa y escogida, de que se enriquecería el repertorio con piezas selectas,
de que éstas se ejecutarían con empeño ensayándolas detenidamente,
cuidando de la propiedad en trajes y decoraciones, y en una palabra
de que no se perdonaría esfuerzo por complacer a los abonados, no han
tenido hasta ahora verificativo, antes al contrario el resultado ha sido

475

tan fatal que no parece sino que se ha repetido en el teatro una de esas farsas tan comunes en nuestras revoluciones, en que al inaugurarse un nuevo gobierno publica su programa en el que se nos promete una felicidad completa, y luego vemos que todo se ha reducido a palabrotas que se lleva el viento. El descontento que bien a las claras se manifiesta ya en el público, es un síntoma demasiado significativo de que, si Dios no lo remedia, el número de abonados al terminar el mes cómico tendrá una deserción más numerosa que cuerpo que sale a campaña. Para evitar este mal inminente que no haría a la empresa muy buen estómago que digamos, es preciso que tome con tiempo sus precauciones, y nosotros, aunque ya no se usan los consejos, nos tomamos la libertad de darle algunos, en lo que no hacemos sino imitar a tanto prójimo que en donde más se meten es precisamente donde no les importa.

La primera necesidad tan urgente para el teatro como lo es en política la tan famosa hoy de nivelar los egresos con los ingresos, es la del complemento del cuadro dramático porque el que hoy existe es tan reducido que al paso que vamos, día vendrá en que tenga que hacer Viñolas el papel de niña de quince años, o Castro el de característica. Según noticias fidedignas, la Cañete, Mata, Fabre y consocios van a llegar muy pronto, y si tal hecho es cierto la empresa debe apresurarse a ajustarlos, tanto por cumplir con las promesas hechas en el prospecto como por formar una buena compañía que aumente, lejos de disminuir, los productos de las funciones. También sería muy conveniente que mientras llega la mentada pareja de bailarinas andaluzas, no se dejase al descubierto, como sueldo de empleado público, un ramo que agrada tanto a los espectadores. Lo que tenemos que recomendar en segundo lugar no ya a la empresa, sino a los actores, es la fusión de partidos, aun cuando sea tan monstruosa como la que está a punto de celebrarse entre los socialistas y los ultrarretrógrados mexicanos. Sabemos de cierto que de bastidores adentro hay su intríngulis en esta materia, que existen ya, como en algunos Estados de la Federación síntomas de desunión y descontento, y que al ingreso de los nuevos actores que deben anexarse a la compañía, no será difícil que estalle una horrorosa guerra civil, provocada entre otras cosas por la cuestión de preeminencia donde ha de colocarse cada uno, a semejanza de lo que ha ocurrido ya en grandes cortes entre los representantes de las potencias amigas. Esperamos que se allanarán estas dificultades, que se levantará de entredicho a Valleto, que se admitirán sin oposición a la Cañete, Mata y Fabre. Sacrificad, actores y actrices, vuestros resenti-

476

mientos personales en aras de la concordia, y si no podéis desprenderos de vuestras rivalidades, haced al menos por salvar las apariencias. Imitad a ciertos ministerios compactos por fuera y por dentro enemigos como perros y gatos en un costal.

En tercer lugar es indispensable el ajuste de un buen traductor que no deje en francés las comedias, que conozca el gusto del público y al traducir a nuestro idioma las comedias extranjeras, haga que sean bien recibidas. La gente ignorante y atrevida cree que traducir es cosa muy fácil, porque entiende ser esa palabra la simple versión de una lengua a otra del significado de las voces, pero los que saben del negocio saben los inconvenientes que encierra. Encontrar un excelente traductor es no diremos tan difícil como un buen ministro de Hacienda, pero sí una cosa no muy sencilla. Nosotros que no nos limitamos a dar consejos que no se nos piden, sino que nos avanzamos a usar el derecho de iniciativa y proponemos a la empresa al ilustrado joven don Carlos Hipólito Serán, persona la más a propósito en nuestro concepto para tal encargo, y que en las diversas veces que lo ha ejercido en el Teatro Nacional, ha merecido los mayores elogios de los inteligentes. Con un buen traductor como nuestro candidato ni habrá que fiarse de lo que venga de España, donde ya poco se traduce, ni ejercitará la paciencia del público, paciencia grande en verdad, como de mexicano. Sería también muy conveniente que el oficio de traductores no recayese en las mismas personas que ejercen el de censores, como se nos ha asegurado recientemente. Éste es un abuso notorio y no creemos que los censores deban "despacharse por su mano", a guisa de empleados de aduana marítima. Por último, para que el público no oiga todas las noches dos comedias, la que representan los actores y la que lee el apuntador, cabría perfectamente que en lugar del actual, que reúne además la gracia de poner en grandes apuros a los cómicos, se ajustase a Campuzano, quien tiene hace tantos años demostrada su habilidad como consueta. Es muy posible que la empresa haga maldito caso de nuestras indicaciones; si tal sucediera nos quedará al menos satisfacción de que no somos los primeros, ni hemos de ser los últimos, que prediquemos en desierto.

Los dos Baldragas
24 de abril de 1849

Teatro Nacional. Miércoles 25 de abril de 1849. Gran función extraordinaria de ejercicios gimnásticos, fuerzas musculares, juegos de agilidad y destreza ejecutados por M. Guillot, "El león de Francia"; M. Turín, "Primer Alcides francés"; M. Charles, "El rey de los luchadores"; M. Casimir, "Primer Hércules del sur".

Don Francisco de Quevedo. El señor don Juan de Mata, el distinguido y apreciable actor que tan conocido es del público de México, volvió el martes 15 del actual a presentarse en el Teatro Nacional y recibió del público los aplausos más entusiastas y generales. Escogió una pieza nueva titulada *Don Francisco de Quevedo,* y de un autor nuevo también, pues según entendemos es la primera composición dramática que da a luz. ¿Quién es aquella persona por poco versada que sea en literatura española que no conozca al gran poeta satírico, al autor de la vida del Gran Tacaño y de las cartas del Caballero de la Tenaza? Así, el solo título del drama produce una invencible curiosidad. La versificación es fluida, correcta y en boca de Quevedo hay estrofas que caracterizan perfectamente al poeta. El autor colocó también en sus cuadros a tres imbéciles cortesanos, uno de los cuales a todo dice *mejor,* y que de poco o nada sirven al desarrollo del drama. El señor Mata salió vestido con una nimia propiedad y desempeñó su papel con la maestría que acostumbra, lo mismo que el señor Buñuelas. De las señoras Peluffo y García poco tenemos que decir: la una lo hace siempre bien, la otra adelanta cada día más.

18 de mayo de 1849

Presentación de la señora Cañete. La trenza de sus cabellos. Drama en cuatro actos y en verso de don Tomás Rodríguez Rubí. Se esperaba con inquietud el momento en que se presentase la señora Cañete, y cuando esto sucedió una parte de los espectadores aplaudía, otra siseaba y muchos guardaron el mayor silencio y circunspección, a la vez que otros, muy pocos silbaron; pero ni los aplausos eran bastante entusiastas, ni los siseos podían considerarse tan insultantes como se había anunciado que serían las demostraciones de odio y resentimiento con que se recibiría a la actriz. Nosotros, pertenecientes al público circunspecto, vituperábamos por supuesto los silbidos; no aprobábamos tampoco los siseos, pero confesamos que en aquel momento los aplausos nos parecían hasta cierto punto indecorosos y más bien producidos por un espíritu de partido. Poco pudimos percibir del primer acto de la pieza, ya por el ruido que hacían los acomodadores por la inicua costumbre de repartir a esa horas los cojines, ya porque cada vez que se pre-

478

sentaba o salía de escena la señora Cañete, se repetían, aunque más levemente, los aplausos y los siseos. La escena del tercer acto fue perfectamente desempeñada por la Cañete y los aplausos que entonces arrancó no fueron debidos seguramente al espíritu de partido, sino a su indisputable talento artístico que se mostraba en aquel instante a toda luz. Esta vez no experimentamos nosotros la impresión desagradable que nos produjeron los aplausos primeros. La inverosimilitud del drama, su falta de acción, sus cansados diálogos, se le hubieran perdonado terminando el tercer acto, con esa escena llena de bellezas y que dejaba en el ánimo de los espectadores profundísimas impresiones. La actriz se habría despedido del público en los momentos en que se la veía grande y gloriosa bajo las alas del genio. Pero había un cuarto acto en que la acción y el interés habían terminado y los espectadores perdieron la ilusión nacida de sus impresiones y volvieron a ver sobre la escena no a la pobre loca tan tierna y tan interesante, no a la actriz sublime que a fuerza de talento había logrado elevarse sobre sí misma, sino a la mujer que lleva consigo como sombra de su gloria una nota de ingratitud.

Laurel

21 de mayo de 1849

Presentación del señor Fabre. Hemos tenido el gusto de ver en las tablas de nuevo a ese actor de indisputable mérito en la comedia nueva, traducida del francés por don Juan de Peralta, con el título de *El guante y el abanico.* Extrañamos que se anunciara esta pieza como de Scribe, cuando este célebre escritor no ha pensado siquiera en componerla, pero como su nombre podía hacer que hubiese más concurrencia, acaso sería eso la causa de que se cometiera esa mentirilla. En un país en que se plagia tanto y de tantas maneras, el simple plagio de un nombre no nos parece un pecado nefando. Al presentarse en la escena el señor Fabre recibió los repetidos aplausos a que es acreedor por su mérito artístico y que se reprodujeron en algunas escenas muy bien desempeñadas. La comedia que se ejecutó, aunque menos insustancial que la mayor parte de las de su género, no tiene tampoco un grande argumento. Nos pareció pesada en los últimos actos. La traducción si bien contiene uno que otro defectillo, es en lo general fluida y correcta. En la ejecución sobresalió el señor Fabre. Los demás actores lo hicieron bastante bien, incluso el señor Armario que representaba el papel de un patán presuntuoso. La concurrencia no fue tan numerosa como en las otras presentaciones de los recién llegados. Había, sin

479

embargo, más de la regular como sucede siempre que en el teatro se da una función interesante. Contando con los buenos elementos que hoy tiene la empresa, entre los que figuran en primer lugar la afición cada vez más grande del público hacia esa diversión, y la selecta compañía que hoy trabaja, la empresa con algún empeño que ponga de su parte, puede estar segura que irá en aumento el número de los abonados y que serán demasiado productivas las entradas eventuales.

Los dos baldragas
24 de mayo de 1849

Injusticia. Nos parece indispensable que la empresa y los actores trabajen de consuno para destruir una división funesta de que todo el mundo está enterado. Es ya muy notable que cuando ciertos directores ponen en escena las comedias que les corresponden, por nada de esta vida le dan papel a la señora Cañete aunque sea claro como la luz que debiera hacerse todo lo contrario. Es muy natural que esta conducta provoque represalias, y así quien sale perjudicado notoriamente es el público, porque teniendo una compañía sobresaliente con la que podrían salir perfectamente desempeñadas toda clase de piezas, tiene que verlas ejecutar como si esa misma compañía fuese reducida y muy mediana.

Los dos baldragas
5 de junio de 1849

Inmoralidad en el teatro. La duquesita, drama en un prólogo y dos actos traducido por don Ventura de la Vega. El domingo tuvimos una sorpresa al asistir a la representación de este drama. No cabe duda que es una verdadera novedad teatral, y decimos novedad porque aunque en las piezas de teatro francés abundan los equivoquillos picarescos que hacen reír a carcajadas a los jóvenes alegres y a los viejos solterones, y que las señoritas y niñas que asisten al teatro tengan que ruborizarse ya porque no puedan comprender exactamente su doble sentido o ya porque el autor haya omitido la delicadeza y la gracia, no podíamos imaginarnos que en una pieza de teatro pudiera reunirse un número tan considerable de alusiones y de conceptos no de doble sentido, sino del más descarnado, inteligible y desvergonzado lenguaje, de suerte que el caló que está bautizado entre los tunos y veteranos con un nombre demasiado significativo, es nada comparado con la abundancia de sucias expresiones en la comedia que nos ocupamos. Lo que más nos llama la atención es que el señor Armenta pusiera en escena la pieza tal como se ejecutó y que el censor permitiera su representación.

Prescindiendo ahora de estas consideraciones que para los directores no son de mucho peso, pues si bien el teatro no es una santa escuela, tampoco es un lugar de prostitución ni una cátedra de escándalo. La pieza de que nos ocupamos es un tejido de absurdos, un conjunto informe que no sólo carece absolutamente de todas las reglas del arte, sino que peca contra la verosimilitud y naturalidad y repugna al sentido común. Enhorabuena que la nueva escuela que han llamado romántica permita al escritor dramático separarse del estrecho cartabón de Horacio, pero jamás escuela ninguna estará fundada en principios que sean en contra de la naturaleza, pues ésta es la naturaleza del arte. El autor que retrata con más exactitud las pasiones del corazón y los lances de la vida, es el mejor autor, así como el mejor cómico es el que desempeña con fidelidad los caracteres que le toca representar en la escena. El señor don Ventura de la Vega nos permitirá que le digamos en esta vez que su elección no fue de lo más feliz ni su traducción muy acertada. Tratándose de una comedia francesa cuya fábula o trama se refiere a una fecha remota, esas exclamaciones de "¡San Antonio!" "¡Santa Bárbara!" "¡Ánimas benditas!", son bastante impropias, pues se sabe que los franceses no usaban esas expresiones.

6 de junio de 1849

Contestación de un censor. En el artículo relativo a *La duquesita* se repiten las calificaciones más duras acerca de la inmoralidad de la pieza, si bien se extiende su autor en la crítica literaria, no dice una sola palabra para probar que en cuanto a la inmoralidad de la pieza su juicio es bien fundado, y como el censor del teatro no es ni puede ser responsable del mérito literario de las comedias, diré solamente en cuanto a la inmoralidad que se dice de *La duquesita*, que no es cierta en mi opinión ni fundada la del crítico en cuanto a este punto. La acción o las palabras de una comedia son las que afectando los principios de la moral, pudieran ser inmorales, y ni la acción dramática de *La duquesita*, ni sus palabras, tienen ese carácter. Prescindiendo, repito, del mérito literario del drama, ¿cuál es el principio de moral

481

que ataca el hecho de una madre que para preservar a su hijo de los azares de un duelo, lo hace educar como mujer? Pues tal es la acción dramática de *La duquesita*, y ni los mal comprimidos impulsos varoniles del joven, ni su afición a su prima, ni ningún otro de los incidentes en que se desenvuelve la acción del drama, creo que ofenden a la moral, y si tal vez alguna escena entre el joven y los demás personajes femeninos del drama pudieran lastimar el pudor de una alguna dama recatada, confiado el desempeño del papel principal a una actriz, me parece completamente asegurada la acción contra toda apariencia de inmoralidad. En cuanto a las palabras, no hay una sola que merezca a mi ver la calificación de descarnado, inteligible y desvergonzado que se ha aplicado al lenguaje del drama, y entiendo que en materia tan grave deberían haberse señalado las frases, o siquiera las escenas en que se profieren, en apoyo de un juicio tan severo. Me parece que si se hubiera hecho esto se palparía que no es en el lenguaje sino en la imaginación del crítico donde se halla la inmoralidad, y de esto ni el autor ni el censor tienen la culpa. Si en ciertas frases cuyo sentido recto tiene una significación natural, sencilla y decorosa, hay alguno que perciba alusiones torpes, conceptos llenos de doblez y pensamientos sucios e inmorales, ¿podrá evitarlo el censor? ¿No recaerá con justicia la nota de inmoral sobre el malicioso intérprete y no sobre las palabras mismas? Apenas hay una herejía cuyos sectarios no pretendan apoyarla en un texto mal interpretado de los Libros Santos, y no por esto habrá quien se aventure con justicia a decir que es herética la Biblia ni que su divino autor es culpable de la extraviada interpretación que pueda dársele. Yo a lo menos como censor no me creo autorizado para dar a las palabras de una comedia otro sentido más que aquel en que naturalmente suenan, y si la malicia de algún concurrente trueca ese sentido, y si a la imaginación susceptible del espectador ayuda tal vez el accionar desvergonzadamente excesivo de un actor, yo no creo que deba culparse a quien leyó desapasionadamente la comedia y no osó juzgar al autor más que por sus propias palabras y de ninguna manera por las interpretaciones de una imaginación preñada de indecentes alusiones.

José L. Villamil
14 de julio de 1849

Carta dirigida al señor censor de teatros. Señor censor: Como usted ha tenido la bondad de contestar bajo su firma el artículo que escribí relativo al drama titulado *La duquesita*, sería una falta de cortesanía de mi parte no contestar a usted. Comienzo por manifestarle que su respuesta es muy ingeniosa y que ha dado usted una nueva prueba de su talento demasiado conocido ya en México, y que por mi parte aprecio y respeto sinceramente. La defensa que usted hace de *La duquesita* puede compendiarse en un proloquio bastante conocido: "No hay palabra mal dicha como no sea mal tomada." Yo no sé hasta qué punto sea esto aplicable a las composiciones dramáticas, pero en caso de duda lo más seguro será no poner en las comedias expresiones y conceptos de equívoco sentido, porque los hombres de imaginación casta y tranquila no son muy abundantes; los hombres me perdonarán, puesto que hablo en lo general. De propósito recuerdo que me hace usted el siguiente cargo: "El drama de *La duquesita* es el más inocente y moral del mundo, y la imaginación perversa, exaltada y voluptuosa de usted, señor crítico, es la única que ha formado la inmoralidad." Gracias, mil gracias, señor censor, por el cumplimiento. ¿Qué va a decir el público cuando se entere por el artículo de usted que esta ruidosa disputa está reducida a la divergencia de opiniones entre un censor de imaginación tranquila, casta e inocente, y un crítico de imaginación exaltada, maliciosa y lúbrica? El casto censor es usted y el pervertido crítico soy yo... En verdad soy un triste y humilde pecador endurecido por la maldad, pero a quien le gusta que le saquen sus ropas al sol, como suele decirse.   •

Comentó usted, señor censor, en que tengo razón de estar un tanto amoscado deduciendo que en todo caso y tomando un término medio entre los extremos, los censores deben ser un poco menos inocentes y los críticos un poco menos maliciosos. ¿Quiere usted que le cite las escenas que he calificado de inmorales?... ¡Oh, *mon Dieu!*, esto es imposible primero porque no tengo la comedia, y segundo y principal porque usted es demasiado vivo, y como las citas y comentarios, y las interpretaciones que yo hiciera, era forzoso que no salieran muy castos, vendría usted a decirme con razón que mi artículo era peor que la comedia. Si no tiene usted mala memoria debe recordar que en el drama hay algunas alusiones que una imaginación perversa podría interpretar... en fin, para qué hemos de tocar en este artículo a la bella Italia puesto que no se trata de historia sino de moralidad. Apuesto a que usted me entiende. Diré a usted, señor censor, para su consuelo, que van al teatro multitud de imaginaciones descarriadas, peores que la mía, puesto que salieron diciendo que la tal duquesita era un primor en el idioma de los tunos y mozalbetes alegres. ¡Maliciosos! ¿Qué culpa tienen de esto los censores de imaginación casta?

Acabo de saber que el licenciado Rodríguez, censor que ha sucedido al licenciado don Mariano Esteva, ha extendido un parecer opinando que no vuelva a representarse *La duquesita*. Allí tiene usted otro caballero de más pervertida imaginación que la mía. ¿Habrase visto maldad igual? Pero sea lo que fuere, como ese señor censor es autoridad, con ese hecho quedo exento de ofrecer a usted mis pruebas y concluyo repitiéndome con el mayor afecto su amigo y servidor

El Siglo
18 de junio de 1849

Teatro Nacional. Las funciones de este teatro se resienten de ese espíritu de charlatanería que era antes el carácter más marcado de los manifiestos de nuestros gobiernos y las proclamas de nuestros generales. *Un escritorio de Luis XIII* es un mal sainete en dos actos desmesuradamente largos; el argumento es una indigesta compilación de vaciedades. Causa positivo disgusto ver que los actores ofenden su propia dignidad: la señora Peluffo que es una actriz eminente debiera avergonzarse de salir vestida sin necesidad como una maromera y de ponerse en ridículo abaratando su papel que era ya bastante fastidioso de por sí. El señor Armario, que es un actor de bastante mérito, debía también resistirse a hacer de payaso. La señora García y los señores Fabre y Armenta trabajaron con acierto. Concluida la representación se bailó el Potpourri que se había ofrecido de sonecitos nacionales. Como la oposición que hay en el público entre los partidarios de la joven Moctezuma y los de las bailarinas andaluzas está en todo su punto, aquel baile en las dos veces que se ejecutó estuvo acompañado de siseos, silbidos, gritos y aplausos prodigados en sentido contrario por ambos bandos de los beligerantes.

Los dos baldragas
19 de junio de 1849

Teatro Nacional. 27 de junio de 1849. Gran función extraordinaria por el célebre mágico Herr Alexander. Orden de la función: Gran obertura a toda orquesta. Primera parte: 1º La separación del vino. 2º El reloj. 3º La explicación. 4º El panadero gracioso. 5º El jugador descubierto. 6º Allí está el nudo. 7º La cocina del Titano o una cena con el inmortal doctor Faust. Este experimento, único en su clase, ha merecido los mayores aplausos en todas partes donde se ha ejecutado. Herr Alexander llenará una caldera grande con cinco o seis cubos de agua, guisará en ella algunas palomas y al poco rato desaparecerá toda el agua; las palomas aparecerán vivas y volarán por el teatro. Segunda parte: 1º El café mágico. 2º La fábrica de moneda. 3º Experimento de destreza. 4º El trabajador escondido. 5º La lavandera moderna. 6º El baño mágico. 7º La silla eléctrica o el asiento aterrado. Esta suerte es una de las más divertidas.

Nuevo escándalo teatral. Poco satisfactorias son en verdad las noticias que tenemos que dar hoy en esta crónica de teatros, porque continúa el público siendo víctima de ciertas discordias cuyo misterio se desvanece por momentos, pero que no pudieran conocerle a fondo sino desgarrando completamente el velo que las cubre aún a ciertos ojos y conociendo detalles íntimos de lo que pasa de bastidores adentro. Ante la imposibilidad de dar una explicación circunstanciada de los sucesos de ese otro teatro, nos contentaremos con hablar de los resultados para que con esa demostración *a posteriori* pueda llegarse por los efectos al conocimiento de la causa. Se anunció para la noche del jueves *La hija del regimiento*, que interpretaría la señora Cañete, pero a último momento anúnciase que no podrá representarse por enfermedad de la protagonista y que en su lugar se ejecutarían otras dos que apenas habríamos visto en pocos años más de veinticinco o treinta veces: *La molinera* y *¡Atrás!* El anuncio era extemporáneo para la mayor parte de los concurrentes que a saberlo con tiempo bien se hubieran guardado de honrar con su presencia comedias repetidas hasta el fastidio. Los abonados gruñen, los eventuales más desgraciados aún rabian al considerar que han soltado un peso por cabeza para que le dieran gato por liebre. Corre además la noticia de que la enfermedad de la señora Cañete es supuesta, y notamos que uno de los inconvenientes que traen consigo las rivalidades de actores y actrices, es el de que cuando se varía una función con motivo de una enfermedad verdadera o falsa, el público siempre la califica de pretexto y queda por consiguiente disgustado.

Los accidentes de que hemos hablado eran precursores de una tempestad. En efecto, apenas comienza la representación cuando estalla el descontento popular. Los actores se acongojan, se afanan por salir del paso, pero todo en vano: la ejecución es imposible y cae majestuosamente el telón. Esta escena se repite varias veces. Santa Cruz entabla un diálogo en toda forma con el público permitiéndose algunas libertades poco disculpables. Todo se vuelve zambra y alboroto; aquello es una ininteligible barahúnda. ¿Y cuál fue el resultado?: Que el público no dejó ejecutar las dos comedias contra las que se había pronunciado, pero el precio de entrada no volvió a los bolsillos.

Los dos baldragas
28 de junio de 1849

Precios. Para unas funciones extraordinarias que no tardarán probablemente en ejecutarse se ha anunciado que se pondrán unos precios de entrada exorbitantes. Por ejemplo, los boletos de patio han de costar ¡cuatro pesos! Esto sería una verdadera locura: el público que asiste al teatro ha padecido desde hace algún tiempo tantas funciones extraordinarias, que casi no deja de haberlas una sola noche de las que quedan libres. Se necesita, como suele decirse, "bolsa aparte" para hacer tan frecuentes erogaciones, y otras nuevas de cuantía sería un recargo de consideración. Aun sin necesidad de eso, la experiencia, que es la mejor de todas las maestras, ha probado ya que tiene más cuenta fijar una entrada moderada que una muy subida, porque casi siempre sucede que no guarda proporción lo que aumenta el precio con lo que baja el número de concurrentes. No hay, pues, que equivocarse; no hay que alucinarse con que la novedad y el mérito de las funciones llevarán al público al teatro, porque dificultamos que el éxito confirmase esas ideas ni aun en la primera función.

Los dos baldragas
6 de julio de 1849

Trofeo musical. Henri Herz. Honor artístico. A los señores profesores y aficionados al bello arte de la música: Todo tributo al mérito debe enorgullecer a las personas de ilustración y principalmente a las que tienen conocimiento del arte de aquel a quien se le dirige, pues esto contribuye a elevar la dignidad y el aprecio del arte mismo. Es notorio que dentro de algunos días se espera al célebre Enrique Herz. La fama alcanzada por su talento y el gran mérito que tiene por haber contribuido con sus composiciones a la más grande popularidad de la música de piano, le hacen digno de un cumplimiento distinguido. Por lo tanto los que suscribimos tenemos el honor de invitar a nuestros señores colegas para el recibimiento que se ha dispuesto hacer en el

Peñón Viejo a esta notabilidad artística el día de su llegada. Los señores que gusten asociarse tendrán la amabilidad de manifestar sus nombres antes del día 10 del presente mes en el Hotel del Gran Bazar, calle del Espíritu Santo número 8, cuarto número 36. Joaquín María Aguilar y José María Chávez.

7 de julio de 1849

Enrique Herz. Este primer artista ha llegado ayer a esta capital. La recepción que ha tenido ha sido magnífica. Salió a recibirlo un número muy considerable de personas. Más de veinte coches conducían a varias de las principales familias de esta capital. El señor Herz agradecido a estas singulares muestras de aprecio a que es tan acreedor por su mérito, nos ha enviado para su publicación el siguiente comunicado: "Enrique Herz a sus muy estimables colegas los artistas de la capital. Con un sentimiento de profunda gratitud os doy gracias por la muy lisonjera recepción que me habéis preparado. Desde Europa me era conocida la enorme afición que tienen los generosos mexicanos a las artes y en especial a la música, y considero la recepción de hoy menos como una muestra de benevolencia personal, que como un homenaje solamente tributado al arte divino del que yo no soy más que un humilde sectario. Recibid pues, queridos amigos, las más expresivas gracias, y estad ciertos de que el recuerdo de esta hermosa tarde quedará grabado en mi corazón. Os protesto con este motivo la más sincera amistad. México, 11 de julio de 1849. Enrique Herz."

Teatro Nacional. Madame Anna Bishop. *Primera prima donna assoluta di cartelo,* del Gran Teatro de San Carlos en Nápoles, cantatriz honoraria de S.M. Fernando II, de las cortes imperiales de Rusia y Austria, etcétera, tendrá el honor de ofrecer al ilustrado público de esta capital el sábado 14 de julio de 1849 su primera representación lírica *in costume dramatique* (vestida de carácter), con orquesta, coros y aparato y accesorios teatrales. Durante el transcurso de esta función, el eminente compositor caballero Boscha, arpista de S.M.B., gobernador del Conservatorio de Música de Londres, director del Teatro Italiano de S.M. y del San Carlos de Nápoles, se presentará a ejecutar piezas escogidas en el arpa. El sig. Valtellina, *primo basso cantante,* cantará algunos trozos, y Madame Anna Bishop aparecerá en los caracteres de *Norma, Linda de Chamounix, Tancredi* y cantará la cavatina en traje de sala. Programa. Primera parte, vestidos de sala: 1º Obertura.

2º Cavatina de *La Sonámbula,* de Bellini, cantada por el sig. Valtellina con coros. 3º Cavatina de *Roberto Devereux,* de Donizetti, por Madame Anna Bishop. 4º *Mosaique musicale;* fantasía para el arpa compuesta y ejecutada por el caballero Boscha. Segunda parte, con trajes de carácter. 1º Introducción y gran escena del primer acto de la ópera de Bellini titulada *Norma.* Norma la interpretará Anna Bihsop, acompañada por el señor Valtellina y coros. 2º Obertura. 3º Escena del segundo acto de la ópera de Donizetti, *Linda de Chamounix,* por la señora Bishop en traje a la francesa del siglo xviii. Tercera parte. 1º Cavatina de la ópera *Lucrecia Borgia,* cantada por el señor Valtellina. 2º Improvisaciones ejecutadas en el arpa por el caballero Boscha sobre varios temas favoritos bien conocidos que el auditorio podrá señalar a su antojo después de la primera parte de la función y enviarlo si gusta a la administración para que se desempeñen inmediatamente. 3º Gran escena de la ópera de Rossini, *Tancredi, Oh patria di tanti palpiti,* cantada por madame Anna Bishop, en su rico y esplendente traje de Tancredi. Esta función musical está bajo la dirección del caballero Boscha, maestro y director de madame Anna Bishop.

Primer concierto de madame Anna Bishop y el caballero Boscha. Por el honor y prez que resulta al buen gusto de los mexicanos, debemos decir que desde la víspera del concierto todos los palcos y lunetas del Teatro Nacional estaban tomados y había quien diera cuatro pesos por una luneta y dos onzas por un palco. Un país donde así se aprecia el mérito de los artistas y donde el público se apresura a tributarle con su asistencia un homenaje a su talento, no puede decirse que sea una nación tan embrutecida y atrasada como la suelen pintar algunos de nuestros mismos compatriotas. A las ocho y media el salón estaba muy concurrido; el patio lleno de caballeros vestidos con elegancia y guardando la más decente compostura, y los palcos coronados de señoritas vestidas con elegancia y sencillez: traje blanco, un ramo de flores en el pecho, un peinado sencillo y gracioso adornado con una coquetería inocente y seductora, con una flor o con una corona de florecillas blancas o nácares, era lo más general entre las señoritas, y muchas de ellas demasiado engalanadas con sólo su hermosura, no necesitaban más que mover sus ojos, sonreír e inclinar lánguidamente sus torneados cuellos para animar al espectador más frío. El teatro estaba hermoso y si la vanidad nacional no nos ciega, creemos que una noche semejante es comparable al espectáculo más animado que puede gozarse en una corte europea.

17 de julio de 1849

Teatro Nacional. Segunda representación de madame Anna Bishop para el miércoles 18 de julio de 1849. Programa. Primera parte: 1º Obertura. 2º Cavatina de *El asedio de Corinto,* de Bellini, cantada por el señor Valtellina. 3º Escena primera del acto primero de *Sonámbula.* 4º Nueva fantasía para el arpa sobre temas mexicanos y españoles compuesta y ejecutada por el caballero Boscha. Segunda parte: 1º Introducción y gran escena de la ópera de Bellini intitulada *Norma.* 2º Obertura. 3º Escena de la ópera bufa *Il barbieri di Seviglia.* 4º Cavatina *Una voce poco fa.* Tercera parte: 1º Cavatina de la ópera *Parisina,* cantada por el señor Valtellina. 2º Última escena de la *Sonámbula,* terminando con el célebre ¡Rondó final!, y con la variación brillantísima manuscrita de Bellini.

Teatro Nacional. Primer concierto de los señores Boscha, Valtellina y de la señora Anna Bishop. Entrada, *in crescendo.* Anuncióse esta función con una obertura de puertas afuera, compuesta de empujones, apreturas y granizadas de "trompis", que no había más qué pedir; porque si no para las elecciones, para los asuntos teatrales se desarrolla el espíritu público que es una temeridad. Más consecuentes los interesados en la función que lo que suelen ser los ministerios, dieron a tiempo su programa, largo, angosto y polígloto, que por lo que respecta a mí, me dejó con tanta boca abierta. El teatro estaba magnífico; la concurrencia era espléndida; dábale realce la presencia del primer magistrado de la República; y el alumbrado, más despierto que de costumbre, anunció que se trataba de una función extraordinaria.

Álzase el telón: aparece el señor Valtellina, con quien teníamos conocimiento antiguo; y los coros que anunció el programa no fueron oídos ni vistos. El señor Valtellina, que es un *basso cantante* de muy buenos modales y que estaba vestido con la debida decencia. Apareció la encantadora Anna: su gallardía, sus negros ojos, insurgentaron los corazones y los estrepitosos aplausos le anticiparon los lauros que después recogió su talento.

Aunque en el anuncio se trataba de cosas de *beata*, vi con sorpresa que podía, sin recargo de derechos, pertenecer aún al mundo tan amable beldad; las primeras impresiones que produjo su voz, fueron en extremo agradables; y a cada instante se notaba el entusiasmo, próximo a estallar estrepitoso. Conducida en brazos por dos sirvientes, vestidos en *carácter*, apareció la arpa mágica del caballero de Boscha; los antecedentes de este compositor distinguido, su celebridad europea y las inequívocas muestras que poseemos de su distinguido talento, hicieron que el público celebrase su salida con señales de aprobación. Trabajos

489

habría tenido el caballero de Boscha; de danzar ante el Arca como lo hizo David con su instrumento, por razones que a primera vista se perciben.

Los profanos en el arte divino que profesa, más pudimos admirar el talento creador del artista, que al "Paganini del arpa". Este instrumento, poetizado por las beldades de Jalapa, confidente de sus trovas divinas, es pulsado con destreza por algunos, y así es que nuestra primera impresión no fue tan nueva ni tan íntima como esperábamos. El señor Boscha fue aplaudido como merece su alto mérito, aunque algunos gaznápiros inciviles y palurdos decían, y a mí me parece que con justicia, que el señor Boscha más tocó para los inteligentes en esta primera vez, que para nos, los del vulgo ignorante. Por ejemplo, sus armonías en una sola cuerda, la extensión que en algunas variaciones daba a un instrumento limitado como es el arpa; las dificultades científicas de la improvisación, arrastradas con su atrevida maestría, eran bellezas no percibidas de todos; y en música suele ser cierto lo de Lope:

> Y puesto que lo paga el vulgo, es justo
> hablarle en necio para darle gusto.

No obstante estas objeciones, que deben valerme el retumbante título de salvaje en la república filarmónica, el señor Boscha fue aplaudido por todos los inteligentes, porque conocieron el mérito... los demás, porque, ¿qué se diría de nosotros?

La *Norma* se esperaba con impaciencia; a sus primeros acentos respondieron todos nuestros recuerdos, nuestras ilusiones de otra edad, y, no obstante, el mayor elogio que puede hacerse a la señora Bishop es que arrancó aplausos a ese mismo público, que recibió estas impresiones por primera vez de la divina Albini y Fornasari. Su *Casta Diva*, himno sublime y religioso, cántico sagrado en medio de un espectáculo magnífico, vibración delicada y sentida, suspiro blando como un arrullo, se mecía en sus aspiraciones melodiosas, arrobaba en sus acentos solemnes y poéticos. A cada pausa como que pugnaba por desbordarse el entusiasmo que se contenía por la codicia de no perder una sola armonía de aquel canto dulcísimo.

Actriz, coros, orquesta y auditorio, parecían todos subordinados a la poderosa inteligencia del señor Boscha, que dirigía la música; él todo lo dominaba, con sus miradas, con sus movimientos, con la varilla con que llevaba el compás. Repito, los que admiramos a la Albini, los que vimos unidos en la *Norma* su admirable talento dramático a su voz argentina y sentida, esos mismos no pudimos negar nuestros aplausos a la señora Bishop. Cuando terminó el aplauso, estalló redoblándose con vehemencia; a la voz de: ¡Otro!, se repetía con más ardor. Los caballeros estaban en pie, las señoras esperaban; la linda Anna salió por fuera del telón e hizo algunas demostraciones de gratitud al recorrer de un extremo a otro el tablado. A su vista, los caballeros se descubrieron, los aplausos fueron más y más repetidos; batían el suelo los bastones y había energúmenos que golpeaban las tablas de los asientos con notable frenesí y menoscabo de los intereses del señor Rossas. Ese modo de aplaudir es un brusco ataque a la propiedad.

La *Linda de Chamouni* estaba más en nuestra cuerda, no había motivos de comparación; eso de semiserio, ¿eh?, vamos, me agrada; era una música zandunguera, que repicaba festiva, que provocaba sonrisas, que hacía mirar con malicia, en fin, esa música entre pecaminosa y burlona que es el pan de nuestra tierra, que es el holgorio del alma y que refocila el cuerpo. ¡Cómo se estremecían voluptuosos aquellos acentos, cómo volaban y venían a dormecerse en nuestros corazones como un colibrí descansa de sus versátiles giros en el seno de una flor. ¡Qué linda!, decíamos todos. ¡Qué linda! Los antiguos abonados no pestañeaban, los músicos tenían cara de fiesta, y algunos españolitos decían, haciéndose los andaluces: ¡Huy, qué hembra tan zalaá!

Presentóse por segunda vez el caballero de Boscha, y a los primeros acentos de su arpa correspondieron los signos de la más viva aprobación. ¡Sobre que se trataba de un sonecito del país! ¡El Ahualulco!, pero embellecido, esforzado por el gran compositor. Todo un fandango tenía yo en la cabeza: la china zalamera, su cuerpecito gentil, el zapateo de su sujeto, todo se me representaba animado, travieso y subversivo. Después eran los *Puritanos*, con sus entonaciones fogosas; después "los enanos", con todo su ridículo y chiste musical. Entonces a nos, los del vulgo ignorante, no hablaba la arpa en un idioma vulgar, picaresco, venía a retozar con los espectáculos que de "ocultis" amamos, como el español ama sus bailes de candil y el francés su "cancán" extremoso. La arpa se nacionalizó, ¡pero tan festiva, tan diestra, tan dulce, que ya parecía un piano, ya una flauta, ya los tonos llenos de un órgano, ya la bulliciosa jaranita de un fandango! Esto no se aplaudió mucho con palmadas ni con palos porque se guardaba silencio para esperar una nueva sorpresa, porque no obstante que el instrumento es ingrato, el señor Boscha le comunicaba vida y lo hacía fuente de sensaciones deliciosas.

El Tancredo, reservado con talento para producir la última impresión, fue ejecutado perfectamente por la señora Bishop. El traje que vestía era bastante bueno, y lo bien bruñido de la armadura lo hacía "esplendente" con la luz; ¡los malditos recuerdos! ¿Recuerdan los lectores como vestía Pineda el Pelayo?... Así es que a falta de aquél, nos parecía bueno el de la señora Bishop. ¡Oh! ¡Pero su aria!, su aria divina llenó de embriaguez nuestros sentidos; valió, como dice *El Siglo* de ayer, toda la función; la oímos repetir embelesados; su memoria nos endulza la sangre y nos regocija el corazón. Los aplausos fueron generales, ruidosos, espontáneos; fueron los lauros con que un público sensible al poder del talento, a los encantos de la gracia y la magia de la armonía, riega la senda que recorre en triunfo una actriz distinguida. Baja el telón.

Parte espinosa. Ahora, dejando la luneta de espectador entusiasta y sentado en el ingrato bufete de crítico, diré dos palabras sobre la señora Bishop; esto es, repetiré lo que he oído decir de lo que me parece más racional. La voz de la señora Bishop tiene en nuestro concepto pocas esferas, especialmente bajas; ni es tan argentina, ni tan extensa, ni tan sonora como la de otras actrices, nacionales y extranjeras, que hemos oído, y no obstante la gracia de la encantadora Anna, parece una voz que declina. La educación de esa voz es divina, su escuela correctísima, su vocalización de su mérito superior. Hiere las notas altas con una felicidad y un atrevimiento inimitable; no así las bajas, en que hemos oído sobresalir a la Albini, la Castellan y la Passi. Sus trinos cromáticos, esencialmente en la aria del *Tancredo*, son inimitables, y a pesar del dejo ingrato de la acentuación inglesa, tuvieron para nosotros singular dulzura.

Como actriz, la señora Bishop se presenta en la escena con desembarazo y gallardía, se palpa que se posee de lo que canta, y si extendiere con menos frecuencia los brazos, se diría que no tendrían qué criticar su acción ni el mismo Geofroi, el más severo y descontento de los críticos. Siga esta ave canora encantándonos con sus tesoros de melodía y recibiendo los homenajes que desde su primera representación le ha tributado la justicia y la galantería de mis paisanos.

Fidel
17 de julio de 1849

Teatro Nacional. Domingo 15 de julio de 1849. *Un Casamiento a son de caja o Las dos vivanderas.* Han de saber ustedes que éste era un noble perseguido, del tiempo de la Revolución Francesa. Este noble oculta a su hermana, mientras él va a sus correrías bélicas, en una casuca que precisamente van a invadir unos soldados hambrientos y de buen humor; entre ellos hace pie y pernocta en la casuca el soldado Lambert, que dice en secreto que es noble también y que a pocas fojas se prenda de la Luisita de Obernay, hermana del noble primero, magüer que en su traje y bajo el concepto de que es una pobre aldeana. Este soldado Lambert era objeto de la desparpajada ternura de Gervasia, vivandera del ejército en que servía éste; encélase de la Luisita y hay una de quinientos demonios. Pero la noble encubierta tenía sus ribetes de bellaquería, como Sancho, así es que se deshace de su supuesta rival, haciéndole recorrer un camino en que se perdería indudablemente. Entre tanto, aprovechando la oportunidad del barrilito de aguardiente de que se desembaraza Gervasia, lo echa a sus espaldas Luisa y cátela usted vivandera del 24 de línea, con una facilidad maravillosa, facilidad estupenda en una señorita timorata y de buen tono.

Lambert, que era excelente chico, pero sujeto a las malas tentaciones como cualquier hijo de vecino, se azucaraba de contento de verse con tan guapa vivandera; pero como sus compañeros no le van en zaga en esto de su afecto a las salerosas hijas de Eva, resulta que media docena de ellos lo descriminan por aquella beldad. Forzoso era poner término a aquella efusión de sangre, así es que un oficialillo recatado propone que se case con alguno Luisa. Ésta, que había tenido una conferencia estrepitosa con la ofendida Gervasia, que había terminado por el ofrecimiento del destierro de Luisa, previa orden del coronel, ve que ha caído en el garlito, y en medio de su apuro, elige a Lambert por esposo. Celébrase la ceremonia, funge de sacerdote Espartaco, cabo de tambores y desdeñado amante de Gervasia; el matrimonio se hace al son de caja y he aquí desempeñado el título de la fiesta.

Luego que los esposos se ven a solas, Luisa trata de que todo sea una chanza, y Lambert, tan contento como caballeroso, recurre al amor fraternal, último atrincheramiento de las picardigüelas fallidas. Pero no todos habían de saber este pacto sublime, así es que la vivandera Gervasia llega y agobia a imprecaciones a Luisa por su falsía y por haberle hecho matanga su saladísimo moreno. Pero este diálogo ocurre en los momentos en que al noble aquel, hermano de Luisa, lo conducen preso y con todas las probabilidades de arreglar su viaje a la otra vida. Luisa se estremece, insiste en que se le dé el pasaporte y revela a la vivandera rival el secreto de su nobleza y de sus relaciones con Lambert. La vivandera, que veía en todo esto conservada la inte-

493

gridad del territorio, se pone contentísima y entra de liso en llano en la intriga de procurar la fuga del noblecito enjaulado. Pero el custodio del preso es Lambert, el bueno, el casto, el caballeroso Lambert; no importa; la noble, que era un dije, finge un rapto amoroso. Lambert vuela a sus brazos y hay una suplantación de parte de Gervasia y la pérfida huye con el hermano, que bien habría hecho con morirse en la prisión, porque maldita la falta que hace en el drama. Este rasgo de tierna delicadeza, de leal reconocimiento de parte de Luisa, hace que el espectador la tenga en el más elevado concepto.

A Lambert le esperaba la muerte por el amor del par de alhajas que se disputaban su posesión. Sufre mucho, mucho, pero al fin aparece de coronel; los tiempos han cambiado y la vivandera se pela los bigotes de la tristura y del escarnecimiento de su moreno, más que nunca apasionado de la Luisita, lo que prueba que el hombre es el animalito más llevado por mal que puede darse. El coronel va a posar precisamente al palacio de Obernay; ve a su traidora dama transformada y le entra la natural apetencia de dejar el carácter fraternal: reclama a su esposa. Pero su esposa es noble y el hermano lo impide; pónense de oro y azul los cuñados *in fieri*; desafíanse, y al irse a desnucar, hace un paréntesis el noble, dejando a su hermana sola con Lambert, lo que prueba que de los desperdicios de los nobles, suelen sacar holgorios los plebeyos. En este intervalo, Lambert se muestra iracundo, pero al saber que por el tierno cuñado a quien se disponía volarle la tapa de los sesos le habían hecho la pesada jugarreta, queda como un tortolito y devuelve su libertad a la cándida Luisa.

Todo esto pasa apareciendo Lambert como simple soldado y con el secreto de su nobleza *in péctore*, porque eso se reservaba, como veremos, para el lance crítico. Como decía se despide de Luisa y se va... a vivir soltero... ¡a no casarse con la Luisita encantadora! Pero llega la vivandera, le cuenta los tormentos, las heridas y las hazañas de Lambert, su elevación y su amor, con una ternura, con una naturalidad, que Luisa, como los espectadores, conmovida manda traer a Lambert y lo amortiza en matrimonio de veras, a pesar del hermano que, a la vista de la categoría y nobleza de Lambert, se pone, pues, materialmente como un corderillo. Gervasia, que en el último acto había distraído la atención del espectador, fijándolo en su persona por la ternura exquisita que deja observar al través de su carácter grosero, en un abrir y cerrar de ojos se casa con Espartaco y deja con un palmo de narices a un farmacéutico episódico, que termina la función diciendo que morirá soltero como su padre.

Farsas como ésta no merecen el análisis literario: ni buena distribución de la fábula, ni caracteres, ni unidad de interés, ni nada que llame la atención. No obstante, el público no quedó disgustado y esto es lo que recomienda en alto punto la ejecución. Como no se puede fijar en la pieza a qué época de la Revolución Francesa quiso referirse su autor, no puede juzgarse ni de la exactitud de los trajes, ni de la consecuencia de los caracteres. A veces se cree por alguna alusión que es 1792, otras, que es la campaña de invierno de 1795, después de la muerte de Robespierre y de cerrarse los clubs de los jacobinos; pero todas estas conjeturas se prestan a mil contradicciones. Lo que supimos por la comedia es que en la época de la Revolución Francesa estaban muy en boga en las aldeas los mueblecillos usados del Factor, los trajes caprichosos y las casacas que usan hoy los antiguos hermanos de las cofradías y los alcaldes de pueblo.

El garbo y la *endenidá* de la señora Peluffo, fue el solo papel de que pudo sacarse algún partido, y la señora Peluffo sacó todo el posible. Terminaremos con dos palabras sobre el baile. ¡Por Dios!, ¡por Dios, que contengan a esos cristianos!, ¡se van a desnarizar contra la concha! ¡Huy, qué briosos son los bailarines de estos tiempos! ¡Canario!, ¡los tales napolitanos tienen un modo de bailar que ya se lo daría a una docena de gordos que conozco! Ese correteo menudo por el teatro, esas contorsiones, esas vueltas repetidas y sin ningún objeto, que semejan a los danzantes de pequeña estatura, a unos trompitos, ¿eso es bailar?, ¡oiga! Pues señor, como medida contra el suicidio, deben evitarse estos bailes en que todos se descoyuntan, se desencuadernan, se desgoznan los bailarines; en que está uno con el credo en la boca, temiendo que por aquí salte una pierna, más allá un brazo, por sobre las bancas la cabeza... Por otra parte, los trajes, señor, los trajes, y no esas proposiciones absolutas, verbigracia, regla general, escapulario terciado y calzón corto... luego... napolitano... ¿a dónde vamos a dar?... Baste por hoy y pase este mal enmendado articulillo como saludo; contentándome con que la crítica corresponde a la función; para tal Aquiles, bueno está el Homero.

Fidel

19 de julio de 1849

Casa de la Mariposa. Calle Ancha número 3. Domingo 22 de julio de 1849, gran lucha de hombres extraordinarios, a la una y media de la tarde. El señor Jeffers, inglés, mandado venir por una de las principales casas de México para luchar con M. Charles, ha abandonado el Real del Monte y ha llegado en estos últimos días a esta capital, acompañado del señor John Nakee, quien deberá igualmente batirse en el caso que el señor Jeffers sucumba. El señor Charles invita a esta función a los señores Hércules franceses y declara que la lucha no cesará hasta que uno de los dos sucumba echándole fuera de la arena o venciéndolo en la lid. Tales son las condiciones irrevocables. Orden de la función: M. Charles, "Rey de los luchadores", y Mr. Jeffers; lucha de aficionados; M. Charles admitirá a todas las personas que quieran luchar con él hasta la concurrencia de seis. Quinientos pesos será la recompensa al vencedor. Las reglas de la lucha son las mismas de costumbre. Tres jueces imparciales decidirán sobre la lucha. Todo se ha previsto para la comodidad del público: en el interior de la casa habrá helados y refrescos servidos por el señor Leveille, bien acreditado en esta capital.

Enrique Herz. Parece que este ilustre artista trataba de dar su primer concierto en el salón de recepciones de palacio, pero una negativa del señor presidente, de la que se hacen varios comentarios, lo obligó a buscar otro local. Ha conseguido ya el de La Lonja, que se ha franqueado con gusto por la mayor parte de los suscriptores, aunque algunos socios a los que no podemos menos de calificar de ruines, se oponían a que se le diese. El concierto se verificará por suscripción. Aunque los pianos de Herz no han llegado todavía, tiene a su disposición cincuenta entre las familias más distinguidas de la capital.

22 de julio de 1849

Anna Bishop. Esta célebre cantatriz recibió nuevos aplausos del público el sábado por la noche. Entre las piezas que cantó y que más agradaron estuvieron la hermosa aria de *Lucía de Lamermoor* y la cavatina del *Tancredo*, que los espectadores hicieron repetir como la primera vez. Se ha anunciado ya la cuarta representación lírica de la señora Bishop, en la cual cantará una cavatina de la ópera de Bellini, *Beatrice di Tenda*; una parte del acto tercero de la ópera trágica de Donizetti, *Ana Bolena*, y una cavatina del *Barbieri di Seviglia* que repetirá a petición del público. La función concluirá con La Marsellesa. La célebre trágica francesa Rachel ha sido la primera grande artista que ha declamado y cantado este famoso himno en los grandes teatros de Francia después de la última revolución. Hay en el público gran deseo de oír este canto patriótico ejecutado por Anna Bishop, y si en Nueva York produjo tan grande efecto, creemos que tendrá un éxito brillante entre los mexicanos y más aún entre muchos franceses que aquí residen. Sabemos además que se está haciendo una nueva decoración para que salga mejor la escena de La Marsellesa. El teatro representará un campo de guerra. La señora Bishop saldrá vestida con el traje de la guardia nacional de Francia.

23 de julio de 1849

Concierto. Sabemos que la verdadera causa de las dificultades que había para arreglar el concierto que va a dar en La Lonja el señor Herz, consistía en la fundada repugnancia que había por parte de ciertos suscriptores para que dándose franca entrada a todos, tuvieran que estar su esposa e hijas tal vez junto a personas sin principios, educación y decencia. Vencido este obstáculo por el que justamente no querían pasar, se han allanado satisfactoriamente los demás y pronto se verificará el concierto por suscripción. Por consiguiente, no se pasarán muchos días sin dar noticia a nuestros lectores de la impresión que haga en sus oyentes el célebre M. Herz, de cuya extraordinaria habilidad se han hecho tantos y tan merecidos elogios.

22 de julio de 1849

Himno Nacional. Casi todas las naciones tienen uno que jamás puede oírse con indiferencia. En los días de combate logra que las tropas que entran en acción se llenen de entusiasmo y hagan prodigios de valor. De esta verdad se encuentran ejemplos en la historia de las naciones así antiguas como modernas, y nadie ignora los triunfos que logró la Revolución Francesa del siglo pasado por el arrojo que inspiraba a los soldados el himno de Rouget de L'Isle, el más famoso de todos los conocidos. Entre nosotros no existe por desgracia tal himno nacional. Sabemos que M. Herz tiene la idea de llenar ese hueco; piensa al efecto hacer una invitación a nuestros poetas para que formen un conjunto y escojan entre las composiciones que se presenten la que les parezca mejor. Entonces, con la letra del himno M. Herz compondrá la música. El ilustre artista quiere considerarse como mexicano durante su permanencia en nuestro país y desea dejarnos un recuerdo perenne de la estimación que nos profesa. Reconocidos en extremo

497

ante un testimonio tan recomendable de aprecio, tenemos la satisfacción de ser los primeros en darle las gracias y esperamos que realizada la idea pronto será popular ese himno que servirá para excitar nuestro júbilo en las festividades públicas y para que en los combates entren nuestros guerreros con denuedo y bizarría.

22 de julio de 1849

Tertulias musicales de Henri Herz en la Lonja. Encontrándose M. Herz en la imposibilidad de dar sus conciertos en el Teatro Nacional, que además de estar ocupado por algunas semanas no es de lo más adaptable al piano, se ha dirigido a los señores propietarios de La Lonja para obtener el permiso de dar algunos conciertos en este local, cuya construcción acústica es tan superior. Los señores propietarios de La Lonja le han cedido generosamente el local gratis para que dé en él cuatro tertulias musicales por suscripción, haciéndose de este modo acreedores a la gratitud del señor Herz y de todos los admiradores de este gran artista, formando inmediatamente todos sus amigos el comité encargado de abrir la suscripción y arreglar las funciones. Sin embargo, La Lonja no le ha sido cedida sino bajo ciertas condiciones a la verdad indispensables, atendiendo ya al reglamento interior de esta corporación y ya a la buena sociedad que en él se reúne, por lo que se ha comprometido a observarlas fielmente.

Las condiciones son éstas: 1º La parte que se cede es la sala grande y la de juntas, pero ninguna de las salas de billar o piezas anexas. 2º El señor Herz se compromete a no expender más boletos de los asientos que puedan cómodamente caber en el salón grande. Si expendiese boletos para el salón de juntas, deben ser señalados expresamente. 3º Los asientos serán numerados en forma para evitar toda disputa sobre el lugar que cada tenedor de boletos debe ocupar. 4º Los boletos que se expendan al público serán personales y no podrán ser transferidos. Condiciones generales de suscripción: 1º El número de billetes se limita a quinientas personas para el salón grande y para el de junto el número que cómodamente se puedan colocar. 2º El boleto es personal y vale para los cuatro conciertos el precio de una onza. 3º Una familia de cuatro personas pagará tres onzas. 4º Los pedidos de billetes deberán dirigirse al comité formado para el efecto que se reunirá los días 4 y 5 del corriente con el objeto de recibir las suscripciones en uno de los salones de La Lonja de las 8 de la mañana a las 2 de la tarde. En los días anteriores a estos días citados recibirán también los nombres de las personas que quieran suscribirse, los señores del comité don J. M. Aguilar y el señor don Antonio Cosmes, el primero en el Hotel del Bazar y el segundo en su casa habitación, calle de San José del Real número 5. NOTA: Siendo muy considerable el número de personas que han manifestado su deseo de suscribirse se ha encargado al comité no considere como a tales sino a las personas que ocurran a ratificar sus nombres y a pagar su importe al mismo tiempo. 5º Los boletos son personales y llevarán la firma de cualquiera de los propietarios, para evitar que se haga abuso con ellos. 6º La primera tertulia musical tendrá lugar el próximo lunes 6 de agosto, la segunda el 9, la tercera el 13 y la última el 16. 7º El programa será publicado en los periódicos. El comité compuesto de los individuos cuyos nombres van al pie, será encargado de asistir a las señoras y de invitar a las primeras autoridades y a sus familias, así como del arreglo de la función para que ésta sea la más brillante que se haya dado en México. José Marzán, Ignacio Algara, Luis Casaflores, José Cosanti, J. M. Aguilar, A. Cosmes, Eduardo Calles, José Záyago, Juan Rocha, Agustín del Río, Agustín Balderas. A estas tertulias asistirán el Excmo. señor presidente de la República, los señores ministros y el cuerpo diplomático.

2 de agosto de 1849

Tertulias musicales de Henri Herz en La Lonja. Los dos primeros conciertos se compondrán de piezas de la escuela seria romántica y brillante. Los dos últimos de trozos propios para salón, de estudio de estilo y ejecución y de improvisaciones sobre temas presentados por los concurrentes. La parte vocal se compone de las partes más deliciosas de la música italiana. La comisión tiene el gusto de anunciar que algunas señoras bien conocidas por sus talentos en la música y en el canto, se han prestado con suma complacencia a cantar algunas piezas en obsequio del señor Herz para completar el feliz éxito de esas reuniones. La escogida orquesta será dirigida por el señor Chávez. El programa de la primera tertulia del 6 de agosto es como sigue:

Primera parte: 1º Grande obertura por la orquesta. 2º Canto por una señorita aficionada. 3º Gran concierto serioso en do menor, el segundo, en tres partes, con acompañamiento de toda orquesta, compuesto y ejecutado por Henri Herz. Primera parte: alegro maestoso. Segunda: andante sentimentale. Tercera: Rondó. Este concierto dedicado a Luis Felipe fue compuesto para el Conservatorio de París y la

Sociedad Filarmónica de Londres. Intermedio de veinte minutos. Segunda parte: 4º Canto. 5º Grande fantasía romántica para piano solo sobre temas de *Lucía de Lamermoor*, compuesto y ejecutado por Henri Herz. 6º Canto. 7º Variaciones brillantes y de *bravura* con acompañamiento de orquesta sobre un tema de la ópera *Le pre aux clercs*, compuestas y ejecutadas por Henri Herz. Tercera parte por la orquesta sola: 1º *Las elegantes*, cuadrillas brillantes compuestas para los bailes del teatro de la Grande Ópera de París. 2º *La polka del siglo*, compuesta por Enrique Herz. 3º *Los segadores*, valses compuestos para los bailarines por Enrique Herz. La función comenzará a las ocho y media en punto.

A los señores suscriptores: No habiendo comprendido muchas personas el sentido de las palabras "boleto personal", el comité se apresura a hacer saber al público que así como lo indica la palabra "personal", no puede usarse el boleto sino por la persona cuyo nombre lleva escrito, mas en cuanto a los billetes de familias, tiene el honor de hacer observar que en el caso de que una familia conste de más de cuatro personas, las excedentes, miembros de la misma familia, pueden usar alternativamente el mismo boleto teniendo siempre cuidado de advertirlo al comité al suscribirse para que se haga constar en el billete.

Vejaciones. A consecuencia de lo mal recibido que ha sido del público el arreglo que ha hecho nuestra "aristocracia" para el expendio de boletos sujetando a los compradores a una especie de vejamen previo, M. Herz, que ninguna culpa tuvo en ello porque ni lo propuso ni lo consideró injurioso ignorando los usos del país, no ha querido sujetar a nadie a ninguna humillación en cuanto ha tenido noticia del disgusto que ella excitaba. En tal virtud, a cualquiera se le venderán boletos sin requisito alguno y además puede tomarlos separadamente para cada concierto al precio de cuatro pesos. Nos alegramos de que con tiempo se haya desistido de ideas ridículas que hubieran redundado tal vez en perjuicio de un artista célebre, a pesar de no ser él el autor de tan peregrino arreglo.

6 de agosto de 1849

Tertulias musicales de Henri Herz en La Lonja. La segunda tertulia musical tendrá lugar el próximo 9 de agosto. Henri Herz tocará el cuarto concierto y el rondó ruso, con acompañamiento de orquesta; la fantasía brillante sobre temas de la *Lucrecia Borgia*; las grandes variaciones de concierto sobre la marcha del *Otelo*, con orquesta. Nota:

500

Las personas que soliciten boletos pueden ocurrir cada día de las 12 a las 2 en La Lonja.

Himno Nacional. En la sesión de ayer acordó la Junta Patriótica el nombramiento de dos comisiones que vean una a la Academia de Letrán y otra a M. Herz a fin de que se lleve a efecto la idea de componer la letra y música del himno. La junta desea que éste pueda cantarse la noche del 15 de septiembre en la Universidad, y la del 16 en el teatro, y como ya el tiempo se estrecha, es necesario que desde luego se pongan manos a la obra. Conformes nosotros con los sentimientos de la Junta, excitamos desde luego a la Academia de Letrán para que preste su cooperación y a nuestros poetas para que sin pérdida de momento compongan la letra del himno. En cuanto a M. Herz, es seguro que dará cumplimiento a su generoso ofrecimiento.

8 de agosto de 1849

Primer concierto de Henri Herz. Conforme a los anuncios que se habían publicado, se verificó el jueves 6 del corriente la primera tertulia musical del célebre pianista. La noche estaba fría y lluviosa y acaso esto tuvo alguna parte para que la concurrencia no fuese muy numerosa, aunque en nuestro concepto la principal causa de ello fue otra de que no queremos ocuparnos en este momento. Como a las nueve de la noche, hora en que comenzó el concierto, había ya reunidas más de trescientas personas. El presidente de la República con el secretario del despacho y el gobernador del Distrito, el ministro de Francia y otros individuos notables, formaban parte de la concurrencia a que daba animación un gran número de señoritas mexicanas tan bellas como interesantes. La elegancia formaba contraste con los adefesios de unas cuantas personas que llamaban la atención por lo ridículo de sus trajes. El hermoso salón de La Lonja estaba profusamente iluminado con la aristocrática esperma. La orquesta compuesta de los más inteligentes profesores y el piano en que M. Herz iba a darnos pruebas de su habilidad, quedaban en la mitad de la sala. Las señoritas Berrueta y Zires, y el señor Flores, cantaron varias piezas de diferentes óperas. Pero como los mencionados artistas pertenecen al número de nuestros conocidos y en más de una ocasión hemos tenido ocasión de hablar de su mérito, nos ocuparemos del célebre pianista europeo. Regularmente sucede que cuando se hacen extraordinarios elogios de una persona o cosa, la imaginación se previene de tal suerte que es luego muy difícil que la

501

realidad corresponda a las ilusiones bellísimas que forma la fantasía. La primera impresión es por consiguiente menos profunda de lo que debiera ser, y casi nunca, o por lo menos muy tarde, es cuando se rectifica el juicio erróneo que formamos. M. Herz puede tener la satisfacción de haber logrado en esta vez el triunfo más esclarecido, pues haciendo excepción a la regla general, no encontraría un solo oyente que haya creído inmerecidos y exagerados los pomposos elogios que se le han prodigado desde un principio.

M. Herz reúne dos méritos que rara vez se encuentran en una misma persona: si como compositor nos parece digno de los mejores elogios, en la ejecución llega a un grado de perfección tal que no puede ser comprendido por una descripción y que es preciso verlo y oírlo para apreciarlo en todo su valor. Herz domina el piano completamente; el instrumento, dócil y sumiso cual si estuviera dotado de inteligencia, se presta bajo las hábiles manos del artista a expresar con exactitud todos los efectos del alma. Unas veces graves y sonoros, otras animados y jocosos, ahora sublimes y majestuosos, después melodiosos y tiernos, los sonidos que se escuchan recorren todos los tonos de ese idioma universal, sublime, angélico, que se llama música y conmueve una por una todas las fibras del corazón. Las impresiones se suceden con rapidez, ora quiere asomarse la risa a los labios, ora precipitarse el llanto a los ojos. Por lo que a nosotros toca a lo menos, podemos asegurar que excitó M. Herz fuertemente nuestra sensibilidad, siempre dispuesta a ceder a los encantos de la armonía. Pero a fin de juzgar el mérito del artista no basta el sentido del oído, el de la vista tiene también mucho qué admirar: aquellas dos manos vuelan sobre las teclas hiriéndolas con una facilidad, con una expresión, con una exactitud que han llenado de admiración a los inteligentes. El artista no equivoca una sola nota a pesar de que toca sin papel. Forzoso es repetir con Rossini que Herz no tiene mano izquierda, sino dos manos derechas, y aquélla toca sin embarazo alguno lo que está escrito para la diestra. A un tiempo se oye el tema que se ejecuta, el acompañamiento de bajos y una armonía dulcísima. Cuando se cierran los ojos parece increíble que dos manos solas hagan tantas cosas a la vez.

Los espectadores hicieron justicia al mérito. Las tres composiciones que ejecutó M. Herz, y de las cuales diremos de paso que la primera es a nuestro juicio la más sobresaliente, fueron interrumpidas varias veces por los más entusiastas aplausos, reproducidos con mayor calor aún al final de cada pieza. Los elogios al artista han sido unánimes. Los profesores de música que están al alcance de todo el mérito de la ejecución, han quedado sobremanera complacidos, y los pobres profanos, que sólo pueden juzgar por las sensaciones que experimentan, han unido su voto al de aquéllos para declarar sublime al músico que sabe hacerlas tan deliciosas. Por una galantería que no se había usado en ningún concierto público, en cada intermedio se sirvieron helados a la concurrencia. La última parte de la función constaba de las composiciones de M. Herz ejecutadas por la orquesta; al llegar a este punto hiciéronse las sillas a un lado para dejar libre un espacio bastante amplio en que pudieran bailar las bailarinas, las cuales ofrecieron sus ramilletes al célebre pianista. Lució mucho *La polka del siglo* y *Las elegantes*.

9 de agosto de 1849

Vejaciones. Insertamos en seguida un comunicado que recibimos, en que se habla del disgusto de varias personas que no quieren concurrir a La Lonja a los conciertos del señor Herz. Excitamos a los señores del comité a que den una explicación de los hechos para que se vea si son justos los cargos que se hacen en el público tanto a ellos como a los propietarios. "Muy señores nuestros: Merecemos de ustedes que a nombre de una multitud de personas que con anhelo deseamos oír al célebre pianista y compositor don Enrique Herz, se sirvan suplicar a este señor que el concierto de mañana sea el último que tenga lugar en el salón de La Lonja, a donde la mayor parte de los que admiramos a este artista no queremos concurrir para evitarnos una calificación poco agradable y decente, aun cuando estamos seguros los que suscribimos este artículo que ni nosotros ni nuestras familias seríamos desairados. Tampoco se entienda que nuestro objeto sea el de eximirnos de pagar una onza de suscripción, pues este precio lo consideramos módico en relación a lo que en varias partes de Europa se ha pagado de entrada en sus conciertos, y aun pagaríamos el doble siempre que se variase de local por las razones antes dichas. No creemos que el señor Herz desaire nuestra petición, tanto más que de acceder a ella manifestará claramente que no han emanado de él sino de la junta de La Lonja, ciertas providencias que para muchas personas han sido un retraente, y de las que el señor Herz estamos ciertos no tiene otra culpa más que la de no conocer ni nuestras costumbres ni nuestro carácter, pues antes por el contrario su más grande deseo ha sido y es el de crearse simpatías y buenas relaciones con todas las clases de la sociedad de México. Muchos apasionados del señor Herz."

9 de agosto de 1849

Teatro Nacional. Ópera italiana. 11 de agosto de 1849. Función extraordinaria a beneficio de madame Anna Bishop. Rendir un homenaje sincero de gratitud al público mexicano por su incesante bondad, un deber es de todo artista que como yo ha disfrutado de tantas y tan distinguidas muestras de aprecio. Yo se lo tributo pues con toda la expresión de mi afecto y de mi eterno agradecimiento al ofrecerle la función que tendrá lugar esta noche en la que por penúltima vez tendré el honor de presentarme ante el ilustrado público de México. El espectáculo de que he hecho elección se verificará como sigue: La célebre ópera romántica de Donizetti en dos actos titulada *Lucia de Lamermoor.* Reparto: Lucia, Anna Bishop. Edgardo, señor Zanini. Enrico, señor Valtellina. Se cantará el gran dueto del segundo acto de la ópera de Bellini, *Norma.* Esta función concluirá con la grande escena de la ópera *Tancredi, O patria di tanti palpiti.*

El asunto de Henri Herz. Insertamos en seguida la carta que este apreciable artista ha dirigido a los propietarios de La Lonja, anunciándoles su resolución de no continuar sus conciertos en aquel local y seguir dándolos en el Teatro Nacional. Aprobamos desde luego tal idea, porque a pesar de todas las simpatías de que ha contado M. Herz desde su llegada a esta capital y a pesar también de su mérito verdaderamente sublime, las ridículas condiciones que se exigieron al principio para la compra de boletos, han desagradado de tal manera al público que la continuación de los conciertos en La Lonja no sólo haría que fuese cada vez más escasa la concurrencia, sino que acaso enajenaría al acreditado pianista esas mismas simpatías de que se le dieron inequívocos testimonios desde antes de haber juzgado por nosotros mismos de su extraordinaria habilidad.

"A los señores presidente y propietarios de La Lonja. Señores: La buena voluntad y la complacencia de todo género que ustedes me han manifestado desde mi llegada a México, son un seguro garante de que en todas las transacciones que he tenido el honor de celebrar con ustedes su único objeto ha sido siempre el de favorecer a un artista extranjero y cooperar a asegurar sus triunfos en un país cuyos usos y costumbres le son totalmente desconocidos. Sin embargo, las condiciones que ustedes han estipulado para cederme el local, condiciones sin duda indispensables para la corporación que forman, me parece que han encontrado en el público una oposición tal, que mis amigos me aconsejan interrumpa la serie de conciertos que tenía intención de dar en La Lonja. Creo con tanta más razón deber seguir este consejo, cuanto que de continuar sería ya insultar la oposición pública y enajenarme las simpatías y la benevolencia que tan generosamente se me han dispensado desde mi llegada a esta ciudad y a las cuales yo doy el más alto precio, pues que las atribuyo mucho más a la urbanidad y a la exquisita política de los conciudadanos de ustedes, que a mi escaso mérito. No dudo, señores, que ustedes mismos aprobarán mi determinación de interrumpir los conciertos en La Lonja y de continuarlos en el Teatro Nacional, y que no cesarán las bondades de que me han dado tantas pruebas. Por mi parte, señores, en testimonio de mi sincero reconocimiento, no puedo menos de renovar a ustedes el ofrecimiento que ya les he hecho de poner mis débiles talentos a su entera disposición. Sírvanse ustedes aceptar, etcétera, Henri Herz.

Posdata: Para evitar toda falsa interpretación, cuidaré de publicar esta carta en los diarios de mañana, en la inteligencia de que yo me arreglaré con las personas que se han suscrito para la serie de conciertos."

12 de agosto de 1849

Novedades teatrales. Hemos logrado percibir, así como por un resquicio, algo de las novedades teatrales, y en efecto que son como para tener en ascuas a los maridos y a los papás reacios, a la vez que estarán como pez en el agua las jóvenes y los jóvenes de buen tono. Primeramente, sepan nuestros lectores que el comisionado que envía la empresa a Europa, va no sólo a ver, sino que lleva fondos para hacer efectivas sus contratas y tiene alguna cosa adelantada con ciertas notabilidades artísticas. Han llegado veinticuatro comedias nuevas y la empresa está arreglada con el señor Carlos Hipólito Serán para algunas traducciones. De hoy a mañana se probará el alumbrado de gas para plantearse en seguida. Ya vemos que la cosa promete y como no nos den boleras a pasto, boleras como agua del tiempo, con que no se aflija al público con la boleritis aguda con que se le martiriza, y con que cese la guerra intestina que todos los repartos desarregla, la cosa marchará. Luego que terminen los conciertos de la señora Bishop, se seguirá sin comités ni indagación sobre limpieza de sangre, el señor Herz. Luego los beneficios, con su séquito alegre, comprometedor y campechano; luego la compañía de Monplaisir. Todo esto es contundente, es refrigerante, es divino. Agréguese a esto las contestaciones sobre si habrá o no habrá ópera, añádase los dimes y diretes entre los varios apasionados de las actrices que son señores muy serios pero que disputan con furor sobre si Chucha es más airosa o las Sánchez más salás.

Fidel
12 de agosto de 1849

Himno Nacional. La Academia de Literatura del Colegio de San Juan de Letrán, excitada por la junta patriótica, invita a todas las personas de dentro y fuera de la capital que quieran ocuparse de la composición de un Himno Nacional, cuya música debe ser compuesta por el señor Herz. Se señala como plazo para la entrega de las composiciones desde el día de hoy hasta el 31 del corriente. Las composiciones se remitirán al señor rector del Colegio de Letrán, en pliego cerrado sin nombre del autor, y el nombre en otro pliego igualmente cerrado. La junta revisora se reunirá para hacer la calificación el día 1º del inmediato septiembre, abrirá los pliegos de las composiciones y de los que tengan los nombres solamente el que corresponda a la que sea calificada como la mejor. La junta revisora se compone de los señores don J. María Lacunza, don José Joaquín Pesado, don Manuel Carpio, don Andrés Quintana Roo y don Alejandro Arango y Escandón. La composición que resultare aprobada será leída en sesión plena de la Academia que se tendrá en la noche del mismo 1º de septiembre.

14 de agosto de 1849

Gran Teatro Nacional. Sábado 18 de agosto de 1849. Primer gran concierto de Henri Herz, caballero de la Legión de Honor, etcétera. La señorita doña María de Jesús Zepeda y Cossío, el señor Solares y la gran orquesta dirigida por don José María Chávez, acompañarán al señor Henri Herz, el cual tocará el segundo concierto serioso en tres partes, *Lucía de Lamermoor* y el *Pre aux clercs.* A fin de obsequiar los deseos de varias personas que quieren estar próximas al señor Herz para disfrutar con la vista de su ejecución, se han colocado sillas en el foro que se expenderán al mismo precio que las lunetas. Precios de las localidades: Palcos por entero, 8 pesos. Patio, 1 peso 4 reales. Galería, 4 reales. Los boletos se venderán el jueves en el alojamiento del secretario de M. Herz, Hotel del Bazar, habitación número 40, de las 10 de la mañana a las 4 de la tarde, y el viernes y sábado en la contaduría del Teatro Nacional.

Henri Herz. Anoche se repartió en el teatro la manifestación que publicamos a continuación. Nos alegramos que M. Herz haya desmentido las noticias calumniosas que se hacían circular y haya dado pruebas de que lejos de tomar parte en una rivalidad infundada, ha querido prestar a madame Bishop los servicios que estaban en su mano.

"Al ilustrado público de México. Con no poca sorpresa he leído en *El Monitor* de hoy un artículo relativo a mi persona y sobre cuyo contenido me permitirá el público que me ocupe con algunas líneas. Extranjero ignorante de los usos del país, había pensado al principio confiar mi defensa a personas que no lo fuesen, pero discurriendo en la rectitud de mis intenciones y en el sentimiento de justicia que forma una de las principales cualidades de los mexicanos, quienes me han manifestado tanta benevolencia desde mi llegada, prefiero hacer directamente al público una humilde exposición de los hechos. Cuando mi secretario trató con la empresa para conseguir el teatro, escogió el 18 del corriente para mi primera función por deber estar ya terminada para ese día las diez de M. Boscha. Cuando le tocaba su turno a la séptima, este señor solicitó de la empresa una representación más en lugar del sexto concierto, que no pudo verificarse. Contestó la empresa que yo había tomado el teatro y que de consiguiente le era imposible servirlo. Sabiendo yo lo que había pasado, hice que mi secretario escribiese una carta a M. Boscha ofreciéndole cederle el local para una o dos funciones y encargándome de obtener el permiso de la empresa. Recibí en respuesta una carta de M. Boscha cuyo contenido es como sigue:

'Mi querido Herz: El secretario de usted me ha ofrecido en su nombre cederme el teatro por una o dos noches para las representaciones de madame Bishop. Doy a usted las gracias por esta oferta de que siento no poder hacer uso. De usted afectísimo, Carlo Boscha.'

"Para la última representación M. Boscha había arreglado una farsa. Ayer corrieron diversos rumores: ya se decía que una de las personas principales no estaba dispuesta, ya que las partes de orquesta no estaban copiadas, ya que madame Bishop estaba enferma. Ignoro cuál sería la verdadera razón, pero lo cierto del caso es que el señor Patiño solicitó de la empresa que transfiriese la función para hoy viernes. La empresa contestó que no tenía inconveniente, pero que siendo el sábado mi concierto, se necesitaba mi consentimiento. El señor Patiño me vio, invitándome para que lo diera. Todo el mundo está de acuerdo en que una función extraordinaria dada la víspera de mi primer concierto, me hubiera perjudicado notablemente. La empresa misma lo creía así, como lo prueba el hecho de haber pedido mi consentimiento; por tal motivo no quise darlo a pesar de las observaciones del señor Patiño, a quien dije que madame Bishop podía dejar su representación para el lunes, aunque esto también me perjudicaba bastante. El señor Patiño me respondió que la empresa no quería darle el lunes. Entonces ofrecí intervenir con ella y yendo en seguida con el señor Patiño a verla, supe con grande asombro que ni siquiera le habían pedido el lunes y que sin vacilar daba su consentimiento. Éstos son hechos sencillos. Yo he ofrecido al señor Boscha cederle una o dos noches que me pertenecen y le he conseguido el lunes, en prueba de mis mejores deseos en favor de la señora Bishop. Por lo expuesto se ve que no tengo prevención de ningún género contra persona alguna y que sólo aspiro corresponder por todos los medios posibles a la benevolencia con que desde mi ingreso a esta capital me ha dado un público tan ilustrado. Enrique Herz."

18 de agosto de 1849

El concierto. La numerosa concurrencia que llenaba anoche el Teatro Nacional ha venido a confirmar nuestro aserto de que si las tertulias en La Lonja no fueron tan brillantes como debieron serlo, esto se debió a la repugnancia del público a prestarse a ridículas pretensiones aristocráticas. El concierto de anoche estuvo sobresaliente. La señorita Cossío cantó con su habilidad de costumbre, y el señor Herz obtuvo un espléndido triunfo. Todas las piezas que tocó fueron interrumpidas varias veces por los entusiastas aplausos de los espectadores, que dieron las más justas e inequívocas muestras del aprecio con que se mira en México el talento verdaderamente admirable del artista.

19 de agosto de 1849

Nuevo escándalo teatral. Para la noche del jueves 16 del corriente se había anunciado la última representación de la señora Bishop. Todos los asientos estaban tomados y el público, deseoso de asistir a la función de despedida de la célebre cantatriz, acudía presuroso al teatro a las ocho de la noche. Muy pocos eran aún los que sabían que no se verificaría la ópera y que en su lugar iba a interpretarse la antigua y célebre comedia de Molière titulada *El hipócrita.* De las ocho a las nueve de la noche el pórtico y los patios del edificio continuaban llenándose de gente ignorante aún de lo que sucedería, porque circulaban mil noticias distintas y contradictorias y nadie sabía a qué atenerse. Entre tanto, la escena más animada era la de bastidores adentro. El juez había mandado que se representase la comedia, los actores no las tenían todas consigo porque temían, y con razón, que disgustada la concurrencia por el inesperado chasco del cambio de función, los hiciese víctimas del lance a pesar de su incuestionable inocencia; pero sus temores de nada valieron. El juez, teniendo presente aquella máxima tan sabida de quien manda manda, los conminó con los castigos que podía imponerles y no hubo más que resignarse. Poco antes de las nueve se dio la orden de que se dejase entrar a la sala a los abonados y a los demás prójimos que deseasen ver la comedia. Los comentarios continuaron inclinándose la generalidad a creer que no era más que un pretexto la repentina enfermedad que se daba por causa para suspender la función anunciada, porque no hay duda que las tales enfermedades son aún arbitrio famoso, aunque algo gastado ya, para dejar al público con un palmo de narices.

La demora en levantar el telón aumentó la impaciencia de los "benignos" espectadores. Comenzó el alboroto: el ruido de asientos y bastones anunciaba una próxima tempestad que prometía una tormenta teatral semejante a tantas otras que ha habido con menos motivo. Preséntase entonces en escena el señor Zanini, *primo tenore assoluto* y lee un papel reducido en sustancia a decir que supuestamente la imposibilidad de dar la ópera, iba a ejecutarse *El hipócrita* por orden del juez, quien esperaba de los concurrentes se comportaran con el orden y circunspección de costumbre. No dio en aquel acto el público pruebas de tales virtudes, pero bien fuese por la recomendación de la autoridad, o bien por aquello de que más vale algo que nada, lo cierto del caso es que la excitación, existente aun antes de comenzar la comedia, y durante las primeras escenas, fue decayendo poco a poco hasta extinguirse completamente. Algo sorprendió aquella docilidad con que no contábamos. Tales son los hechos. Ahora nos permitiremos algunas observaciones. En primer lugar nos parece que no deja de resentirse la injusticia de la providencia de exponer a los actores al desaguisado de que sobre ellos descargue el desagradado público, provocado por causas en que no tienen culpa alguna. Los espectadores estuvieron por fortuna inclinados a la moderación, pero las probabilidades todas anunciaban lo contrario, y si hubieran insistido aquéllos en llevar adelante el alboroto, no sabemos lo que habría hecho la autoridad en aquel trance comprometido, porque cuando el número de culpables es muy

509

crecido, no son las medidas de rigor las más oportunas y más vale seguir los consejos de la prudencia. La circunspección de la concurrencia hizo que la resolución tomada por el juez saliera bien y por tanto no hay ya nada que decir, porque en este pícaro mundo todo lo canoniza la victoria.

Pero todavía esto es poco en comparación con la falta que se comete variando la función a última hora. Esto desde luego indica que no hay razón suficiente para el cambio, porque de lo contrario no se hubiera aguardado hasta tan tarde para hacerlo. Sólo por una circunstancia muy grave y muy del momento, es lícito variar una función anunciada y cuando no es fácil que lo sepan los que han de concurrir a ella. Así tenemos que el jueves casi todos los que habían tomado boleto, fueron al teatro ignorantes de lo que había sucedido, y allí les fue preciso o entrar a ver la comedia haciendo un gasto que no pensaban, o retirarse a sus casas chasqueados y corridos. Aún es más grave la desconsideración respecto de los abonados: los que habían sacado sus boletos para la ópera nada perdieron porque entraron a ver la comedia y todo se redujo a un cambio de representaciones, pero había muchos que no fueron en la inteligencia de que se daría la función de madame Bishop, a la que no habían pensado asistir, y después se han encontrado con que se ejecutó una comedia. ¿Qué justicia, preguntamos, puede haber para que pierdan una función de abono? ¿Qué se les contestaría si reclamasen su derecho a ser indemnizados de esa pérdida? Ninguna disculpa fundada creemos que sería posible darles. En resumidas cuentas, nuestra opinión en esta materia es que cuando un cambio de función que no es simplemente de una comedia a otra, debe verificarse a juicio de la empresa, debe anunciarlo cuando menos con unas horas de anticipación y que de lo contrario, para no dar lugar a chascos de todo género y a que paguen justos por pecadores, lo mejor es que no haya función de ninguna clase y que salga perjudicado el que tenga la culpa de todo.

Barba Azul
29 de agosto de 1849

Chismografía teatral. Por una casualidad hemos visto *El ensayo*, juguete dramático que se anunció para la función de despedida de la señora Bishop y objeto de discordia en el teatro por fuera. Anunciábase que en *El ensayo* se deturpaba a México escandalosamente y se decía que estaba "por civilizar", dicterio no sólo increíble sino grosero

510

cuando iba a ser proferido en el beneficio de una actriz que deseaba manifestar su gratitud al público. Tuvimos en nuestras manos la piedra de escándalo y prescindiendo del mérito literario, diremos que el argumento es sencillísimo: un maestro de música que ensaya una ópera, que no tiene un buen tenor y a quien se le presenta un señor Trottini, pedante, lleno de orgullo y pagado de sí mismo. En boca de éste es donde están los dos versos que dicen que cantará: "En esta tierra que apenas se empieza a civilizar." Pero esto es después de caracterizado el personaje de ridículo y de pedante; es la crítica a los extranjeros que nos ven con desprecio, es lo mismo que la sátira contra la avaricia poniendo su apología Molière en boca de su Álvaro (sic), lo mismo que la sátira en contra de los afeminados que forma el afiligranado don Agapito Cabriola, es lo mismo que las sátiras contra España proferidas por el ridículo francés en Cartagena. Nosotros no defendemos *El ensayo*, por el contrario, le notamos defectos, pero sentiríamos que se interprete como se ha querido, porque esto sí sería indigno de la civilización de México.

20 de agosto de 1849

Segundo concierto. Anoche se verificó el segundo concierto del famoso pianista Herz. Parece que todo aquel aparato hostil que existió cuando se dio a estos espectáculos un carácter aristocrático, ha desaparecido enteramente. Tanto en el primer concierto como en el segundo, el salón estaba enteramente lleno y los palcos adornados con muchas de las hermosuras que ya conocemos y por algunas otras nuevas que aparecen de vez en cuando para ser admiradas por un momento y entrar después al retiro del hogar doméstico. Un acto de *Los puritanos*, una cavatina y un dúo del *Barbero*, y tres piezas ejecutadas por el señor Herz, formaron el concierto de anoche. Al terminar el aria de *Los puritanos* le faltó la voz a la señorita Cossío. Alentada por el público repitió el trozo sin mejor éxito y entonces se echó a llorar, y sostenida por el señor Zanini se retiró del foro. El público de México, al que no en vano se le repite todos los días que es ilustrado, dio una prueba de caballerosidad muy digna de mencionarse con elogio: aplaudió extraordinariamente a la señorita Cossío y la hicieron salir a la escena. Hemos sabido que varias causas influyeron en ese suceso: la señorita Cossío tenía inflamada la garganta y además estaba anoche un poco afectada de los nervios; estas circunstancias le produjeron un temor extraordinario; ese temor, más que la salud misma, le embargaron la primera vez la voz, y la segunda la emoción le impedía no sólo cantar

511

sino aun hablar, pues mucho tiempo después de haberse retirado del foro no podía ni aun responder a los que procuraban animarla. El público, que no sabía esto, parece que lo adivinaba y sus aplausos generosos aliviaron algún tanto la angustia de la joven. Vestida con mucho gusto y elegancia, y conociéndose en su semblante cuánto sufría, se presentó luego en el carácter de Rosina. El público con sus palmoteos la animó, con lo que pudo cantar perfectamente, luciendo la fuerza y lozanía de su voz, sin embargo de estar, como hemos dicho, con la garganta inflamada. Este suceso no debe desanimar a la señorita Cossío. Hemos dicho otras veces, y repetimos ahora, que su voz es hermosa, fresca y armoniosa; la perfección en el estilo, el desembarazo en la escena, vendrán con el tiempo y el estudio, y entonces tendremos mucho que admirar la habilidad y talento de la señorita Cossío, la que no dudamos llegará a ser una notabilidad.

En cuanto al señor Herz, estuvo anoche verdaderamente admirable. Las variaciones de *Los puritanos* y del *Otelo* arrebataron la atención del público, y el artista recibió nuevos testimonios de cuánto aprecio ha tenido su talento entre los mexicanos.

23 de agosto de 1849

Gran Teatro Nacional. El tercer gran concierto de Henri Herz se verificará en la noche del sábado 25 de agosto. El señor Herz tiene el gusto de presentar en este concierto al ilustrado público de México, al célebre violinista Franz Coenen, discípulo del grande Beriot y miembro de la Capilla de S.M. el rey de Holanda, socio honorario de la Real Academia de Música de Amsterdam, director de la Real Filarmónica de Rotterdam, etcétera, que ha producido tan grande sensación en Londres y las demás capitales del territorio de los Estados Unidos. La parte vocal se compone de escenas en trajes de óperas italianas. El señor Herz tocará por primera vez: 1º Variaciones brillantes sobre un tema de la *Norma*, con acompañamiento de toda la orquesta. 2º Una fantasía nueva sobre el precioso tema irlandés "La última rosa", concluyendo con el rondó de la ópera francesa *La embajadora*. Franz Coenen tocará: 1º Una fantasía militar sobre un tema de *Los puritanos*. 2º "La melancolía", de Prume, variaciones de bravura sobre un tema sentimental y con un final brillantísimo en forma de trémolo. 3º *El carnaval de Venecia,* tema napolitano con las variaciones burlescas y originales del inmortal Paganini. Las variaciones burlescas que toca el señor Coenen son las mismas con que su ilustre compositor ha entusiasmado a la Europa entera. Estas variaciones no deben ser confundidas con las de Ermst sobre el mismo tema, que no son sino una imitación de las de Paganini.

Artistas. La señora Bishop y el señor Boscha han salido ayer de esta capital para Puebla, donde van a dar algunos conciertos. La primera ha dejado simpatías por su talento y finos modales. No ha sucedido lo mismo con el segundo, quien está bastante malquisto por el comportamiento poco satisfactorio que ha tenido con los mexicanos, y últimamente por la burla que hizo sin justicia del accidente que en uno de los conciertos del señor Herz tuvo la señorita Cossío, según advirtió el público.

26 de agosto de 1849

Concierto. En el último concierto tocó el señor Herz, después de una fantasía sobre el precioso tema irlandés "La última rosa", y entre la música irlandesa, francesa e italiana, introdujo la música mexicana más zandunguera, más bulliciosa, más subversiva: el Jarabe. ¡Un Jarabe tocado por Herz! ¡Qué profanación, qué atentado contra el buen gusto y contra la aristocracia! Pues bien, que digan lo que quieran los hombres del buen tono, no hagáis caso. Id, aunque os cueste una onza de oro, a escuchar el Jarabe tocado por Herz. ¡Dios mío, qué variaciones tan encantadoras, qué acentos de placer tan vivos, qué alegría tan franca y tan ingenua! El efecto que produjo en la concurrencia fue mágico. Al principio creyó el público que eran Bellini y Rossini quienes hablaban en el piano, y guardó ese respetuoso silencio que indica que en todas partes del mundo se tributa al genio una veneración religiosa, pero apenas fue reconocido el Jarabe Nacional cuando del cielo del teatro brotó un torrente de aplausos, una tempestad de entusiasmo que comunicó su alegría a los palcos y al patio. Los hombres sonaban las manos, y algunas jóvenes hacían todavía una cosa mejor: reían, y sus ojos, su fisonomía toda, expresaban su contento y su sorpresa. ¿Herz tocando el Jarabe, el músico de Viena, el discípulo protegido de Napoleón tocando un sonecito de los tapatíos y de los poblanos? Éste es un acontecimiento notable digno de mencionarse. Los aplausos fueron tan repetidos y las instancias del público tan vivas, que el señor Herz tuvo que salir a volver a tocar. ¿Y qué tocaría? ¡Bah!, para un músico de su talento esto es cosa de poca monta; un momento de inspiración y está el negocio concluido. El señor Herz lo obtuvo: la *Norma*, la *Lucía*, los *Puritanos*, la *Semíramis*, todo lo más difícil de la música italiana lo ejecutó mezclando en estos fragmentos el

513

bullicioso Jarabe, pero de una manera tan natural que cualquiera, sin estar en antecedentes, habría creído que el son que repican nuestras bandurrias en los bailecitos, formaba una parte esencial de las composiciones de los maestros italianos. Como nosotros dimos al señor Herz el consejo de que introdujera en sus variaciones algunos aires nacionales, nos alegramos que hayan producido buen efecto y lo felicitamos por su brillante triunfo.

Yo (Manuel Payno)
27 de agosto de 1849

Teatro Nacional. Concierto de despedida. Franz Coenen, discípulo del grande Beriot, miembro de la Capilla de S.M. el rey de Holanda, socio honorario de la Real Sociedad Filarmónica de Amsterdam, director de la Real Unión Filarmónica de Rotterdam, etcétera, tiene el honor de anunciar al público que el señor Herz ha tenido la bondad de cederle la noche del sábado 1º de septiembre, para dar en ella un concierto a su beneficio, en que se presentará por última vez. El señor Coenen, deseando probar su profundo reconocimiento hacia el ilustrado público que con tanta bondad lo ha recibido, ha arreglado una función compuesta de piezas que espera agraden a sus favorecedores. El sublime pianista Henri Herz, caballero de Legión de Honor, coadyuvará con sus profundos conocimientos al mejor éxito de la función, interpretando las piezas que se indican en seguida: *La violeta*, composición suya que tan ardientemente desea el público. Brillante improvisación sobre tres temas escogidos en la misma noche por el público, quien por medio de aplausos manifestará cuál escoge de los que consten en una lista que estará en el foro y una persona inscribirá todos los que los concurrentes le entreguen. La señorita Cossío cantará lo siguiente: Aria con coros de la ópera *Attila*, del maestro Verdi. Aria de la ópera *Beatrice di Tenda*, con coros completos. El señor Franz Coenen a petición de varias personas repetirá *La melancolía*, de Prume, variaciones con un final brillantísimo en forma de trémolo; tocará además *La ave en el árbol*, rondó de concierto con acompañamiento de orquesta, compuesto por él y dedicado a los generosos mexicanos. *El carnaval de Venecia*, tema napolitano con las variaciones burlescas de Paganini. Los señores Franz y Coenen ejecutarán el gran dueto concertante, composición del primero, para piano y violín sobre la romanza de la ópera *Fra Diávolo*, por sólo esta vez. La orquesta tocará una gran obertura de fiesta, compuesta por Franz Coenen.

Trabajar por cuenta ajena. Ésta es una comedia en verso y éste, aunque no de primer orden, no nos pareció malo; el autor tiene facilidad en esta parte. Las gracias no abundan; las pocas que hay se encuentran todas en escenas picarescas y no muy apropiadas para ser escuchadas por oídos castos. Debemos criticar con severidad los errores en que incurrieron autor, actores y censor con sus ataques a la moral y a las buenas costumbres. Démosle a cada quien lo que es suyo. Indudablemente que el teatro debe servir de escuela de buenas costumbres y que debe evitarse cuanto tienda a introducir el germen de la corrupción en los corazones de la juventud, y sobre todo en el bello sexo. Principio es este que nadie se ha atrevido a negar y por lo mismo nos basta su enunciación sin necesidad de entrar en explicaciones inoportunas. Pues bien, contra este precepto ha pecado de una manera descarada el autor de esta comedia. Sus alusiones deshonestas no tienen siquiera el doble sentido que hace a otras de su género tolerables, sino que son descarnadas, soeces, incapaces de no ser comprendidas por todos los espectadores con sólo que tengan un ápice de malicia. El único que no las entiende es el censor. Para remachar el clavo, los actores no se conformaron con repetir las palabras de su papel, sino que marcaron de una manera notable todo lo picaresco, de suerte que aun cuando aquello no hubiese sido tan claro, su acción no habría dejado duda de lo que se quería dar a entender. Muy reprensible nos parece esta conducta. El actor debe ser fiel intérprete del autor, explicar su pensamiento con la mayor claridad posible cuando no ofende a la decencia, no cuando puede contribuir a producir un efecto inmoral, en cuyo caso se hace aquél cómplice de semejante falta. Pero sobre quien pasa la mayor culpabilidad es sobre el censor, que da pase a piezas de esa naturaleza. Si un autor escribe una pieza inmoral, el mal se corta con que la prohíba la censura. Si los actores no ejecutan más que obras sanas e irreprensibles, no hay peligro de que se desmanden por más que quieran. No es ésta la ocasión de hablar de la conveniencia de la censura; mientras exista, los que la ejerzan están obligados a cumplir con toda exactitud con las obligaciones de ese cargo, obligaciones que infringen si permiten que se pongan en escena piezas que inducen a los padres de familia a dejar una diversión que debe ser instructiva y provechosa. Algún tiempo lleva de estar pendiente ante el Gobierno del Distrito la cuestión del reglamento que ha de regir en el teatro y de las personas que tienen derecho a ser censores. Las reclamaciones hechas diversas veces contra los interinos actuales, exigen que no se deje dormir de nuevo el asunto. Esperamos

515

que no echará en saco roto nuestra indicación el señor gobernador, si tenemos la honra de que pase sus ojos por este artículo.

Los dos baldragas
31 de agosto de 1849

Revista Teatral. Sábado 1º de septiembre (1849). Concierto a beneficio de Franz Coenen, discípulo del gran Beriot, etcétera. Nunca conocemos más la impotencia de nuestro ser que cuando el tiempo en su marcha incesante se lleve, como barre el viento las hojas secas, aquellas ilusiones que nosotros habríamos querido perpetuar a toda costa, para formar ese tesoro de recuerdos de que se vive cuando es la existencia un arenal estéril en que ni la más humilde planta deja desarrollar el cielo inclemente bajo el que nace. Queriendo dar un solo día de vida a uno de esos recuerdos, escribo las siguientes líneas, que apenas podrán dar una débil idea del teatro, en la noche del sábado último, en que se verificó el concierto de los señores Herz y Franz Coenen.

El teatro, como una de esas mujeres seductoras que sirven de disculpa a nuestro padre Adán cuando se recuerda que por una de ellas perdió el Paraíso, sólo necesita que lo vean para embellecerse; en un día de éstos parece que se rejuvenece, y no ha menester más que su natural atractivo para sorprender y agradar. El teatro, digo, estaba espléndido, con sus columnas blanquísimas, con la reverberación de sus quinqués, con los palcos del Ayuntamiento con su cortinaje de terciopelo con fleco de oro y su dosel elegante. La concurrencia era numerosa y sólo se veía en el patio un bosque de sombreros entre el humo incivil de los mil habanos que ardían; los balcones y los palcos primeros, segundos y terceros, eran otras tantas hileras y grupos de hermosuras (porque las ancianas se conservan en segundo término, dando con esto un testimonio de buen juicio) que brillaban de medio cuerpo, como saliendo de otras tantas nubes blancas, escarlatas, de gasa y seda, de punto y terciopelo. Sus rostros de ángeles, sus flores naturales en el pecho, sus abanicos de levísimas y trémulas plumas en las manos, resplandeciendo con sus joyas, embriagando con sus perfumes, magnetizando con sus miradas fascinadoras.

En el último término, en la *Laponia teatral,* en las regiones que sólo alumbra el crepúsculo, se veía una masa compacta de túnicos, fracs y capas de la alborotadora concurrencia, que disputaba, se rebullía y hacía que tembláramos, temiendo que se desatase una lluvia de habitantes de la luna, amigos de la filarmonía y del buen humor. Era un ruido indescribible, compuesto de los mil de las conversaciones, de las risas, de los abanicos, de los bastones; era el inglés indiferente, escarlata por sus excesos gastronómicos, que habla su rasposo idioma, sentado en el pulmón y dejando percibir la coronilla de su cabeza, la punta de su roja nariz y el humo de su puro. Era el grupo de cócoras instalando su comisión de *crédito público*. Era el amante, buscando de parapeto a un inocente a quien ni sabía lo que hablaba, para ver a su adorado tormento. Era el tránsito y la reyerta de los acomodadores, con sus obeliscos de cojines sobre los hombros, haciendo temblar en encogerse a los que tenían cercanos.

La ansiedad se comunica, el presidente llega con los señores ministros y los municipales, que es costumbre que en el palco no falten a sus deberes de urbanidad. Los violines y los demás instrumentos se templan, dejando caer sus agudos acentos en el ruido general y crece la algarabía. Por fin, estalló la obertura en medio de aquel zumbido, y el silbato reclamando la atención hizo volver los ojos todos al foro descubierto. Unos cuitados romanos, al parecer, con su tunicela infantil, sus pantalones azules y sus cascos con pararrayos, ejecutaron un coro que sirvió para que pasase desapercibido el ruido inoportuno de las sillas que se arrastraban, de las reyertas y conversaciones que no concluían, y del tránsito de algunos concurrentes a última hora. Los descendientes de Romo y Rémulo (*sic*), después de abrir tanta boca, desaparecieron, y bajó el telón mientras se colocaba el piano en su lugar respectivo.

Entre vivos aplausos apareció el señor Herz, que es un hombre de regular estatura, erguido, delgado, de entrecana cabellera y de maneras caballerosas. Se colocó frente a su piano, arrojó sobre él con desembarazo sus guantes y dejó caer su mano en las teclas, como para probar su docilidad; ellas suspiraron sumisas y tocó su *Violeta*. Esta composición, llena de sentimiento y poesía, se oyó en medio de un religioso silencio; pero sin gran sorpresa, porque todas las dificultades vencidas, todos los encantos de armonía, toda la suavidad de la expresión del artista, la conoce el público; así es que terminó y se hicieron las salvas que merece su nombre, salvas que se repitieron por algunos.

Antes de proseguir, diré que a la entrada habíamos recibido un papel de la señorita Cossío, que se refería a un lance ocurrido las noches anteriores, desgraciado por una parte, feliz para la actriz, que recibe testimonios inequívocos del amor de los mexicanos. Este papel, hijo de su reconocimiento y en que había alguna alusión delicada y sentida

517

a su situación, nos tenía perfectamente prevenidos, así es que se la recibió con estrepitosos palmoteos y con *bravos* entusiastas. Cantó con el señor Zanini *El elíxir de amor*, dúo de contraste entre un vejete risible y la dama que lamenta sus amores; era la queja y la burla a la vez; pero tan festiva ésta, tan sentida aquélla, que en el corazón se disputaban los afectos, teniendo todos suspensa la atención, hasta que estalló en aplausos a los actores. ¡Bien! ¡Bien! ¡Bravo! ¡Chiiist!... se oyó prolongado... Después retembló el teatro con los aplausos. Era COENEN.

Éste es un joven de veinte a veintidós años a lo más; tiene la modestia en el semblante; son humildísimas y sencillas sus maneras. Salió mostrando sin afectación ese encogimiento que podríamos llamar el pudor del mérito y que tanto simpatiza. Empuñó su violín y lo colocó cuidadoso entre el cuello y el hombro. Reinaba un silencio profundo. Comenzó a suspirar una suave melodía tan tierna, tan tierna, que se sentían los ojos humedecidos de lágrimas: era la queja del abandono, el suspirar por los recuerdos perdidos, por las ilusiones desvanecidas, por esa sombra tenue y apacible que cae en nuestra alma y que se interpone en nuestro pasado y nuestro presente, para dejar percibir, triste pero bello, al primero; para quitarle su brillantez, pero embellecer también el segundo. Después aquella voz sollozaba, prorrumpiendo en arrullos quejosos; se contenía en suspiros, estallaba en gemidos o en voces de consuelo. Toda nuestra alma, concentrada en nuestros oídos, pensando sin saber qué, viviendo, oyendo con la piel y con los poros. Acabó el músico y hubo un silencio que era la prolongación del éxtasis. Entonces todas las manos aplaudieron, todos los abanicos se agitaron, las gentes se volvían a ver como después de una ausencia y esperaban impacientes otra sorpresa.

La orquesta tocó la obertura de Franz Coenen con su maestría extraordinaria, maestría que desconocemos por la costumbre de escucharla, pero que ninguno de los artistas que ha pisado nuestro suelo le niega. En obsequio de la verdad diré que se prestó poca atención a la obertura porque los concurrentes, con los programas en la mano, esperaban el momento de oír las improvisaciones del "Rey de los pianistas". Por otra parte, como la obertura se tocó en un intermedio, los ecos de la música se oían entre el aleteo de los abanicos y el ruido de las conversaciones. Los acomodadores en este intervalo recogían de los señores del patio los temas o sus nombres, para que el público, por sus aplausos, decidiera cuáles eran los temas que elegía.

Alzóse el telón: a un lado del piano, en medio del foro, estaba una mesita redonda con una vela encendida. Salió el señor Zanini en el traje con que iba a desempeñar después el dúo del *Barbero*; anticipación *en carácter* no muy oportuna. (Risas, murmullos, señales de inquietud.) Los criados condujeron multitud de papeles y se empezaron a leer los títulos. *La cachucha*. El público: ¡chut!, ¡chut!, ¡no!, ¡no! (Se puso entre los temas no admitidos.) *Marcha de la Caballería Mexicana*. Resonaron inmensos aplausos, *¡sí, sí, sí!*, muchas veces. *El señor Boscha pintado por sí mismo...* (Risas). *El Himno de Riego*. Unas voces: sí, sí, sí. Otras: ¡no!, ¡no!, ¡nooo!, ¡chiiist! *La Pasadita*. Estruendosos aplausos en las galerías y en el patio. Sí, sí, sí. ¡Bien!, ¡bien!, ¡muy bien!

Por fin se separaron, además de los dos temas citados, *Los enanos, El butaquito*, y no recordamos cuál otro, entre las risas, los palmoteos, los gritos de *más recio*, y el disgusto de muchos, porque bajo el pretexto de temas, desahogaron cobardes antipatías, como un tema contra el señor Patiño, que muestra lo fácil que es que se abuse de esa invención, convirtiendo los temas en un buzón de anónimos indecentes. Creemos que la autoridad impedirá que se repita este abuso, perpetrado por algún canalla que es la primera vez, sin duda, que concurre entre gente decente. Terminada esta gresca que nos hizo recordar las votaciones de los mítines, se presentó siempre entre mil aplausos el señor Herz; recogió los temas, los examinó, los colocó no sin dificultad sobre el atril de su piano, y se dispuso a tocar con la seguridad del triunfo.

En efecto, a las vibraciones solemnes de la *Marcha Mexicana*, siguieron los risueños acordes de *La pasadita*; el público los reconoció y quiso prorrumpir en aplausos, pero se contuvo por no perder una sola de aquellas notas mágicas; después *Los enanos* con sus saltitos provocativos, sensuales, picarescos; luego, como columpiándose, la última armonía se reposaba para hacer brotar el carcajeo del *butaquito*, con sus mil modulaciones incendiarias y festivas; luego *La Marsellesa*; luego... no sé, era un manantial de armonía que todo lo llenaba; eran nuestras costumbres, eran nuestros afectos populares, ardientes como nuestro sol, expresivos como nuestro carácter, pero embellecidos; se cerraban los ojos y se veían las chinas salerosas con sus piececitos breves, con la cintura insurgente, con sus ojos revolucionarios.

Al concluir Herz, nunca más grande que cuando se dejó ver como artista creador, no fue aplauso, fue frenesí la explosión. Golpeaban los bastones, las tablas de la galería se hacían rajas a golpes, todas las manos se abrían para aplaudir, todas las voces exclamaban como si

519

fuese una sola: ¡Bien! ¡Bien! ¡Bravo! ¡Oh! ¡Oh! ¡Bravo! En medio de aquel estrépito, cubriendo el cielo del teatro, descendió una nube de papeles, dizque con versos (los renglonatos desiguales eran en su línea de malos, de primer orden). Todos los brazos se levantaban para recogerlos; se llamó a la escena al "rey de los pianistas". Se presentó, y una lluvia de flores, de coronas y de ramos, tapizaron la escena; rompió entre los aplausos una música alegrísima, oblación caballerosa de la orquesta; resonaron los vivas, y el señor Herz, visiblemente conmovido recogió los lauros que había conquistado su talento sublime.

Siguió el *Dúo del Barbero*, que se aplaudió; pero todo sobraba, que no fuesen Coenen y Herz. Coenen, anunciado por los aplausos, apareció. Parecía que el teatro había quedado desierto, de suerte que la primera y sutilísima vibración del violín se percibió con toda claridad. La composición se titula: *La ave en el árbol*. En efecto, se oyó el piar delicadísimo de una ave que se prepara a cantar; como digo, parecía que ni respiraba la concurrencia; el violín parecía también no existir, porque eran silbidos, eran gorjeos, eran trinos trémulos, deliciosos, eran esas armonías de las aves que tienen todas las cadencias, que se pliegan a todas las modulaciones, que recorren fáciles y flexibles todos los tonos; se sentía dulzura en el alma, era no sé qué de aéreo, de espiritual, que mantenía al alma en un delicioso arrobamiento; se sentía en el sonido frescura como la de los campos, expansión y bienestar. Se veía con la imaginación al ave alegre gorjeando, suspendiendo inconstante sus acentos y piando, piando después dulcísima y sentida. ¡Pobre idioma del hombre, inútil pluma para hacer estas revelaciones del espíritu! ¡Semidioses del arte y de la civilización que arrebatan los más dulces hechizos a la creación para delicia del hombre! El ave con su melodía dulcísima ensayó con su garganta armoniosa uno de los sones nacionales, y piando, piando, la vimos plegar sus alas y dormirse sobre la mano de Coenen, que hasta entonces lo recordamos.

Esta composición, que era todo un idilio de esos deliciosos de la inocencia y del amor, de esos que sólo se ven en el libro sublime escrito bajo el dictado de Dios, fue lo supremo que escuchamos; las voces se agotaron y los mil aplausos y los versos y las coronas nos parecieron señales débiles, nos parecieron frías. Como se dijo de un orador célebre, digo de Coenen, que es necesario para pensar en él, salir del círculo que *nos trazó la vara del encantador*. ¡Gloria, gloria, honor al talento! Nosotros al ver a Coenen, al ver la modestia con que parecía esquivar los aplausos, recordábamos los versos con que la generosa

Academia de Letrán alentó en su juventud al ilustre poeta Rodríguez (Galván):

A la vez de los gozos y dolores
nuestra alma en muda comunión responde,
si hoy el mérito tímido se esconde,
la gloria un día le ornará de flores.

Había avidez de sentir, y aunque el público sufría esa especie de anonadamiento que nos produce el toque a una máquina eléctrica, nos levantamos como por un resorte y aplaudimos a la vista de Herz y Coenen, que unidos tocaron su *dúo concertante*. ¿Qué podemos decir de la reunión de los dos grandes artistas? ¿Qué de aquella especie de lucha entablada entre dos colosos, en que los dos se engrandecían admirando, deslumbrando? ¿Cómo dar a este escrito helado todas las inflexiones, toda la volubilidad, todo el encanto de la música original de *Fra Diávolo*? Terminaron los artistas, y ya una parte del público reclamaba la atención para su favorito *Carnaval de Venecia*.

El *Carnaval de Venecia* tocado por Franz Coenen puede decirse que no es música, es la representación viva de una escena de familia que se palpa: la veneciana que se acerca a saltitos, el marido que duerme, la riña, la reconciliación, la súplica, todo se oye, todos acomodan palabras a la música; de repente, el artista pone de buen humor a los amantes y quiere que todos rían y... ríen; pero con una risa espontánea, alegrísima; todos ríen y se rebullen en sus asientos, vuelve a ver uno la risa general, y ¡ja, ja, ja!, porque ríe el violín, porque se busca al duendecillo maligno que está en la caja riendo como ríen las gentes... Esto es lo grande, lo sublime del arte.

Las hermosas, mostrando sus dientes blancos; los gordos, riendo con su modo estrepitoso; los foráneos, carcajeando sin temer a la censura (divina). ¡Carnaval! ¡Divino violín que hace olvidar las penas, que tiene ese raro privilegio de los grandes talentos de hacer reír! Y el que ama, y el que está en esa edad hermosa de la vida en que las pasiones todo lo animan y verifican, ¡cuánto te debe haber sentido! ¡Cuánto debe haber sentido al enviar en las alas de aquellas armonías sus suspiros abrasados de amor a sus queridas!

La noche del sábado fue una alucinación, fue un solo instante, fue una ráfaga del aura embalsamada que pasó para perderse en el vacío insondable del tiempo. ¡Gloria a los artistas! ¡Y tú, noche en que soñe despierto con una felicidad que no alcanzara jamás, vive siquiera una hora en esta hoja frágil de papel, que como efímera, morirá con la luz de un nuevo día!

Fidel
4 de septiembre de 1849

Don Francisco de Soria. Poesía dramática. *El Guillermo*, tragedia en tres jornadas y dos partes.

En la interesantísima obra de don Tadeo Ortiz titulada: *México considerado como nación independiente*, etcétera, por desgracia no tan conocida como merece y fuera de desearse, en un capítulo consagrado a dar idea de los escritores y artistas mexicanos desde el siglo xv hasta nuestros días, encontramos el nombre de don Francisco de Soria, modesto poeta dramático que floreció en el siglo xviii, y compuso *El Guillermo*, *La Genoveva*, *La mágica mexicana* y algunas otras comedias que no menciona el señor Ortiz. Son tan pocos entre nosotros los escritores dramáticos; ha habido tanta negligencia en las investigaciones sobre esta materia que hasta estos últimos tiempos no nos ha sido conocido Alarcón como poeta mexicano, que aunque floreció en España, hizo en México sus estudios y ya fue a Madrid graduado de doctor. En las *Tardes americanas*, de fray José Joaquín Granados, se habla también, elogiándolo como poeta dramático, de don Agustín de Salazar; y Ortiz menciona a Vela entre los autores de comedia dignos de renombre.

Varias han sido las indagaciones que hemos hecho, todas infructuosas, para saber algo relativo a las vidas y a las obras de Vela, Salazar y Soria. Una feliz casualidad puso en nuestras manos *El Guillermo* y *La Genoveva*, del último, y nos proponemos por ahora dar a conocer la primera de estas comedias, por el interés que pueda tener para la literatura del país. Sensible es que no se haya encontrado *La Mágica mexicana*, pues por su título creemos que ella se referirá a las costumbres nacionales y esto haría subir de punto su mérito.

No nos proponemos, al censurar *El Guillermo*, hacer alarde de severa crítica natando los innumerables defectos que contiene el plan en general, sus mal eslabonadas escenas, sus caracteres y aun su versificación. Sabido es que con Solís se cierra el catálogo de los dramáticos españoles del siglo de oro, y después hasta Zamora y Cañizares no se encuentra, en el siglo xviii, ningún autor digno de llamar la atención. En esta época de decadencia y extragado gusto, tocó la mala suerte de escribir a nuestro don Francisco de Soria, y como es de suponerse, sus obras se resienten de todos los defectos literarios de que su época adolecía.

El Guillermo es, propiamente hablando, una comedia heroica, y puede aplicarse en su vista a Soria lo que decía Martínez de la Rosa al hablar del mérito de Moreto en esta especie de comedias, esto es, *que deliró como todos, porque no cabía otra cosa.* En nuestro autor se nota elevado ingenio y gallardía, desfigurado con los afeites de un estilo que, sin tener la ingeniosa valentía de Calderón, estaba plagado de todas sus extravagancias. El crítico que ya hemos citado pinta con su profunda maestría la corrupción literaria, en su apéndice sobre la comedia, en estos términos:

"Mas cuando por desgracia se remontaban nuestros dramáticos hasta las nubes, perdiéndose en los espacios imaginarios, todo debía resentirse naturalmente de la región vacía en que vagaban; anteponían los conceptos sutiles o hinchados, por no parecer llanos ni triviales; alzaban la clavija del estilo hasta que sonaba agudo y disonante; descoyuntaban el lenguaje para que se mostrase digno de tan sublimes asuntos, y desdeñando como plebeya la versificación sencilla y fácil, apenas se contentaban para expresar sus conceptos alambicados con la pomposa octava o el artificioso soneto." Esto conviene exactamente a Soria.

Después de la salva que por vía de introducción hemos hecho a nuestro autor, con toda la indulgencia de paisano mexicano, justo es dar idea de su comedia sin más interpretaciones ni comentarios. La escena comienza con la boda espléndida de Carlos, hermano de Guillermo, duque de Aquitania, con Matilde, dama distinguida de aquellos Estados. Durante el festín, Guillermo se muestra triste y taciturno, la música irrita el estado de su calma; dentro de sí consiente en lisonjear la pasión que acaba de concebir por su cuñada. Cáesele a ésta una liga en el baile, quiere recogerla Carlos, dispútala el duque; interviene el obispo en favor del marido y el cortejo lo agobia a dicterios y a injurias.

El duque era un estuche de curiosidades: corrompe a un súbdito y trata de robar a la esposa de su hermano. Efectúase el rapto: de los brazos del infeliz esposo arrebatan a su apreciable Matilde, y Carlos jura sobre la cruz de su espada vengar tanto baldón, tamaña afrenta. Presa en el palacio de Guillermo, a discreción de su lascivia infame, permanece Matilde fiel a su honor, y resiste al duque, que, con el atractivo de su casto desdén, se entrega verdaderamente al frenesí. Eleonora, esposa del noble seductor, maliciosa de los extravíos de su consorte, trata de convencerse de la dolorosa realidad, y mientras

Carlos convoca gente para invadir los estados de Guillermo con el objeto de salvar a su nueva Elena, Eleonora se pasea solitaria en los corredores interiores de palacio, con tan rara atingencia, que se acerca sin quererlo al apartado retrete en que el duque tenía oculto al mal habido encanto de su corazón.

Eleonora llega al indicado aposento en los momentos en que Guillermo, atropellando todo respeto, y después de haber agotado todas las ternezas, recibiendo en cambio todos los desprecios, toma la mano de Matilde y... la suelta porque Eleonora le ofrece la suya. Ya debemos suponer que el despabilado duque no estaba de humor de cambios, ni mucho menos de recibir semejantes visitas. Pero el hombre, que no se ahogaba en un dedal de agua, y que por lo visto era capaz de plantar una fresca al lucero del alba, recibe a su mujer diciéndole:

> Furia infernal o mujer,
> basilisco de mi vida,
> ¿de dónde saliste ahora
> a ser infeliz arpía
> que mis gustos embaraces?

El fin de este diálogo es la prisión de Eleonora; pero como no hay gusto cumplido, apenas Guillermo se dispone a volver a sus acaloradas instancias, cuando el obispo pide permiso para hablarle dos palabras. Allí fue Troya: el obispo sufre la tempestad completa de sus iras, que llegan hasta tomarlo de los cabellos, derribarlo y ponerle el pie encima. ¡El Guillermo era una alhaja de valía! Su Ilustrísima, derrengado y asaz molido, apenas puede levantarse y decirle que no se trata así a la dignidad Pontificia. En éstas están cuando se muda el teatro en campiñas y sale fray Bernardo solo. Bernardo, que según hemos podido inferir, era el santo partidario de Inocencio II, tan influyente en favor suyo durante el cisma que sufrió la Iglesia en 1130 por el nombramiento de Anacleto, que persuadió a Luis el Grueso de Francia y a Henrique I de Inglaterra, que tronó en los concilios victorioso en favor de aquel sucesor de San Pedro, que es el mismo que aparece deseoso de convertir a Guillermo, que desconociendo a Inocencio, rehusaba restituir al obispo en sus dominios.

Cuando va implorando la gracia del cielo para conseguir sus fines, acércase Carlos con sus tropas; trábase la lid. Carlos defiende la causa de Inocencio, Guillermo a Anacleto; tocan a embestirse y al acometerse aparece Bernardo tratando de impedir la fratricida lucha. Guillermo propone a su hermano una capitulación honrosa en estos términos:

1º Volverle a su mujer cuando él quisiere. 2º Que Carlos lo había de ayudar contra Anacleto. Carlos resiste: vienen los combatientes a las manos, y a poco los fugitivos soldados de Carlos publican la victoria de Guillermo, y el marido, aunque está para sufrir uno tras otro los reveses, renueva con brío sus juramentos de venganza. No se durmió sobre sus laureles Guillermo, no, señores: aprovechó su tiempo y duplicó sus solicitudes con Matilde de un modo tan exigente, que hallándola en el jardín sola, indefensa, después de tomar su mano, de comprimirla con transporte contra su seno, le dijo:

> Escoge entre
> remediar la pena que me aflige,
> o ver las flores llenas
> del rojo humor de tus ingratas venas.

La joven, en tan duro conflicto, suplica, se defiende; pero, ¡oh debilidad femenina!, se desmaya y... El duque interrumpe su relación, porque viene gente, y hace bien de llegar: el espectador habría sabido lo que al fin Carlos sabe, por aquello de que el último que sabe las cosas es el señor de la casa. Ármase entre tanto, no se dice por quién, una conspiración contra la vida del duque que, como para descansar de sus fechorías, despacha a dos cristianos al otro mundo en un abrir y cerrar de ojos. En los momentos en que la conspiración estalla, cuando el puñal asesino está sobre su pecho, cuando grita un faccioso enfurecido: "Muera el duque", se oye una voz misteriosa: "No morirá." A su eco se transforma la escena en un espeso bosque y aparece un peregrino con una hacha conduciendo al duque. El peregrino lo pone en vía de ver a San Bernardo, y desaparece dejándolo atónito. Recobrado de su sorpresa, dirígese a Bernardo, y éste lo persuade a que abrace la causa de Inocencio II. Interrumpe esta conferencia el ejército de Carlos; repítese la lid; triunfa por segunda vez el duque y aparece Carlos cubierto de mortales heridas y sin tener quien lo socorra. Pero Matilde se aparece vestida de labradora, y Carlos, lleno de admiración y de ternura, va a arrojarse en sus brazos; pero antes, y como pregunta suelta, le dice el esposo desventurado:

> ¿Vive mi honra, Matilde?
> (*Pónese Matilde la mano en los ojos*)
> ¿No hablas? ¡Válgame el cielo!
> ¿Callas y lloras?... ¡Ay, Dios!
> ¡Qué presagio tan funesto!

Carlos, después de esto, quiere matar a Matilde, y Matilde en vez de desmayarse como podía hacerlo legalmente, no como con el duque, insta porque la maten llena de fervor; pero al fin se van ambos al monasterio de fray Bernardo. No tardan en participar todo esto a Guillermo, que recibe la noticia al mismo tiempo que una carta de Inocencio, en que le dice que si no restituye sus sillas a los obispos, lo excomulgará de nuevo y adjudicará sus Estados a Carlos. Guillermo, frenético y vomitando sangre y exterminio, marcha sobre Bernardo, representante de Inocencio.

Múdase la escena: aparece la iglesia de Bernardo y éste arrodillado ante el altar de la Virgen María. Canta la música. A poco tiempo llegan Carlos y Matilde, y tras ellos la noticia de que Guillermo viene a destrozarlo todo; Bernardo confía en Dios y tranquiliza a los que le acompañan. Aparece el duque, exhorta a sus soldados, tocan alarma, sacan los aceros, y desafiando al mundo entero, grita colérico Guillermo:

> ¿Quién contra tanto poder
> puede aventurar sus fuerzas?
> ¿Quién contra tanto valor?
> ¿Quién contra tanta soberbia?
> (*Dentro Bernardo*):
> El soberano Señor
> de los cielos y la tierra.

En diciendo esto fray Bernardo, se abren las puertas de la iglesia, suenan campanillas y música, y sale revestido con capa de coro y una custodia en las manos. Cuatro ángeles (que son los que cantan) alumbran con hachas, acompañamiento con luces, monacillos, etcétera.

Cantan: Te Deum laudamus.

El duque se queda pasmado y se le cae el sombrero.

Guillermo, sobrecogido, cae en tierra. Bernardo le exhorta y desaparece después de haber efectuado la prodigiosa conversión del duque. Éste se reconcilia con su esposa. Carlos se acoge a la religión de San Bernardo, sin duda recordando los desmayos de su cara mitad, y Matilde profesa de religiosa.

> Y aquí dio, senado ilustre,
> fin la primera tragedia
> del gran duque de Aquitania;
> perdonad las faltas nuestras.

El estilo de esta composición es, como dijimos al principio, generalmente campanudo, ampollado y de pésimo gusto; pero cuando el autor se descalza el forzado coturno, cuando le da rienda suelta a su vena fácil y flexible, entonces reconocemos las buenas dotes que hemos confesado. Sirvan de ejemplo estos cuentos que dice el gracioso y que nos recuerdan insensiblemente a Calderón, a Tirso y a Moreto. Arnaldo, personaje episódico, se lamenta de que Matilde se case, porque él la amó mucho tiempo con esperanza de poseerla algún día:

> *Arn.* ¡Ay infelice!, ¿qué haré
> sin sosiego y sin sentido
> con todo mi bien perdido?
> *Chas.* ¿Qué harás? Yo te lo diré:
> criaba con grande esperanza
> de hacer con ellas mil pruebas
> un hortelano unas brevas
> para fiesta de su panza.
> De día en día el jumento
> iba a verlas, y decía:
> Aun les falta todavía...
> volviéndose a su aposento.
> Un día que amaneció
> determinado a cortarlas,
> se fue al árbol a buscarlas,
> pero pelado lo halló;
> y para realce del chiste
> grabado el tronco tenía
> un letrero que decía:
> *Para mí las preveniste.*

Eleonora trata de indagar con Chasco el paradero de Matilde, y para comprometerlo le dice:

> Dime lo que en esto sabes,
> que de tu medra y provecho,
> Chasco, verás si me encargo.
> *Chas.* Vuestra Alteza está engañada.
> Yo, señora, no sé nada,
> y oiga un cuento no muy largo:
> Un reloj de sol un día
> mostró un galán a una dama,
> que aunque en su amorosa llama
> fino al parecer ardía,

527

siempre en promesas prolijo
y nunca en dar liberal,
erraba el punto esencial.
Tomólo la dama y dijo:
Curioso el reloj está,
mas un defecto padece.
Dijo el galán: ¿Cuál es ése?
Que señala, mas no da.

¡Cuánta naturalidad! ¡Cuánta fluidez! ¿Por qué esclavizó nuestro
Soria su hermoso ingenio en esos comediones insípidos y disparatados?
Ese pincel, aplicado a la descripción de las costumbres, ¿no es cierto
que habría producido bellísimos cuadros? Cuando aparece Bernardo
en su capilla rodeado de luz, entre nubes de incienso, la música suspira
este canto:

Bernardo sublime
que a la cumbre llegas
de la mayor dicha
que se vio en la tierra,
de María gustando
el precioso néctar,
que humanado y niño
a Dios alimenta,
desde hoy más felice
se verá tu lengua,
de dulzura asombro,
pasmo de elocuencia.

Sería imposible, a no ser transcribiendo aquí gran parte del *Guillermo*, enumerar todas las bellezas que en nuestro concepto contiene, y
coloca, con otras de sus obras, a Soria entre nuestros poetas dramáticos
dignos de mención.

Guillermo Prieto
El Álbum Mexicano, 1849, pp. 141 a 144

Teatro Nacional. El miércoles 5 de septiembre de 1849 tendrá lugar
la penúltima función y concierto monstruo de Henri Herz, en la que se
tocará por esta sola vez la magnífica obertura de *Guillermo Tell* arreglada para ocho pianos y dieciséis pianistas, pieza que ha sido recibida
con el más grande aplauso en los conciertos monstruos en París y

Londres. Será ejecutada por dieciséis profesores de esta capital y Henri Herz.

El concierto monstruo. Decididamente la capital de la República, que con tanta injusticia suelen llamar a veces sus mismos hijos "la corrompida Babilonia", ha abandonado todas sus pretensiones de dominación; se ha vuelto humilde y cariñosa como los leones de Orfeo; se ha decidido por la música y no piensa más que en los dulces arrullos del violín de Coenen y en las encantadoras melodías del piano de Herz. Increíble parece que después de dieciséis funciones extraordinarias, aún haya mucha dificultad para conseguir un palco o un billete de luneta. Cada vez la concurrencia es más numerosa, cada vez salen nuevas bellezas a mostrar el brillo de sus ojos, la blancura de sus cuellos de cisne, la hechicera sonrisa de sus labios de rosa. ¡Y qué elegancia en los trajes! La mayor parte son blancos, de leve crespón, de finísimo punto, de reluciente seda. No podemos definir el encanto que tiene una mujer vestida de blanco, con una flor prendida en el pecho, con sus dos trenzas de ébano que engastan su fisonomía, pero a nosotros nos parece que hay algo de aéreo, de fantástico, de mágico; creemos ver desprenderse a las bellezas y volar a una región azul y perfumada, y que sus formas leves como el crespón, suaves como el terciopelo, finas y delicadas como el punto, van envueltas entre nubes de cándido vapor que penetra por una atmósfera de oro y de rosas. Después de haber recorrido con el anteojo todos los palcos en una noche de concierto, cerrad los ojos, recogeos en vuestros asientos y escuchad esas notas suaves, delicadas, del piano de Herz, que parecen los suspiros de la brisa que juega al ponerse el sol entre las camelias y las dalias. Oíd después en el violín de Coenen los gorjeos del ave enamorada que aletea en el árbol, que se rasca el pecho de esmalte con su pico, que vuela a otro árbol y que vuelve a cantar hasta que viene a su lado su amada. No necesitáis tener una imaginación muy ardiente para figuraros que estáis en un jardín florido donde respiráis suaves y desconocidos aromas, donde escucháis el suave y manso susurro de fuentes cristalinas, donde veis vagar entre los mirtos y las campánulas esas hermosuras mágicas que habéis observado con vuestro anteojo en sus palcos, las unas con sus ojos negros y lánguidos, las otras con su fisonomía risueña, las demás con su sonrisa apacible y su rostro lleno de encanto.

Es porque en las bellezas de la naturaleza reina una armonía secreta, es porque muchos objetos que a la simple vista están disímbolos, tienen una realidad misteriosa que sólo de vez en cuando se revela a la imaginación. La sonrisa de una mujer es un perfume, sus miradas una melodía del piano, su semblante una flor. Una fantasía de Coenen o Herz es un romance, un idilio; las flores son las hermosas de los jardines. ¿Quién no recuerda a su amada cuando ve una rosa? ¿Quién no cree escuchar su voz melodiosa cuando oye el piano? ¿Quién no siente una amorosa melancolía cuando escucha o los cantos de una ave o las quejas del violín de Coenen? He aquí la armonía de las bellezas de la naturaleza, he aquí la unidad misteriosa cuya influencia sentimos sin poder explicar la causa, he aquí los éxtasis que vienen de vez en cuando a interrumpir el curso triste y monótono de la vida humana y aliviar las horas de duelo de los hombres... Y pasan rápidos como el meteoro por la bóveda oscura de los cielos... Las mujeres desaparecen, las flores se marchitan, los suspiros de la brisa se apagan, cesa el murmullo de las fuentes, las melodías se pierden en el viento y volvemos a la miserable oscuridad de la vida, quedando algunos recuerdos vagos como los de los tiempos felices de nuestra juventud, como los de nuestros primeros amores. Los dramáticos, los críticos, los hombres que miden por las reglas geométricas los sentimientos del corazón, vendrán diciendo que esas son ilusiones y delirios. ¿Y qué cosa es la vida más que delirio, ilusión? Guerreros, políticos, hombres de Estado, comerciantes, banqueros, todos deliran, todos viven de ilusiones... Déjenos pues delirar a nuestro turno con las flores, con la música, con esos jardines de ondinas y de sílfides a donde nos conduce nuestra fantasía. Como muchos de los que estuvieron en el concierto monstruo han de haber experimentado las mismas sensaciones que nosotros, estas líneas servirán sólo para despertarles sus recuerdos y hacérselos un poco más duraderos.

Pasemos a describir el concierto. El señor Herz nos dio unas variaciones sobre el tema de *José y sus hermanos*, de Méhul. La composición es bastante delicada, pero no hizo mucho efecto en los espectadores. La señorita Mosqueira cantó bien, particularmente en el aria del *Attila*. El aplaudido violinista Coenen, habiendo hasta ahora resistido a la tentación de marcharse al país de las tapatías y de los famosos dulces cubiertos, se prestó a tocar las variaciones de la *Lucía*. Cuando hubo concluido un coro de más de quinientas voces, se le pidió *La ave en el árbol*. El señor Coenen, obligado por esta nueva armonía que brotaba de la cazuela y de las lunetas, salió a la escena y manifestó que la orquesta no tenía el acompañamiento. Sin embargo, tocó unas improvisaciones que tenían algo de *La ave en el árbol*, y las variaciones de *Lucía*. Pero fue tan breve en su repetición que creemos no duró ocho minutos. Nosotros, que guiados por el entusiasmo hemos elogiado a Coenen, tenemos derecho a decirle que fue muy económico y que el entusiasmo del público merecía una pieza más. Los ocho pianos tenían fija la atención del público. Llegó el momento y se presentó Herz a la cabeza de la poderosa falange de los dieciséis pianistas. ¡Marzan, Balderas, Aguilar, Valadez, Retis..! Sus nombres como compositores, su fama como brillantes maestros los han hecho bastante populares y no hay persona de México que no los conozca. Así pues, su sola presencia en la escena arrancó aplausos. Comenzaron a tocar y dirigidos por el Murat de esta batalla, hicieron proezas filarmónicas que nunca habíamos escuchado. Diremos sin embargo que el público quedaría verdaderamente sorprendido si ese Murat de la música compusiera un concierto absolutamente de aires nacionales, pues la música italiana, sublime como es, no tiene tanto eco en el corazón como las canciones de nuestro país con que hemos despertado, por decirlo así, a la vida. Convencido el señor Herz de que le va bien con nuestras indicaciones, juzgamos que adoptará ésta y palpará sus buenos resultados.

Yo (Manuel Payno)
7 de septiembre de 1849

Alumbrado de gas. El martes en el concierto hubo una concurrencia notable, y fue que se estrenó el alumbrado de gas hidrógeno en el teatro. El señor Arbeu tiene una cualidad que si fuera común en la sociedad mexicana sería inestimable, y es la constancia. Pensó en el gas hidrógeno y hoy está ya establecida esa mejora que ha puesto al Teatro Nacional de México al nivel de cualquiera del mundo. Aunque nos pareció que el gas no estaba demasiado blanco, quizá porque no está en un total estado de pureza, sin embargo su luz es infinitamente mejor que la de aceite. El público aplaudió mucho el gas hidrógeno y pidió un beneficio para el señor Arbeu, el cual ha sido concedido por parte de la empresa, aunque no el día 16 de septiembre como pretendían algunos, porque juzgamos que es una injusticia pedir que la empresa ceda la noche de ese día.

Al final del concierto del señor Herz vimos doce pianos, veinte pianistas, una banda militar y orquesta doble que tocaron la Marcha Militar Mexicana, que se nos asegura es composición hecha en esta capital por el señor Herz. Sea hecha en esta capital o no, ella es de mucho mérito, conmueve extraordinariamente, obra una reacción en el sistema nervioso y será por tanto muy propia para tocarse en los regimientos de línea y de guardia nacional. El redoble de un tambor fue la señal de salida de una compañía de soldados que cantaron la Marcha sin ser escuchados, pues el torrente de armonía hacía no sólo que se perdieran sus voces, sino que se estremeciera el teatro. Al mismo tiempo que salía el coro de guardias nacionales, aparecían de uno y otro lado del grupo que formaba el coro multitud de banderas tricolores, que fueron saludadas por los bravos y palmoteos del público. Éste se empeñó en que se repitiera la Marcha Militar y entre tanto el teatro se oscurecía visiblemente... Sonaron las doce... Los últimos acordes de la música guerrera se escuchaban... Entre la luz rojiza de la gloria se veían las banderas de la libertad y la oscuridad se aumentaba... De improviso la lámpara, ese sol del teatro de Vergara, se eclipsó enteramente... Las tinieblas envolvieron a toda la concurrencia. Así concluyó la función y cada cual bajó y salió del teatro como Dios le dio a entender. La explicación de toda esta barahúnda romántica está en dos palabras: faltó el gas.

El Siglo
14 de septiembre de 1849

Ópera italiana. El exquisito y delicado gusto por la música que reina en esta culta e ilustrada capital, hace desear mucho tiempo ha el restablecimiento de las representaciones líricas en nuestro magnífico teatro, al que con tanta ansia se agolpa el público cuando se proporciona oír alguna habilidad de este género. La empresa, que no tiene más ahínco ni más deseo que el de presentar al público espectáculos dignos de su buen gusto, no ha podido desconocer esa necesidad, pero aunque decidida para ocurrir a ella haciendo todo género de esfuerzos y de sacrificios como en otros ramos los ha hecho, ha tropezado en éste con dificultades hasta ahora insuperables. Mas hoy alienta la esperanza que quizá podrán vencerse si a la eficacia y al empeño de la empresa se une la cooperación del público mismo. La noticia de hallarse en La Habana una compañía de ópera, la más cabal y sobresaliente que se haya reunido en América, ha inspirado a la empresa el deseo de trasladar a México este brillante espectáculo y al efecto ha entrado en contestaciones con los principales actores de la expresada compañía y con los empresarios del Teatro de Tacón, así como con algunos artistas de mérito distinguido que se encuentran en la actualidad en los Estados Unidos, y la empresa se lisonjea que de este modo podrá formar un cuadro de compañía muy superior a cuantos han venido, y mandará además por el próximo paquete a un comisionado que pro·

cure allanar las dificultades que se presenten. La experiencia ha acreditado entre nosotros que la ópera no puede ser una especulación lucrativa para la empresa, y lo que ésta desea por lo mismo no son utilidades, sino solamente poder costear los enormes gastos que va a erogar para realizar aquel pensamiento, dando con esto gusto al público que ha demostrado su deseo, pues multitud de personas se han interesado al efecto.

En tal virtud, no encuentra la empresa a este fin otro medio menos gravoso que el asegurarse de un número de abonados que puedan llenar en alguna parte las erogaciones precisas, en atención a que la experiencia tiene acreditado que una suscripción es casi impracticable y muy riesgosa, hermanando hasta donde sea posible los intereses de la empresa respecto a las funciones de verso con las de ópera. La empresa se propone pues, antes de contraer ningún compromiso, ver si reúne la suma necesaria para sostener durante cuatro meses una compañía de ópera, y con ese objeto invita desde luego al público a abrir un abono que dure precisamente los cuatro meses íntegros y que comprara todas las funciones que durante ellos se dieren, sean de ópera o de verso, sin perjuicio de poder admitirlos si sobrasen localidades para sólo lo uno o lo otro. Para formar un cálculo tiene la empresa que hacer esto anticipadamente a fin de decidir a tomar obligaciones que no faltará a ellas si se llegaran a contraer. Al pie de éste se hallará la lista de los actores y actrices que componen la compañía de ópera de La Habana y los precios que en aquel teatro tienen las localidades para sólo la ópera. La empresa mexicana pone a la vista del público lo uno y lo otro con el objeto de que pueda tenerse idea del enorme costo de esta diversión, y para que comparándose los precios que aquí se proyectan para ópera y verso, y van al fin explicados, con los de La Habana, se note la diferencia que hará resaltar el desinterés de la empresa y se comprobará que sin embargo de que teniendo que hacer no sólo las erogaciones de ajuste y transporte de los individuos de la ópera, sino los de compra de música y excesivo número de vestuario que requieren todas las óperas modernas de Verdi y otros autores de gran fama así como el no pequeño gasto de decoraciones, para lo cual cuenta la empresa con un gran maquinista y pintor, su designio primordial exclusivo es complacer al público y presentar en esta hermosa capital un espectáculo digno del teatro en que debe presentarse y de una concurrencia tan ilustrada. Como la empresa está en la necesidad de tener allanados todos los inconvenientes antes de que llegue el próximo paquete, avisa al público que las personas que gusten abonarse como se ha dicho arriba, es decir, para cuatro meses fijos, se servirán pasar a la contaduría del teatro a firmar en el registro respectivo que al efecto queda abierto y el cual servirá de un formal compromiso de parte de los señores que en él se suscriban, siendo de la manera siguiente: los señores propietarios palcos, lunetas, balcones y asientos de galería, podrán ocurrir desde esta fecha hasta el 26 del presente mes; los señores abonados actuales desde el siguiente día 27 hasta el 3 del entrante noviembre inclusive, y desde el 4 hasta el 10 del mismo la empresa dispondrá de las localidades libremente en favor de los señores que las soliciten, debiendo decir que los señores propietarios que no avisen en los días que se señala, perderán el derecho a sus localidades para toda la próxima temporada, tanto para verso como para ópera o cualquier otra función extraordinaria que se diere, pues de otra manera y como este proyecto está basado en la seguridad del abono, no se podrá llevar al cabo.

El precio del abono para los cuatro meses fijos y precisos que la ópera durare formando un mes de abono, nueve funciones de ópera y veintidós de verso, será el siguiente: Para verso y ópera cada mes de los cuatro: Palcos primeros y plateas, 130 pesos. Palcos terceros, 85 pesos. Balcones, 22 pesos. Lunetas del número 1 al 58, 22 pesos. Lunetas en el resto, 20 pesos. Asientos de galería, 8 pesos. Para ópera sola si no hubiese verso en cada mes de los cuatro, las localidades arriba apuntadas serán en este orden de precios: 85 pesos, 65 pesos, 14 pesos, 12 pesos, 5 pesos.

Éstos son los precios de abono que la empresa ha calculado y repite que los señores que gusten abonarse ha de ser precisamente por los cuatro meses que estuviere la ópera y para los dos ramos reunidos, porque a esta empresa no le es dado soportar el perjuicio que le traería admitir abonos para sólo la ópera, en el concepto de que siendo de mucha cuantía los desembolsos que deberá hacer, y teniendo por otra parte que asegurar hasta cierto punto sus cálculos fundados como lo ha explicado en el abono, los señores que quieran abonarse en el acto de firmar el registro abierto en la contaduría, adelantarán el precio fijado para un mes por los dos ramos y según la localidad que tomen, el que se les bonificará por cuartas partes en los cuatro meses de su compromiso, quedando además la empresa con el derecho de hacer cumplir por los medios legales a la persona que falte al cumplimiento del que contrae. La empresa, cual es justo, se obliga a devolver inmediatamente el dinero que se le haya adelantado en el inesperado caso de no poder traer la compañía de ópera que se propone, y por la parte correspondiente al abono de verso, en el caso de que para ese tiempo no haya compañía de este género puesto que la de ópera no podrá llegar a esta capital antes de la cuaresma o al principiar la próxima temporada.

Como la empresa no puede dar su prospecto de la compañía de verso para la próxima temporada porque no sabe lo que ha hecho un comisionado que tiene en Europa con el objeto de ajustar algunos actores y aún no se sabe los que ha de contratar tanto de aquí como del extranjero, es la causa por la que pone en este aviso los dos precios para los abonos, uno para ópera y verso, y otro para ópera únicamente. Asimismo manifiesta la empresa que tan luego como concluyan los cuatro meses en que trabaje la compañía de ópera, quedarán sujetos los abonos para sólo el verso a los precios que se dirán en el correspondiente prospecto que a su tiempo se publicará. La empresa queda comprometida a llevar a efecto y cumplir todo cuanto ofrece en este prospecto, siempre que reúna el número de abonados indispensable, pues a la justa consideración del público deja calcular los grandes adelantos y desembolsos que tiene que erogar para llevar al cabo tan ambicioso proyecto. Por la empresa, Juan López.

Lista de los actores y actrices que componen la compañía lírica de La Habana y de los precios de abono que cobran por sólo las representaciones de ópera en el Teatro de Tacón. Primas donnas sopranos absolutas, señora Ángela Bossio, señora Albina Steffanone, señora Emilia Costini. Señorita Bellini, comprimaria. Señora Carolina Vietti, prima contralto absoluta. Señor Lorenzo Salvi, primer tenor absoluto. Señor Luis Ferreti, primer tenor. Señor Federico Badiali, segundo tenor y director de escena. Señor César Badiali, primer barítono absoluto. Señor Ignacio Marini, primer bajo profundo absoluto. Señor Luis Corralli, primer barítono y primer bajo. Señor Pedro Candi, segundo bajo. Señor Juan Botessini, maestro director y compositor. Señor Luis Arditti, director de orquesta. Precios que se cobran en La Habana: Por un palco de primero y segundo piso con sus correspondientes grillés con 48 entradas para 12 funciones, 170 pesos. Por un palco de tercer piso con sus grillés, 102 pesos. Por una luneta de cabecera de la calle de en medio, por 12 funciones, 26 pesos. Por una luneta de las restantes cabeceras de banca por 12 funciones, 23 pesos. Por un sillón delantero de tertulia, por 12 funciones, 12 pesos. Por un sillón delantero de cazuela, por 12 funciones, 8 pesos.

24 de octubre de 1849

Un matrimonio a la moda. La escuela española va desapareciendo enteramente. La escuela magnífica y única en el mundo de Calderón y de Lope parece ridícula a los ojos de muchas personas, y es necesario que se piense a la francesa, que se escriba a la francesa y que las costumbres sean francesas. Esto no quiere decir que esta invasión literaria, de la cual en verdad resulta mucha gloria y honor para la Francia, sea enteramente mala, pero como tampoco la creemos enteramente buena, mejor sería para la gran suma de los conocimientos humanos que cada país conservara sus costumbres, se entiende las buenas, y su literatura su tipo especial. En verdad que no deja de causar un profundo sentimiento para los que hablamos el idioma español el ver que las inteligencias de nuestros poetas se avasallan, hasta el grado de que los grandes maestros del drama se han convertido en serviles imitadores. Con excepción de Zorrilla y de algunos otros que de vez en cuando elaboran un drama caballeresco, y de Bretón que con una monotonía imperdonable y provenida acaso por una pereza en el pensamiento, nos pinta con bastante naturalidad algunas de las costumbres modernas, los demás poetas y dramaturgos españoles no hacen más que traducciones y arreglos, refundiciones e imitaciones del teatro francés, romántico hasta el fastidio y exagerado hasta la inverosimilitud. Estas observaciones nos las sugirió la representación del drama del señor Navarrete y Landa titulado *Un matrimonio a la moda.* Lenguaje, personajes, fábula, todo, absolutamente todo es francés, sin que por esto neguemos que dejen de acontecer en todas las sociedades del mundo los trances que se desenvuelven en el drama de que nos ocupamos.

El carácter del papel que desempeñó el señor Juan de Mata se nos figuró que no es carácter del español de provincia, mas como no hemos estado en España acaso nos equivocaremos en esto. Con todo y los defectos que hemos ligeramente indicado, la comedia del domingo fue una de las mejores de la temporada. La señora Cañete lo hizo perfectamente y el señor Manuel Fabre como estuvo en su cuerda no dejó nada que desear.

26 de octubre de 1849

El bufón del rey. Costumbre es muy arraigada en los actores que trabajan en nuestros teatros escoger para sus beneficios funciones de bien escaso mérito. De lo único que se preocupan en semejantes casos es de dar mucho aunque todo sea muy malo, y es tan exacta esta observación que por regla general puede asegurarse que todo beneficio es malo. Sin embargo, el del señor Fabre ha sido una brillante excepción de esa regla. En vez de dos o tres piezas insustanciales y ridículas, escogió una de bastante mérito: la que ha escrito el célebre Alejandro Dumas con el título de *El bufón del rey*, sacada de una de sus mejores novelas históricas. La traducción, lo mismo que la ejecución, merecen alabanzas. Tenemos que ocuparnos ahora de lo ocurrido con motivo de la denuncia que hizo del drama el capitular que presidía en el teatro. Por más que hemos fijado nuestra atención en las palabras que pudieran tener una significación contraria, bien a las creencias religiosas, o bien a la moral, bien a las buenas costumbres, nada hemos encontrado digno de ser calificado en esos términos. *El bufón del rey* es un drama en el que poco o nada puede tildar con fundamento la más severa censura, y estamos seguros de que es más inocente que las cuatro quintas partes de las piezas que se representan en el teatro noche por noche sin que traten de prohibirlas las autoridades. Exponemos aquí nuestra opinión con entera franqueza sin temor de que se nos tache de inmorales, porque en vez de ser omisos en los cargos de los censores por los pases dados a otras piezas dramáticas que hemos creído peligrosas, acaso hemos pecado por el extremo contrario mostrándosenos sobremanera nimios y escrupulosos. Que salgan frailes en una comedia es una cosa que se ve con sobrada frecuencia y esto sólo jamás puede servir de fundada acusación de inmoralidad. Tampoco sería reprensible ni aun que se representasen dominados por algún vicio, tanto porque es preciso que en esa clase haya algunos vicios como los hay en todas en que están divididos los hombres, cuanto porque de allí no resulta ataque alguno a nuestra religión, que debe venerarse con el más profundo respeto sin permitir que en manera alguna se desacredite, pero ni aun eso mismo de que acabamos de hablar se encuentra en *El bufón del rey*, donde sólo nos presenta el autor a un lego gastrónomo y dormilón. Muchas comedias podríamos citar en que se pinta a esos hermanos con peores defectos, pero nos contentaremos con la famosísima de *El diablo predicador*, que a nadie se le ha ocurrido tachar de inmoral. Damos aquí punto a esta materia porque la defensa es excusada cuando no se fundan los puntos de la acusación. El cargo de que el drama es contrario a la religión o a la moral, es demasiado vago; si se señalaran las partes en que se ocultan esos ataques que nosotros no hemos podido descubrir, entraríamos a su examen para

537

sostener nuestro juicio o para confesar nuestro error, porque no somos de los que se casan con sus opiniones sin que haya quien los apee de su burro. Denunciado el drama por el juez del teatro, pasó por orden del Gobierno del Distrito a consulta de nuevo censor, y como la opinión de éste fue enteramente conforme a la de su compañero, no se ha permitido la repetición de *El bufón del rey.* La empresa debe darse de santos de lo ocurrido porque basta que se haya intentado prohibir la representación de esa pieza para que la gente se agolpe a verla cuando se vuelva a dar. Tal es el efecto que producen siempre las prohibiciones. La naturaleza humana es tan perversa que desde que el mundo es mundo, es decir, desde nuestra madre Eva hasta nuestros días nada es tan grato y apetitoso como el fruto vedado.

Tortolita
3 de noviembre de 1849

Teatro Nacional. Domingo 4 de noviembre de 1849, por la noche. Drama original en prosa y dividido en cinco actos, escrito para nuestra escena por un joven mexicano y cuyo título es *Valentina.* Para finalizar el espectáculo se bailará la *Tarantela napolitana.*

Valentina. Drama en cinco actos y en prosa por don José Ignacio de Aniévas. Mientras a un pueblo se le dice: "Eres incapaz de nada; no tienes ni hombres políticos ni militares denodados, ni poetas ni literatos, ni gobierno ni esperanza de remedio", ese pueblo no adelanta efectivamente nada. El modo de corregir no es ofender ni humillar, sino aconsejar. Desgraciadamente después de la invasión americana se ha fijado en la idea de ciertos hombres la idea de que no servimos para nada y que no tenemos remedio, y esta idea es la que infunde el desaliento y la apatía. Y si es cierto que vamos por una pendiente peligrosa, también lo es que no procuramos hacer el menor esfuerzo para salvarnos. La prensa, con pocas excepciones, ha secundado esta funesta máxima y han desaparecido aquellos escritos luminosos, aquellas palabras de consuelo que en otras ocasiones han vertido los escritores públicos para reanimar la esperanza perdida, para devolver a los ciudadanos el aliento y la fe. Las diatribas personales, los ataques a la vida privada, las calumnias más groseras, las más absurdas contradicciones, el veneno de los partidos políticos derramado en los escritores en escritos anónimos, esto es lo que en con honrosas excepciones se encuentra hoy en la prensa mexicana, que parece tener la más negra misión de aniquilar todo sentimiento de patriotismo y de honor, que cumplir con el deber sagrado de ilustrar al pueblo y de guiarlo por el buen camino.

Así, cuando vemos a honrados funcionarios ser víctimas de la moda del tiempo y servir sin embargo con celo, a jóvenes laboriosos que sin esperanza de recompensa se dedican a cultivar la literatura, a escritores pundonorosos que cumplen con sus deberes, nos llenamos de gusto porque pensamos que no se han extinguido en el país las buenas semillas de la verdadera ilustración y porque exentos de la ruin pasión de la envidia, todo lo que se hace en cualquier sentido en beneficio y honor de México, lo consideramos como si se hiciera en beneficio y honor nuestro. Así hemos entendido nosotros el patriotismo; puede ser que estemos equivocados. Merced al poco concepto que tenemos de nosotros mismos, desde que se anunció la representación del drama de un mexicano se despertó la curiosidad pública. Desde que murieron Calderón y Rodríguez Galván, nadie se ha dedicado a las composiciones dramáticas y a fe que con razón, porque no habiendo establecida, como en Madrid, recompensa pecuniaria alguna, no pueden hacerse estos ensayos sino por hombres que posean una fortuna independiente. Los que viven de su trabajo personal, apenas pueden dedicar a la literatura los ratos de ocio que les dejan libres las ocupaciones a las que están dedicados. Además, suele decirse todavía por algunos cuando se quiere agraviar: "es poeta, compuso un drama, escribió una novela", como se diría: "se jugó los caudales de la familia, abusó de la confianza de su jefe o de su principal".

Después de lo expuesto, el hecho sólo de ponerse a escribir un drama merece los más grandes elogios, y nosotros tributámoselos al señor Anievas, y confesando que la obra más difícil de la literatura es la comedia y el drama, vamos a exponer nuestro juicio con franqueza y con imparcialidad. Comenzaremos por dar una idea ligera del argumento: Valentina es una pobre huérfana cuya madre murió al darla a luz. Este suceso pasó en un mesón donde se hallaba una mujer caritativa que recogió a Valentina y la crió como si fuese su hija. Los años desarrollaron la belleza y la virtud de Valentina, y hermosa y bella no le faltó como debe suponerse, ni a ella un novio ni a la mujer que la crió un viejo rico con quien casarla. Valentina, enamorada de Eugenio, rehúsa casarse con don Bruno, a pesar de las reprimendas de la anciana Gertrudis, que en un momento de incomodidad le revela que no es su madre. Don Bruno trata de rendir la plaza por hambre. El casero se presenta a embargar los muebles y a echar de la casa a Valentina y a su madre adoptiva. Don Bruno, por cuya dirección se hace esto, se presenta oportunamente y ofrece a las pobres mujeres una casita en San Cosme. La vieja acepta pero Valentina calla y sospecha una traición. para poner a cubierto su honor que ve amenazado, resuelve marcharse de la casa, pero los viejos, que han salido, han cerrado la puerta. Felisa, una leve costurerilla que vivía en la vecindad, viene en su auxilio: abre con un cuchillo la puerta y las dos palomas se escapan. ¿Dónde van? A la casa de una señora marquesa del Saud, donde Felisa cosía ropa y vendía flores artificiales. Felisa obtiene de la señora marquesa que reciba a Valentina en su casa. Pero Eugenio, el amante joven a quien Valentina adoraba, era nada menos que hijo de la marquesa del Saud, la cual, guiada por las preocupaciones aristocráticas, quería un enlace de familia, es decir, que su hijo se casara con una prima rica, es verdad, pero frívola e insustancial, orgullosa y sobre todo a quien Eugenio no amaba, pues estaba verdaderamente enamorado de Valentina. A la casa de la marquesa concurre un anciano español enfermo de la vista y que habita el entresuelo; este español fue expulsado de la república y tuvo, como muchos buenos hijos de Iberia que habitaban pacíficamente el suelo de México, que abandonar sus intereses y su familia y dirigirse a Nueva Orleans, donde recibió la noticia de la muerte de su esposa. Esta esposa había sido la madre de Valentina. Padre, hija y amante van a encontrarse todos reunidos, y el interés sería muy grande si el autor hubiese tenido un poco de más cuidado para ocultar el desenlace, que el público adivina desde el tercer acto.

La complicación de la trama proporciona al autor una situación muy dramática y llena de naturalidad. La prima orgullosa a quien cortejaba un elegantuelo llamado don Luisito, sorprende a Eugenio a los pies de Valentina. En vez de tener una escena de celos y de reconvenciones, medita una venganza absolutamente femenil. Es el santo de Eugenio y en la casa hay un magnífico baile, y Valentina, a instancias de la marquesa que le preparaba un asilo en un convento, sale a la antesala a observar el sarao. Allí es donde Eugenio la ha encontrado y ha sido sorprendida por su rival, y allí es donde va a ser humillada. Trae desprendida una flor del vestido la prima, quien sale buscando a una costurera que se llama Valentina, y la obliga delante de su amante y de muchas señoras, a que cosa la flor, para lo cual tiene que ponerse de rodillas. Entonces la prima le dice a Eugenio: "Mira a mis pies a la miserable costurera, a la mujer que tú has preferido." El quinto y último acto es el desenlace del drama que como hemos dicho se adivina desde el tercer acto. El anciano español es el padre de Valentina y la reconoce por un retrato que le encontró a la madre al tiempo de morir la anciana que educó a Valentina. Don Luisito y la prima se casan, y Eugenio, buen hijo y caballeroso amante, recibe con la mano de Valentina el precio de su constancia y sufrimiento. El viejo enamorado que pretendía extraer a Valentina de la casa en virtud de una orden judicial, queda burlado. La vieja Gertrudis se arrepiente de las faltas que la ambición la había obligado a cometer. Éste es en compendio el argumento de la pieza de que nos ocupamos y omitimos algunos pormenores por no hacer difuso este artículo.

Sin tener a la vista el manuscrito es imposible analizarlo con exactitud, pero en la representación notamos algunos defectos que aún podría corregir el autor. Los dos primeros actos son muy lánguidos y podrían reducirse a uno solo. Los monólogos, que son considerados siempre por los maestros del arte como defectuosos, abundan mucho, aunque es menester decir en obsequio de la verdad que son cortos. Las palabras que el español enfermo de la vista dice al encontrarse con Valentina en casa de la marquesa de Saud, destruyen el efecto que debía producir la escena del reconocimiento entre el padre y la hija. Algunos de los caracteres están solamente bosquejados y necesitaban algunas tintas más fuertes. En compensación de estos defectos la pieza tiene bellezas que demuestran las buenas facultades del autor, y los personajes son por lo general simpáticos y de excelentes sentimientos. El público aplaudió bastante al autor y lo llamó dos veces a la escena. Esta recompensa, la única a que en México puede aspirar un poeta, estimulará al señor Anievas, y acaso dentro de algunos días le veamos otra superior a *Valentina*. Los actores se esmeraron mucho en hacer lucir la composición de un mexicano, y nosotros a nombre del público les damos las gracias y les tributamos los sinceros elogios a que son acreedores por su talento.

El Siglo
9 de noviembre de 1849

Representación dirigida al Congreso por la empresa del Teatro Nacional. Señor: Personas tan ilustradas como las que componen nuestros cuerpos legisladores, no pueden ignorar que en todos los países cultos los gobiernos dan una señalada predilección a la protección de los espectáculos públicos, porque ellos son el solaz del hombre después del trabajo; ellos hacen los goces inocentes que el hombre puede tener en una vida de afán y de lágrimas, y si los déspotas los fomentan para distraer a los súbditos avasallados de la condición en que viven y de la tentación de sacudirla, los gobernantes ilustrados hacen con ellos demostración del reinado de las leyes y de la libertad. Entre los espectáculos ha sido siempre objeto de la solicitud de los gobiernos el teatro de representación, como que no es un simple y estéril entretenimiento; él importa una escuela cuando como en el nuestro tiene en la autoridad puesta una censura previa que impide se convierta en corrupción; él es un estudio de los usos de los diversos pueblos, una doctrina viva que exalta la virtud y proscribe el vicio con la más poderosa de las armas: la risa; él, en fin, forma el buen gusto y las costumbres y revela al extranjero el grado de civilización de un pueblo. Éstas son las razones porqué en todas partes es protegido por los gobiernos, y ha habido épocas en que lo ha sido igualmente por el nuestro. Por los años de 1827 el empresario no era otro que el Excmo. Ayuntamiento y fue la época en que todos sus ramos lucieron con mayor brillo, sobre todo la ópera y el gran baile. En 1830 se dio una ley para que el erario nacional ayudase con 20,000 pesos anuales al esplendor del teatro, y por cuenta del mismo erario se hicieron venir de Europa actores y utensilios, y música para la gran ópera italiana. Estas observaciones, señor, no tienen por objeto que hoy se haga lo mismo. Los que suscribimos conocemos el estado de la cosa pública y lo deploramos como buenos mexicanos. Nuestra pretensión no es que se le dé al teatro; se limita a que no se le quite. Debiéndolo proteger el gobierno mexicano y hallándose imposibilitado de hacerlo por hoy de otra manera, pedimos que ésta sea su protección. En esta capital no hay una población flotante de entrantes y salientes que diariamente frecuentan los teatros de las capitales de Europa y en los que por consiguiente se puede hacer por quince o veinte días seguidos la representación de una misma pieza a concurrentes siempre nuevos. En los nuestros son unos mismos siempre los espectadores en todas las noches del año y unos mismos los actores, de lo que resulta que por no fastidiar al público y querer darles espectáculos constantemente variados, necesiten los actores un estudio ímprobo, sin descansar un instante del día y de la noche y sin más alternativa que dejar el estudio sólo para ir al ensayo y salir del ensayo de una pieza para estudiar a solas el papel de otra nueva, como que el público no sufre una repetición en la semana y una pieza se envejece a las dos representaciones.

Los sueldos de los actores están muy lejos de corresponder en proporción a tanto trabajo. Las funciones extraordinarias de las notabilidades que visitan eventualmente nuestro país, disminuyen, si no quitan del todo, las utilidades que esperaban tener los expresados actores en sus beneficios, el sueldo se les va en la provisión de un guardarropa que exige la variación de las piezas y el respeto al público de esta capital. Si a todo esto se agregan las contribuciones, la ruina de la compañía es infalible y no les espera otro porvenir que la miseria cuando la edad no les permita ya agradar al público, esto en pago de haberlo agradado, de haber tal vez servido con esmerada ejecución alguno de los altos designios de los gobiernos. Es pues nuestro deber como empresarios del Gran Teatro que posee esta hermosa capital, el procurar el bien de nuestra compañía que toda en lo general y cada uno en particular se han esmerado en cumplir más allá de lo que debieran, y de que vuestra soberanía tenga a bien acordar su augusta protección con sólo eximir a todos los actores de la contribución directa que pesa sobre sus sueldos, suplicando a la vez que su resolución sea pronta y dispensando los trámites de reglamento. En ello recibiremos merced y el soberano Congreso mexicano acreditará que no es inferior a los soberanos de otros países civilizados ni inferior a sí mismo en otras épocas. México, 28 de noviembre de 1849. Miguel Mosso y Leandro Mosso.

2 de diciembre de 1849

Desorden en el teatro. Hace muchas noches que el público no deja acabar las comedias, parte por capricho de los cócoras y parte por culpa de los directores de escena que ponen piezas repetidas y fastidiosas. La que se dio anoche fue una de las que corrieron esa suerte y como a consecuencia de los últimos sucesos estamos sin Ayuntamiento, no hubo juez de teatro. En consecuencia, el oficial que mandaba la fuerza de policía era la única autoridad existente allí, porque el señor gobernador del Distrito no pudo llegar oportunamente. El susodicho oficial viendo que el público no quería contenerse, cometió la gravísima imprudencia de meter a sus soldados al patio y de mandarles preparar las armas. El desorden que por tal motivo hubo fue escandaloso y dejamos a la consideración de nuestros lectores las desgracias que podrían haber ocurrido si los soldados hubiesen llegado a hacer fuego sobre los espectadores. La prudencia del señor comandante general y del señor jefe del Estado Mayor, contuvieron el mal haciendo retirar a los soldados de policía, con lo cual el público se conformó ya con no dejar que acabase la representación. Recordamos que por un suceso semejante ocurrido en el Teatro Principal, se quitó por muchos años la costumbre de que fuera fuerza armada al coliseo. No creemos nosotros que deban llevarse las cosas a ese extremo, pero si han de cometerse aberraciones como la de anoche, más valiera pasar por los otros inconvenientes, porque cuando el público se limita a meter bulla, por más terco que sea nunca debe tratar de reprimírsele a balazos.

6 de diciembre de 1849

Gran Teatro Nacional. Compañía Montplaisir. Deseando esta compañía complacer los deseos y pedidos de infinidad de aficionados a los magníficos bailes que deben comenzar el día 22 del corriente, de amoldarse a las trece funciones que ha acordado dar en esta temporada, tiene el honor de participarles, así como al ilustrado público, que queda abierta la suscripción de abono en la contaduría de la derecha de este teatro, todos los días. Precios para cada una de las trece funciones: Plateas, 10 pesos. Palcos primeros, 10 pesos. *Idem* segundo, 8 pesos. *Idem* terceros, 6 pesos. Lunetas, 1 peso 4 reales. Balcones, 1 peso 4 reales. Galería, 4 reales. Precios por las trece funciones: Plateas y palcos primeros, 125 pesos. *Idem* segundos, 100 pesos. *Idem* terceros, 75 pesos. Lunetas y balcones, 16 pesos. Galería, 5 pesos. Nota: Los niños pagarán la mitad de los precios de entrada.

Teatro. Es muy notable el disgusto que reina entre los abonados al Nacional por las pocas consideraciones que se les guardan. Sus quejas son ya muy repetidas y vamos a manifestar de qué provienen. En primer lugar, les molesta sobremanera que hayan pasado tantas semanas sin tener comedias nuevas en sus funciones de abono. La disculpa alegada por la empresa es muy obvia: siendo nuevas las comedias que se dan en los beneficios, no pueden darse otras. Eso es cierto pero quiere decir que los abonados tienen o que sufragar gastos extraordinarios de consideración o que no ver sino comedias viejas, repetidas y fastidiosas. Como cualquiera de ambos extremos les es perjudicial no puede negarse que su reclamación es fundada en esta parte y más cuando ese abuso ha continuado aun en el presente mes de abono, sin embargo de haberse anunciado que dejarían de estar tan mal servidos. Pero lo que más que nada los ha disgustado, y no sólo a los abonados sino también a los propietarios, son los abusos para las funciones de la compañía Montplaisir. En primer lugar los precios de abono que se han señalado son excesivamente caros y no recordamos que en época alguna hayan costado tanto las funciones en que se han presentado notabilidades de primer orden en diversos ramos. En segundo lugar, es de mucho rigor que los propietarios y abonados conserven su lugar para trece funciones que se van a dar, sujetándolos a la dura condición de perderlas después de estarlas pagando todo el año para el ramo de verso, si no quieren o no pueden tomarlas más que para cuatro, seis u ocho funciones. Lo que se está haciendo ahora es muy parecido a lo que se hizo cuando los conciertos dados por Herz en La Lonja, y ya vimos cuáles fueron los resultados. Lo que sería muy conveniente de hacer en estas circunstancias sería dividir las trece funciones en dos o tres abonos para dejar a los propietarios y aun a los abonados de ir sólo a las que quisieran. Con las localidades que queden libres puede hacerse lo que se quiera pues no existe compromiso alguno anterior, pero con las que están tomadas el caso es diferente y deben guardarse a sus dueños las consideraciones de que son tan dignos. Por último, se hacen consistir todos estos abusos en el monopolio que se ejerce en nuestros teatros haciendo imposible una competencia que redundaría en provecho del público, porque si fueran varios los empresarios, cada cual ofrecería más ventajas en su local para atraerse a la concurrencia, y en esto debería haber verdadero deseo de tener contentos a los abonados para que no hagan esas observaciones perjudiciales a la empresa. Nosotros la excitamos a que por sus propios intereses atienda estas indicaciones; de lo contrario el disgusto que existe y del que hemos hablado dará por resultado final precisamente el contrario del que la empresa se propone, es decir, que disminuirán considerablemente las entradas.

17 de diciembre de 1849

Gran Teatro Nacional. Función a beneficio de la señorita doña María de Jesús Moctezuma, para la noche del 19 de diciembre de 1849.

Comenzará la teatral
función de esta señorita,
con esta comedia bonita:
Un corazón maternal.

Otra pieza encantadora
bailarán a continuación
en su preciosa función,
y es *La Diana Cazadora.*

545

Deseosa de complacer
a su público sensato,
habrá otra pieza en un acto:
El hijo de mi mujer.

Y por fin de la función,
que sin duda habrá agradado,
bailará con atención
de Cádiz *El zapateado.*

Teatro Nacional. Compañía Montplaisir. Primera función para el sábado 22 de diciembre de 1849. Primera representación del baile pantomímico de N. Bartolomeu en dos actos *L'Aimée o un sueño de oriente.* La señora Adela Montplaisir desempeñará el papel de Aimée y el señor Montplaisir el de Nadir. Reparto: Nadir, joven sultán árabe, señor Montplaisir. Zisco, egipcio, músico, señor Corby. El Kedir, primer visir enamorado, señor Cornet. Abdaláh, jefe del serrallo, señor Grossi. Yousoff, pirata, señor Wietoff. Haydée Aimée, bayadera, señora Adela Montplaisir. La sultana favorita, señorita Bulan. La escena pasa en la Arabia feliz. Este baile concluirá con el brillante paso a dos *La zingarilla,* bailado por la célebre pareja Montplaisir. El espectáculo comenzará con el baile cómico en un acto de Alexiz Blache, *El spleen, la desesperación del vino de champaña.* Lord Crokford, señor Corby. Lord Smith Clarenton, señor Grossi. Macgregor, lord escocés amante de Ana, señor Cornet. Sir MacDonald, señor Wietoff. Señora MacDonald, su esposa, señora Sevilla. Ana, su hija, señorita Bulan. Convidados, doméstico, jockeys. En el curso del baile el señor Corby bailará *El embajador inglés.* La función comenzará a las ocho con una brillante obertura a toda orquesta dirigida por el señor Chávez.

Teatro del Pabellón Mexicano. Éste es el nombre de un teatro nuevo que se ha construido en la calle de Arsinas y en el que ha comenzado a trabajar una compañía de verso de veintiún actores. Hay también dos parejas de canto y dos de baile.

23 de diciembre de 1849

Gran Teatro Nacional. Compañía Montplaisir. Segunda función de abono para el miércoles 26 de diciembre de 1849. *La Sílfide,* baile pantomímico en dos actos de Paglione, música de Schneitzhoffer, de la

546

Academia de París. La célebre pareja Montplaisir desempeñará los principales papeles. La función se terminará con el gracioso juguete español sobre la sinfonía de *El dominó negro*, titulado *La maja de Sevilla*, bailada por la señora Adela Montplaisir, como lo ejecutó en el Teatro del Príncipe de Madrid, acompañada de los señores Montplaisir, Corby, Wietoff, Cornet, las señoras Bulan, Blondeau, Sevilla y cuatro parejas.

Compañía Montplaisir. Anoche ha dado su segunda representación. El salón estaba más concurrido que la primera, es decir, lleno de gente, tanta que no podía ya caber más. Los aplausos a todos los artistas de la compañía, en especial al gracioso Corby y a la célebre pareja Montplaisir, fueron tan repetidos como justos, pues cada vez dan nuevas pruebas de su extraordinaria habilidad. De las dos partes en que se dividió la función, la primera, que fue el baile pantomímico *La Sílfide*, es verdaderamente notable. Las últimas escenas sobre todo están llenas de poesía y conmueven el corazón como pudiera hacerlo una música melancólica. La segunda parte, *La maja de Sevilla*, es también sobresaliente, aunque de distinto género. Agradó tanto al público que la hizo repetir íntegra, interrumpiéndola a cada paso con aplausos y bravos.

27 de diciembre de 1849

Gran Teatro Nacional. Compañía Montplaisir. Tercera función de abono para el sábado 29 de diciembre de 1849. *Frissac*, baile burlesco en un acto. Esta parte concluirá con el paso a dos grotesco, *El oso a la moda,* bailado por los señor Corby y Wietoff. Después se pondrá en escena *La ilusión de un pintor*, entretenimiento en dos cuadros del señor Perrot. La señora Adela Montplaisir desempeñará el papel de la condesa. El señor Montplaisir el del joven pintor. La señora Bulan el de la hermana del pintor. En el segundo cuadro bailará la célebre pareja Montplaisir un paso a dos serio. La función se terminará con el precioso baile en un acto *El marinerito*. La señora Montplaisir desempeñará el papel del marinerito. Esta pieza concluirá con el brillante paso *La polka nacional*, compuesta y bailada con universal admiración en todos los principales teatros de Europa por la célebre pareja Montplaisir.

1850

Compañía Montplaisir. Cuarta función de abono para el miércoles 2 de enero de 1850. Para este día se ha dispuesto una brillante función que guardará el orden siguiente: Se pondrá en escena el hermoso baile en dos actos y tres cuadros titulado *Ketli o la rosa de los montes*. La señora Adela Montplaisir desempeñará el papel de Ketli y el señor Montplaisir el del barón. En el tercer cuadro la pareja Montplaisir bailará un brillante paso a dos serio. A continuación se ejecutará el gracioso juguete cómico titulado *Lola Montes y el rey de . . .* , por los señores Corby y Wietoff. Concluirá la función, a pedido de los señores abonados que no asistieron la noche del sábado, con *La polka nacional,* bailada por la célebre pareja Montplaisir.

La pata de cabra. Esta famosa comedia de magia que ha sido un banco de plata para las empresas, vuelve a estar de moda y anuncia una nueva bonanza. Mañana va a representarse en el Teatro Nacional refundida y reformada, con vistas, decoraciones y tramoyas nuevas. El encargado de esta transformación es el pintor maquinista M. Rivière, que lo ha sido del Teatro de la Puerta de San Martín de París, y de cuya habilidad poco común hemos oído hablar en los términos más lisonjeros. Al juzgar de ella mañana esperamos que no queden desmentidas esas alabanzas.

2 de enero de 1850

La pata de cabra. El jueves volvimos a ver esta famosísima comedia a la que cabe la gloria de haber sostenido con un éxito siempre brillante el mayor número de representaciones que cualquiera otra de las piezas dramáticas dadas en esta capital. En esta vez contaba en su abono con el incentivo de algunas novedades que justamente debían excitar la curiosidad del público. Habíase anunciado la comedia con dos cuadros nuevos y anunciádose grandes innovaciones en la interesante parte de la maquinaria y tramoyas, de que se anunció estaba encargado el actual pintor maquinista del teatro M. Rivière, que lo fue en el año anterior del que existe en París con el nombre de Puerta de San Martín. Fácil era prever en vista de estos antecedentes que la concurrencia sería numerosísima. Así sucedió en efecto: no solamente estaban ocupadas las localidades de todos los departamentos, sino que en el tránsito de las diversas entradas del patio había sillas obstruyendo, a pesar de estar esto prohibido. En los palcos terceros había más gente de la que cómodamente podían contener, y la galería alta materialmente se venía abajo no viéndose más que cabezas en cada una de sus divisiones. ¡Oh afortunadísima *Pata de cabra*! Si la empresa fuera agradecida debería levantarte una estatua en testimonio de gratitud.

Inexcusable sería la necesidad de hablar de una comedia que no hay quien no sepa de memoria. No lo haremos, pues, sino de las novedades. Los dos cuadros añadidos son originales del pintor M. Rivière y traducidos por don Carlos Hipólito Serán. Aunque bien escritos y no exentos de la gracia y la sal que distinguen al traductor, son desmesuradamente largos, principalmente el primero, y casi casi tocan en fastidiosos. Nótase más este defecto porque siendo la comedia bastante larga de por sí, con semejantes agregados se hace pesadísima. Por eso creemos muy acertado que supuestas las innovaciones referidas, los dos cuadros y algunas escenas de la comedia se redujesen a menores proporciones. No dudamos que así producirían mucho mejor efecto. Entre las tramoyas merece especial recomendación la de la caja en que se esconde Don Juan en el primer acto; se hizo con mucha limpieza, es muy bonita y produce una ilusión completa. Tampoco debe olvidarse la de uno de los nuevos cuadros, en la que con suma destreza se hace que se saque un gran número de lámparas de una sola. En cuanto a las decoraciones que se estrenaron, nos parecieron de bastante mérito y sentimos que el público se mostrara bastante frío y no hiciera la debida justicia a los indisputables talentos de M. Rivière. Acaso tuvo alguna parte la circunstancia de que varias tramoyas salieron mal ejecutadas por la torpeza de los empleados en hacerlas. Por ejemplo, cuando suben las ninfas en una concha, ésta comenzó a convertirse en góndola muy extemporáneamente. En las cosas que son de pura ilusión, cesando ésta se destruye completamente el efecto. En obsequio de la justicia debemos reproducir aquí la aclaración de que el pintor Rivière no está ajustado como maquinista ni tiene nada que ver con las tramoyas, de cuyo defecto no es por consiguiente responsable.

552

El señor Castro desempeñó su papel con gracia y habilidad, aunque no dejó de recargarlo algunas veces, defecto en que suele incurrir con frecuencia y del que sería oportuno que se corrigiese para obtener un lucimiento completo. Los demás actores lo hicieron bien distinguiéndose don Pedro Viñolas.

El sota-apuntador

9 de enero de 1850

El álbum de Adela Montplaisir. Hemos tenido en nuestras manos esta interesante colección en que se hallan reunidos algunos de los lauros que esta diestra artista ha recogido en diversas naciones. Poesías, dibujos, flores, agasajos de diversos géneros hermosean ese álbum en que se encuentran composiciones de hombres que han adquirido por su mérito gran celebridad. Entre las diversas composiciones en francés, inglés, italiano y español que hemos leído, hemos visto algunas de Zorrilla, de Ventura de la Vega y de Rodríguez Rubí, poetas muy conocidos y populares en México. A continuación reproducimos la de don José Zorrilla:

> Ella es sutil como el aire,
> y como el aire ligera,
> gira en derredor, pasa y huye
> como aparición risueña.
> Flota su falda plegada,
> sus cabellos se destrenzan,
> radían sus ojos ardientes
> luz más viva a cada vuelta;
> y cuando del baile rápido
> más los círculos estrecha,
> más los mágicos hechizos
> de sus perfecciones muestra.
> Y el velo con que sus manos
> primorosamente juegan,
> la variedad de sus formas
> y sus encantos aumenta.
> Y según rápidamente
> le recoge o le despliega,
> le anuda, enlaza, y con él
> o se anuda o se rodea,
> la alegoría que finge
> graciosamente renueva.

Ya es una náyade errante,
ya una Venus hechicera,
ya la Aurora fugitiva
flores derramando y perlas,
ya el Iris tornasolado,
ya la Fortuna inquieta.
    Y su flotante figura,
en ardiente deshecha,
confundidos sus contornos
por su rapidez aérea,
ante los ojos parece
mágica ilusión que vuela
sobre el rumor que producen
sus vestiduras de seda,
y el perfume que despiden
a merced del aire sueltas,
cuando los muebles, pasando,
ligerísimos tropiezan.
    Y gira, y cruza, y resbala,
y los sentidos no aciertan,
si de ella nace el impulso
o el aire sutil la lleva.

José Zorrilla
10 de enero de 1850

Los Montplaisir. Hace unas noches los esposos Montplaisir bailaron
el *Paso del chal,* del que no habíamos visto en México más que una
triste parodia. Ese baile no debe verse sino a la pareja Montplaisir.
Comienza con chistosas posturas y figuras atrevidas, en el que hace su
correspondiente papel un chal de gasa leve y flotante como la seductora Adela. En seguida se bailan solos por los dos esposos y acaba de la
manera siguiente: Adela esparce, bailando, tres rosas por el suelo. Vuelve después al lado de su compañero, quien sosteniéndola ligeramente de
la cintura, la eleva hasta la altura de su cabeza. Allí hace ella una gra-
ciosísima y difícil pirueta y cae al suelo suave y voluptuosamente. Tres
veces se repite lo mismo apareciendo al fin Adela con sus tres rosas
que había dejado caer antes y que tiene en la mano sin que se haya
visto cómo las ha levantado. Por último, los dos esposos separados nuevamente, recorren todo el escenario rápidamente dando unos saltos
ligeros y agraciados y el paso concluye con un grupo de lo más vistoso.

El entusiasmo del público llegó al extremo con el baile del que hemos hecho tan imperfecto bosquejo. Hizo repetir la parte final mientras el teatro resonaba con los bravos que salían de todas las bocas y los aplausos que prodigaban todas las manos. El público tenía razón: a nuestro juicio el *Paso del chal* ha sido lo mejor que en el ramo de baile hemos visto en México y lo mejor que hasta aquí ha ejecutado la célebre pareja Montplaisir. Entendemos que algo tenemos aún que admirar, pero de todos esperamos que no habremos visto por última vez este hermoso paso en que los dos artistas no parece ya que bailan sino que vuelan.

El apuntador
16 de enero de 1850

El Grito de Dolores. Hoy se representa en el Teatro Nacional este drama del señor Losada, con asistencia del Excmo. señor presidente, que es muy justo que concurran los amantes de las glorias de su patria para manifestar su adhesión al gran pensamiento de la Independencia y su consideración al joven poeta que realza en hermosos versos el más notable acontecimiento del país. Sería muy oportuno que los individuos tanto del ejército permanente como de la guardia nacional, asistieran en testimonio de respeto y gratitud al venerable anciano que murió en defensa de nuestros derechos, dándonos el ejemplo más sublime de su consagración a la patria.

20 de enero de 1850

El Grito de Dolores. Cantan los españoles el triunfo de su glorioso 2 de mayo, los mexicanos el inolvidable primer Grito de la Independencia de su patria. Cada nación tiene sus rasgos de magnanimidad que enaltecer, sus recuerdos que trasmitir a la posteridad. El poeta es cosmopolita: donde quiera que resplandece un suceso digno de remembranza, allí lo comenta, y lo regala de nuevo al mundo engalanándole con las flores de la dulce poesía. Hace algunos meses que compuse este drama y las razones que llevo expuestas fueron las que tuve presentes al escribirlo. Motivos que no son del caso explicar impidieron que se pudiera representar en la época en que yo me prometía, motivos de poca importancia para el público porque sólo atañe a la persona en cuyas manos puse *El Grito de Dolores.* Después he visitado esta hermosa tierra y multitud de mexicanos altamente caracterizados han deseado y me han pedido con insistencia la representación de este espectáculo dramático. Yo lo consiento, aunque me pareció más a propósito el 16 de septiembre. Convencido del escaso mérito de este drama, reclamo la general indulgencia. El asunto se presta para la poesía épica, no para la dramática. He creado una fábula por creerla necesaria al interés tetral. Como escritor pundonoroso no he ofendido a los españoles, creyendo un recurso pobre, miserable e indigno de un caballero apelar a los insultos para hacerse aplaudir. Bástanme las glorias del primer caudillo de la revolución mexicana, y si no lo he pintado tal como se merece, culpa será de mi escaso talento, que no de la importancia del personaje. Hidalgo no ciñó la corona del triunfo porque entre dos hermosas palmas, la suerte le deparó la del martirio. He suplicado la general indulgencia, porque los hombres que me conocen saben ya que soy franco, y si alguno pensare que esta ingenua producción más que por modesta peca por hipócrita, júzgueme como quiera: a ése le contestaré como cierto publicista: "Como otros tantos, tengo el derecho de delirar y de publicar mis delirios."

Juan Miguel de Losada
19 de enero de 1850

El Grito de Dolores. Tuvimos anoche la satisfacción de asistir a este drama del distinguido poeta habanero dan Juan Miguel de Losada. No nos ocuparemos de él con la severidad del crítico, porque el mismo autor ha sido el primero en confesar que el asunto no se prestaba para la poesía dramática y que su objeto se había reducido a hacer una complicación de versos patrióticos. Nosotros sólo agregaremos que esos versos son hermosísimos y hacen al señor Losada justamente merecedor del dulce nombre de poeta. El público interrumpió varias escenas con sus aplausos, repitiéndolos al final del drama y haciendo presentar al autor en las tablas. Al presentarse se oyeron dos o tres silbidos, y se nos ha asegurado que los que cometieron tal hazaña faltando aun a las reglas de la buena educación, fueron de los mismos que silbaron también a nuestro inteligente y malogrado Rodríguez Galván cuando se representó su drama titulado: *El privado del virrey*. El señor Losada debe estar satisfecho que los silbidos del odio y de la envidia no puedan empañar el lauro a que es acreedor. Acaso los hubo porque no faltó quien atendiera la indirecta que encierran los siguientes versos puestos en boca del cura Hidalgo:

556

En este instante, el traidor
le colgara de una encina,
mas decretando su ruina
provocar debo el furor
de un partido... Y Aldama,
no faltará quien un día
insulte la sombra mía
y eche un borrón en mi fama.
    Si al levantar en facción
bisoño ejército fiero,
el negro epíteto espero
de forajido y ladrón...
¡Ladrón! ¡Forajido! Miente
quien mancha de Hidalgomel brillo...
que venga a ser el caudillo
de que se juzgue valiente.
    ¡Ah! Solo, sin disciplina,
las huestes que yo levanto,
¿qué puedo hacer? ¡Y hago tanto!
El cielo así me destina
para que el rígido yugo
quebrante del despotismo,
y ruede hasta el hondo abismo
nuestro opresor y verdugo.

Durante la ejecución del drama se tiraron en obsequio del autor varios versos.

21 de enero de 1850

Teatro Nacional. Novena función de abono para el miércoles 23 de enero de 1850. Compañía Montplaisir. Primera representación del baile dramático en tres actos y cinco cuadros, intitulado *Esmeralda o Nuestra Señora de París.* El argumento de este baile es tomado de la célebre novela de Víctor Hugo que llevo ese título, por M. Perrot, y la música por M. Pugny. La señora Adela Montplaisir desempeñará el difícil papel de Esmeralda y el señor Montplaisir el de célebre poeta Pedro Gringoire.

Esmeralda o Nuestra Señora de París. ¿Quién no ha leído la hermosa novela de Víctor Hugo, la de *escenas palpitantes,* como es moda decir hoy, la de las diestras y complicadas pinturas de varios géneros de amor, la que encierra los complicados caracteres de Esmeralda, la gitanilla, la hechicera, la celestial; de Claudio Frollo, el arcediano de pasio-

557

nes violentas e irresistibles; de Quasimodo, el monstruoso enano que da "una lágrima por una gota de agua" y encierra una alma bien distinta de su cuerpo horroroso y deforme? Imposible era no asistir a la función. Dimos nuestra boleta a la entrada, pasamos al salón y nos instalamos. ¡Qué afluencia de gente! ¡Qué barullo para llegar al asiento tomado y quitar al que lo ha asaltado militarmente! ¡Qué dificultades para conseguir de los acomodadores ya el cojín, ya los anteojos, ya el cuadernillo en que se explica la parte pantomímica del baile! En una función de tanta concurrencia, de principio a fin hay la mayor animación.

Como debe suponerse, el baile se parece a la novela como un huevo a una castaña, pero ello es que se ha sacado el mejor partido posible del asunto y que Esmeralda tiene tantos apasionados que como hemos visto ha sostenido con buen éxito varias representaciones, Diremos cuatro palabras acerca del cuadro final que es sin contradicción el más interesante. Se acerca la procesión de los locos: en unas andas viene Quasimodo que ha merecido por su fealdad ser encumbrado a la categoría de rey. Allí lo tenéis con su tiara, con su manto papal, con sus otros adornos pontificales, con su figura repugnante y monstruosa. Truhanes, gitanos, gente del pueblo forman su acompañamiento y bailan, se agitan y forman una algazara infernal, De repente interrumpe su regocijo el lúgubre sonido de una campana funeraria, y por la puerta del Chatelet presidida de los ministros de justicia, de penitentes, de comunidades, de soldados y del verdugo, aparece Esmeralda, que ha sido sentenciada a muerte por el asesinato de Febo. Pálida y desfigurada apenas puede andar y sostenerse; sus piernas flaquean, sus rodillas tiemblan; parece que va a expirar antes que el hacha fatal separe su cabeza de los hombros. No es ya la joven tan inocente como alegre y bulliciosa que arrastra a todo París tras su pandero; no es ya la bailarina que asombra con su agilidad y su destreza: es un ángel que dentro de pocos momentos va a comparecer ante el trono de Dios. El momento del suplicio ha llegado: el verdugo pone su tosca mano en los delicados miembros de Esmeralda. En aquel momento aparece Febo, a quien se creía muerto y viene a desmentir la acusación del arcediano y trae a más el indulto que el rey ha concedido a su amada. Todo varía en el momento, tornándose en baile, fiesta y regocijo el duelo general. El efecto que ha producido la sobresaliente representación del cuadro final, ha sido extraordinario. La escena en que Esmeralda marcha al suplicio es tan patética que las lágrimas asomaron a los ojos de los espectadores. Adela Montplaisir ha conquistado un nuevo triunfo haciéndonos ver que es tan maestra para bailar como para expresar en lenguaje pantomímico los más diversos sentimientos del alma. Imposible sería no hacer también especial recomendación de su esposo, y también del inimitable Corby. ¿De qué es ese hombre? ¿De carne y hueso o de trapo, o de gozne y de goma elástica? Ni viéndolo se puede concebir cómo hace que su cuerpo tome con tanta naturalidad las dimensiones y posturas más forzadas.

27 de enero 1850

A ninguna de las tres. Algún tiempo lleva de no reprentarse esta divertida comedia de nuestro malogrado Calderón, sobre la que varias veces ha ejercido la crítica su censura. En nuestro concepto peca por la falta de originalidad del argumento y por la lentitud de la acción, pues la comedia toda está reducida a conversaciones entre sus personajes, sin intriga ni complicación de ningún género. Pero en compensación de estos defectos encontramos fluida y dulce la versificación, caracteres bien trazados, pues aun la exageración de que adolecen es permitida cuando se trata de ridiculizarlos. El diálogo es siempre animado y una crítica sana y juiciosa. En el desempeño sobresalió el señor Antonio Castro. El papel de Don Carlitos ha sido siempre uno de los que interpreta mejor; en la escena en que se siente romántico acostumbra a remedar a los actores de mejor nota que hemos visto, y lo hace con tal gracia y tal naturalidad que merece ser aplaudido.

1º de febrero de 1850

Teatro Nacional. Miércoles 6 de febrero de 1850. Función extraordinaria a beneficio de la señora Adela Montplaisir, primera bailarina absoluta de los principales teatros de Europa y América. Esta representación la señora Montplaisir la ofrece al público como una prueba del deseo que la anima de agradar a todos los que quieran honrarla. Al mismo tiempo, el señor Montplaisir da las gracias a los señores y señoras artistas de la compañía dramática, a los señores Coenen, Martínez y a las señoritas Mosqueira y Sánchez por la manera amable con que se han prestado voluntariamente a secundarlo. El espectáculo será compuesto así: 1º Sinfonía de *La reina de un día.* 2º Gran fantasía sobre temas de *El pirata* y de *La sonámbula,* compuesta por Arot y ejecutada por Franz Coenen. Seguirá una aria de la ópera *I due foscari,* cantada por la señorita Mosqueira. Se dará después el poético y divertido baile en un acto titulado *Aurora*, bailado por la señora Adela Montplaisir y las señoras Blondeau, Bulan, Louise y doce señoras más. Después seguirá un concierto variado compuesto por fantasía de harmonio sobre temas de *Elixir de amor*, ejecutado por el señor E. Clemens. Fantasía de concierto de bravura sobre temas del *Hernani*, compuesta y ejecutada por primera vez por Franz Coenen. Terminará el concierto con el aria de *Torcuato Tasso*, cantada por la señorita Mosqueira. El espectáculo terminará con un espléndido y magnífico baile de trajes en Roma, en el jardín de Torlonia. El teatro representa el hermoso jardín pintado por el señor Rivière, y será iluminado por más de ochocientas luces, de las cuales ciento cincuenta linternas son venidas de París. Los señores actores de la compañía dramática han tenido la bondad de condescender en presentarse según costumbre en París para las grandes funciones, en el baile de máscaras con trajes de fantasía. Distribución: 1º Marcha general ejecutada por todos los artistas de la compañía dramática y del baile. 2º Distribución general. 3º Gran paso a dos bailado por la señora Bulan y el señor Cornet. 4º *La Zingarella* ejecutada por la célebre pareja Montplaisir. 5º Paso a dos por la señorita Blondeau y el señor Wietoff. 6º Jaleo andaluz bailado por el señor A. Martínez y las señoritas Sánchez, que generosamente se han prestado a ello. 7º Variaciones fantásticas sobre el precioso tema mexicano intitulado *El butaquito*, compuestas y ejecutadas por primera vez por Franz Coenen. 8º *Los pastores en el tiempo de Luis XV*, con las cabezas de movimiento construidas en París. Será bailado este paso por el señor Cornet y la señora Bulan. 9º *Galop* general por todos los artistas de los dos ramos. 10º A petición del público se bailará el famoso *Paso del chal y de las flores*.

Crónica. Anoche han llevado muchas personas un petardo solemne en el baile que dio la compañía Montplaisir en el Teatro Nacional, porque los acomodadores compraron con bastante anticipación, como lo hacen en estas ocasiones, bastantes boletos de patio y otras localidades, y en la noche los expendieron al público a catorce reales y muchos a veinte reales, cometiendo desde luego infracción en lo que se tiene mandado. No fue esto lo peor, sino que habiendo acabado de expender los boletos por la mucha concurrencia, había multitud que se volvían por falta de asientos, y entonces no contentos con lo que habían ganado, hicieron la atroz infamia de vender infinidad pero falsos, dando un soberbio chasco a los que los habían comprado al precio que los vendedores habían querido, resultando que o veían parados la función

560

o se iban a su casa habiendo regalado su dinero, porque a pesar de que pusieron sillas en muchas partes contra lo que está prevenido, fue tanta la concurrencia que muchas personas vieron en pie la función, y como nosotros fuimos de los que sufrimos esas infamias, queremos hacerlas presentes.

Varios chasqueados
7 de febrero de 1850

Hecho insólito. Antes de anoche se puso en el Teatro Nacional a la vergüenza pública a un francés sobre quien recayeron sospechas de haber cometido un robo. Este nuevo modo de proceder es contrario a lo que previenen las leyes, pues nunca debe procederse a un castigo mientras no haya precedido a la sentencia judicial que lo impone.

10 de febrero de 1850

Esmeralda. Recibido con entusiasmo por el público este baile en su primera representación, tuvo en la segunda la mayor concurrencia que se pudo imaginar. De nuevo nos agradó su sobresaliente ejecución, y a lo que hemos dicho tendremos que agregar dos cosas que omitimos en nuestro primer artículo por un involuntario olvido. Es la primera en hacer una justa y honorífica recomendación del inteligente pintor M. Rivière, quien nos ha dado una nueva prueba de sus talentos con la magnífica decoración que representa parte del antiguo París. El público anduvo escaso de aplausos respecto de una obra que los merece mayores y a cuyo autor debió hacerse salir a las tablas. La segunda cosa consiste en elogiar también a M. Clement, que tocó diestramente el harmónico en aquel hermoso cuadro final de la *Esmeralda.*

El sota-apuntador
12 de febrero de 1850

Teatro Nacional. Ópera italiana. Madame Anna Bishop, *primadonna assoluta di cartelo* del Gran Teatro de San Carlos, de Nápoles; cantatriz honoraria de S. M. Fernando II y de las cortes imperiales de Rusia, de Austria, de Suecia y de Dinamarca; socia electa por Su Santidad el Papa

561

Gregorio XVI de la dignificada Orden de Santa Cecilia, etcétera. Alentada por la benevolencia y las pruebas de simpatía que le ha concedido el ilustrado público de esta capital, tiene el honor de informarle que ha celebrado un convenio con la empresa del Teatro Nacional a fin de ofrecer antes de su partida para Europa unas funciones líricas compuestas de óperas, espectáculos sagrados y grandes escenas escogidas entre las obras más selectas de los compositores modernos. La primera de estas funciones tendrá lugar el jueves 21 de febrero de 1850, y principiará con la célebre y hermosísima ópera en dos actos, de Donizetti, titulada *L'elixir de amore*. En el papel de Adina, Madame Anna Bishop cantará el célebre rondó final que para ella compuso expresamente Donizetti en Nápoles, en las representaciones de esta ópera. A fin de no prolongar en demasía el espectáculo y de proporcionarle mayores atractivos, se han suprimido algunos trozos de esta ópera. Después de su ejecución, toda la orquesta tocará una pieza nueva intitulada *La mexicana*, compuesta por madame Anna Bishop, a la que seguirá la magnífica escena de la ópera de Rossini, *Tancredi*, "O patria di tanti palpiti", cantada por madame Anna Bishop, en su rica y esplendente armadura de Tancredi. En razón del entusiasmo producido en varios puntos de la República, finalizará esta función con la nueva y brillante introducción A *la mexicaine*, ejecutada por la orquesta y seguida de la preciosísima canción mexicana *La pasadita*, cantada en castellano y en traje de poblana por madame Anna Bishop. Esta función será dirigida por el caballero Boscha, maestro y director de madame Anna Bishop. La orquesta y los coros serán numerosos y completos. Pagas: Palcos por entero con ocho entradas, 8 pesos. Patio, 1 peso 4 reales. Galería, 4 reales.

Canto patriótico. Madame Anna Bishop ejecutará esta noche en traje de Diosa de la Libertad, el hermoso canto patriótico cuya música es compuesta y dedicada a los mexicanos por el señor Boscha. A fin de interesar el buen gusto del público de la capital para que concurra a la función, insertamos en seguida la letra del canto:

> No más guerra, ni sangre, ni luto,
> cesen tantos y tantos horrores,
> que la sien coronada de flores
> triunfadora levanta la paz.
> Nuestros campos bañados en sangre
> se engalanan doquier de esmeraldas,
> y las ninfas nos tejen guirnaldas
> de Anáhuac en la orilla feraz.

Coro

Mexicanos, alcemos el canto
proclamando la hermosa igualdad,
y a los ecos los ecos repitan:
¡Libertad! ¡Libertad! ¡Libertad!

Roto el yugo del déspota altivo,
mengua fuera llevar otro yugo,
cuando al Dios de los cielos le plugo
redimirnos de fiera opresión.
Vuelva, vuelva el inicuo extranjero,
y verá cómo mueren los bravos,
que la afrenta de viles esclavos
no soporta esta heroica nación.

Entre el humo, y el polvo, y el fuego,
¡Libertad!, clamará el moribundo,
y al dejar los encantos del mundo,
¡Libertad!, sus acentos serán.
¡Guerra, guerra a los fieros tiranos!
Nuestro triunfo decretan los cielos,
y las sombras de Hidalgo y Morelos
la corona de gloria nos dan.

24 de febrero de 1850

Teatro Nacional. Lunes 8 de abril de 1850. Séptima función de abono. La noche de hoy la compañía dramática pondrá en escena la interesante comedia en dos actos titulada *El tío Marcelo*, dirigida y desempeñada por el señor Viñolas, a quien acompañarán las señoritas D. y C. López, la señora Uguer, y los señores Castro, Servín, Santa Cruz y acompañamiento. Para terminar el espectáculo se presentará la festiva pieza en un acto titulada *El ciego*, desempeñada por la señora Suárez, la señorita D. López, y los señores Valleto, Rodríguez y Santa Cruz. La empresa pone en conocimiento del público que por el correo de hoy le anuncia su corresponsal en La Habana haber ajustado a la señorita doña Ventura Mur, a don Manuel Argente, a don Joaquín Ruiz y su esposa, don Juan Alerci y su hermano.

Teatro Nacional. Ópera italiana. Sábado 13 de abril de 1850. Primera representación lírica. El empresario de la compañía de ópera tiene el honor de participar al público que habiendo concluido con la empresa su arreglo de dar algunos espectáculos, éstos principiarán la noche de este día con la deliciosa y aplaudida ópera del maestro Donizetti, dividida en tres actos, su título *Lucía de Lamermoor*, que será exhornada debidamente. Distribución de la ópera: Lord Enrico Asthon, señor Taffanelli. Miss Lucía, su hermana, señora Barilli de Thorn. Sir Edgardo, señor Arnoldi. Raymondo, señor Zanini. Elisa, señora Zanini. Lord Arturo Buklan, señor Ayala. Maestro al cémbalo y director, señor Antonio Barilli. Primer violín, señor Eusebio Delgado. Precios de entrada: Palcos por entero, 8 pesos. Entrada a patio, 1 peso 4 reales. Galería, 4 reales.

Ópera italiana. Anoche hemos tenido el gusto de ver trabajar por primera vez en el Teatro Nacional a la compañía de ópera italiana del señor Duvercy, con la ópera *Lucía de Lamermoor*. La primera *donna*, señora Barilli de Thorn, que hacía el papel de Lucía, nos ha agradado infinito. Su voz es brillante y al mismo tiempo muy armoniosa; sus modales finos y elegantes y su figura interesante y simpática. El tenor Arnoldi tiene una hermosa voz, fuerte y sonora, y canta con la mayor naturalidad, pintándose en su rostro los afectos de que se halla invadido. Estamos persuadidos de que este tenor puede lucir en los mejores teatros de Europa. Respecto al señor Taffanelli, su voz es de verdadero barítono y canta con mucho fuego. Al fin del segundo se oyeron frenéticos aplausos y entre miles de bravos salieron a la escena a dar gracias la interesante Barilli de Thorn en unión de los dos artistas mencionados. La concurrencia era numerosa y escogida: jóvenes hermosas elegantemente vestidas adornaban los palcos y plateas, y el inmenso salón se hallaba lleno de caballeros. Nos atrevemos a creer, según lo que han agradado estos artistas en la primera representación, que no cabrá la concurrencia en la segunda en el Teatro Nacional de Santa Anna.

15 de abril de 1850

Teatro Nacional. Martes 23 de abril de 1850. Cuarta representación lírica. *Capuletti e Montechi*, ópera de Bellini, tal como la escribió su autor sin cambios ni alteraciones de ninguna especie. Distribución: Capelio, padre de Julieta, señor Valtelina. Julieta, señora Barilli de Thorn. Romeo, jefe de los Montechi y amante de Julieta, señora Amalia Valtelina. Tebaldo, amante no correspondido de Julieta, señor Arnoldi.

Lorenzo, confidente de Julieta, señor Zanini. Todo el departamento de canto y orquesta bajo la dirección del compositor y maestro al cémbalo, señor Antonio Barilli. Director de escena señor Altilio Valtelina. Primer violín, señor Eusebio Delgado.

Teatro Nacional. Viernes 26 de abril de 1850. Vigésima función de abono de la compañía dramática. Presentación del señor Argente, primer actor y director. Indeciso entre unos y otros dramas, se ha decidido por fin ofrecer el público el histórico, composición original de don José Zorrilla, escrito en verso y dividido en tres actos, titulado *Don Sancho García*. Este drama, que fue compuesto exprofeso para un beneficio de don Carlos Latorre, cree el señor Argente que complacerá al público en general. La acción en Burgos por los años primeros del siglo xi. Si el señor Argente al emprender de nuevo sus tareas en México, lograse el placer de agradar al público cual lo consiguió en las dos únicas representaciones que tuvo el honor de ofrecerle en otra época, quedará del todo satisfecha su ambición. Al drama seguirá una pieza de baile que pondrá fin al espectáculo.

Julieta y Romeo. No hay persona que no conozca esta tierna e interesante historia de dos jóvenes cándidos, inocentes, bellísimos, que se amaron y murieron de amor sin haber tenido tiempo para amarse. Romeo y Julieta son un modelo de amor y de desgracia. Julieta y Romeo son las dos creaciones más adorales de Shakespeare, quien agotó todo lo que su alma tenía de más sensible y poético. Julieta y Romeo, en fin, representan fielmente al mundo: ilusiones, esperanzas, amor, ¿para qué? El soplo repentino de la muerte acaba con todo; así sucedió a Romeo: la música que estaba preparada para su felicidad sirvió para acompañar a su Julieta al sepulcro, y cuando Julieta, que estaba momentáneamente soporizada, vuelve a la vida, Romeo muere porque su destino era que su lecho nupcial debía de ser una tumba. Éste es el asunto que ha escogido uno de los mejores maestros modernos para ponerle música. Naturalmente, la obra de los Capuletos es una ópera magnífica de Bellini no sólo por la belleza de muchos trozos que están en íntima convicción con los pensamientos del poeta, sino una ópera que requiere que los artistas que la ejecutan posean grandes conocimientos dramáticos y músicos.

Es menester decir en obsequio de la justicia que la representación de los Capuletos en el Teatro Nacional ha resultado mejor de lo que podía esperarse. La señora Barilli tiene bastante expresión y no careció de aquellas tintas de candor y de ternura que tan amable hacen a la

Julieta de Shakespeare. La señora Majochi de Valtelina, además de tener buena figura y por consecuencia muy a propósito para el papel de Romeo, que era un joven en la flor de su edad, tierno y cándido como Julieta, pero impetuoso, cantó bastante bien. Un partido de oposición que apareció desde luego en el teatro en contra de la señora Valtelina, no dejaba continuar los aplausos con que el público imparcial trataba de alentar los esfuerzos visibles por agradar. Nosotros, enemigos decididos de esos chismes de bastidores y completamente imparciales, decimos únicamente lo que creemos justo y excitamos a los mismos artistas para que abandonen esas rencillas que los devoran entre sí, dedicándose únicamente a complacer al público, pues éste es el verdadero modo de adquirir o aumentar la gloria artística.

Repetimos que la ópera de los Capuletos estuvo bastante buena y que la señora Barilli tiene una voz limpia, clara, firme, y a nuestro juicio está en carrera de ser una grande y célebre cantatriz. La señora Majochi de Valtelina ha adelantado mucho y su voz es llena, sostenida y capaz también de causar una impresión profunda. Además, los mexicanos tienen recuerdos muy agradables de la señora Majochi, quien muy joven aún se presentó en el teatro de la capital y fue muy bien recibida.

Dejemos la ópera y pasemos al baile. Estamos en fin entre las musas, entre las diosas y tendremos necesidad siquiera de doblar la rodilla cuando pasemos por el templo de cada una de estas deidades. Muchas noches hacía que no teníamos el gusto de ver a nuestra predilecta Celestina Thierry. Por fin salió la pequeña maga de su escondite y se nos presentó hace dos noches en un paso nuevo llamado *El ramillete*. Todo lo que habíamos visto hacer a Celestina anteriormente es inferior a lo que hizo en este baile. El asunto es bien sencillo: dos amantes un tanto celosos e incómodos, se reconcilian por medio de un ramillete, porque es sabido que las flores son las confidentes y las mediadoras entre los amantes. Celestina es verdaderamente admirable: tan pronto huye celosa como salta ligera de alegría, y como una aparición celeste empujada por la brisa de la tarde, se desliza por toda la escena en las puntillas de los pies, casi sin tocar el pavimento. Todos sus movimientos son naturales y graciosos y baila con una firmeza, con un despejo y con una soltura que hasta ahora no habíamos notado suficientemente. Celestina fue con mucha razón aplaudida hasta el entusiasmo y el público la hizo salir dos veces fuera del telón y repetir el paso. Nuevos triunfos y lauros deseamos a esta apreciable joven, cuya cualidad más notable es la modestia. Hoy es la primera bailarina, la bailarina por

566

excelencia, y ella, lejos de creerlo así, siempre queda descontenta de su ejecución y estudia para hacerla mejor. Esta circunstancia tan rara en los artistas, que por lo general están llenos de vanidad y de orgullo, ha hecho seguramente que sin necesidad de cábalas ni de intrigas, el público la haya hecho su favorita.

Antes de concluir, se nos permitirá que hagamos una reverencia a la musa de la tragedia. El señor Argente hizo su primera salida en el drama de Zorrilla titulado *Don Sancho García*. Diremos en primer lugar que muchos de los dramas de Zorrilla más nos gustan leídos que en el teatro. *Don Sancho García* es muy conocido y nos parece excusado dar una idea de él. En cuanto al señor Argente, no recordamos las funciones que dio hace cinco años y muy aventurado sería juzgarlo por solo la ejecución de una pieza. Nos pareció que tenía fuego, naturalidad en la acción, disposiciones muy buenas y excelente metal de voz. Con estas cualidades puede un actor llegar a ser célebre en cualquier parte del mundo. Notamos en el señor Argente alguna monotonía en la pronunciación y un sistema amanerado al decir los versos, lo cual hace que algunos de ellos no sean tan armoniosos y sonoros a los oídos del público. La poesía, se entiende la buena poesía, es una música, y es menester que el actor haga percibir las dulzuras del idioma y las armonías imitativas en que abunda; esto se pierde completamente cuando un actor toma un tono afectado o campanudo. Repetimos que esta observación es hecha con desconfianza y que la rectificaremos después que el señor Argente se haya presentado tres o cuatro veces en las tablas.

Yo (Manuel Payno)
28 de abril de 1850

Teatro Nacional. 29 de abril de 1850. Última función de abono del primer mes. Presentación de la señorita Ventura Mur. Esta simpática y modesta actriz tendrá el honor de ofrecer por primera vez sus tareas artísticas al ilustrado público de México la noche de este día, con la tan celebrada comedia dividida en cuatro actos y traducida del francés por don Antonio García Gutiérrez, titulada *La gracia de Dios*. El señor Argente dirigirá la comedia. En seguida, y para finalizar la fiesta, cantará la señorita Mur una canción andaluza compuesta expresamente para ella y titulada *El Churru*, no por hacer ostentación de un arte que ni es el suyo ni posee, sino por manifestar los deseos que la animan de agradar al nuevo público que va a juzgarla. La señorita Mur, a quien la lisonja no envanece ni es idólatra de su escaso mérito, cuenta menos con éste que con la generosidad de los cultos mexicanos. Su triunfo será complacerlo, su única gloria merecer sus aplausos.

Segundo mes de abono. Concluido el primer mes, los señores que gusten continuar se servirán acudir a la contaduría por sus respectivos boletos.

Novedades teatrales. En estos días ha habido grandes conmociones y novedades en el mundo teatral de México, que va ensanchándose a medida que crece la civilización y el gusto por los espectáculos. La llegada de una compañía de ópera y el *debut* de una actriz o de un galán, como se dice hoy por la pobreza a que va reduciéndose el idioma español, que en eso se parece al erario de México, son acontecimientos de tanta o más importancia que el arreglo de Hacienda o el pago de los acreedores. Decimos de más importancia porque vemos a muchos pacientes agachar las orejas en espera de su santo advenimiento, mientras otros no sufren sin exaltarse, una pequeña contradicción en las opiniones teatrales que profesan, y capaces serían de desenvainar la tizona en defensa de la *prima donna assoluta* o del gracioso de la compañía de verso. Y pues mientras viene el cólera, que ha hecho ya su terrible jornada en San Juan del Río, el público se ocupa de los asuntos del teatro con tanta preferencia, fuerza es cumplir con nuestro deber de periodistas y hablar de lo que todo el mundo habla, sin que nadie tenga lugar de decirnos que metamos la hoz en mies ajena. Los chismes teatrales, las *prima donnas* y los graciosos, los acreedores y los deudores, la Hacienda y el gobierno, los diputados y los empresarios de teatro, las actrices y sus amigos y enemigos, todo está bajo nuestra férula y dominio, así como los mamarrachos y rapsodias que todos los días escribimos están bajo la jurisdicción del dominio de todo el que sabe leer, pues todas estas materias son nuestro pan cotidiano y el alma de nuestro cuerpo. Ocupémonos primero de la empresa: ella es la causa de lo causado, el origen de todos los bienes y de todos los males teatrales; si no hubiera empresas no habría comedias, ni actores ni actrices viejos ni nuevos, y por consecuencia tampoco habría aplausos y silbidos en el teatro. Una empresa es como un gobierno, y un gobierno es como un cohetero, que si queda bien o mal siempre le silban. Parece que en virtud de esta ley tiránica que ha establecido el pueblo en uso de sus derechos omnipotentes y soberanos, no debía haber en el mundo, o cuando menos en México, ni empresas, ni gobiernos, ni coheteros, pero la prueba es que Dios ha creado gente para todo, que las tres cosas de

568

que hemos hablado, mal que bien, nunca nos faltan. Allá cuando pretendamos echarlas de profundos políticos y de filósofos, nos ocuparemos del gobierno. El 16 de septiembre juzgaremos del cohetero y de la franqueza de las Cámaras que decretaron que el pobre Ayuntamiento del Distrito diera cuatro, o al menos dos mil pesos anuales para proteger la pirotécnica, y en este momento hablaremos de la empresa y de los actores.

Ningún año ha habido tantos actores como el pasado y por cierto nunca había estado más mal servido el público. Las discordias intestinas fueron continuadas y llegó la ocasión en que sucediera dentro de bastidores lo que en la Cámara, que se levantara la sesión por falta de número. La empresa obtuvo sin embargo una buena utilidad pecuniaria y adquirió otra cosa mejor, que fue la experiencia. El sistema democrático aplicado al teatro surtió muy malos efectos y resolvió cambiar la forma de gobierno adoptando la monarquía absoluta. Nuestro amigo don Joaquín Patiño fue nombrado director, o mejor dicho, dictador general, asistido del superintendente de Hacienda, el muy apreciable joven don Juan López. Así, el gobierno adoptado en la calle de Vergara fue poco más o menos igual al de la siempre fiel isla de Cuba: Roncari y Pinillos iban a ser grandes cosas. La elección de la empresa no podía ser más acertada: la práctica, la inmensa instrucción, la prodigiosa memoria, la energía, el juicio recto y el conocimiento que el señor Patiño tiene del gusto del público, lo hace muy a propósito para dirigir el primer teatro de la República, y nosotros no conocemos al menos a otra persona que en ese sentido pueda rivalizar con él. El señor López, amigo íntimo y fiel de los empresarios, lleno de atenciones para todos los abonados, exacto y minucioso para formar sus tratos, y de un talento fácil, era el más indicado para la superintendencia, o más claro, para dirigir como dirige la parte financiera. El lance desgraciado acaecido entre Patiño y Bablot, la lentitud de los procedimientos judiciales en México, y más que todo la injusta, intempestiva e inútil persecución que se ha levantado contra Patiño, lo han tenido reducido a prisión, quedando por consecuencia completamente frustrados los planes de la empresa e introducida desde el principio la confusión en el gobierno y manejo directivo del teatro. Además de lo que va expresado, ninguna empresa ha hecho lo que la actual: contrató cuantos actores existían en México y mandó instrucciones para que sus agentes tanto de La Habana como de España, le enviaran lo que de mejor se encontrara en el ramo de verso y pudiese venir. Los actores han llegado, y si al público no le gustan o realmente no son buenos, la empresa a nuestro juicio ha cumplido.

Y a propósito de actores, pasemos a decir lo que nos parece: ¿son los silbidos, los siseos, los aplausos de los partidarios y las disputas que hay en el pórtico, lo que debe guiar a un escritor? Nada de eso, ciertamente. Pasados los primeros momentos de cólera o de entusiasmo, viene la calma y al tomar la pluma nuestra opinión es que se escriba con verdad, con justicia y con imparcialidad. Los elogios prodigados frecuentemente a los actores por amistad personal o por actitud de partido, suelen serles más perjudiciales que aquella crítica necia y ligera en que inútilmente se hiere el amor propio. Queremos, procuramos al menos por nuestra parte, separarnos de estos dos extremos y sirva este preliminar de una vez para todas, y no se juzgue que escribimos con el fin de mortificar a determinadas personas para que con esto otras queden ensalzadas y triunfantes.

Vamos a decir dos palabras sobre la representación de *La gracia de Dios*, en que se presentó la joven doña Ventura Mur. Cuando por primera vez viene a la capital un actor, no faltan personas que lo visiten, que lo cerquen, que pretendan darles consejos e instrucciones. El uno le dice que el público de México comulga con ruedas de molino y que se compone de viejos necios y de barbilampiños ignorantes y tormentistas. El otro por el contrario le presenta al público de gustos exquisitos, severo en sus juicios, inflexible en su calificación. El de más allá le habla de conspiraciones, de conciliábulos, de gente pagada para aplaudir o silbar. Todo esto debe producir en un actor o una confianza ciega e ilimitada, o un terror-pánico. De cualquiera de los dos extremos que vea la cuestión, resulta que a su primera salida no se presenta con naturalidad, con desembarazo y confianza. Haremos notar las diferencias que había entre esta nuestra antigua y predilecta actriz Dorotea y la señorita Mur. Dorotea hablaba como quien habla en su casa; Ventura parecía visita que va por primera vez a una casa de cumplimiento. Cuando se presentó el señor Argente en Sancho García se notaba que el mucho empeño que tenía en agradar ocasionaba que casi deletrease los versos. Estas consideraciones son suficientes para demostrar que es imposible juzgar a un actor por lo que hace en el primer día de su salida y que el público debe tenerle la consideración que todo fuerte debe siempre dispensarle al débil. En cuanto a los escritores, todavía nos parece más aventurado que pronuncien su fallo por una sola representación. Por eso nosotros nos hemos ido con tiento, siendo nuestra intención obrar con entera imparcialidad.

Vamos a ocuparnos de la joven Mur: ella ha venido sola, sin apoyo ni partido de ninguna especie, pero tiene los más vivos deseos de agradar y basta esto en su calidad de dama para que los editores de *El Siglo XIX* no le hagan un recibimiento poco galante; están obligados a cumplir las leyes de la hospitalidad y así lo harán. Ventura tiene una fisonomía agradable y una voz simpática; éstos son buenos elementos para hacerse querer del público. Viste con mucha elegancia y gusto, y parece de mucho pundonor para el cumplimiento de sus papeles, y todo esto lejos de merecer siseos y vituperios, merece indulgencia por parte del público, que no dudamos más tarde vaya apreciando los buenos elementos artísticos que tiene la dama joven. En la representación de *La gracia de Dios*, comedia para una actriz de primera fuerza, tuvo momentos muy felices y en que fue justamente aplaudida. No hacemos un juicio minucioso porque aún nos reservamos hasta que la conozcamos mejor, amonestándola entre tanto, no con el tono enfático de críticos, sino con amistosa persuasión de quien da un consejo, que lejos de desanimarse siga en su carrera. Dentro de un mes habrá adquirido desembarazo y confianza, le habrá pasado la desazón natural de estos días y también la efervescencia teatral habrá terminado, reemplazándose por la imparcialidad y exacto criterio. En cuanto al recitado que disgustó, merece la joven Mur la más completa disculpa; las costumbres públicas de La Habana permiten a los actores alguna más libertad de la que en México se acostumbra. Ella no sabía esto, no tuvo quien le hiciera una oportuna advertencia y cometió solamente una falta involuntaria.

La joven Dorotea López desempeñó muy bien su papel, y la señora Suárez, que es una actriz extremadamente cumplida y pundonorosa, no merece crítica alguna porque algo se desentonara en la canción. Ella no está ajustada de *prima donna*, sino de característica, y si canta es por complacer al público y a la empresa. El señor Argente lo hizo muy bien y nos pareció casi corregido del defecto que le notamos en la representación de *Don Sancho García*. La circunstancia que mucho contribuyó a que la función no llamase la atención es que la comedia de *La gracia de Dios* es muy conocida del público. La primera salida del señor Ruiz fue en extremo desgraciada, porque en efecto no hay papel más comprometido en una compañía que el gracioso. El gracioso está obligado a hacer reír al público y cuando la pieza que se escoge fastidia en vez de agradar, el infeliz gracioso tiene toda la desventaja de su parte. El sainete titulado *Percances de un apellido* es tan inverosímil, tan cansado, y tiene un diálogo tan poco gracioso, que el público no lo dejó concluir, sufriendo con esto los demás actores que tomaban parte en la representación y desgraciando completamente al que se presentaba como gracioso.

No queremos concluir este artículo sin hacer una indicación por lo que anoche notamos. Cuando el público sisea o silba a un actor español, algunos de los españoles concurrentes toman la cosa como si se tratara de una cuestión nacional y se afanan en aplaudir. Muy loable es el espíritu de paisanaje, pero nos pareció exagerado y de todo punto inútil y ridículo. Todo el que va al teatro compra con su boleto el derecho de manifestar su opinión con tal que no interrumpa el orden. Nadie tiene pues motivo para darse por ofendido ni por los silbidos ni por los aplausos. Al actor bueno de nada le sirve el partido ni el paisanaje. ¿Dónde nacieron Viñolas, Mata, Fabre, la Cañete, la Peluffo y la García? Si no nos equivocamos, nacieron en España. ¿Y dónde han sido aplaudidos durante muchos años? En México y por una inmensa mayoría de público mexicano. Luego entonces, es una injusticia y una falta de cálculo y de política incomodarse porque el público no aplauda al actor que no le acomode. Nosotros hacemos esta indicación para que las gentes sensatas contribuyan a que se destierren esas cábalas y estas intrigas que se forman para aplaudir o silbar, y todas se atengan como debe ser a tributar un homenaje al mérito, cualquiera que sea la persona que lo tenga.

Yo (Manuel Payno)
13 de mayo de 1850

Crónica. Después de la tormenta viene la calma. Los espectadores furibundos y dispuestos a cualquier locura la noche fatal o toledana en que tuvo la desgracia de estrenarse el gracioso, aparecieron más risueños, llenos de indulgencia y rebosando buen humor la siguiente. Escucharon con paciencia el larguísimo drama de *Lautreaumont* y al día siguiente rieron a carcajadas y aplaudieron como la primera vez la comedia o sainete en tres actos. *¡Qué barahúnda!* Bien que el señor Viñolas y el señor Castro lo hicieron perfectamente. Lo que hubo de nuevo en la noche fue la primera salida de la nueva bailarina doña Paz Dorado. Su nombre y apellidos son simpáticos y su figura mucho más. La señora Dorado tiene un cuerpo gracioso, unas formas bellas, una fisonomía amable y expresiva, un pie pequeño, y con el traje de bolera forma lo que puede llamarse un tipo español enteramente diverso del que presentan las bailarinas francesas, en las cuales hay sin duda más arte, más estudio, pero menos donaire, menos sal que las que tienen las bailarinas españolas. Ninguna comparación tratamos de establecer entre las bailarinas que hoy existen en México; hablamos generalmente. La señora Paz Dorado fue aplaudida mucho por el público y repitió sus boleras. Para nuestro gusto, cuando el compás de este baile se precipita demasiado, pierde toda la belleza de sus movimientos y se convierte en una especie de baile muy semejante al que acostumbran los negros en la Louisiana, que se llama el *Rail-Road*, quizá por la violencia con que lo ejecutan; pero el director del baile lo dispuso así y no faltará quien nos diga que no tenemos por que mezclarnos con el cuerpo coreográfico.

El lunes se puso en escena *La huérfana de Bruselas*. Esta comedia es antigua conocida del público, por lo que omitimos dar una idea de ella. Lo que hubo de notable en la función fue que el señor Cejudo se presentó en el papel de Walter, que es el traidor, como en los buenos tiempos de *La huérfana de Bruselas* se decía. El señor Cejudo se presentó con el temor que era natural, tanto más cuanto que fue testigo de la barahúnda de las noches anteriores, pero a pesar de ello se puede desde luego reconocer su talento, su estudio del arte y sus buenas facultades naturales que posee; tiene buen cuerpo, buena voz, fisonomía artística, es decir, donde se pintan las pasiones de una manera marcada y notable; muy buen juego de ojos, una dicción natural y una voz bastante sonora para oírse sin que desagrade, aun cuando algunos notaron que su pronunciación es un poco "cerrada", como aquí llamamos. Desde luego se conoce que es un actor minucioso que hace un estudio de su papel porque no desatiende ni los incidentes más insignificantes. Generalmente ha agradado al público, que lo aplaudió como merecía. Aprovechamos la oportunidad para repetir a algunos españoles exaltados lo que dijimos en uno de nuestros artículos anteriores: si el actor es bueno no tiene necesidad más que de su talento para triunfar. Las intrigas de bastidores y las antipatías de partido se estrellan en el buen sentido del público de México, que más bien es digno de crítica porque a veces aplaude por un conocido espíritu de indulgencia. El señor Viñolas estuvo muy feliz en su papel, aunque es menester decir en obsequio de la verdad, que este actor no hay papel que no desempeñe perfectamente.

Yo (Manuel Payno)
9 de mayo de 1850

Gran Teatro Nacional. Sábado 18 de mayo de 1850. Décima función lírica y cuarta de abono. El empresario de la compañía lírica, ansioso de complacer a sus favorecedores y deseando cuanto antes manifestarles su gratitud, hoy cumpliendo su palabra tiene el gusto de anunciarles que en la noche de este día se pondrá en escena la ópera nueva de grande espectáculo, dividida en cuatro actos original del celebrado e inimitable maestro Verdi, intitulada *Hernani*. Ésta es la primera vez que va a oírse en México una ópera de tan excelente compositor, por lo que el empresario no duda que será una grata sorpresa para el público y no podrá menos que quedar complacido, pues además de la novedad, las partes de esta sublime composición parece que están compuestas por los artistas van a desempeñarlas. La ópera se ha ensayado con prolijo esmero; los trajes son propios y ricos y los caracteres se han distribuido como sigue: *Hernani, il bandito*, señor Arnoldi. *Don Carlos V, re di Espagna*, señor Taffanelli. *Don Ruy Gómez de Silva*, señor Valtelina. *Elvira, sua nipote*, señora Barilli de Thorn. *Giovanna, amiga de Elvira*, señora Zanini. *Don Ricardo, scudero del re*, señor Zanini. *Lago, scudiero de Silva*, señor Crespo. Coro de ambos sexos, monteros y bandidos, caballeros, damas, nobles, españoles y alemanes; comparsas, bandidos, grandes de la corte, pajes, soldados alemanes. Todo el departamento musical de canto y orquesta bajo la dirección del maestro al cémbalo señor Antonio Barilli. Primer violín, señor Delgado. Director de la escena, señor Valtelina. Los cuadernitos de la ópera de *Hernani* se venden en la contaduría del teatro al precio de cuatro reales.

Hernani. Mucho tiempo hacía que en México no oíamos una ópera nueva, y necesariamente la ansia del público iba en aumento en proporción que se acercaba el día del espectáculo. Éste llegó por fin y la numerosa cuanto escogida concurrencia del teatro atestigua por nosotros la verdad de este aserto. No fue así la segunda representación, pues la concurrencia no era tanta como se esperaba. La música moderna ha tomado también la senda que a la literatura dieron Dumas y Víctor Hugo. Verdi, autor del *Hernani*, es un compositor romántico y estrepitoso. El genio músico ha proclamado también su independencia, y parece que con muy buen éxito recorren esta senda los de la nueva escuela. Ya no se ve aquella rigidez, aquellas trabas, aquella obligación de terminar las piezas en todas y cada una de sus partes. La dicha escuela favoreciendo al genio ha dicho: "Enlaza y no te sujetes a otras reglas." De hecho, notamos en Verdi que siempre deja algo pendiente para el coro, para el dúo, para el capítulo siguiente, como lo hacen nuestros novelistas modernos. La imaginación no se satisface hasta que todo concluye; siempre busca algo, algo anhela; en el final las ilusiones acaban y el espectador no queda pendiente: su corazón se ha satisfecho. Verdi se señala en las piezas concertantes y armoniosas, aunque no dudaríamos en creer que pertenecen a la escuela armoniosa. En cuanto a esa sucesión de notas conceptuosas y armoniosas que llaman melodías, Verdi es escaso en esto y siempre le parece a uno que sus temas los ha oído antes. Sin embargo, los accidentes de su música, como diría un filarmónico, son admirables y le dan a la composición un realce que en verdad no tiene en el fondo. Respecto de los coros, como son piezas de armonía, Verdi no tiene rival; en ellos no hay uno solo que no sea expresivo, sentido y delicado. No podríamos ciertamente, aunque quisiéramos, marcar el que más nos agradó, pues cada uno en su línea es acabado y hermoso. Algunos acusan a Verdi de abusar del unísono, pero éste en nuestro concepto es el carácter de su música porque su composición es más bien de efecto que sentimental. Ahora escribimos con el corazón y no como conocedores a cuyo título en vano aspiraríamos. Verdi llena completamente su objeto en la mascarada, en el septiminio, en el quinteto y aun en el terceto final. Sus notas llegan al alma, jamás embargan los sentidos ni arrebatan como le sucede a uno con la *Norma* o *La Sonámbula*, óperas del verdadero género sentimental.

Hablemos de la ejecución: el señor Valtelina, aunque tiene notas bajas muy hermosas, no modula ni tiene gusto para cantar; además, su dirección en esta ópera ha sido descuidada: los grupos eran muy mal formados y los trajes, incluyendo el suyo, impropios en su mayor parte. Los vestidos de los bandidos no son los que corresponde; el del rey para ir a sorprender a los conjurados más parece de gala que de otra cosa. Valtelina además de lo repugnante de su traje olvidó el sombrero para ir a la conjuración, así que o los sótanos estaban en su castillo o salió como un loco por la gravedad del asunto. No dejaremos de mencionar que cuando comienza la ópera los bandidos debían estar comiendo, bebiendo o jugando, y por lo mismo sentados algunos, así que nos hemos visto tentados a creer que el director no leyó ni el cuadernillo. La señora Barilli tiene poca voz para el teatro aunque dulce y expresiva, y en algunas veces la orquesta hacía que su canto quedase desapercibido. Arnoldi es muy sentido y conoce sobradamente el claroscuro, del que suele abusar; por esa cualidad que sin duda tiene extrañamos el brío con que cantaba cuando estaba moribundo, pues entonces la voz desfallece. En cuanto al señor Taffanelli es el que lo hizo mejor en nuestro concepto y el que tiene una voz más llena, a pesar de esto él y todos sus compañeros se resienten de tener unas cadencias muy largas, muy forzadas, casi diríamos fastidiosas. Ninguno de los cantantes es actor, y así esto lo dejaremos en blanco. El señor Taffanelli es más a propósito para lo bufo; su modo de accionar es algo brusco y aun notamos que las posiciones que toma son impropias de un rey. A pesar de todo lo dicho la ópera salió mejor la segunda vez. El señor Arnoldi cantó mejor.

Una palabra más por nuestro amigo el señor don José Bustamante. Él ha instrumentado los dos primeros actos del *Hernani*, y actualmente trabaja en la *Linda de Chamounix* y en el *Don Pascual*. Todos los inteligentes dicen que Bustamante ha trabajado con primor en esta dificultosa empresa. No en balde Galli dijo que era una notabilidad en el país y que podía lucir en Europa. Bustamante, como todo el que tiene un mérito real, es muy modesto, y así cuando sus amigos le hablamos de llamarlo a la escena, no quiso ni asistir a la representación, aprovechando aquellas horas en continuar las óperas que instrumenta. Sus trabajos están bien recompensados por la empresa, pero a pesar de esto un mexicano reclama algo más, cuando si no fuera por él no habríamos visto el *Hernani*. Reciba pues el señor Bustamante nuestros justos elogios. Antes de concluir diremos que ninguna prevención nos anima y que si hemos sido severos en nuestro juicio no ha sido con el ánimo de ofender a persona determinada, sino sólo por salir de la senda trilladísima de elogios con la cual los actores jamás enmendarán sus defectos.

Ninguno
21 de mayo de 1850

Teatro Nacional. Los empresarios del teatro tratan de cerrarlo en caso de que vaya a menos el abono por causa de las circunstancias aflictivas en que se encuentra la capital a consecuencia de la epidemia del cólera.

30 de mayo de 1850

Teatro Principal. Compañía franco-mexicana Montplaisir. Función extraordinaria para el jueves 13 de junio de 1850. Se pondrá en escena el grandioso baile dramático en dos actos y cinco cuadros intitulado *La independencia de la Grecia*, puesto en escena por el señor Montplaisir según los dibujos y las notas de su autor M. Alexis Blache. Bailes principales: 1º Paso griego por ocho señoritas, cinco hombres y dos niños del cuerpo de baile. 2º Paso a dos por el señor Wietoff y la señora Bulan. 3º Gavota y Cypriota por la señora Adela Montplaisir y el señor Cornet. 4º Final por el cuerpo de baile. Acto segundo: 5º Española, napolitana, escocesa. 6º La bizantina, baile característico ejecutado por la señora Montplaisir. Cuadro último: 7º Marcha triunfal por 160 personas. 8º Paso a cuatro por las señoras Bulan y Blondeau y los señores Cornet y Wietoff. 9º Gran paso a dos ejecutado por la pareja Montplaisir cuya música fue escrita especialmente para ella por el conde Gabrieli, de Nápoles. 10. Melodía griega, gran final ejecutado por toda la compañía y los esposos Montplaisir. 11. Gran cuadro final. Precios de entrada: Palcos primeros y plateas, 8 pesos. Palcos segundos, 6 pesos. Grillés por entero, 5 pesos. Entrada a patio, 1 peso. Asiento en palco común de segunda, 1 peso. Galería y ventilas, 3 reales.

Teatro del Pabellón Mexicano. Habiéndosele exigido a la compañía dramática la devolución del Teatro Nacional de Santa Anna por la empresa que se lo había facilitado, y estando todos los teatros regulares y céntricos en poder de dicha empresa, ha resuelto continuar sus trabajos en el denominado del Pabellón Mexicano, con el fin de cumplir las tres funciones que restan del segundo medio abono y el de no privar al público de la capital de esta clase de espectáculos ahora que ha terminado la fatal epidemia que nos ha afligido, por lo que ha dispuesto para ejecutar mañana 4 de agosto de 1850, las escogidas funciones siguientes: por la noche a las ocho la graciosa y linda comedia nueva en dos actos titulada *El premio grande*, finalizando con baile. Por la tarde a las cuatro, el aplaudido y famoso drama en tres actos y en verso original de don Ventura de la Vega y titulado *Don Fernando de Antequera*, terminando con unas preciosas boleras jaleadas por tres parejas, que se denominan *El chairo*.

Compañía de baile. La sombra o el loco. El entusiasmo no conoció límites al principio del tercer acto y en el cuadro que da el nombre a la pieza: Enrico, sin más idea de la que la mujer que había adorado, pasaba sus horas sumido en un doloroso marasmo del que sólo salía para entregarse a los accesos de furor que causan en los dementes que se concentran en una sola idea, el intento de distraerlo de su pensamiento dominante, desconoce a su antiguo escudero, desconoce a su padre, pero inspirada Fioretta, hace también la prueba y va a despertar en Enrico un vago y apasionado recuerdo. Danza vaporosa y ligera como los sueños de la noche, y ya lo busca, ya le huye, ya se esconde

577

para volver a aparecer más lejos, y el loco se imagina que es una creación de su fantasía, y como lo hiciera con una imagen, la coloca en un pedestal, pero a poco la estatua se anima, se entrega a sus apasionadas caricias, y cuando ya fatigado se inclina en un asiento rústico, la visión revolotea a su alrededor como una mariposa traza círculos concéntricos antes de libar el cáliz dulce de los mirtos. A poco se aparece sobre su cabeza como personificando el ángel del amor, a veces está a sus pies como la mujer humillada por su pasión. Mirar a Adela traduciendo cada sonido, materializando cada ilusión, siempre sonriendo, siempre segura de sus diestras evoluciones, es despertar en la memoria la idea de todo lo espiritual, de todo lo poético, de todo lo bello, porque la belleza de esta clase de cosas no se sabe de cierto en qué consiste, y como la música, depende de la traducción más o menos tierna que de ellas hace el corazón. El quinto y último cuadro arrancó también muy merecidos aplausos; fue un desfile de grupos dirigidos con particular tino; en ellos, como en todos, la reina era Adela, dividiendo su trono con el señor Montplaisir. La compañía era un cuadro: ella es la magnífica pintura, y en aquel cuadro animado, entre cada moldura, por decirlo así, era un cuerpo hermoso en una posición elegante y casi aérea, adorando a veces a Adela como a su diosa, cercándola luego como las Gracias cercaban a Venus, en cada movimiento despertaban un sentimiento nuevo de belleza, y conseguían un homenaje más al reconocido talento del hombre que dirige las acompasadas y airosas evoluciones.

El Siglo
29 de agosto de 1850

No más monopolio. Acabamos de saber que se trata de hacer un teatro nuevo en la Plaza del Factor. Parece que el Ayuntamiento coadyuvará a la realización de este proyecto con algunos fondos. El Excmo. señor presidente colocará la primera piedra. El gobierno ha dado una muestra de buen juicio al secundar las miras de la persona que se ha puesto al frente del negocio, porque nada pierde con la cesión del terreno. Durante diez años gozará de una renta de ochocientos pesos anuales y expirado ese tiempo quedará la finca a beneficio suyo. Según las bases estipuladas dicho teatro no se dará en arrendamiento más que a las compañías que deseen ocuparlo pero nunca a empresarios determinados. Nosotros no salimos garantes de lo expuesto, no obstantes habérsenos asegurado que las escrituras correspondientes están ya firmadas, pero si como suponemos el proyecto se lleva al cabo, adiós monopolio. Sirva esto de lección a los que se han empeñado siempre en tomar el rábano por las hojas. Quien mucho abarca poco aprieta, dice el refrán. El nuevo teatro llevará el glorioso nombre de Iturbide.

30 de agosto de 1850

Nuevo teatro. Es voz común que se repite ya en todos los círculos de México que va a erigirse un nuevo teatro. Dícese que el Excmo. Ayuntamiento, pero decimos mal, dícese que el señor licenciado don Leandro Estrada ha cedido a don Fernando Batres el local del Baratillo para que en él se edifique un nuevo teatro y que el próximo 27 de septiembre, día memorable en los fastos de nuestra historia, se colocará la primera piedra. Dícese también que el edificio se llevará a cima por medio de suscripciones y que en el catálogo de los suscriptores ocupará la primera línea el Excmo. Ayuntamiento, o sea el señor licenciado don Leandro Estrada con la mezquina suma, atendida las circunstancias en que se halla el Municipio, de diez pesos que exhibirá el mencionado señor Estrada. Dícese por último que don Fernando Batres sólo ha prestado su nombre en esta operación, porque el nuevo teatro se destina por ahora sola y exclusivamente para los actores disidentes, o lo que es lo mismo, contra los cinco que se han ligado contra la empresa, y que exigirán de ella a más de sus sueldos y beneficios la pequeña cuota de tres o cuatro mil pesos, fundándose en que sin ellos ni la empresa podría lucrar ni seguir adelante tampoco. Todo esto se dice y si todo esto es cierto preguntaríamos nosotros ahora: ¿pues qué tan grande es la capital de México, tanta su población y tanto el gusto por los espectáculos dramáticos que no le bastan tres teatros? ¿Tan rico, tan exuberante se halla el Excmo. Ayuntamiento que teniendo desempedradas la mayor parte de las calles de la ciudad, derrama sus fondos y con lujo en edificios de puro ornato? Dírásenos que los teatros están monopolizados y nosotros contestaríamos que si eso no fuera cuando hay apenas concurrencia para uno solo, no habría empresario posible. ¿Pero qué podría decírsenos respecto de lo que piensa el señor Estrada? Nosotros esperamos la respuesta para entrar luego de lleno en la materia, la que no dudamos se prestará a reflexiones de mucha entidad.

J. L.
1º de septiembre de 1850

579

Teatro de Santa Anna. Sobresaliente función extraordinaria para el domingo 8 de septiembre de 1850 en la tarde. Habiendo mediado personas de respeto así de la empresa como de la compañía a fin de allanar las dificultades que se presentaban para que ésta trabaje en el Teatro de Santa Anna, se ha concluido un arreglo en virtud del cual en obsequio del público y por un precio módico conveniente para ambos, la compañía quedará como subarrendataria de los teatros desde el día 23 del presente mes hasta terminar la presente temporada. La compañía publicará oportunamente su prospecto, y entre tanto, usando de la facultad que le ha dado la empresa, ha resuelto dar el domingo el magnífico drama de grande espectáculo dividido en cinco actos y seis cuadros, su título *El mercado de San Pedro en la Martinica*, finalizando con las preciosas Boleras robadas de *El Pirata.*

Teatro Nacional. Sábado 28 de septiembre de 1850. Gran función extraordinaria y de despedida a beneficio de Adela Montplaisir. Bosquejo coreográfico en dos cuadros: *La viuda caprichosa.* Baile serio en un acto: *Las cuatro partes del mundo.* Dúo de la ópera *Il Puritani* y otras piezas escogidas. La señorita Thierry y los señores O. Bernardelly, A. Martínez y la compañía de ópera, se han prestado a tomar parte en esta función.

Teatro Nacional. Martes 8 de octubre de 1850. Función extraordinaria a beneficio de la prima donna Clotilde Barilli de Thorn y del maestro Antonio Barilli. La función es como sigue: Primer acto de la ópera *El barbero.* Se tocará a telón corrido la polka nueva compuesta por el maestro Antonio Barilli, dedicada al bello sexo mexicano, intitulada *Independencia.* Segundo acto de *El barbero* hasta el quinteto. Terceto de la ópera *Attila,* del célebre maestro Verdi, por la señora Majochi y los señores Taffanelli y Arnoldi. Himno Nacional por toda la compañía y coros con acompañamiento de toda la orquesta, música del maestro Antonio Barilli, compuesta en honor de la República como tributo de gratitud; letra de un joven mexicano escrita expresamente para este beneficio. Último acto de la ópera del malogrado maestro Bellini, *Beatrice di Tenda.*

Teatro Nacional. 30 de octubre de 1850. Se pondrá en escena la primera parte, dividida en cinco actos y un prólogo, del magnífico drama nuevo de grande espectáculo, titulado *El trapero de Madrid.* Los cuadros se titulan: Prólogo: Año de 1825. Robo y Homicidio. Acto 1º

La casa de vecindad. 2º El baile de máscaras. 3º La rebusca y la asfixia. 4º El marqués de Casa Vicente. 5º La acusación de infanticidio. El jueves 31 de octubre se pondrá la segunda parte del mismo drama, dividida en cinco actos cuyos títulos son: 1º Crimen y astucia. 2º La esperanza destruida. 3º Tres mil pesos. 4º La confesión. 5º El trapero. Para amenizar la función, terminará esta noche con un precioso baile que se titula *La galopa de las panderetas*. Se estrenarán dos decoraciones: una que representa la casa de vecindad con dos pisos en que se representará a la vez, y un suntuoso salón de exquisito gusto y magnificencia. La parte de maquinaria ha sido dirigida por don Juan Alerci y la de pintura por el acreditado profesor don Eduardo Rivière. Las pagas serán las de costumbre a pesar de los grandes gastos que se han erogado. Con motivo del grande interés que inspira la primera parte del drama que casi obliga a ver la segunda, los boletos se expenderán reunidos para ambas funciones, en la inteligencia de que están numerados.

El trapero de Madrid. Saludemos al trapero de Madrid que magüer pobre y harapiento mete tanta bulla como un virrey, y preguntémosle el motivo, el origen de la mutilación, del desmembramiento que ha sufrido. Ya se ve, un viaje de tantos miles de leguas es capaz de enflaquecer a un inglés, a pesar de las eficaces medidas que toman éstos para viajar, cuanto más a un pobre trapero, un cuasi mendigo que para atravesar el mar se necesitaba la repetición del milagro del Mar Rojo, y aun entonces quedaba el inconveniente de no hallar una sola posada establecida en todo el camino y de tener un guía como los israelitas en el desierto. ¿Ya ves todas esas dificultades, lector? Puer al cabo aunque estropeado y mal acontecido, ha llegado el trapero a nuestra ciudad alborotando a la gente y arrancando aplausos. Algunos de esos criticastros avinagrados dicen que ciertos dramas como *El trapero* son un insulto al sentido común, pero en primer lugar todavía no se ha hecho ningún experimento científico que pruebe la existencia de ese sexto sentido de los pueblos, y en segundo lugar aun cuando exista no se sabe si ese señor ha fijado su residencia en el lugar donde se fabrican esos dramas o en el que se traducen o en el que se representan, de modo que a no ser por M. Rivière, que pintó dos bellísimas decoraciones, y a no ser por papá Viñolas que aunque siempre habla muy despacio, las más veces lo hace bien... no sé cómo terminar este párrafo que iba tomando un giro demasiado severo. Pero figúrate, lector, que hay dos conatos de infanticidio, dos conatos de suicidio, un homicidio, todo esto parte del fastidio, y un padre y una hija que se platican sus pecados y sus cuitas como dos cómplices perdularios sobre la mesa de un café, y un trapero tan guapo que va quemando los billetes de a cuatro mil reales como si fueran puchos de cigarro, el todo comprendido en la nimia cantidad de once actos, de los cuales el primero es introducción, los cinco siguientes preámbulos y los últimos cinco preliminares de la boda.

Aquel
7 de noviembre de 1850

Teatro Nacional. Martes 26 de noviembre de 1850. Magnífica función extraordinaria a beneficio del primer actor y director de la compañía, Manuel Fabre. El espectáculo guardará el orden siguiente: 1º Una magnífica obertura. 2º El célebre drama nuevo de grande espectáculo de don Tomás Rodríguez Rubí, intitulado *Isabel la Católica.* Está dividido en seis cuadros cuyos títulos son: 1º La sublevación. 2º El torneo. 3º La toma de Granada. 4º Las cartas de mar. 5º Gonzalo de Córdoba. 6º El Nuevo Mundo. Personajes: La reina Isabel, señora Cañete. Doña Beatriz de Bobadilla, señora Uguer. Pimentel, paje, señora Mur. Una vivandera, señora López. Gonzalo de Córdoba, señor Fabre. Cristóbal Colón, señor Mata. El rey, señor Castro. El cardenal, señor Cejudo. Don Andrés de Cabrera, señor Castañeda. Zapata, señor Viñolas. Boabdil, señor Servín. Paredes, señor Ojeda. Farfán, señor Rodríguez. Covarrubias, señor Granados. Un judío, señor Maldonado. Caballeros, damas, pajes, reyes de armas, heraldos, segovianos, vivanderas, judíos, marineros, moros y soldados. Todos los actores se han empeñado en contribuir por todos los medios al lucimiento de la función y en particular la señora Cañete no ha reparado en gastos para presentar con propiedad y lujo el elevado personaje que representa. 3º y último: Precioso terceto nuevo titulado *La redowa,* desempeñado por las señoritas Thierry y Moctezuma y el señor Bernadelly que lo dirige.

Teatro Nacional. Martes 3 de diciembre de 1850. Función extraordinaria a beneficio de la primera actriz de la compañía doña María Cañete. 1º El interesante drama nuevo en tres actos, escrito expresamente para la beneficiada por el mexicano don Ignacio Anievas, titulado *La hija del senador o los odios políticos.* 2º La señorita Thierry y el señor Bernadely bailarán un hermoso paso a dos compuesto por el señor Fernando García y dedicado a la beneficiada. 3º La señorita

Mur vestida de majo y la misma beneficiada de gitana, cantarán la graciosa pieza andaluza nominada *La solitaria o los gitanos celosos*. Concluirá con las coplas del *Trípili*. 4º y último. La señorita Moctezuma y el señor Martínez bailarán el jaleo nuevo titulado *La Zandunga*, que finalizará con *La nueva gallegada*.

Obra mexicana. Tenemos una novedad nacional: *La hija del senador*, obra del mismo autor de *Valentina*. Cuando esta primera pieza se representó nos abstuvimos de hacer de ella una crítica formal porque no encontrábamos gran cosa que decir. Ahora tenemos menos, pero para no dejar interpretar nuestro silencio por desprecio, nos vamos a ocupar de objeto desagradable, puesto que no podemos encontrar motivo de fundada y sincera alabanza. La comedia en cuestión contiene un hecho digno de interés: una joven enamorada que muere de amor. Este asunto, por haber sido tratado tan hábilmente por otros escritores, era de mucho peligro para un principiante. Pero prescindamos de esa dificultad, que ciertamente no supo vencer el señor Anievas, y busquemos en los pormenores, en la manera de narrar, el interés del drama. Tampoco aquí lo hallamos: no hay incidentes, no hay peripecias, no hay necesidad de acción, en fin, todo lo que se escucha son escenas larguísimas, interminables, que frecuentemente se convierten en disertaciones y en homilías, y todo, es decir, la muerte de la protagonista, que es el único hecho, sucede sin la apreciación de las circunstancias necesarias para producir una catástrofe.

Nos explicaremos: todo drama, contenga un hecho realmente pasado o simplemente imaginario, no es más que un trozo de historia. Ahora, la historia puede relatarse de dos modos: cronológica o filosóficamente. La cronología no puede hacerse interesante en el teatro sino por dos razones: primera, cuando los efectos de las causas propuestas escapan a la inteligencia común, es decir, cuando no se prevé el desenlace, y segunda cuando el enlace de los acontecimientos es de tal naturaleza y tan extraña, que por su novedad, su gracia o sus contrastes, entretiene la imaginación y complace el gusto. El hecho que no tenga alguna de esas dos condiciones siquiera, no puede ser dramático, ni salir del legítimo dominio de la crónica propiamente dicha. El drama consiste en no narrar acontecimientos, sino en analizarlos, analizando el corazón humano. Estos dramas son una perpetua discusión, pero de hecho cada escena equivale a esta pregunta que el autor hace el público: puesto que tales circunstancias, ¿qué harías? Si la acción que sigue después es aprobada por la opinión y el juicio de los espectadores, el drama es bueno; si no se acomoda al sentido común, es malo. Obsérvese que todo autor hábil y apreciado no deja dar un paso a sus personajes, sino cuando las circunstancias de que antes los ha rodeado, los obliga a tomar precisamente una resolución y no otra porque no les es posible, y éste es el origen de que muchos acusan con demasiada ligereza a la literatura moderna de inmoral porque justifica hasta cierto punto ciertos crímenes por la imprescindibilidad de la posición en que se cometieron.

El señor Anievas quiso hacer un drama de este género, pero la ejecución no correspondió a la intención instintiva del autor. Don Pedro Pinares asesina a su hija, la sacrifica a su ambición de engrandecimiento, ¿pero no tenía más que este camino de engrandecerse? ¿Se resolvió a cometer un filicidio, que es el último y más raro de todos los crímenes, siquiera después de haber intentado otros medios? Por el contrario, las mismas circunstancias en que Pinares aparece colocado por el autor, deberían haberlo inclinado a casar a su hija con Edgardo, a quien amaba. Pinares, ambicioso, está enriquecido fraudulentamente por el caudal del amante, de quien dependen, por consecuencia, su fama y fortuna, los dos principales elementos de engrandecimiento. Esas dos ventajas positivas no puede asegurarlas sino con la alianza de Leonardo, y con tanta más razón debió verificarse cuanto que el marido que iba a ser si le ofrecen algunas ventajas son futuras y se dejan pasar ignoradas del público, que naturalmente exige saber cuáles son los motivos para determinar ese enlace de conveniencia en que hay una víctima. Todavía más, el amante amado de la hija es un capitán medio resuelto y aficionado a pronunciamientos, lo cual es en México más valioso y apreciable para un aspirante bribón, que un pobre diablo de escritor como se supone ser el otro amante. Don Pedro mató pues a su hija porque quiso hacerlo, porque los senadores en México son naturalmente inclinados al mal.

Contemos ahora a los personajes necesarios a la acción que constituye el drama, porque siendo ésta una historia parcial, no debe haber más actores que los que contribuyen a facilitar la acción, mantener el interés o producir el desenlace. Ninguna de estas cosas hace ni el médico, ni el cura, ni el apoderado del futuro ni la prima, y por tanto los consideramos superfluos, y tanto que sin ellos se habría reducido la comedia toda a muy pocas escenas. En fin, ¿el cuadro de los caracteres presentados tiene algún fondo de moralidad? Pintar a un hombre en su trabajo y matando a su hija sin necesidad de hacerlo, es deshonrar a la humanidad, es dar una falsa idea de su índole, fomentar la misantropía. Si del senador pasamos al cura, hallamos a un sacerdote que se introduce en una casa cuyo jefe lo repugna, que espía y sorprende los secretos del hogar para no hacer nada, pues si algo hace es constituirse en jefe de la rebelión universal que en contra del senador forma su mujer, su hija, sus amigos, el médico, el amante y hasta los criados. El cura viene a convertirse en conciliador cuando ya no tienen remedio los males, cuando ha sucedido la catástrofe, cuando está muerto el objeto que originaba las dificultades y los rencores. Por lo que respecta a política, sólo la encontramos en la intención del autor y en el segundo título de la pieza, pues el pronunciamiento feliz de que tan glorioso vuelve Leonardo, tiene tanta influencia en la acción como el raspón de la espinilla que se da entre bastidores el apoderado del futuro.

Por último, notaremos que el lenguaje es uno de los rasgos más característicos de un pueblo, y que a juzgar por el vos y no por el usted, exclusivamente usado por todos los personajes, no era probablemente México la patria de los que acompañaban al senador. Basta de crítica, pero no terminaremos antes de advertir que si por un momento hemos recurrido al lenguaje magisterial, no es por ostentar sabiduría y superioridad, sino para mostrar al público y al mismo autor los fundamentos de nuestras observaciones. Si son justas, serán provechosas; si no, pronto estamos a rectificar nuestras ideas. Entre tanto, recomendamos que en los ensayos se haga representar su papel a los mites que han de apagar las velas; esta recomendación es para cuando no haya un actor que tenga bastante ingenio para convertir la luz en tinieblas, pues entonces la compensación lo vale todo. Figúrese el lector que el travieso Casanova estaba encerrado dentro de un armario; otro hombre había olvidado dentro de este mismo armario unos papeles y al venir a sacarlos debía ser encerrado en sustitución del otro, y la pieza debía estar a oscuras para que ni el entrante ni el saliente pudiesen conocerse. El apuntador levantó los apagadores de la rampa, dos mites de librea salieron a apagar las luces de un candil, pero les faltó el tino, el aplomo y una vara más de estatura; el público los aplaudía y tuvieron que retirarse dejando completamente alumbrado. ¿Qué hacía en este conflicto un actor que no tenía derecho para ver al que iba a encerrarlo? "Hacer como que estaba a oscuras", y en efecto, estas palabras oportunamente pronunciadas justificaron la situación, salvaron las dificultades y alegraron a la concurrencia, que perdonó la falta en gracia de la agudeza. Lo que nunca perdonará son los gritos del apuntador que supone mal oído o mala memoria en los actores, y cualquiera de los dos defectos es bastante para deslucir al mejor artista y la mejor comedia.

Aquel.
10 de diciembre de 1850

Beneficio de M. Rivière. El 17 del corriente debe verificarse la función de beneficio de este acreditado artista, pintor actualmente del Teatro de Santa Anna. Nada nos parece más justo que recomendarlo al público tanto por su mérito indisputable como porque la función no puede ser ni más variada ni más abundante en novedades. Hasta ahora se ha dicho que se compondrá de las piezas siguientes: 1º El drama en tres actos y en verso, original de don Miguel de Losada, intitulado *Tras una nube una estrella.* 2º Brillantes y difíciles variaciones sobre un tema de *La rosa de Verona,* del maestro Adam, ejecutadas en el piano por la niña Matilde Rivière, de once años de edad, hija del agraciado y discípula del célebre Herz. 3º Canción nueva *La china mexicana* por la señorita Mur. 4º *La violeta,* de Herz, variaciones de bravura ejecutadas por la niña Rivière. 5º Juguete de magia artificial en un acto original del beneficiado, titulado *Apuros de un escribano o el diablo rojo en Texcoco,* en el cual se estrenará una decoración que representa dicho pueblo y en la que el señor Castro bailará una polka infernal. 6º Paso a dos nuevo por la hábil Celestina Thierry y el señor Bernardelly. 7º Paso a dos nuevo titulado *El torero y la malagueña,* por la niña Lucha y el señor Martínez. Con tal programa creemos que abundará la concurrencia, y así lo deseamos porque nos es conocida la laboriosidad del señor Rivière.

16 de diciembre de 1850

Beneficio del señor Castro. La función de este apreciable y estudioso actor tendrá lugar el día 30 del presente, y se procura que sea una de las más variadas que han tenido lugar en la temporada. El drama que se pondrá en escena lleva por título *La catedral de México* y es obra del joven mexicano don Pantaleón Tovar.

22 de diciembre de 1850

Beneficio del señor Rivière. Tras una nube una estrella, drama del señor Losada. De comedias sí entendemos algo más que de música, por eso decimos que es lástima que el autor no hubiera reservado esta pieza para darse a luz, ahorrándose así el decrédito que le dieron *El Grito de Dolores* y *Contrita, inconfesa y mártir*, que no son comedias. La que se ejecutó ya lo es y vamos a hablar de ella con rigor porque todo el que comienza una senda difícil necesita más que alabanzas consejos, y aunque nosotros los necesitamos también y aunque ya no están en uso, nadie manda en nuestra voluntad. El título sólo revela el defecto general de la pieza, es decir, su lenguaje remontado, primeramente lírico en muchas partes, cosa impropia en un melodrama del género que no es sino la fiel pintura de la sociedad con todos sus accesorios; pero lo que al autor pierde como poeta dramático lo gana como lírico, pues su versificación es fácil y natural, abundante y florida, imágenes no nuevas pero vestidas con novedad, y diálogos bien contados hasta esconder el artificio del metro. La acción del drama no es lánguida porque la sostienen los versos, y la urdidumbre de las escenas es sencilla, cualidad que no deslumbra pero que satisface al buen sentido.

Rivière no debe estar orgulloso ni de su *Diablo rojo* que tiene demasiada pimienta para un paladar sensible, ni de su decoración que es hermosísima y fiel según los que conocen el original, sino de su hija de once años que toca *La violeta*, de Herz, pieza brava para las niñas de veinticinco. En verdad que la soltura, el despejo, la firmeza, la maestría de once años con que se presentó y ejecutó dos piezas difíciles al piano la niña Matilde, nos encantaron y encantaron a todo el público. Sea esa primera coronita que le ofrecieron la primera florescencia de un inmarcesible laurel.

Aquel
24 de diciembre de 1850

ÍNDICE ALFABÉTICO DE NOMBRES

(seleccionado)

589

592

ÍNDICE GENERAL

En la Imprenta Universitaria, bajo la
dirección de Jorge Gurría Lacroix, se
terminó la impresión de *El teatro en
México en la época de Santa Anna
(1840-1850)*, el día 7 de abril de
1972. Su composición se hizo en tipos
Electra 10:11, 9:10 y 8:9. La edición
consta de 2 000 ejemplares.

ESTUDIOS Y FUENTES DEL ARTE EN MÉXICO